DE WATERSPUWER

Andrew Davidson

De waterspuwer

Vertaling Paul Bruijn
en Otto Biersma

2008

DE BEZIGE BIJ

AMSTERDAM

De vertalers ontvingen voor deze vertaling een werkbeurs
van de Stichting Fonds voor de Letteren.

Cargo is een imprint van uitgeverij De Bezige Bij, Amsterdam

Copyright Nederlandse vertaling © 2008 Paul Bruijn en Otto Biersma
Oorspronkelijke titel *The Gargoyle*
Oorspronkelijke uitgever Canongate Books, Edinburgh
Omslagontwerp Dog and Pony
Omslagillustratie Elyse Regehr/Getty Images
Foto auteur Deborah Feingold
Vormgeving binnenwerk Adriaan de Jonge
Druk Clausen & Bosse, Leck
ISBN 978 90 234 2904 3
NUR 302

www.uitgeverijcargo.nl

'Die Liebe ist stark wie der Tod, hart wie die Hölle.'
Der Tod scheidet die Seele vom Leibe,
die Liebe aber scheidet all Dinge von der Seele...

MEISTER ECKHART, DEUTSCHE MYSTIK

PREDIGT: 'ÊWIGE GEBURT'

'Liefde is sterk als de dood, hard als de hel.'
De dood scheidt de ziel van het lichaam,
maar liefde scheidt al het aardse van de ziel.

MEISTER ECKHART, DUITS MYSTICUS

PREEK: 'EEUWIGE GEBOORTE'

I

Als er een ongeluk gebeurt, overvalt dat het nietsvermoedende slachtoffer vaak in alle hevigheid, net als de liefde.

Het was Goede Vrijdag, en de sterren begonnen net te vervagen in de ochtendschemering. Tijdens het rijden streek ik uit gewoonte over het litteken op mijn borst. Mijn oogleden waren zwaar en mijn blik onscherp, niet zo vreemd, aangezien ik de nacht had doorgebracht gebogen over een spiegel en ik lijntjes wit poeder opsnoof van het glas van een spiegel die mijn gezicht gevangenhield. Ik dacht dat ik mijn reflexen aan het scherpen was. Ik had het mis.

Aan één kant van de bochtige weg lag een ravijn, aan de andere kant een donker bos. Ik probeerde me te concentreren op de weg, maar ik had sterk het gevoel dat achter de bomen iets me lag op te wachten, misschien wel een troep huursoldaten. Zo gaat dat met drugsparanoia. Met bonzend hart omklemde ik het stuur en het zweet liep mijn nek in.

Tussen mijn benen hield ik een fles bourbon geklemd. Ik pakte hem en nam nog een slok. Ik liet de fles uit mijn hand vallen en morste een deel van de inhoud op mijn schoot waarna de fles op de bodemplaat viel. Ik boog voorover om hem te pakken voordat er nog meer uit liep, en toen ik weer opkeek, zag ik het visioen, het idiote visioen dat alles in gang zette. Ik zag een zwerm brandende pijlen uit het bos komen, recht op de auto af. Instinctief gaf ik een ruk aan het stuur, weg van het bos waar mijn onzichtbare aanvallers zaten. Dat was geen goed idee, want daardoor reed ik tegen de afscheiding tussen mezelf en de diepte. Er klonk

7

gekrijs van metaal tegen metaal, het portier aan de passagiers-kant dat langs de strakke metalen kabels schraapte, en een stel klappen toen ik de houten palen schampte, elke klap als de stroomstoot van een defibrillator.

Ik overcompenseerde en slipte naar de andere weghelft waar-bij ik maar net een pick-up miste. Ik rukte te hard aan het stuur waardoor ik weer naar de afscheiding schoot. De kabels braken en sloegen alle kanten op, als de tentakels van een geharpoe-neerde octopus. Eentje vernielde de voorruit en ik weet nog dat ik opgelucht was dat hij mij niet had geraakt toen de auto uit de armen van het stuiptrekkende monster viel.

Er volgde een kort moment van gewichtloosheid: een even-wichtspunt tussen lucht en aarde, grond en hemel. Vreemd, dacht ik, het is net dat moment tussen slapen en vallen waarin al-les prachtig surrealistisch en niets tastbaar is. Maar zoals zo vaak gebeurt op het moment tussen aanwezigheid op aarde en het wegglijden in dromen, eindigde dit moment met een harde ruk terug naar de werkelijkheid.

Een auto-ongeluk lijkt een eeuwigheid te duren en er is altijd een moment waarop je denkt dat je de fout kunt herstellen. Ja, denk je, het klopt dat ik van een berg af stort in een auto van zo'n vijftienhonderd kilo. Het klopt dat de bodem van de kloof dertig meter lager ligt. Maar ik weet zeker dat alles goed komt als ik het stuur hard naar één kant draai.

Als je dan een slinger aan het stuur hebt gegeven en hebt ge-merkt dat het geen enkel verschil maakt, volgt die ene, glashel-dere gedachte: o shit. Een heerlijk moment voel je die lege geluk-zaligheid waar oosterse filosofen hun hele leven naar op zoek zijn. Maar na die transcendentie worden je hersens een super-computer die het aantal omwentelingen van je auto kan bereke-nen, vermenigvuldigt met de snelheid van de val en de hellings-hoek, daarbij rekening houdt met Newtons bewegingswetten, en in een fractie van een seconde kom je in paniek tot de conclusie dat dit verdomd veel pijn gaat doen.

Naar beneden stuiterend neemt de snelheid van je auto toe. Je veronderstelling wordt snel bevestigd: het is inderdaad behoorlijk pijnlijk. Je hersens registreren de verschillende gebeurtenissen. Je hebt het over de kop slaan, de desoriëntatie en het geknars van de auto terwijl die zijn heidense yogaoefening doet. Krakend metaal wordt tegen je ribben gedrukt. Je ruikt de geur van het kwaad van de duivel, een drietand in je kont en zwavel in je mond. De Klootzak is vlakbij, geen twijfel mogelijk.

Ik herinner me de hete, zilveren flits toen de bodemplaat alle tenen van mijn linkervoet afsneed. Ik herinner me hoe de stuurkolom over mijn schouder vloog. Ik herinner me het glas dat overal om me heen spatte. Toen de auto tot stilstand kwam, hing ik ondersteboven in mijn veiligheidsgordel. Ik hoorde het gesis van gassen die uit de motor ontsnapten en de wielen die boven me nog steeds draaiden, en het gekraak van metaal tot de auto ophield met schommelen, een zielige schildpad op zijn rug.

Net toen ik begon weg te zakken in bewusteloosheid kwam de explosie. Geen filmexplosie, maar een kleine, levensechte, als het ontbranden van een sikkeneurige gasoven die een hekel heeft aan zijn eigenaar. Er schoot een blauwe vlam langs het dak van de auto, dat zich schuin onder mijn bungelende lichaam bevond. Er kroop een bloeddruppel uit mijn neus, die verwachtingsvol in het beginnende vuur onder me dook. Ik voelde hoe mijn haar vlam vatte; vervolgens kon ik het ruiken. Mijn vlees begon te schroeien alsof ik een biefstuk was die net op de barbecue was gegooid, en ik kon mijn huid horen borrelen toen de vlammen haar beroerden. Ik kon niet bij mijn hoofd komen om mijn brandende haar te doven. Mijn armen reageerden niet.

Beste lezer, ik neem aan dat je weleens hebt ervaren hoe hitte voelt. Misschien heb je een keer een ketel kokend water verkeerd vastgehouden waardoor de stoom in je mouw wolkte; of heb je in jeugdige overmoed zo lang mogelijk een brandende lucifer tussen je vingers gehouden. Heeft niet iedereen op zijn minst één keer het bad met te heet water gevuld en vergeten er eerst één teen in te steken voordat de hele voet erin ging? Als je alleen maar ervaring hebt met dat soort kleine ongelukjes, wil ik dat je je iets nieuws probeert voor te stellen. Stel je voor dat je een van de pitten van je fornuis aanzet – bijvoorbeeld zo'n elek-

9

trisch exemplaar met van die zwarte inductieplaten. Zet er geen ketel met water op, want het water absorbeert de hitte en gaat koken. Misschien kringelt er een klein rookwolkje omhoog van een eerder gemorst restje. Op de zwarte plaat verschijnt een zachtpaarse gloed, daarna krijgt hij een roodpaarse kleur als van een onrijpe bosbes. Vervolgens wordt hij oranje en uiteindelijk – eindelijk! – intens gloeiend rood. Best een mooi gezicht, hè? Breng nu je hoofd omlaag zodat het zich op gelijke hoogte bevindt met de bovenkant van het fornuis en je door de opkringelende hitte heen kunt kijken. Denk maar aan zo'n oude film waarin de held over de woestijn uitkijkt en onverwacht een oase ziet. Ik wil dat je met de vingertoppen van je linkerhand zachtjes over de handpalm van je rechter gaat en beseft dat je huid zelfs de lichtste aanraking registreert. Als iemand anders het deed, zou je het misschien zelfs opwindend vinden. Sla nu met die gevoelige hand direct op het gloeiende element.

En hou hem daar. Hou hem daar terwijl de kookplaat Dantes negen ringen in je handpalm brandt zodat je de hel voor altijd in je hand hebt. Laat de hitte door je huid, je spieren en je pezen gaan, laat het smeulen tot op het bot. Wacht tot de hitte zich zo diep in je heeft genesteld dat je niet weet of je die kookplaat ooit nog kunt loslaten. Al snel stijgt de stank van je eigen brandende vlees op, dringt in je neus door en weigert te verdwijnen, en ruik je hoe je eigen lichaam brandt.

Ik wil dat je je hand op de plaat houdt en langzaam tot zestig telt. Niet vals spelen. Eenentwintig, tweeëntwintig, drieëntwintig… Bij zestig zal je hand gesmolten zijn zodat hij nu om het gloei-element heen zit, er één mee is geworden. Ruk nu je hand los.

Ik heb nog een opdracht voor je: buig voorover, hou je hoofd schuin en druk je wang tegen hetzelfde element. Je mag zelf kiezen welke kant van je gezicht. Nog een keer tot zestig tellen; niet vals spelen. Het handige hierbij is dat je oor vlakbij zit om het gesudder en gespetter van je vlees op te vangen.

Nu heb je een beetje een idee hoe het was om vast te zitten in die auto, niet in staat om aan de vlammen te ontsnappen, vol-

doende bij bewustzijn om het gebeuren in me op te nemen totdat ik in shock raakte. Er waren een paar korte, genadige momenten waarin ik kon horen, ruiken en denken, alles registre-
rend, maar zonder iets te voelen. *Waarom doet het geen pijn meer?*
Ik weet nog dat ik mijn ogen sloot en hoopte op volledige, prachtige duisternis. Ik weet nog dat ik dacht dat ik vegetariër had
moeten worden.

Toen bewoog de auto een laatste keer, hij gleed in de beek op
de rand waarvan hij had gebalanceerd. Alsof de schildpad zich
had weten op te richten en zich naar het dichtstbijzijnde water
haastte.

Deze gebeurtenis – de auto die in het water viel – redde mijn
leven doordat de vlammen erdoor werden gedoofd en mijn gebraden vlees werd gekoeld.

*Een ongeval overvalt het nietsvermoedende slachtoffer vaak in alle
hevigheid, net als de liefde.*

Ik weet niet of het de beste beslissing was om te beginnen met
mijn ongeluk, aangezien ik nog nooit een boek heb geschreven.
Eerlijk gezegd ben ik met het ongeluk begonnen om je interesse
te wekken en je mee te slepen in het verhaal. Je zit nog steeds te
lezen, dus zo te zien is het gelukt.

Ik heb gemerkt dat het lastigste van schrijven niet het formuleren van de zinnen zelf is. Het is de beslissing wat je erin zet en
waar, en wat je weglaat. Ik twijfel voortdurend aan mezelf. Ik
heb voor het ongeluk gekozen, maar ik had net zo goed op een
ander punt in mijn vijfendertigjarige leven daarvoor kunnen beginnen. Waarom begin je niet met: 'Ik ben geboren in het jaar
19... in...'?

En waarom zou ik me zelfs maar beperken tot de tijdspanne
van mijn leven? Misschien moet ik in Neurenberg beginnen, in
het begin van de dertiende eeuw, waar een vrouw met de onfor-
tuinlijke naam Adelheid Rotter afstand deed van een leven dat
zij als zondig beschouwde en toetrad tot de begijnen – vrouwen

die niet echt tot de officiële kerk behoorden, maar in navolging van Christus voor een leven in armoede kozen. In de loop der tijd kreeg Rotter meer en meer aanhangers en in 1240 verhuisden ze naar een melkveehouderij in Engelschalksdorf in de buurt van Swinach, waar ze van een weldoener met de naam Ulrich II von Königstein mochten wonen in ruil voor het verrichten van werkzaamheden. In 1243 zetten ze een eigen gebouw neer en het jaar daarop werd het met de verkiezing van hun eerste priores een klooster.

Toen Ulrich zonder mannelijke erfgenaam overleed, liet hij zijn gehele landgoed na aan de begijnen. In ruil daarvoor moest het klooster voor begraafplaatsen voor zijn verwanten zorgen en tot in lengte van dagen bidden voor het geslacht Von Königstein. Hij was zo wijs om ervoor te zorgen dat het geheel de naam Engelthal kreeg, 'Vallei der Engelen', en niet Swinach – 'Varkensoord'. Maar de laatste bepaling van Ulrich zou de grootste invloed op mijn leven hebben: hij eiste dat het klooster een scriptorium zou oprichten.

Ogen open na rode en blauwe lichtflitsen. Een bliksemaanval van stemmen en geluiden. Door de zijkant van de auto boort een metalen staaf die hem uit elkaar duwt. Uniformen. Godsamme, ik ben in de hel en ze dragen uniformen. Een man roept iets. Een ander zegt op geruststellende toon: 'We krijgen je er wel uit. Maak je geen zorgen.' Hij heeft een insigne op. 'Alles komt goed,' belooft hij vanachter zijn snor. 'Hoe heet je?' Ik weet het niet meer. Een andere hulpverlener roept naar iemand die ik niet kan zien. Hij deinst terug bij mijn aanblik. Horen ze dat te doen? Duisternis.

Ogen open. Ik lig vastgesnoerd op een brancard. Een stem zegt: 'Drie, twee, een, en tillen.' De hemel schiet op me af en dan bij me vandaan. 'Erin,' zegt de stem. Metaalgeluiden als de brancard op zijn plek klikt. Doodskist, maar waarom geen deksel? Te klinisch voor de hel, en zou het dak van de hemel echt van grijs metaal zijn? Duisternis.

Ogen open. Opnieuw gewichtloos. Charon draagt iets blauws van synthetische en katoenen garens. De sirene van een ambulance weerkaatst tegen een betonnen Acheron. Er is een infuus in mijn lichaam ingebracht – overal? Er ligt een deken van gel over me heen. Nat, nat. Duisternis.

Ogen open. Het geschok van wielen als van een winkelwagentje op beton. De vervloekte stem zegt: 'Nu!' De hemel bespot me, glijdt langs me, dan volgt een witgepleisterd plafond. Dubbele deuren slaan open. 'OK 4!' Duisternis.

Ogen open. De geopende muil van een slang die grijnzend naar me uithaalt met de woorden: IK KOM... De slang probeert mijn hoofd op te slokken. Nee, geen slang, het is een zuurstofmasker. ...EN JE KUNT ER NIETS TEGEN DOEN. Ik zak weg in zwarte gasmaskerduisternis.

Ogen onthullen. Brandende handen, brandende voeten, overal vuur, maar ik zit midden in een sneeuwstorm. Een bos in Duitsland, in de buurt is een rivier. Een vrouw met een kruisboog op een rotspunt. Mijn borst voelt alsof hij getroffen is. Ik hoor hoe mijn hart bezwijkt. Ik probeer te praten maar breng alleen wat schor gekras voort, en een verpleegster zegt dat ik moet rusten, dat alles goed komt. Duisternis.

Boven me zweeft een stem. 'Ga slapen. Ga nu maar slapen.'

Na het ongeluk zwol ik op als een pas geroosterd worstje, waarbij mijn huid openknapte om ruimte te bieden aan het uitdijende vlees. De artsen met hun hongerige scalpels versnelden het proces met een paar snelle incisies. De procedure wordt een excisie genoemd en zorgt ervoor dat het opzwellende weefsel de ruimte krijgt. Het heeft iets weg van een opstand van je eigen verborgen innerlijk, dat het eindelijk de gelegenheid krijgt om zich naar buiten te klauwen. De artsen dachten dat ze mijn herstel konden versnellen door me open te snijden, maar in feite bevrijdden ze alleen maar het monster – een wezen van gezwollen vlees, overgoten met jus.

Een lichte brandwond leidt tot een blaar met plasma erin, brandwonden zoals de mijne leiden tot een gigantisch vochtverlies. In mijn eerste vierentwintig uur in het ziekenhuis pompten de artsen drieëntwintig liter isotone vloeistof in mijn lijf om het verlies aan lichaamsvloeistoffen op te vangen. Ik dreef in de vloeistof, want het liep net zo snel uit mijn verschroeide lijf als het erin werd gepompt. Ik leek wel een woestijn tijdens een stortvloed.

Deze te snelle uitwisseling van vloeistoffen leidde tot een onbalans in de samenstelling van mijn bloed waardoor mijn immuunsysteem overhoop werd gegooid, een probleem dat in de weken erna nog nijpender werd toen infectie het grootste gevaar vormde. Zelfs iemand met brandwonden met wie het geruime tijd na het ongeluk goed lijkt te gaan, kan in een mum van tijd het loodje leggen door een infectie. Het afweersysteem van het lichaam functioneert het slechtst op het moment dat het het hardst nodig is.

De buitenste lagen van mijn verwoeste lichaam waren bedekt met bloederige resten verkoold weefsel dat de 'brandkorst' wordt genoemd, het Hirosjima van het lichaam. Net zoals je een berg gescheurde betonblokken na een atoombom geen gebouw kunt noemen, kon je de buitenste laag na het ongeluk geen huid noemen. Ik was een permanente noodsituatie, met zilverion- en sulfadiazinecrème uitgesmeerd over wat er van me over was. Daaroverheen lag gaasverband op de verwoeste plekken.

Ik was me niet bewust van dit alles, ik hoorde het pas later van de artsen. Op dat moment was ik comateus. Een machine klikte op het trage metronoomritme van mijn hart. Door slangetjes werden vloeistoffen, elektrolyten, antibiotica en morfine toegediend (infuus, voedingskatheter, beademingsbuis, voedingssonde, urinekatheter, echt een slangetje voor alle gelegenheden!). Een isolatiedeken hield mijn lichaam warm genoeg om het te laten overleven, een beademingsapparaat ademde voor me en ik kreeg zo veel bloedtransfusies dat daarbij vergeleken Keith Richards maar een kleine jongen was. De artsen verwijderden mijn aangetaste buitenkant door me te debrideren, oftewel het verkoolde vlees weg te schaven. Ze kwamen met tanks met vloeibaar stikstof waarin afgeschaafde huid zat van mensen die kortgeleden waren overleden. De vellen werden in water geweekt, netjes op mijn rug gedrapeerd en op hun plek vastgeniet. Alsof ze graszoden legden op de probleemplekken rond hun zomerhuisje wikkelden ze me in de huid van de doden. Mijn lichaam werd voortdurend schoongemaakt, maar desondanks bleef ik de vellen lijkhuid afstoten; ik heb nooit goed kunnen samenwerken. Dus werd ik keer op keer ingepakt in kadaverhuid.

Daar lag ik, gekleed in dode mensen als wapenrusting tegen de dood.

De eerste zes jaar van mijn leven.

Mijn vader was hem al voor mijn geboorte gesmeerd. Hij was overduidelijk een uiterst innemende losbol, altijd in voor een vluggertje en nog vlugger weer verdwenen. Mijn moeder, die was verlaten door deze naamloze Don Juan, stierf in het kraambed en ik dreef deze wereld binnen op een golf van haar bloed. Het schijnt dat de verpleegster die mijn besmeurde lijfje oppakte, uitgleed in een plas bloed toen ze de verloskamer wilde verlaten. Mijn oma zag me voor het eerst toen ik langs haar werd gedragen door een voortsnellende verpleegster die eruitzag als een rood-witte rorschachtest.

De bevalling ging ook voor mij mis. Ik heb nooit te horen gekregen wat er precies is gebeurd, maar om de een of andere reden lag mijn lichaam van mijn buik tot mijn borst open, met als resultaat een lang litteken – misschien een misser met een scalpel toen ze probeerden mijn moeder te redden. Ik weet het gewoonweg niet. Terwijl ik groeide, bleef het litteken even groot totdat het uiteindelijk nog maar een paar centimeter lang was, midden op de linkerkant van mijn borst, waar een romantisch iemand het hart zou tekenen.

Tot mijn zesde woonde ik bij mijn oma. Haar weerzin jegens mij, de veroorzaker van de dood van haar dochter, was overduidelijk. Volgens mij was ze niet echt een slecht mens, eerder iemand die nooit had verwacht dat haar dochter eerder dan zij zou overlijden, laat staan dat ze zich op hoge leeftijd nog zou moeten ontfermen over een kind.

Mijn oma sloeg me niet; ze gaf me keurig te eten; ze zorgde dat ik alle vereiste vaccinaties kreeg. Alleen moest ze me gewoon niet. Ze stierf op een van de zeldzame dagen dat we het leuk hadden, terwijl ze me duwde op de schommel van een speelplaats. Ik ging omhoog en stak mijn benen uit naar de zon. Ik zwaaide terug in de verwachting dat zij me zou opvangen. In plaats daarvan zeilde ik langs haar voorovergebogen lichaam. Toen ik weer naar voren ging, lag ze voorover op haar ellebogen. Daarna viel ze met haar gezicht in de modderige aarde van het speelterrein. Ik rende naar een nabijgelegen huis om de volwassenen te waarschuwen, en daarna zag ik vanaf het klimrek de ambulance te laat komen. Toen de hulpverleners haar optilden, zwaaiden de vlezige armen van mijn oma heen en weer als de vleugels van een vleermuis wiens radar is uitgevallen.

Op het moment dat ik het ziekenhuis werd binnengebracht, veranderde ik van een mens in een status. Nadat ze me hadden gewogen, haalden de artsen hun calculators erbij om de omvang van mijn brandwonden in te tikken en te berekenen hoe groot mijn overlevingskansen waren. Niet groot.

Hoe ze dat deden? Net als in elk sprookje is er een toverformule, in dit geval de 'Regel van Negen' genaamd. Het percenta-ge aangetast weefsel wordt vastgesteld en genoteerd op een soort voodookaart van het menselijk lichaam, verdeeld in seg-menten, gebaseerd op veelvouden van negen. De armen en het hoofd zijn elk goed voor negen procent van het totale lichaams-oppervlak, elk been is goed voor achttien procent, en de voor- en achterkant van het bovenlichaam zijn goed voor zesendertig procent. Vandaar de Regel van Negen.

Er spelen natuurlijk ook andere factoren mee bij het vaststel-len van de verbrandingsgraad. De leeftijd, bijvoorbeeld. Als je heel oud of heel jong bent, is de kans op overleven kleiner, maar als je jong bent en je overleeft het, is het renegeratievermogen veel groter. Dus dat is in hun voordeel. Dat is prettig. Je moet ook rekening houden met de aard van de brandwonden: blaren door kokende vloeistoffen; elektriciteitsbrandwonden door een stroomstoot; of chemische brandwonden, hetzij door zuur of al-kalische stoffen. Ik beperkte mijn menu tot thermische brand-wonden, degene die alleen door vuur zijn veroorzaakt.

Je vraagt je misschien af wat er eigenlijk gebeurt met levend weefsel dat verbrandt. Cellen bestaan voor het grootste deel uit vloeistof, die kan gaan koken waardoor de celwand explodeert. Dat is niet best. In een tweede scenario wordt het proteïne ge-bakken als een ei in een koekenpan waardoor het van een dunne vloeistof verandert in iets wits en slijmerigs. Als dat gebeurt, komt alle metabolische activiteit van de cel tot stilstand. Dus zelfs als de hitte niet groot genoeg is om de cel direct te doden, zal de falende zuurstofproductie ertoe leiden dat het weefsel op korte termijn afsterft. Het enige verschil is dat het een langzame capitulatie is in plaats van een directe, onvoorwaardelijke.

Na de dood van oma ging ik bij Debi en Dwayne Michael Grace wonen – een oom en tante, het ultieme uitschot, die meteen van-af mijn komst een hekel aan me hadden. Maar ze waren wel in hun schik met de cheques om in mijn levensonderhoud te voor-zien. Het maakte het scoren van drugs een stuk eenvoudiger.

In mijn tijd bij de godverlaten Graces verhuisde ik van het ene trailerpark naar het andere tot ze op een nachtelijk feestje belandden dat uitliep op een drie jaar durend methamfetaminefestival. Ze waren hun tijd ver vooruit: meth was toen nog lang niet zo populair als nu. Als er geen pijp in de buurt was om het in te roken, gebruikten ze een uitgeholde gloeilamp, en soms was de vraag naar gloeilampen zo groot dat we geheel in het duister leefden. Desondanks leken de drugs nooit op te raken. De Graces spendeerden, met een grijns als een kapotgeslagen keyboard, elke cent bij de dealer.

Een van de buren stelde haar dochter, die een paar jaar jonger was dan ik, beschikbaar in ruil voor drugs. Voor het geval je het je afvraagt, de straatwaarde van een achtjarige is vijfendertig dollar, of in elk geval was dat zo toen ik jong was. Als de moeder een verwilderde blik in haar ogen kreeg en zich in zichzelf terugtrok, kwam het meisje huilend naar mijn kamertje, doodsbang voor de aanstaande transactie. Volgens de laatste berichten die ik over ze hoorde was de moeder van haar verslaving afgekomen en had ze God gevonden. De dochter (inmiddels volwassen) was een zwangere heroïneverslaafde.

Het overgrote deel van mijn jeugd was niet prettig, maar ik ben nooit voor seks verhandeld zodat mijn voogden aan hun dosis konden komen. Toch zou een mens wat beters over zijn jeugd moeten kunnen vertellen.

De enige manier waarop ik dat ellendige leven heb overleefd was door te fantaseren over een beter leven, dus las ik alles wat ik in handen kreeg. In mijn vroege tienerjaren zat ik zo lang in de bibliotheek dat de medewerksters extra boterhammen voor me meebrachten. Ik heb dierbare herinneringen aan die vrouwen, die me bepaalde boeken aanraadden en uren met me praatten over wat ik te weten was gekomen.

Lang voordat ik de drugsbehoefte zou ontwikkelen die mijn volwassen leven zou bepalen, zat er al iets dwangmatigs in mijn karakter. Mijn eerste en meest langdurige verslaving was altijd dat ik alles wilde weten over een onderwerp dat mijn nieuwsgierigheid had gewekt.

Hoewel school me maar matig kon boeien, zag ik onderwijs niet als iets overbodigs. Integendeel: mijn probleem was dat het me afhield van zaken die ik fascinerender vond. De lessen waren bedoeld om ons praktische zaken bij te brengen, maar omdat ik de basisprincipes zo snel doorzag, konden ze mijn belangstelling niet vasthouden. Ik werd voortdurend afgeleid door de mogelijke geheimen in een voetnoot in een lesboek of in een geschreven aantekening van een leraar. Een voorbeeld: als mijn wiskundeleraar zijdelings iets vertelde over Galileï's beschrijving van de hel, kon ik me met geen mogelijkheid nog concentreren als hij verderging over de zijden van een parallellogram. Dan verzuimde ik de drie daaropvolgende lessen zodat ik naar de bibliotheek kon gaan om zo veel mogelijk over Galileï te weten te komen. En als ik terugkwam, haalde ik een onvoldoende voor het eerstvolgende wiskundeproefwerk omdat er geen vragen over de Inquisitie bij zaten.

Deze drang tot zelfonderricht is gebleven, wat intussen duidelijk zal zijn vanwege mijn omschrijving van de behandeling van brandwonden. Het onderwerp had zo veel betrekking op mezelf dat ik er hoe dan ook zo veel mogelijk over te weten wilde komen. En daar is het niet bij gebleven: om redenen die later duidelijk zullen worden, heeft het klooster van Engelthal ook geleid tot vele dwangmatige uren van onderzoek.

Inderdaad, buiten de bibliotheek stond mijn leven in het teken van het kwaad, maar erbinnen ben ik altijd even toegewijd geweest aan kennis als een heilige aan zijn bijbel.

Brandwonden, zo ontdekte ik, worden ook gerubriceerd aan de hand van het aantal lagen beschadigde huid. Oppervlakkige (eerstegraads) brandwonden tasten alleen de epidermis aan, de bovenste laag. Bij blaarvormende (tweedegraads) brandwonden zijn de epidermis en de tweede laag, het corium, aangetast. Bij derdegraads brandwonden zijn alle lagen aangetast en is er sprake van blijvende littekenvorming.

Ernstige gevallen – zoals het mijne – vertonen meestal een

combinatie van de drie gradaties, aangezien niemand aan het spit draait om alles gelijkmatig te roosteren. Mijn rechterhand is bijvoorbeeld geheel onbeschadigd. Er zaten alleen wat lichte brandplekken op die met een gewone crème werden behandeld.

Op mijn onderbenen en in de omgeving van mijn billen had ik tweedegraads brandwonden. De huid krulde op als de bladzijden van een brandend manuscript en de genezing nam enkele maanden in beslag. Momenteel is de huid niet perfect, maar wat zou het, het is niet al te erg. Ik kan nog steeds mijn kont voelen als ik erop zit.

Derdegraads brandwonden zien eruit alsof je ouweheer de steak op de barbecue is vergeten omdat hij dronken was. Deze brandwonden zijn verwoestend: het weefsel geneest niet meer. Het litteken is wit, zwart of rood; het is een harde, droge wond, voor altijd haarloos omdat de follikels eruit gekookt zijn. Vreemd genoeg zijn derdegraads brandwonden in zekere zin minder erg dan tweedegraads – ze doen geen pijn omdat de zenuwuiteinden weggeschroeid zijn.

Brandwonden aan handen, hoofd, hals, borst, oren, gezicht, voeten en rond de bilnaad vergen extra aandacht. Deze gebieden halen de hoogste scores bij de Regel van Negen; drie centimeter verbrande hoofdhuid telt zwaarder dan drie centimeter verbrande rug. Helaas bevonden zich bij mij daar juist de derdegraads brandwonden, dus dat was pech hebben.

In de medische wereld heerst wat onenigheid over of er daadwerkelijk zoiets bestaat als vierdegraads brandwonden, maar dat is een geval van een stel gezonde artsen die bij een congres ruziën over de terminologie. Deze vierdegraads brandwonden, als je akkoord gaat met de term, dringen door tot de botten en pezen. Die had ik ook; alsof het nog niet erg genoeg was dat de bodemplaat de tenen van mijn linkervoet had afgesneden, kostten deze zogenaamde vierdegraads brandwonden me ook nog drie tenen van mijn rechtervoet plus anderhalve vinger van mijn linkerhand. En helaas ook nog een ander lichaamsdeel.

Je herinnert je misschien dat ik vlak voor het ongeluk bourbon op mijn broek had gemorst. Dat was een heel slecht gekozen moment. Het resultaat was dat mijn kruis doorweekt was met een brandbare vloeistof waardoor de hitte daar extra intens was. Mijn penis stak als een kaars uit mijn lichaam en brandde dienovereenkomstig, waardoor er slechts een geblakerd lontje resteerde. Aangezien hij niet meer te redden was, werd hij kort na mijn opname verwijderd bij een operatie die 'penectomie' wordt genoemd.

Toen ik vroeg wat er was gebeurd met het restant van mijn mannelijkheid vertelde de verpleegster dat het als medisch afval was verwerkt. Misschien om me op te beuren vertelde ze ook dat de artsen mijn scrotum en testikels hadden laten zitten. Kennelijk vonden ze het te ver gaan om het hele handeltje weg te halen.

De Graces kwamen om bij een explosie in een methlaboratorium, negen jaar nadat ik in hun trailer was ingetrokken. Het was geen verrassing: bestaat er iets riskanters dan een stel verslaafden die hun drugs brouwen in een afgesloten ruimte, met ingrediënten als lampolie, thinner en alcohol?

Ik was niet echt ontdaan. Op de dag van hun begrafenis ging ik naar de bibliotheek om met de medewerkers de biografie van Galileo Galileï, die ik had gelezen, te bespreken – omdat mijn wiskundeleraar inderdaad mijn interesse voor de wetenschapper had gewekt.

Elke schooljongen kan je vertellen over de vervolging van Galileï door de Inquisitie, maar de werkelijkheid lag ingewikkelder. Het was nooit zijn bedoeling een 'slechte' katholiek te zijn, en toen hij het bevel kreeg om niet langer zijn leer over een heliocentrisch heelal uit te dragen, hield Galileï zich daar jarenlang aan. Zijn dochter Virginia trad toe tot een klooster onder de prachtige naam zuster Maria Celeste, en zijn dochter Livia deed hetzelfde onder de net zo exotische naam zuster Arcangela. Dit heeft wel iets mooi passends: terwijl hij nu als schoolvoorbeeld wordt gezien als het gaat om wetenschap die wordt onderdrukt door het geloof, verbond hij juist geloof en wetenschap. Er wordt beweerd dat toen Tommaso Caccini, een jonge dominicaan, als eerste publiekelijk Galileï's copernicaanse theorie af-wees, hij zijn preek afsloot met een bijbelvers uit de Handelin-gen van de Apostelen: *Gij Galilese mannen, wat staat gij en ziet op naar den hemel?* Wat Caccini niet wist, was dat Galileï, als hij naar de hemel opkeek, net zo goed aan het bidden kon zijn als be-zig met het in kaart brengen van astronomische verschijnselen.

Op vierentwintigjarige leeftijd probeerde Galileï een leer-stoel aan de universiteit te verkrijgen door twee lezingen te ge-ven over de achtergronden van Dantes *Inferno*. De meeste mo-derne denkers zouden zo'n lezing maar eigenaardig vinden, maar in Galileï's tijd was het bestuderen van danteske kosmo-grafie heel erg in trek. (Niet zonder toeval vonden de lezingen plaats op de Florentijnse Academie, in zijn geboorteplaats.) Ze waren een groot succes en verzekerden hem van een aanstelling als hoogleraar wiskunde aan de universiteit van Pisa.

Pas later kwam Galileï erachter dat de stelling die hij in zijn lezingen had ingenomen onjuist was en dat zijn opvatting dat de kegelvormige structuur van de hel invariabel was, en dus in grootte kon toenemen zonder aan sterkte in te boeten, niet waar was. Als de hel zich echt in het binnenste van de aarde bevond, zou door de grootte van de holte het dak (de aardmantel) instor-ten, tenzij de muren van de hel veel dikker waren dan hij oor-spronkelijk had beweerd. Dus wijdde Galileï zich aan het bestu-deren van wiskundige verhoudingen, en op latere leeftijd publi-ceerde hij zijn ontdekkingen in *Twee nieuwe wetenschappen*, een boek dat de grondslag vormt voor de moderne natuurkunde – een wetenschap die nu onder meer bestaat omdat Galileï besefte dat hij een fout had gemaakt door zijn toepassing van natuur-wetten op een bovennatuurlijke omgeving.

Maar als de hel echt bestaat, is de kans groot dat je er Debi en Dwayne Michael Grace aantreft.

Ik was bijna zeven weken buiten bewustzijn, verpakt in mijn om-hulsel van dode huid. Mijn coma werd eerst veroorzaakt door de shock, maar vervolgens besloten de artsen om me in die toestand te houden, kunstmatig uitgeschakeld terwijl het genezingsproces op gang kwam.

Ik hoefde niet bewust mee te maken dat mijn bloedcirculatie het begaf, of rekening te houden met mijn nierschade. Ik had er geen weet van dat mijn darmen ermee ophielden. Ik wist niets van de inwendige zweren waardoor ik bloed braakte, en dat de verpleegsters alles in het werk moesten stellen om te zorgen dat ik niet stikte als dat gebeurde. Ik hoefde me geen zorgen te maken over de infecties die konden optreden na elke spoedoperatie of huidtransplantatie. Ik kreeg niet te horen dat mijn haarzakjes waren verbrand of dat mijn zweetklieren waren vernietigd. Ik was niet bij bewustzijn toen ze het roet uit mijn longen zogen – een ingreep die overigens een 'longspoeling' wordt genoemd.

Alsof mijn amputaties nog niet genoeg waren, was mijn rechterbeen verbrijzeld. Toen mijn toestand stabiel was, volgden er operaties om mijn verbrijzelde dijbeen en knie op te lappen. Mijn stembanden waren ernstig beschadigd door het inademen van rook en er werd een tracheotomie uitgevoerd zodat mijn strottenhoofd kon gaan genezen zonder dat het geïrriteerd raakte doordat er een slangetje tegenaan gedrukt zat. Me in leven houden had voorrang boven een mooi stemgeluid of niet mank lopen.

Tijdens de coma trad er onvermijdelijk atrofie van de spieren op. Ik bewoog niet en omdat een groot deel van mijn huid verwoest was, begon mijn lichaam zichzelf op te eten. Het verbruikte de proteïne en er waren enorme hoeveelheden energie nodig om mijn temperatuur constant te houden. De isolatiedeken was niet voldoende, dus staakte mijn lichaam de bloedtoevoer naar de ledematen. De kern is het belangrijkst, laat die buitengebieden maar stikken. Ik werd letterlijk een parasiet van mezelf. Mijn urineproductie hield ermee op en zo vergiftigde ik mezelf. Terwijl mijn lichaam zich samentrok, werd mijn hart groter: niet door verliefdheid, maar door stress.

Ik werd met maden bedekt; een behandeling die vroeger vaker werd gebruikt en recentelijk weer in de medische mode is gekomen. De beestjes aten zich dik aan het dode weefsel en lieten het levende intact. De artsen naaiden mijn oogleden dicht om mijn ogen te beschermen. Er hoefde alleen nog maar iemand twee muntjes op te leggen – dan was ik compleet geweest.

Ik heb één goede herinnering aan mijn tijd bij de Graces: goed, maar ook gemarkeerd door een bizarre gebeurtenis.

De vliegshow vond half augustus plaats op een warme dag op een nabijgelegen vliegveld. De vliegtuigen konden me niet boeien – maar die parachutisten die in de lucht zweefden met kleurige rookslierten achter zich aan! Die val vanuit de lucht naar de aarde, als de val van Hephaestus, alleen vertraagd door wapperende zijde, leek bijna een wonder. De parachutisten trokken aan hun magische stuurlijnen, cirkelden rond grote doelschijven die op de grond waren aangebracht en landden zonder uitzondering midden in de roos. Zoiets wonderbaarlijks had ik nog nooit gezien.

Op een gegeven moment kwam er een Aziatische vrouw achter me staan. Ik voelde haar aanwezigheid voordat ik haar zag; alleen al haar aanwezigheid deed mijn huid tintelen. Toen ik me omdraaide, stond ze daar met een bijna onmerkbaar glimlachje. Ik was nog jong en ik had geen idee of ze Chinees, Japans of Vietnamees was; ze had gewoon een Aziatische huidskleur en Aziatische ogen, en ze was nauwelijks even groot als ik, hoewel ik pas tien was. Ze droeg een donker gewaad van een eenvoudige stof waardoor ik de indruk kreeg dat ze tot een of andere religieuze orde behoorde. Haar kledij was zeer ongebruikelijk, maar dat leek niemand te merken, en ze was volledig kaal.

Ik wilde mijn aandacht weer op de parachutisten richten, maar dat lukte me niet. Niet met haar achter me. Even probeerde ik niet opnieuw te kijken, maar ik kon me niet bedwingen. Alle andere mensen keken omhoog, maar zij keek mij recht aan.

'Wat wilt u?' Mijn stem was kalm, ik wilde gewoon een antwoord. Ze zei niets, maar bleef glimlachen.

'Kunt u niet praten?' vroeg ik. Ze schudde haar hoofd en reikte me een briefje aan. Ik aarzelde even voordat ik het aannam.

Er stond op: *Heb je je nooit afgevraagd waar je litteken echt van-daan komt?*

Toen ik weer opkeek, was ze verdwenen. Ik zag alleen een zee van omhooggerichte gezichten.

Ik las het briefje opnieuw, verbijsterd hoe ze van mijn onvol-komenheid kon weten. Hij zat op mijn borst, verborgen onder mijn shirt, en ik wist zeker dat ik de vrouw nooit eerder had ge-zien. Maar zelfs als ik een eerdere ontmoeting met een kleine, kale Aziatische vrouw in een donker gewaad was vergeten, wat zeer onwaarschijnlijk was, was het onmogelijk dat ik haar mijn litteken zou hebben laten zien.

Ik baande me een weg door de menigte op zoek naar een glimp van haar – een gewaad dat tussen de mensen door glipte, de achterkant van haar hoofd – maar ze was spoorloos.

Ik stopte het briefje in mijn zak en haalde het er die dag nog een paar keer uit om te controleren of het echt bestond. Dwayne Michael Grace moet die dag in een extra gulle bui zijn geweest, want hij kocht bij een kraampje een suikerspin voor me. Daarna gaf Debi me een knuffel en was het net alsof we een gezin waren. Na de vliegshow gingen we naar een prachtige voorstelling met verlichte papieren lantaarns die een rivier in de buurt af dreven, een schitterend schouwspel dat ik nooit eerder had gezien.

Toen we 's avonds laat thuiskwamen, was het briefje uit mijn zak verdwenen, hoewel ik extra voorzichtig was geweest.

Tijdens mijn coma droomde ik onophoudelijk. Beelden buitel-den over elkaar heen en verdrongen elkaar om de meest promi-nente plaats.

Ik droomde over een boerenvrouw die badwater opwarmde. Ik droomde over het bloed uit mijn moeders baarmoeder. Ik droomde over de vlezige armen van mijn stervende oma, die me naar de blauwe lucht duwde. Ik droomde over boeddhistische tempels bij koele, ruisende rivieren. Ik droomde over het jonge meisje dat door haar ouders werd verkocht voor meth. Ik droomde over mijn verwrongen, brandende auto. Ik droomde over een vikingschip. Ik droomde over het aambeeld van een smid. Ik droomde over de handen van een beeldhouwer, die verwoed een brok steen bewerkte. Ik droomde over brandende pijlen die uit de hemel neerdaalden, ik droomde dat het vuur regende. Ik droomde over rondvliegend glas. Ik droomde over een ijlende engel, vastgevroren in ijs.

Maar ik droomde vooral over waterspuwers, wachtend op hun geboorte.

Na het voorval bij de vliegshow werd het wrijven over mijn geboortelitteken een vaste gewoonte. Ik had zelf niet in de gaten dat ik het deed, maar anderen wel. Dwayne kon het niet aanzien. Hij sloeg mijn hand van mijn borst en zei dat ik moest ophouden om met mezelf te spelen. Daarna nam hij nog meer drugs, waardoor ik zijn kritiek moeilijk serieus kon nemen.

Met de dood van Dwayne en Debi verloor ik mijn enig overgebleven verwanten – in elk geval aan mijn moeders kant; mijn vaders kant was één groot vraagteken. Ik werd in een tehuis geplaatst, genaamd 'De tweede kans', wat bij mij hooguit de vraag opriep wanneer ik mijn eerste kans had gehad. In de periode in De tweede kans ontving ik het grootste deel van mijn door de overheid betaalde onderwijs. Ik bezocht vrij regelmatig de lessen op de middelbare school, hoewel ik ze maar saai vond, en daar deed ik mijn basiskennis wis- en natuurkunde op. Mijn vele uren in de bibliotheek waren niet voor niets geweest. Lang voordat iemand probeerde me iets bij te brengen, had ik al geleerd mezelf iets te leren.

Geholpen door de andere kinderen in De tweede kans ontdekte ik al snel een hele reeks drugs om mee te experimenteren. Ik vond meth walgelijk, maar ik werd geïntrigeerd door marihuana en hasj. Mijn oom en tante hadden me zelfs bewust die kant op geholpen om me te weerhouden van het gebruik van zwaardere middelen, niet beseffend dat een mens ook zonder chemische hulpmiddelen door het leven kon gaan.

Ik ontdekte nog een derde hobby naast de bibliotheek en narcotica: het wonder van de wederzijdse lichamelijke verkenning. Het begon met pijpexperimenten met mijn nieuwe beste vriend Eddie. Dat zijn van die dingen die jongens op die leeftijd doen: ze dagen de ander uit om hun 'ding' te zoenen en als die het doet, maken ze hem uit voor nicht. De volgende avond was het dan hetzelfde verhaal. Ik vond seks fijn, maar homoseksualiteit had niet mijn voorkeur, dus stapte ik al snel over op de jongere vrouwelijke bewoners. Ik richtte me vooral op één meisje, Chastity genaamd, die verrukkelijk onwetend was van de betekenis van haar naam. Ze was trouwens op een heleboel terreinen onwetend. De eerste keer dat Chastity de term 'orale seks' hoorde, dacht ze dat het op de een of andere manier te maken had met het oor. Oorbare seks, zou je kunnen zeggen.

Op mijn zeventiende bevredigde ik mijn seksuele nieuwsgierigheid door over te stappen naar een van de begeleidsters. Het had zo zijn voordelen om op te groeien onder de hoede van de overheid. Sarah was een schoolvoorbeeld van een labiele volwassene: een alcoholiste van halverwege de dertig met een echtgenoot die haar bedroog en in een vroege midlifecrisis. Ik bood haar troost en opwinding en zij bood mij seks. Het kon geen kwaad dat mijn uiterlijk, dat tot dan toe uit weinig meer dan mollige schattigheid had bestaan, tot volle bloei was gekomen. Ik had een markante kaaklijn gekregen, ik had een volle, krullende haardos en mijn lichaam was soepel en gespierd geworden.

Toen ik op achttienjarige leeftijd op eigen benen moest staan, beschikte ik over twee vaardigheden. De een was het roken van drugs, de ander het neuken van mijn begeleidster, en ik moest een van beide omzetten naar het verkrijgen van voedsel en onderdak. Het gebruiken van drugs leek me niet zo'n lucratieve bezigheid, maar het was simpel om werk te vinden als naaktmodel voor vijftig dollar, aangezien er genoeg middelbare mannen rondlopen die bereid zijn te betalen voor jongens die naakt in hun woonkamer willen staan. Ik had er geen morele bezwaren tegen; ik was te druk met uitrekenen hoeveel hamburgers je voor vijftig dollar kon kopen. Daarna was het een kleine stap naar de honderdvijftig dollar voor een fotosessie waar seksuele handelingen aan te pas kwamen, en aangezien je toch al poseert, is het logisch om je inkomen te verdubbelen of te verdrievoudigen met acteerwerk voor video's. Trouwens, wie wil er nou geen filmster worden? Elke opname kostte hooguit een paar dagen; meestal maar een paar uur. Dat is goed verdienen voor een achttienjarige zonder diploma's. En zo ging mijn carrière in de porno-industrie van start.

2

Licht scheen door mijn oogleden en toen ik ontwaakte, zwom de slang langzaam in me omhoog en slokte mijn ruggengraat op met haar wijd opengesperde bek. Haar tong flitste naar buiten en terug terwijl ze siste: `IK KOM EN JE KUNT ER NIETS` `TEGEN DOEN.` Het was een vrouwenstem – daardoor wist ik dat het een 'ze' was – en haar tong kietelde elke wervel tijdens haar weg naar boven. Daar aangekomen likte ze aan de onderkant van mijn schedel, waarna ze nog een paar keer kronkelde om me te laten weten dat ze zich genesteld had. Haar huid schraapte langs mijn inwendige organen en mijn lever werd gekneusd door haar willekeurig zwiepende staart.

Ik lag op een luchtmatras die de wrijving verminderde en zo het herstel versnelde; het verbandgaas wapperde zachtjes in de opwaartse luchtstroom. Aan beide zijden van het bed zat een reling in de kleur van zongebleekte botten om te voorkomen dat ik uit bed viel of mezelf eruit werkte. Ik noemde het bed de buik van het skelet en ik lag in de luchtstroom die door zijn ribbenkast ging, terwijl de botten voorkwamen dat ik dolend op zoek ging naar een nieuwe begraafplaats.

Tegen de tijd dat ik bijkwam was ik van de beademing af, maar met al die slangetjes die uit mijn lichaam staken leek ik nog steeds op een speldenkussen. De slangetjes kronkelden rond in lussen en deden me aan Minos bij de poort van de hel denken, die zondaars naar hun eindbestemming dirigeerde door zijn staart rond hun lichaam te krullen. Elke kronkeling van de staart was goed voor één ring dieper in de hel. Dus telde ik mijn prachtige slangen, gewoon uit nieuwsgierigheid: hoe ver omlaag zou de meedogenloze heerser over de duisternis en het kwaad me sturen?

De verpleegster leek verheugd dat ik wakker was. 'Dokter Edwards heeft je medicatie aangepast om je uit je coma te halen. Ik zal haar even roepen.'

Ik probeerde iets te zeggen, maar iemand had een colaflesje in mijn keel gestoken en er daarna een klap op gegeven; er zaten glasscherven op de plek waar mijn stembanden hoorden te zitten. De verpleegster suste me en beantwoordde de vragen waarvan ze wist dat ik die wilde stellen. Ik lag op de brandwondenafdeling van het ziekenhuis, vertelde ze. Er was een ongeluk gebeurd en ik had heel veel geluk gehad. De artsen hadden heel hard voor me geknokt. Enzovoort, enzovoort. Raspend wist ik uit te brengen: 'Hoe lang?'

'Bijna twee maanden.' Ze glimlachte meelevend en draaide zich om om de arts te gaan halen.

Ik bestudeerde de ribben van het skelet. Op een paar plaatsen was de glanzend witte verf eraf gepeuterd door rusteloze vingers. Die plekken waren natuurlijk overgeschilderd, maar nog wel zichtbaar. Mijn gedachten dwaalden af door de lagen verf. *Hoe vaak worden deze bedden geschilderd? Na elke patiënt? Om de vijf, om de tien? Hoeveel mensen hebben er vóór mij in dit bed gelegen?*

Ik wilde huilen, maar mijn traanbuisjes waren dichtgeschroeid.

Ik kon niet veel meer doen dan tussen bewustzijn en bewusteloosheid zweven. De morfine drupte, en de slang beheerste elk stukje van mijn ruggengraat en ging steeds weer met haar valse tong langs de onderkant van mijn schedel. Een streling van de tong, het drup-drup-drup van de morfine, sissende woorden van de slang. De gesiste preken van de slang over de toestand van mijn zondige ziel gingen eindeloos door. In de gang klonk het lawaai van voetstappen, duizend mensen die op bezoek kwamen bij de stervenden. Uit andere kamers weerkaatsten de geluiden van soapseries. Bezorgde familieleden fluisterden over wat er in het ergste geval kon gebeuren.

Ik kon me niet echt een voorstelling maken van de ernst van mijn toestand en ik vroeg me dingen af, zoals wanneer ik weer aan het werk zou kunnen en hoeveel dit uitstapje naar het ziekenhuis me zou gaan kosten. Het was nog niet tot me doorgedrongen dat ik misschien nooit meer zou kunnen werken en dat dit uitstapje me alles wat ik had zou gaan kosten. Dat besef volgde pas toen de artsen me de weken daarna de weerzinwekkende details vertelden over wat er met mijn lichaam was gebeurd en wat me nog stond te wachten.

Mijn lichaam was niet meer zo opgezwollen en mijn hoofd was weer gekrompen tot bijna menselijke proporties. Mijn gezicht voelde ranzig onder de vingers van mijn ongeschonden hand. Mijn benen werden ondersteund en waren aan spalken vastgemaakt, en ik was in dikke zwachtels gewikkeld zodat ik niet aan mijn transplantaten kon krabben. Ik keek naar mijn verbrijzelde rechterbeen en zag een verbazingwekkende hoeveelheid pennen in mijn vlees steken. Brandwondenpatiënten kunnen niet in het gips worden gezet – dat geeft veel te veel irritatie – dus groeiden er mechanische spinnen uit me.

Er waren drie vaste verpleegsters op de brandwondenafdeling: Connie, Maddy en Beth. Ze leverden niet alleen medische bijstand maar ook peptalk, waarbij ze vertelden dat ze in me geloofden en dat ik dus ook in mezelf moest geloven. Ik ben ervan overtuigd dat Connie de onzin die ze uitkraamde zelf ook geloofde, maar Maddie en Beth hadden meer weg van de caissière van de supermarkt die voortdurend 'prettige dag verder' kraait. Ze draaiden diensten van acht uur en vulden zo samen een hele dag.

Beth deed de middagdienst en verzorgde mijn dagelijkse massage, waarbij ze zachtjes aan mijn gewrichten trok en mijn spieren masseerde. Zelfs de kleinste handelingen deden gruwelijk veel pijn, ondanks de morfine. 'Als we dit niet doen, verstijft de huid en kun je je gewrichten straks helemaal niet meer gebruiken. We hebben dit de hele tijd dat je in coma lag ook gedaan.' Haar uitleg maakte het niet minder pijnlijk. 'Contractuur is altijd een groot probleem. Als je je resterende tenen kon zien, zou je zien dat die ook zijn gespalkt. Kun je tegen mijn hand drukken?'

Ik probeerde te duwen, maar ik kon niet voelen of er iets gebeurde; het gevoel – of liever gezegd, het ontbreken daarvan – was gewoon te verwarrend. Ik wist niet meer waar mijn lichaam ophield.

Dokter Nan Edwards was de arts met wie ik het meest te maken had, zij was het hoofd van de brandwondenafdeling. Ze vertelde dat ze me meermaals had geopereerd toen ik in coma lag, waarbij ze beschadigd huidweefsel had verwijderd en diverse soorten transplantaten had aangebracht. Naast donorhuid van dode mensen had ze ook huid van onbeschadigde delen van mezelf en van varkens gebruikt. Je vraagt je onwillekeurig toch af of joden en moslims dezelfde behandeling krijgen.

'Het was echt kantje boord omdat je longen zo zwaar aangetast waren. We moesten voortdurend de hoeveelheid zuurstof voor de beademing verhogen, en dat is nooit een goed teken,' vertelde ze. 'Maar je hebt het gehaald. Er ligt kennelijk nog iets moois voor je in het verschiet.'

Wat een sufferd. Ik had niet voor mijn leven geknokt, ik had niet beseft dat ik in coma lag en ik had al helemaal niet gevochten om eruit te komen. Niet één keer tijdens mijn periode in duisternis had ik geregistreerd dat ik moest terugkeren naar de wereld.

Dokter Edwards zei: 'Als ze tijdens de oorlog in Vietnam niet zo veel vooruitgang hadden geboekt op het gebied van de behandeling van brandwonden...' Haar stem stierf weg, alsof het beter voor me was als ik zelf de rest invulde en besefte wat een mazzel ik had dat ik in dit tijdperk leefde.

Wat had ik graag gewild dat mijn stem het deed. Dan had ik haar verteld dat ik wilde dat dit in de veertiende eeuw was gebeurd en dat er geen enkele hoop voor me was geweest.

Ik begon mijn carrière als pornoacteur met als specialiteit heteroseksuele seks met meerdere vrouwelijke partners in een kort tijdsbestek zonder dat mijn erectie verslapte. Maar beschouw me alsjeblieft niet als een oppervlakkig mens; ik was voortdurend op zoek naar nieuwe artistieke uitdagingen. Met veel oefening vergrootte ik mijn repertoire met beffen, anale seks, triootjes, met z'n vieren of met nog meer. Homoseks was niets voor mij, hoewel ik wel bewondering had voor de mannen die van beide walletjes konden eten. Ik was niet echt geïnteresseerd in SM, hoewel ik wel een paar films met wat lichte bondage-elementen heb gedaan. Ik heb nooit aan een film meegewerkt waarin pedofilie werd gepropageerd. Walgelijke rommel, hoewel ik moet toegeven dat ik bij Humbert Humbert wel een beetje moet grijnzen. Poep- en plasseks is volledig uit den boze, geen haar op mijn hoofd die erover denkt om op iemand te schijten, laat staan om bescheten te worden. En als ik een snob ben omdat ik niet meedeed aan films met bestialiteiten, dan ben ik maar een snob.

Ik lag in bed, me intens bewust van mijn ademhaling. Vergeleken met hoe ik voor het ongeluk ademhaalde, was het... wat is de beste omschrijving? 'Moeizaam' is niet het juiste woord. 'Gesmoord' komt nog het meest in de richting. Mijn gesmoorde ademhaling werd deels veroorzaakt door mijn beschadigde gezicht, deels door de slangetjes in mijn keel en deels door mijn verbandmasker. Soms had ik het gevoel dat de lucht bang was om mijn lichaam binnen te gaan.

Ik gluurde onder de zwachtels om mijn lichaam, om te kijken wat er van me over was. Het geboortelitteken dat mijn hele leven boven mijn hart had gezeten, was niet langer alleen. Ik kon het zelfs bijna niet meer terugvinden, zo knus lag het ingebed in de misvormde massa die mijn borstkas was. Elke dag marcheerde er een colonne verpleegsters, artsen en therapeuten mijn kamer binnen om me in te smeren met hun smeerseltjes en zalfjes en de Pompeï-achtige rode aardverschuiving van mijn huid te

masseren. 'Passief rekken,' zeiden ze, 'is ontzettend belangrijk.'
Passief rekken, dacht ik, doet verrekte veel pijn.

Ik belde onophoudelijk de verpleegsters met een smeekbede om extra morfine, om de slang te verdoven, maar ik kreeg steeds weer te horen dat het nog geen tijd was. Ik dreigde, smeekte, pleitte en huilde; zij hielden vol dat ze – de bitches – het voor mijn bestwil deden. Bij een te hoge medicatie zouden mijn organen niet naar behoren functioneren. Bij een te hoge medicatie zou ik verslaafd raken. Een te hoge medicatie zou op de een of andere manier de boel alleen maar erger maken.

Er leefde een slang in me. Ik zat opgesloten in de ribbenkast van een skelet. De Vietnamoorlog was klaarblijkelijk speciaal voor mij uitgevochten. Mijn vingers en tenen waren weg en ik had net te horen gekregen dat de artsen met weefsel uit mijn arm of been met behulp van een falloplastie een nieuwe penis konden creëren, maar dat ik nooit meer een erectie kon krijgen.

Hoe kan, zo vroeg ik me af, wat extra morfine het in vredesnaam nog erger maken?

Toen de verpleegsters genoeg kregen van mijn smeekbedes om meer verdoving, zeiden ze dat ze een psychiater langs zouden sturen. Het blauwe operatieschort dat hij ter bescherming van de patiënten over zijn kleren droeg, paste niet helemaal en ik hoorde hoe het tijdens het lopen langs zijn corduroy broek schuurde. Hij had een kalende kruin, een onverzorgde geitensik in een weinig geslaagde poging om zijn onderkin te verbergen en de vlezige wangen van een man die zijn dagelijks voedsel uit de automaat haalt. Zijn dierlijke equivalent zou een eekhoorn met een schildklierprobleem zijn geweest, en hij stak zijn poot uit alsof hij mijn beste vriend was. 'Ik ben Gregor Hnatiuk.'

'Nee, bedankt.'

Gregor glimlachte breed. 'Gun je me zelfs geen kans?'

Ik zei tegen hem dat hij in het evaluatierapport maar moest opschrijven wat hij wilde zodat we konden doen alsof we in elk geval ons best hadden gedaan. Normaal gesproken zou ik een geintje hebben gemaakt – dat ik te lang borstvoeding had gehad en mijn mama miste, of dat ik was ontvoerd door buitenaardse wezens – maar mijn keel kon zo veel woorden achter elkaar nog niet aan. Desondanks kon ik hem duidelijk maken dat ik geen belangstelling had voor welke vorm van bijstand die hij ook maar dacht te kunnen bieden.

Gregor ging zitten en legde zijn klembord op zijn schoot als een schooljongen die een erectie probeert te verbergen. Hij verzekerde me dat hij me alleen maar wilde helpen, waarna hij met zijn vingers aanhalingstekens makend aangaf dat het niet zijn bedoeling was 'in mijn hoofd te kruipen'. Als kind was hij vast voortdurend afgetuigd door de pestkoppen uit de buurt.

Ik wist eindelijk een paar woorden uit te brengen: 'Meer pijnstillers.' Hij zei dat hij daar niet over ging, dus maakte ik hem duidelijk dat hij moest weggaan. Hij zei dat ik niet hoefde te praten als ik niet wilde, maar dat hij me een paar tips over creatieve visualisering zou geven om te leren omgaan met de pijn. Ik nam zijn voorstel ter harte en visualiseerde creatief dat hij weg was.

'Doe je ogen dicht en denk aan een plek waar je graag zou willen zijn,' zei hij. 'Dat kan iets uit je herinnering zijn of een plek waar je in de toekomst nog eens heen wilt. Een plek waar je je gelukkig voelt.'

Godallemachtig.

Dokter Edwards had me gewaarschuwd dat de eerste keer dat ik tijdens een debrideersessie bij bewustzijn was, de pijn niet met morfine te onderdrukken was, zelfs niet met een verhoogde dosis. Maar ik hoorde alleen 'verhoogde dosis', en dat bracht een glimlach op mijn gezicht hoewel niemand die door het verband kon zien.

De extra verdoving begon kort voordat ik werd overgebracht te werken, en ik was heerlijk zweverig toen ik in de gang de afgemeten voetstappen van de gezondheidsschoenen van dokter Edwards hoorde.

Dokter Edwards zag er in alle opzichten gewoontjes uit. Ze

was niet knap of lelijk, ze kon er best charmant uitzien, maar nam zelden de moeite. Haar haar zou meer volume hebben als ze het elke ochtend uitborstelde, maar meestal droeg ze het gewoon naar achteren, misschien uit praktische overwegingen omdat losse haren in brandwonden niet aan te raden zijn. Ze was enigszins gezet, waarschijnlijk was ze het op een gegeven moment gewoon zat geworden om op de calorieën te letten. Ze zag eruit alsof ze haar alledaagsheid had geaccepteerd; of ze was tot de slotsom gekomen dat te veel aandacht voor haar uiterlijk pijnlijk voor brandwondenpatiënten kon zijn.

Dokter Edwards gebaarde naar de ziekenbroeder die ze had meegebracht, een boom van een kerel wiens spieren opzwollen toen hij zijn armen naar me uitstak. Samen tilden ze me van mijn bed op een brancard. Ik krijste als een speenvarken, op dat moment ontdekte ik hoezeer mijn lichaam gewend was geraakt aan passiviteit.

Meestal bevindt een brandwondenafdeling zich in een afgelegen vleugel van het ziekenhuis omdat de patiënten zo ontvankelijk zijn voor infectie dat ze moeten worden weggehouden van de andere patiënten. Maar misschien nog belangrijker is dat zo de kans miniem is dat bezoekers opeens worden geconfronteerd met een Kentucky Fried Mens. Het ontging me niet dat de debrideerruimte zich bevond in de meest verafgelegen hoek van deze afgelegen afdeling. Toen mijn sessie voorbij was, besefte ik dat dat was om te voorkomen dat de andere patiënten je hoorden gillen.

De ziekenbroeder legde me op een schuin aflopende stalen tafel waarover water stroomde dat vermengd was met medicinale stoffen om mijn lichaam weer in balans te brengen. Dokter Edwards verwijderde mijn verband, en mijn bloederige huidoppervlak werd zichtbaar. Ze gooide de zwachtels in een metalen emmer, waarbij een doffe echo klonk. Tijdens het schoonmaken was de weerzin af te lezen van haar omlaaggetrokken mondhoeken en voelbaar in haar vingers. Het water dat over me heen stroomde, kleurde roze. Daarna donkerroze, lichtrood, donkerrood. Het troebele water kronkelde van de kleine stukjes van mijn vlees die leken op de ingewanden van een vis op een snijplank.

En dit was pas het voorspel van het echte werk. Debrideren komt neer op het uit elkaar pulken van een mens, het verwijderen van zo veel dood weefsel als de patiënt kan verdragen. Technisch gezien is het het weghalen van aangetast weefsel uit een wond zodat daar wondherstel kan optreden. De term zelf komt van het Franse werkwoord *débrider*, dat letterlijk 'aftomen' betekent. De etymologie is duidelijk: het losmaken van aangetast weefsel van het lichaam – het verwijderen van beperkende materie – roept het beeld op van het aftomen van een paard, want het toom zorgt voor beperkingen. De persoon die wordt gedebrideerd, wordt als het ware verlost van niet-lichaamseigen materiaal.

Mijn huid was dusdanig beschadigd dat het weghalen van het afgestorven weefsel zo ongeveer neerkwam op het verwijderen van alles. Mijn bloed spatte op dokter Edwards en liep in straaltjes van haar operatieschort terwijl ze bezig was met een scheermesachtig apparaat om de bovenste huidlagen af te schrapen, ongeveer zoals een keukenhulp zijn schilmes hanteert.

Dokter Edwards – nee, dat is te formeel. Onze situatie bracht meer intimiteit met zich mee dan de verhouding tussen twee sadistische minnaars, dus kan ik haar best bij haar voornaam noemen. *Nan* ging met lange halen over mijn rug. Ik hoorde het snijvlak over mijn lichaam gaan en de huid losmaken. De enige manier waarop ze kon constateren dat ze levend weefsel had bereikt, was door erdoorheen te snijden. Als ik het uitschreeuwde van de pijn, zat ze diep genoeg om levende zenuwuiteinden te bereiken. Zoals Blake schreef in *Het huwelijk van hemel en hel*: 'Je weet nooit wat genoeg is totdat je weet wat meer dan genoeg is.'

Nan deponeerde de dunne lappen huid in dezelfde metalen emmer waar mijn vuile zwachtels in lagen. Het was alsof ik mezelf zag verdwijnen, de kleine vlaggetjes huid die mijn bestaan afbakenden werden millimeter voor millimeter weggeblazen. Door de mix van pijn en morfine schoten er hoogst interessante beelden door mijn hoofd: senator Joe McCarthy die 'Liever dood dan rood!' riep; een timmerman die kruisen in elkaar zette waar veroordeelden tegenaan gespijkerd zouden worden; het ontleden in een biologieklas, scalpels die in het lijf van kikkers werden gestoken.

Nadat ik volledig was gedebrideerd, moesten de blootliggende delen bedekt worden met transplantaten, van dode mensen of van varkens. Niet dat dat er veel toe deed, mijn lichaam stootte ze allemaal af. Daar was op gerekend, ze waren nooit als permanente oplossing bedoeld geweest; ze dienden vooral om infectie te voorkomen.

Tijdens mijn verblijf in het ziekenhuis werd ik keer op keer levend gevild. Het debrideren was in veel opzichten heftiger dan het oorspronkelijke verbranden, want in tegenstelling tot het ongeluk wist ik altijd dat het ging gebeuren. Dan lag ik in de buik van het skelet, in angstige afwachting van elke haal van het mes en beeldde het me talloze keren in, nog voordat het echt gebeurde.

Ze zeiden dat ik zelf de dosering van de morfine kon bepalen en ik drukte verwoed op het bijbehorende knopje. Maar er was een maximum aan de totale hoeveelheid zodat ik mezelf geen overdosis kon geven, dus zoveel viel er niet zelf te bepalen.

Op mijn drieëntwintigste had ik in meer dan honderd pornofilms van verschillende kwaliteit geacteerd. De eerste zijn nogal primitief, maar er zijn er een paar uit de latere periode die ik als echt vakwerk beschouw.

Bij porno gaat het net als bij ieder ander baantje: je begint bij de mindere bedrijfjes, maar als je cv langer wordt, klim je op. In het begin werkte ik met regisseurs die nauwelijks beter waren dan amateurs, maar dat was ik ook. Ik was er nog niet achter dat seks, voor de film of wat dan ook, meer was dan rammen tot er een orgasme volgde.

Ik deed mijn seksuele ervaring op zoals iedereen, door het te doen. Deze keer had ik niets aan de bibliotheek. Door de praktijk en niet de theorie ontdekte ik dat je niet zo snel mogelijk naar de climax toe kunt werken, dan haakt de kijker af – maar je kunt ook niet eindeloos doorneuken zonder dat het gaat vervelen, je moet de balans tussen de twee weten te vinden. Ik leerde ook dat er geen standaardreeks handelingen is en dat aanpassingen alleen werken als je inspeelt op de reacties van het lichaam van de ander.

Ik wil niet opscheppen, maar mijn vakkundigheid nam met sprongen toe. Dat viel ook anderen op: de vraag naar mijn diensten werd groter, ik kreeg betere regisseurs, de vrouwen met wie ik werkte hadden meer talent en ik kreeg meer betaald. Ik kreeg een zekere reputatie op het gebied van vaardigheid en inzet, zowel bij de kijkers als in de bedrijfstak zelf.

Na verloop van tijd wilde ik niet langer alleen maar voor de camera staan en vroeg ik om andere productietaken. De overwerkte medewerkers waren blij met de hulp; ik hielp met het installeren van de belichting terwijl ik de cameralui vroeg hoe ze wisten waar de schaduwen zouden vallen. Ik keek hoe de regisseurs de scène vormgaven en omdat ik intussen zo veel ervaring had, kon ik af en toe ook een goede suggestie doen. Als de producent in de problemen kwam – een actrice die op het laatste moment afhaakte of een camera die kapotging – had ik zo veel vrienden in het vak dat ik met een paar telefoontjes voor een oplossing kon zorgen.

Al snel nam ik de rol van schrijver op me, voorzover je bij porno van een verhaal kunt spreken. De schrijver kan een situatie beschrijven, maar als het op de uitvoering aankomt, kan hij alleen maar HIER SEKSSCÈNE aangeven. Verschillende acteurs doen verschillende dingen: sommigen doen niet aan anale seks, anderen weigeren vrouw-met-vrouw, enzovoort, en omdat je van tevoren nooit precies weet welke acteur welke scène gaat doen, kun je niet al te specifiek zijn. De laatste beslissingen worden altijd pas op de set genomen.

Ondanks een cokeverslaving die zo heftig werd dat ik 's ochtends vroeg bezocht werd door witte reuzenmuskieten, was ik geen domme jongen. Ik was me bewust van de financiële voordelen van porno – er is altijd een markt, hoe slecht het ook met de

39

economie gaat – maar het ging om meer. Ik vond schrijven en acteren leuk, en ik beschouwde mijn werk meer als de bevrediging van mijn artistieke vaardigheden dan als een kwestie van geld verdienen. Na het regisseren van een paar films ontdekte ik dat het grote geld niet zat in het acteren in een film van een ander, maar in het anderen laten acteren in míjn films. Dus richtte ik al op relatief jonge leeftijd mijn eigen productiemaatschappij op en werd ik een 'geslaagde ondernemer in de filmindustrie met een riant inkomen'.

Bij bepaalde gelegenheden was dat een betere manier om mezelf voor te stellen dan als pornobaas.

Ik was natuurlijk niet de enige patiënt op de brandwondenafdeling. De slachtoffers kwamen en gingen. Sommigen waren op een bepaald moment uitbehandeld en konden naar huis, anderen overleden. Ter illustratie: een van de patiënten was Thérèse, een lieftallig kind met blond haar en saffierblauwe ogen.

Als je Thérèse zag, wees niets erop dat ze was verbrand, want de verwoesting had in haar lichaam plaatsgevonden. Thérèse had een allergische reactie gehad – een soort chemische brand in haar longen – op antibiotica die ze tegen haar astma-aanvallen had gekregen. Ik hoorde het een arts aan een assistent uitleggen: 'Voor haar was het alsof ze een grote slok Agent Orange had genomen.'

Thérèses moeder, gekleed in een donkergroen schort dat aangaf dat ze een bezoeker was, bracht het ene na het andere bloemstuk van kunstbloemen mee. (Echte bloemen zitten vol bacteriën die tot onze dood kunnen leiden.) De moeder was diepgelovig en hield het meisje voortdurend voor dat elke aardse gebeurtenis deel uitmaakte van Gods grote plan. 'We weten niet waarom dingen gebeuren, alleen dat God grootse plannen voor ons allemaal heeft. Zijn beweegredenen zijn goed, al begrijpen we ze soms niet.' Persoonlijk vind ik het een slecht idee om een zevenjarig meisje te vertellen dat het wegbranden van haar longen deel uitmaakt van Gods geweldige plan.

Een andere patiënt op de afdeling was Howard. Hij was lang voor mijn komst verbrand bij een woningbrand toen zijn oma met alzheimer in slaap was gevallen met een brandende sigaret tussen haar vingers. Zij had het niet overleefd, maar hij wel, en nu werkte hij ijverig aan alle aspecten van zijn revalidatie. Hij liep met zijn looprek, oefende zijn armen met kleine, zilverkleurige halters en als hij de ene dag tien stappen zette, waren dat er de volgende dag twaalf. Hij straalde bij elke overwinning en vertelde me voortdurend dat hij 'dit er wel onder zou krijgen' en dat hij 'zijn leven weer zou kunnen oppakken'. Deze mededelingen namen alleen maar in aantal toe nadat zijn verloofde hem had verteld dat ze niet met hem zou trouwen.

Toen hij ontslagen werd, kwam Howards hele familie en een stel vrienden (inclusief de ex-verloofde) naar de afdeling om het te vieren. Ze hadden een taart bij zich en iedereen vertelde hem hoe geweldig hij eruitzag en hoe trots ze op hem waren. Howard zei dat dit 'de eerste dag van de rest van zijn leven was'. Het was één grote farce, zelfs de manier waarop ze dramatisch zijn spullen inpakten. Howard schuifelde naar mijn bed en pakte mijn goede hand. 'Ik zei toch dat ik dit er wel onder zou krijgen. En dat kun jij ook!' Hij knipoogde naar me om me moed te geven, maar door het littekenweefsel rond zijn ogen kon ik alleen maar denken aan een vlieg die uit een toiletpot probeert te kruipen.

Toen hij, ondersteund door zijn vader en moeder, de zaal uit liep, keek hij niet om naar de afdeling die zo veel maanden zijn thuis was geweest; ik zag aan hem dat hij vastbesloten was om nooit meer terug te kijken.

Het zal wel een hartverwarmend verhaal over een menselijke triomf zijn: vastberadenheid, de liefde van familie en vrienden en positief denken! Maar wie hield hij nou eigenlijk voor de gek? Howards ex-verloofde was terecht opgestapt – wie zou (kon) er van zo'n monster houden? Zou hij ooit nog de liefde bedrijven? Zou hij voortdurend door zijn ouders ondersteund moeten worden alsof hij voor altijd twee jaar oud zou blijven? Waaruit bestaat dan de overwinning?

Howard had veel harder gewerkt dan ik van plan was. Ik had geluisterd als hij vertelde dat hij beter zou worden. Ik had iedereen horen zeggen hoe goed hij eruitzag terwijl hij er in werkelijkheid uitzag als een trol waar ieder weldenkend mens een straatje voor om zou lopen. Ik had de neiging te gaan gillen toen hij mijn hand pakte, want zelfs ik wilde niet door hem worden aangeraakt. Ik walgde van hem, dit wezen, mijn broeder. Hij walgde van mij, dat wezen, zijn broeder.

Mijn reactie had eigenlijk niet zoveel met hem te maken; hij kwam voort uit het besef dat ik nooit meer zou zijn wie ik was, wat ik ook deed. Ik kon elke dag oefenen, ik kon duizend operaties ondergaan, ik zou altijd een wandelende brandblaar blijven. Er is geen genezing voor wat ik ben. Dát is wat ik leerde van Howards grootse prestatie. Dát is wat ik besefte terwijl ik in de buik van het skelet lag en mijn ruggengraat werd verzwolgen door de slang. HIJ IS NET ALS JIJ, siste ze, MAAR MET EEN BETER INNERLIJK.

Het ergste besef: zelfs als ik weer had kunnen gaan doen wat ik voor het ongeluk had gedaan, hoeveel beter zou dat dan zijn? Ja, ik was knap geweest. Ja, ik had geld en een carrière gehad, maar (laten we het niet vergoelijken) ik was ook een cokeverslaafde pornomaker geweest. Ik had te horen gekregen dat mijn vrienden, die hadden gelachen om mijn grapjes als we bij mijn zwembad drugs gebruikten, op bezoek waren geweest toen ik in coma lag – maar ze hadden allemaal minder dan een minuut naar me gekeken voordat ze weer waren vertrokken, om nooit meer terug te komen. Eén blik was voldoende om ze ervan te overtuigen dat onze cokedagen verleden tijd waren.

Nadat ik was bijgekomen, was Candee Kisses de enige die echt haar best deed, een lief ding dat alleen maar in de porno terecht was gekomen omdat het heelal een onrechtvaardig oord is. Op haar zeventiende had ze er genoeg van om door haar stiefvader verkracht te worden en was ze bereid om alles te doen om onder hem vandaan te komen. Zo gezegd, zo gedaan. Ze zou ergens op een boerderij moeten wonen, getrouwd met een hardwerkende gozer die Jack, Paul of Bill heette, in plaats van aan de kost te komen door voor de camera aan een lul te zuigen.

Candee kwam een paar keer, ze bracht kleine cadeautjes mee en probeerde me op te beuren door te zeggen dat ik bofte dat ik nog leefde, maar meestal huilde ze alleen maar. Misschien om hoe ik eruitzag, waarschijnlijk meer om haar eigen ellende. Na drie bezoekjes liet ik haar beloven dat ze niet meer terug zou komen. Ze hield zich aan haar belofte en kwam nooit meer terug. Dat was het idiote: ik kende haar al ruim vijf jaar, ik had met haar gevreeën, ik had de verhalen over haar stiefvader gehoord, maar ik wist niet eens haar echte naam. Misschien zijn er dingen die je achter je laat als je een nieuw leven begint.

Toen Howard en zijn ouders door de deur verdwenen, verloor ik mijn geveinsde zelfbeheersing. Mijn borst verkrampte toen een golf van woede en zelfmedelijden als braaksel in me omhoogkwam, en door mijn beschadigde keel ging mijn adem in hortende stoten naar buiten.

Toen kwam Thérèse naar me toe. Het vergde een enorme krachtsinspanning en bij elke ademteug hoorde ik haar longen raspen. Tegen de tijd dat ze bij mijn bed kwam, was ze uitgeput. Ze kroop erop en pakte mijn hand. Niet mijn ongeschonden rechterhand, maar mijn verwoeste linker met anderhalve ontbrekende vinger, en ze hield hem vast alsof er niets mis mee was. Het deed helse pijn om daar aangeraakt te worden, en hoewel ik ondanks de pijn dankbaar was voor de aanraking, smeekte ik haar om weg te gaan.

'Nee,' antwoordde ze.

Mijn borst ging nog steeds als een bezetene tekeer. 'Zie je dan niet wat ik ben?'

'Ja,' reageerde ze. 'Je bent net zoals ik.'

Haar stralend blauwe ogen bleven op mijn gezicht gevestigd.

'Ga weg,' commandeerde ik.

Ze zei dat ze even moest uitrusten voordat ze terugging en voegde eraan toe: 'In Gods ogen ben je prachtig, weet je.'

Haar ogen gingen dicht en ik keek naar haar gezicht terwijl de uitputting haar in slaap deed vallen. Toen vielen ook mijn eigen ogen een tijdje dicht.

De verpleegsters maakten me wakker. Thérèse lag bij me op

bed, haar hand nog steeds in de mijne, maar ze ademde niet meer.

Het is zo gebeurd met je.

Oké, ik geef het toe: ik probeerde het creatieve visualiseren dat Gregor had voorgesteld.

Ik vertraagde mijn ademhaling en probeerde mijn lichaam zwaar te maken, om te beginnen bij mijn twee resterende tenen: zwaar, zwaar. Daarna mijn voeten, daarna mijn enkels. Vervolgens concentreerde ik me op mijn zware kuiten, mijn zware knieën en mijn zware bovenbenen. Helemaal omhoog, buik, borst, nek, hoofd... Ik richtte me op mijn ademhaling: in, uit, in, uit, rustig, kalm...

Op dat moment begon ik aan vagina's te denken. Op zich niets bijzonders, ik was er honderden binnengedrongen. Er zijn mannen die je willen laten geloven dat alle vrouwen hetzelfde voelen, maar die mannen hebben duidelijk niet veel vrouwen gehad. Elke vagina heeft zijn eigen structuur, zijn eigen diepte en vochtigheid: elke vagina heeft zijn eigen persoonlijkheid. Dat is een feit.

Ik was erg goed in seks. Het was mijn hobby en mijn beroep. Buiten werktijd ging ik graag op zoek naar vrouwen die het tegenovergestelde waren van degenen met wie ik films maakte. Als je in een Frans restaurant werkt, wil je dan op je vrije dag escargots? Niet echt. Je gaat naar de eettent om de hoek. Als je voor de televisie werkt, pak je 's avonds een boek. En als beroepsneuker van siliconenvrouwen vond ik het prettig om andere types te proberen. Met de juiste woorden, niet oprecht maar wel als zodanig uitgesproken, kon ik de prachtigste dromen en toekomstbeelden schetsen. Met deze verbale gave bezorgde ik mezelf duizend-en-een vrouwen, van Sheherazade tot simpele Selma.

Seksuele gemeenschap voor de camera is weinig bevredigend, het gebeurt op een drukke set, je krijgt je geld, maar waar is de romantiek? Maar het gevoel dat ik kreeg van het nemen – het *veroveren* – van vrouwen die niet in het circuit zaten was iets totaal anders. Bevrediging vond ik bij huisvrouwen, politievrouwen en secretaresses. Redactrices van uitgeverijen. Cowgirls. Hardloopsters, vissersvrouwen, bomenplanters, feministische schrijfsters, profworstelaars, kunstenaars, serveersters, caissières, zondagsschoolleraressen, coupeuses en ambtenaren. Je moeder, je zus, je vriendin. Wat ze maar wilde horen om een vrouw te veroveren, al was het maar voor een uur. Ik deed alsof ik progressief was, artistiek, mannelijk, gevoelig, overheersend, verlegen, rijk, arm, katholiek, moslim (maar één keertje), pro-abortus, anti-abortus, homofoob, homoseksueel (vrouwen die een homovriendje willen, sloven zich extra uit), cynisch, superoptimistisch, een boeddhistische monnik en een lutherse geestelijke. Wat de situatie ook maar vereiste.

Ik herinner me een vrouw die Michelle heette. De seks met haar kwam nog het dichtst bij de perfecte gemeenschap. Ze was een serveerster met een heel klein buikje, ze rook vaag naar gebakken eieren en jus en ze had een litteken van een blindedarmoperatie. Ik was getuige geweest van de laaiende ruzie tussen haar en haar man, voor haar goedkope eettent. De man vertrok en zij ging op een bankje in het park zitten, vastbesloten om niet te huilen. Ik ging naar haar toe en al snel zaten we te praten, al snel lachte ze en al snel waren we in mijn huis. We gebruikten wat cocaïne, lachten nog wat meer en toen begonnen we plagerig tegen elkaars schouders te duwen. Toen we begonnen te neuken, was het eerst gehaast, daarna was er verbazing over hoe fijn het voelde en daarna was er gekreun. Ze begon weer te lachen, ik lachte ook, en toen begon ze te huilen – en bleef de hele tijd huilen – niet van verdriet, maar van opluchting.

We gingen urenlang door. Het was alsof we een steile rotswand beklommen, met elke zenuw strak gespannen. Ze vertelde over alles wat er in (en buiten) haar huwelijksbed voorviel. Ze vertelde dat ze bang was dat ze eigenlijk nooit echt van haar man had gehouden. Ze vertelde over de fantasieën die ze over de zus van haar man had en hoe ze zichzelf in het openbaar betastte als ze dacht – maar niet zeker wist – dat er niemand keek, en ze vertelde dat ze kleine dingetjes uit de buurtwinkel pikte omdat ze daar geil van werd. Ze vertelde dat ze in God geloofde en dat ze graag dacht dat Hij naar haar keek als ze zulke dingen deed. Ik vertelde haar dat ze er maar druk mee was geweest. We neukten maar door en op een gegeven moment moest ik ook huilen omdat het allemaal zo schrijnend was.

Mijn huid zal nooit meer zo functioneren, zo bewust van de ander dat ik niet meer wist waar zij ophield en ik begon. Nooit meer. Mijn huid zal nooit meer zo perfect kunnen communiceren; door mijn verbrande huid ben ik niet meer in staat om samen te smelten met een ander. Ergens ben ik blij dat ik zo'n hechte fysieke band heb meegemaakt, al was het maar eenmalig, maar ik zou wel willen dat het was gebeurd met iemand die ik daarna nog vaker had gezien.

Misschien zat ik wel volledig fout met mijn seksuele escapades. Maar misschien ook niet. Neem in je oordeel mee dat ik talloze teleurgestelde vrouwen heb opgebeurd. Wat maakt het uit dat Dora Dinges dacht dat ik een pas gescheiden onbegrepen kunstschilder was? Haar man zat liever bier te hijsen met zijn maatjes dan dat hij met haar uitging, dus waarschijnlijk was het voor haar een enorme opkikker om een keer met een vreemde te neuken. Het kwam er in feite op neer dat ik in staat was om mezelf van het ene op het andere moment te transformeren in de fantasie van de vrouw. Als je iemand zo kunt lezen dat je haar kunt geven wat ze wil en waar ze behoefte aan heeft, mag je dat best een kunst noemen, en ik was een neukkunstenaar.

De vrouwen wilden niet de man die ik echt was en ze wilden geen liefde. Ze wilden een geil avontuurtje dat al was voorgekookt tussen hun broeierige dijen, iets waarover ze bij hun leesclubje konden vertellen. Ik was alleen maar een fysiek hulpmiddel – een buitengewoon knap hulpmiddel – waarmee ze hun diepste verlangens konden verwezenlijken.

Zo werkt het nu eenmaal: we willen allemaal de aantrekkelijkste veroveren omdat dat ons gevoel van eigenwaarde versterkt. Sprekend namens alle mannen van de wereld: we willen de bezitter zijn van de schoonheid van de vrouw die we neuken. We willen die schoonheid vastgrijpen met onze hebberige handjes, om die volledig te beheersen en tot ons eigendom te maken. En dat willen we op het moment dat de vrouw haar orgasme beleeft. Dat is perfectie. En hoewel ik niet voor de vrouwen kan spreken, kan ik me wel voorstellen – of ze het nou toegeven of niet – dat ze hetzelfde willen: de man bezitten, de baas zijn over zijn ruige schoonheid, al is het maar voor een paar seconden.

Wat maakte mijn bedrog nou helemaal uit? Ik had geen aids of herpes, en ik heb inderdaad de nodige naalden in mijn kont gehad, maar voor wie geldt dat niet? Een beetje penicilline doet wonderen. Maar anderzijds is het makkelijk om vertederd te mijmeren over vroegere lichte genitale infecties als je penis is verwijderd.

Ik geloof niet dat creatief visualiseren iets voor mij is.

Connie, die 's ochtends dienst had, was de jongste, blondste en knapste van mijn drie verpleegsters. Zij controleerde mijn verband als ik wakker werd. Ze was naar mijn zin veel te opgewekt, maar ze had een lieve glimlach, ietsje scheve tanden en ze zei altijd oprecht gemeend: 'Goeiemorgen!' Toen ik haar een keer vroeg waarom ze altijd zo verdomde aardig was – een lastige zin, maar ik kreeg hem mijn strot uit – antwoordde ze dat ze 'gewoon vriendelijk wilde zijn'. Het had iets ontroerends dat ze zich met geen mogelijkheid kon voorstellen waarom ik zoiets vroeg. In haar streven om altijd aardig te zijn bracht ze bijna elke keer een cadeautje voor me mee – een blikje fris dat ze voor me vasthield terwijl ik aan het rietje zoog, of een krantenartikel dat ze voorlas omdat ze dacht dat het mij wel zou interesseren.

Beth, met afstand de oudste van de drie, deed 's middags mijn massage. Zij was te mager en te serieus in alles. Ze had krullen die soms een beetje in de war zaten, maar je kon zien dat ze nooit de controle uit handen zou geven. Misschien kwam dat omdat ze te lang met brandwondenpatiënten had gewerkt, maar ze vertikte het om zelfs maar een heel klein beetje persoonlijk te worden.

Maddy van de nachtdienst zag eruit alsof ze liever in een café een geile corpsbal zat op te vrijen. Niet per se om hem te bevredigen, maar wel om hem te plagen. Zelfs als ze bezig was met de patiënten zorgde ze ervoor dat haar heupen verleidelijk deinden onder haar rokje. Ze had wat ik altijd een 'lemmingkont' noemde – een kont die je zonder aarzelen over de rand van een klif zou volgen. Ze was ronduit ondeugend en ik had soms het idee dat ze alleen maar verpleegster was geworden zodat ze het stoute meisje in verpleegstersuniform kon spelen. Ze betrapte me een keer toen ik naar haar staarde, waarna ze zei: 'Vóór het ongeluk was je een echte klootzak, hè?' Het was meer een constatering dan een vraag, en ze leek eerder geamuseerd dan boos.

Later die week kwam Thérèses moeder haar dochters spulletjes halen. Ze vertelde over de begrafenis; de burgemeester had een 'prachtig boeket met leliën' gestuurd en ze hadden hun gezangen 'tot de hemel gericht'. Daarna dwaalden haar gedachten af en keek ze verlangend uit het raam naar het park, waar de stemmen van honkbal spelende kinderen opklonken. Ze leek van het ene op het andere moment tien jaar ouder, en toen ze uit haar trance kwam, drong het tot haar door dat ik het had gezien.

'Heeft Thér…' begon ze. 'Ik heb begrepen dat mijn dochter in jouw bed is gestorven. Heeft ze…'

'Nee,' antwoordde ik. 'Ze heeft niet geleden.'

'Waarom kwam ze naar jou toe?'

'Ik weet het niet. Ze zei dat God me prachtig vond.'

De moeder knikte en probeerde een snik weg te slikken. 'Ze was zo'n lief kind. Ze verdiende zo veel…'

Ze kon haar zin niet afmaken. Ze wendde zich af en hoe meer ze probeerde haar huilen te onderdrukken, hoe harder haar schouders schokten. Toen ze weer in staat was om me aan te kijken, zei ze: 'Onze Lieve Heer geeft ons nooit een last die we niet kunnen dragen. Je redt het wel.'

Ze liep naar de deur en bleef toen staan. 'Is deze niet een stuk zwartgeblakerd hout dat uit het vuur is weggerukt?' Ze rechtte haar rug. 'Zacharia 3:2. De wereld is goed.'

Daarna stak ze de kunststof bloemen onder haar arm en vertrok.

Iedereen die lange tijd in een ziekenhuis heeft doorgebracht, weet dat het reukvermogen afneemt in een atmosfeer die ammonia bevat. Tijdens een debrideersessie met Nan vroeg ik: 'Hoe ruik ik?'

Ze veegde met de achterkant van haar witte mouw het zweet van haar voorhoofd en ik zag dat ze nadacht of ze me de waarheid zou vertellen of iets aangenamers. Ik kende haar intussen goed genoeg: ze zou voor de waarheid kiezen. Dat deed ze altijd.

'Niet zo erg als je zou denken. Het... Ik bedoel, je ruikt muf en oud. Als een onbewoond huis dat al een hele tijd niet is gelucht.'

Ze ging weer aan het werk, verder met het schoonmaken en opknappen van dit huis waarvan de eigenaar was vertrokken. Ik wilde tegen haar zeggen dat ze zich de moeite kon besparen, maar ik wist dat ze alleen maar haar mondhoeken zou laten zakken en gewoon zou doorgaan.

Als je in een ziekenhuis ligt en jezelf niet kunt verzorgen, word je geteisterd door vreemden: vreemden die je levend villen; vreemden die je niet met genoeg Eucerin kunnen insmeren om de jeuk draaglijk te maken; vreemden die je hardnekkig 'schatje' of 'lieverd' blijven noemen terwijl je in de verste verte geen 'schatje' of 'lieverd' bent; vreemden die denken dat het je opbeurt als ze de hele tijd met een gebeeldhouwde glimlach op hun weerzinwekkende gezicht rondlopen; vreemden die tegen je praten alsof je hersens erger zijn aangetast dan je lichaam; vreemden die zichzelf een goed gevoel willen bezorgen door 'iets voor de minder fortuinlijken te doen'; vreemden die eenvoudig moeten huilen vanwege wat ze zien; en vreemden die wel willen huilen, maar het niet kunnen en daardoor banger zijn voor zichzelf dan voor jou.

Wanneer ik de televisie zat was, telde ik de gaatjes in het geperforeerde plafond. Ik telde ze nog een keer om de uitkomst te controleren. Ik nam de nauwelijks waarneembare bewegingen in me op van de schaduwen van de avondzon die over de muur kropen. Ik leerde uit hun voetstappen af te leiden of een verpleegster een goede of een slechte dag had. De verveling was mijn bedgenoot en hij pikte alle dekens in. De slang bleef de onderkant van mijn schedel zoenen, het sekreet. IK KOM ERAAN. Ik werd bedolven onder de witheid van de omgeving en stikte in de antiseptische middelen. Ik wilde door mijn urineslangetje kruipen en verdrinken in mijn eigen pis.

Het was al erg en het werd nog erger toen Nan vertelde dat ik na mijn ontslag uit het ziekenhuis – wat nog vele maanden op zich zou laten wachten – in een doorgangshuis zou worden geplaatst ter voorbereiding op mijn 'reïntegratie' in de maatschappij. Uiteindelijk, zei ze, zou ik grotendeels voor mezelf kunnen zorgen en zelfstandig kunnen leven.

Zeventien jaar na mijn vertrek uit de ene overheidsinstelling zou ik weer teruggaan naar een andere – maar toen was ik tenminste nog een kind zonder een cent op zak, ik had een heel leven voor me. Nu, op mijn vijfendertigste, was ik een gebruikte, afgebrande lucifer.

Dus hoorde ik de artsen aan en knikte ik wanneer ze vertelden over komende operaties, maar ze hadden me net zo goed kunnen vertellen over mijn aanstaande reis naar de bodem van de oceaan. Ik tekende toestemmingsverklaringen, deed afstand van mijn huis en al mijn persoonlijke bezittingen. De behandeling van brandwonden zoals de mijne kost algauw een half miljoen dollar en kan moeiteloos oplopen tot boven de miljoen.

Mijn advocaat kwam op bezoek, slecht op zijn gemak in zijn schort. In tegenstelling tot andere bezoekers droeg hij ook een mondkapje; een welwillende geest zou kunnen denken dat het ter bescherming van mij was, maar waarschijnlijk deed hij het uit angst dat hij zelf iets zou oplopen. Ik vond het er hoe dan ook wel toepasselijk uitzien: ik kreeg onwillekeurig het beeld van een gemaskerde dief die me kwam bestelen.

Hij wijdde een paar woorden aan hoe erg hij het vond van mijn ongeluk, en met die formaliteit achter de rug begon hij uit te leggen hoe ernstig de problemen bij mijn productiemaatschappij waren. De kern ervan was het in gebreke blijven bij het nakomen van contractuele verplichtingen voor het uitbrengen van nieuw materiaal; vanaf het moment dat ik niet aanwezig was om de boel te organiseren was de productie tot stilstand gekomen, maar er waren al nieuwe verplichtingen aangegaan. Hij nam een aantal oplossingen door, maar aangezien ik nooit iemand had opgeleid om mijn taken over te nemen bij mijn afwezigheid, was er maar één echte oplossing: een faillissement. Hij had me niet willen storen in mijn 'zware tijden', dus had hij al de benodigde documenten opgesteld zodat mijn crediteuren beslag konden leggen op mijn bezittingen en de schulden vereffend konden worden. Hij had natuurlijk wel gezorgd dat zijn rekeningen het eerst werden voldaan.

Ik tekende gewoon alles wat hij me voorlegde, dan was hij tenminste zo snel mogelijk weer weg. Ik vond het wel ironisch dat al het geld dat ik had verdiend door feitelijk mijn lichaam te verkopen nu opging aan datzelfde lichaam. Toen de formaliteiten waren afgerond en mijn maatschappij was opgedoekt, wist de advocaat niets anders meer te doen dan nogmaals te zeggen hoe erg hij het vond en hem zo snel mogelijk te smeren.

En zo verstreek de tijd. Als de artsen zeiden dat ik vooruitging, imiteerde ik zo goed mogelijk een glimlach. De verpleegsters waren trots op me als ik met mijn verbrande hand in mijn therapiebal kneep. Ze dachten dat ik het deed om sterker te worden, maar ik deed het alleen maar om ze het zwijgen op te leggen. Ik had genoeg van Maddy's uitdagingen, de ernst van Beth en het optimisme van Connie.

Ik lag geduldig stil als ik een smeerbeurt met Eucerin kreeg, elk een even zware beproeving als een missie naar oorlogsgebied. Diep vanbinnen overwoog ik de mogelijkheden om te deserteren. Op een keer liet Nan zich ontvallen dat mijn verwondingen een 'klassieke uitdaging' waren voor een arts als zij. Ik wees haar erop dat ik geen probleem was dat opgelost moest worden. Ze stotterde: 'Zo bedoelde ik het niet, ik, ik… Je hebt gelijk, dat had ik niet mogen zeggen, het spijt me heel erg.'

Ik had even een gevoel van overwinning, maar het gekke was dat ik het volledig met haar eens was: ik was een probleem dat moest worden opgelost, hoewel we het uit verschillende gezichtspunten bekeken. Zij zag mijn zwachtels als een cocon waar ik op een gegeven moment uit zou kruipen, ik zag ze als een lijkwade.

De valse slang in mijn ruggengraat bleef met haar staart zwiepen en dreigen: IK KOM EN JE KUNT ER NIETS TEGEN DOEN. Het kon me niet meer schelen. De slang komt. Nou en? Het zoveelste probleem op een ellenlange lijst. Je had het Dachau van mijn gezicht. Mijn lichaam was een levensechte uitvoering van het *Inferno* van Dante, met constant het gevaar dat het ineen zou storten. De mantel van mijn huid over de uitgeholde hel van mijn ziel kon zijn eigen gewicht niet langer dragen; ik was in alle opzichten aangetast. Een arts die hoorde over het verloren gaan van mijn penis kwam langs om te vertellen over de laatste ontwikkelingen op het gebied van erectieprotheses, mocht ik mijn penis willen laten reconstrueren. Voorheen had je alleen een soort scharnierende steun waarmee de pik overeind kon staan of hangen, tegenwoordig bestonden er geavanceerde systemen met een pompje.

Dergelijke technologische ontwikkelingen waren een schrale troost voor een man die ooit werd bewonderd om het feit dat hij oneindig lang een erectie in stand kon houden. De teloorgang van de machtigen.

Ik wilde gewoon zo ver genezen dat ik kon worden ontslagen, en vierentwintig uur na mijn vertrek uit het ziekenhuis zou ik dood zijn. Die belofte deed ik mezelf en dat was het enige wat me op de been hield.

Ik ben atheïst.

Ik geloof niet dat er een god bestaat die me zal straffen voor mijn zelfvernietiging.

Omdat ik niet gelovig ben, heb ik ook nooit gedacht dat mijn ongeluk een goddelijke vergelding was voor mijn 'verdorven' activiteiten. Ik weet exáct waarom mijn ongeluk gebeurde. Omdat ik high was, hallucineerde ik over pijlen die op me afkwamen. Om de denkbeeldige pijlen te ontwijken was ik over de rand van een afgrond gereden. De brandstof in de tank deed alleen waarvoor hij gemaakt is: ontbranden wanneer hij wordt blootgesteld aan een vonk. Toen de vlammen mijn lichaam omhulden, brandde mijn lichaam volgens de wetten der thermodynamica en biologie. Er is geen diepere betekenis.

Ik weet dat er mensen zijn die God vinden als ze door het noodlot zijn getroffen, maar dat vind ik nog onzinniger dan Hem te vinden in betere tijden. 'Ik ben gestraft! God moet wel van me houden.' Dat is zoiets als geen intieme relatie willen aangaan totdat iemand van het andere geslacht je een dreun in je gezicht geeft. Mijn 'wonderbaarlijke overleven' verandert niet mijn standpunt dat de hemel iets is wat de mens heeft bedacht ter acceptatie van het feit dat het aardse bestaan angstaanjagend kort is en, paradoxaal genoeg, veel te lang.

Maar in het kader van de volledige openheid moet ik iets bekennen wat voor veel gelovigen belastend bewijs vormt voor mijn ongelovigheid. Ze zullen stellen dat ik het concept van een hemel afwijs omdat ik anders zou moeten erkennen dat ik voorbestemd ben voor de hel.

Want ik heb iemand vermoord.

Een lichte zucht daalt als opbollende zijde neer over de ziel die zijn aanstaande dood aanvaardt. Het is een lichte luchtbel in het turbulente leven van alledag. De zijde van dit gevoel wappert – nee, wapperen is te actief – de zijde vleit zich over je heen alsof die een eeuwigheid naar de aarde heeft gezweefd en eindelijk zijn doel heeft gevonden. De vlag van de overgave is genadig gevallen en daarmee is het verlies niet zo erg. De overgave zelf wordt verslagen door het accepteren ervan, en de dood is verzwolgen in de overwinning.

Het gesis van de slang sterft weg en de dood beroert je liefde-vol, begerig: het is het baasje dat de hond aait, een ouder die een huilend kind troost. De uren verstrijken en de dagen onder-scheiden zich nauwelijks van de nachten. De duisternis groeit als een prachtige, kalmerende vloedgolf en het lichaam smacht naar rustgevende slaapliedjes en afscheidspsalmen.

Ik spreek uit ervaring: niets laat zich vergelijken met de wens om te sterven. Ik had een uitstekend plan dat een glimlach op mijn gezicht bracht. Ik zweefde er iets lichter door op mijn luchtmatras.

Ik was een onbemind monster. Niemand zou treuren om mijn dood – feitelijk bestond ik al niet meer. Wie zou me missen, de artsen die deden alsof ze om me gaven? Nan deed haar best om de juiste dingen te zeggen en door een hoopvol gezicht te trekken, maar ze was aardig genoeg om niet te liegen. Deson-danks loog ik tegen haar wanneer ik deed alsof ik wilde genezen. Ik was mijn plan aan het perfectioneren, bezig met de uitwer-king als de verpleegsters mijn afzichtelijke lichaam verzorgden en met snelle bewegingen teder over mijn lijf gingen, als insec-ten die gracieus op een drol landden.

Zelfmoord is iets wat je niet wilt verknoeien. Zeker niet als je zoals ik toch al het vooruitzicht hebt dat je er je hele leven uit zult zien als een oudbakken dimsum. Je maakt het alleen maar erger als het erop uitdraait dat je je hele leven als kasplantje of al-geheel verlamd moet slijten, wat kan gebeuren als je een misre-kening maakt. Dus nogmaals: zelfmoord is iets wat je niet wilt verknoeien.

Mijn plan zou direct na mijn ontslag uit het ziekenhuis in werking treden, omdat ik op de brandwondenafdeling te goed in de gaten werd gehouden. In het revalidatiecentrum zouden geen sloten of bewakers zijn. Waarom ook? Zulke instellingen zijn er om mensen terug in de maatschappij te brengen, niet om ze er-buiten te houden.

Ik had nog een paar duizend dollar op een bankrekening staan onder een valse naam; dat zou meer dan genoeg zijn. Ik zou de deur uit gaan, de straat uit strompelen, een bank zoeken en het geld opnemen. In een kledingwinkel zou ik een jas met capuchon kopen zodat ik me onopvallend door het land der levenden kon bewegen. En daarna zou er een uiterst interessante strooptocht beginnen.

De aanschaf van een geweer zou simpel zijn. Ik had al besloten om Tod 'Trash' White te benaderen, een kleine crimineel die voor een habbekrats zijn grootmoeder nog zou verkopen. De levering van een geweer tegen een riante winst zou een grote grijns op zijn pokdalige gezicht toveren, waarschijnlijk zou hij er ook nog wel een stel extra patronen bij leveren.

De andere benodigdheden waren nog makkelijker te krijgen. Bij elke drogist kun je scheermesjes kopen. Touw bij de doe-het-zelfzaak om de hoek. Slaappillen bij de plaatselijke apotheek. Whisky in de drankwinkel.

Na de aanschaf van mijn spullen zou ik mijn intrek nemen in een hotel. Eenmaal op mijn kamer zou ik een paar antihistaminepillen nemen, maar niet tegen hooikoorts. Ik zou op mijn gemak een paar pornofilms kijken op het sekskanaal van het hotel, gewoon vanwege vroeger. Misschien zag ik mezelf nog wel in een afscheidsvoorstelling.

Tijdens het kijken zou ik het jachtgeweer openklappen en de patronen erin stoppen. Vervolgens zou ik een strop maken, met extra aandacht voor de knoop. Het doel is niet verstikking, maar een gebroken nek: een grote, sterke knoop zorgt voor een mooie breuk. Na het maken van de juiste knoop zou ik de strop een paar keer door mijn handen laten gaan om mijn werk te bewonderen en er trots aan te trekken, want je weet hoe graag mannen ergens aan rukken.

Ik zou op mijn gemak met het geweer en mijn strop op het balkon gaan staan. Zonsondergang. Ik zou de avondlucht inademen. Mijn armen uitstrekken naar de stad. Mijn vuisten ballen en twee keer op mijn borst slaan. Terwijl ik me sterk en mannelijk voelde, zou ik het touw stevig aan het balkonhek vastmaken. Ik zou de strop over de reling gooien om er zeker van te zijn dat het touw lang genoeg was voor een kleine val en een harde, afdoende ruk. Daarna zou ik het touw weer inhalen en wensen dat ik hetzelfde kon doen met die vervloekte slang in mijn ruggengraat.

Ik zou vijf slaappillen uit het flesje halen en ze met een glas whisky wegspoelen. Daarna zou ik nog een paar van die cocktails nemen. Het is altijd prettig om met een glaasje van de ondergaande zon te genieten. Bij het nuttigen van mijn drankjes zou ik een scheermesje uit het pakje halen en het touw deels doorsnijden. Hierbij zou ik een beetje op de gok moeten werken, want het touw mocht bij mijn val niet direct breken. Het moest mijn gewicht een tijdje kunnen dragen als het touw strak kwam te staan.

Ik zou nog een glas whisky nemen en nog eens vijf slaappillen. Daarom had ik de antihistamine genomen: als je te veel slaappillen inneemt, leidt dat tot braken en de antihistamine heft dat effect op, zodat de slaappillen blijven waar ze horen. Behoorlijk slim, hè? Daarna zou ik de weekdosis morfine pakken die ik tegen de pijnslang had gekregen en die in één bevredigende keer bij mezelf inspuiten. Om mijn gifcocktail te voltooien zou ik de resterende slaappillen nemen met een laatste teug whisky. Intussen begrijp je wel hoe mijn plan is opgezet.

Ik zou de strop om mijn nek doen, een beetje snel om de duizeligheid vóór te zijn. Ik zou een nieuw glanzend scheermesje uit zijn verpakking halen. Kijk eens hoe het glanst in het licht, alsof een denkbeeldige god je wenkt! Met een enkele, vaardige haal zou ik mijn rechterpols doorsnijden, diep en goed, waarna ik hetzelfde zou doen bij mijn linkerpols. Let op: ik zou de aderen in de lengte doorsnijden en niet haaks. Mensen die hun pols zo doorsnijden willen eigenlijk niet dood of zijn te stom om het goed te doen.

Ik zou op de rand van het balkon gaan zitten. Met bebloede handen zou ik het geweer pakken en de loop in mijn mond steken. Ik zou zorgvuldig de hellingshoek van de loop bepalen zodat het schot hagel dwars door mijn verhemelte in de vlezige brij van mijn hersens terecht zou komen. Het voordeel van een hagelgeweer ten opzichte van een handvuurwapen is dat je niet zo precies hoeft te richten. De honderden hagelkorrels verspreiden zich onmiddellijk en blazen je hele ellendige kop uit elkaar. Dat is het mooie.

Ik zou met mijn rug naar de stad zitten zodat ik door de klap achterover van de balkonreling zou vallen. Op het moment dat mijn hersens uiteen werden gereten zou ik vallen, maar die val zou abrupt worden afgebroken door de strop om mijn nek. Even zou ik zo blijven hangen, met trekkende voeten. Misschien zou mijn hele lichaam wel wild schokken, dat is moeilijk te voorspellen. Mijn polsen zouden rood kleuren en mijn schedel zou een grijze massa pulp zijn, een beetje zoals het lelijkste schilderij van Picasso. Het restant van mijn hersenen zou door zuurstofgebrek stoppen met functioneren. Mijn maag zou boordevol whisky en slaappillen zitten. Mijn aderen zouden mijn van morfine vergeven bloed ongehinderd uit de gapende sneden in mijn polsen laten vloeien. Als ik het touw op de juiste manier zou hebben doorgesneden, zou het nu beginnen te rafelen. De strengen zouden hun onderlinge verband verliezen en na een paar minuten geheel uiteenvallen. Mijn lichaam zou twintig verdiepingen lager op het trottoir smakken. Prachtig. Missie voltooid. Dát is pas zelfmoord plegen, zo veel beter dan een noodkreet om hulp.

Hoe dan ook, dat was mijn plan. Nimmer heeft een mens zo sterk naar zijn dood verlangd, zo hoopvol.

3

Sta me toe dat ik begin met een beschrijving van haar haar – want in feite zou het onmogelijk zijn om ergens anders mee te beginnen. Haar haar leek op ranken uit de Tartarus die 's nachts groeien en omhoogreiken uit een oord dat zo duister is dat de zon er slechts een gerucht is. Het kronkelde wild alle kanten op, donkere krullen als een verlokkende waterval die eruitzagen alsof ze je hand zouden verzwelgen als je het geluk had dat je je vingers erdoorheen mocht halen. Haar haar was zo onaards dat ik zelfs nu, jaren later, de neiging heb om gebruik te maken van dit soort idiote metaforen waar je de volgende ochtend spijt van hebt.

Ook haar ogen dwingen me om mezelf voor gek te zetten. Ze brandden groen als de harten van jaloerse minnaars die elkaar midden in de nacht beschuldigingen toewerpen. Nee, ik heb het *pupillen?* mis, ze waren niet groen, maar blauw. Rond haar irissen kolkten oceaanhoge golven, als een onverwachte storm die op het punt staat een zeeman weg te rukken bij zijn vrouw. Nee, wacht... misschien waren haar ogen toch groen, zoals bij zo'n ring waarvan gezegd wordt dat de steen al naar gelang je gemoedstoestand van kleur verandert.

Ze verscheen op de brandwondenafdeling, gekleed in een lichtgroen operatieschort, met die onpeilbare ogen en dat woest krullende haar, en ik wachtte op het stokken van haar adem dat altijd volgde als iemand me voor het eerst zag. Ik wachtte tot ze haar hand voor haar mond zou slaan, geschokt en ontzet. Ze stelde me teleur door alleen maar te glimlachen.

'Je bent verbrand. Alweer.'

Doorgaans reageer ik niet op de bizarre uitspraken van vreemden, maar in dit geval kwam het omdat ik niet wilde dat ze het gebarsten toiletpotgeluid van mijn stem zou horen. Mijn keel was aan het genezen, maar mijn oor (het oor dat nog functioneerde) was nog niet gewend aan de erbarmelijke klank. Ik wilde dat ze alleen de stem zou kennen die ik voorheen had, de stem waarmee ik een vrouw het bed in kon praten.

Omdat ik zweeg, sprak ze opnieuw. 'Dit is de derde keer dat je bent verbrand.'

Ik raapte mijn moed bijeen en corrigeerde haar. 'De eerste.'

Ze leek even in verwarring gebracht. 'Misschien ben je niet wie je bent.'

Zonder haar ogen van de mijne af te wenden liep ze naar mijn bed en trok de gordijnen eromheen dicht zodat onze privacy verzekerd was. Ze boog zich over mijn gezicht en bestudeerde me van een paar centimeter afstand. Niemand had ooit zo naar me gekeken, niet vóór het ongeluk en al helemaal niet daarna. Onder haar ogen, die dansten tussen blauw en groen, had ze donkere wallen alsof ze weken niet had geslapen. Toen haar lippen bijna de mijne raakten, fluisterde ze een woord: 'Engelthal.'

Er is ongetwijfeld weleens een moment in je leven geweest, lezer, dat je oog in oog stond met een gestoord iemand. Je voelt het onmiddellijk, meestal voordat diegene iets zegt, maar dat onzinnige woord was voor mij het onomstotelijke bewijs. Het is niet zo heel bijzonder om een gek tegen te komen, aangezien de wereld ervan vergeven is; wat het interessant maakte, was mijn reactie. Doorgaans wil je er bij zo'n ontmoeting alleen maar vandoor gaan. Als je op straat loopt, wend je je ogen af en versnel je je pas, maar op de brandwondenafdeling kon ik alleen maar op de patiëntenbel drukken. Maar dat deed ik niet. Mijn enige reactie op deze mogelijk gevaarlijke situatie was geen reactie. Dus wie was er nu niet goed bij zijn hoofd, de vrouw met de woeste haren of ik?

Ze deed een stap achteruit. 'Je weet het niet meer.'

'Nee.' Wat ik me volgens haar ook moest herinneren, het was duidelijk dat het niet zo was.

'Dat maakt het wel interessanter,' zei ze. 'Weet je dat ze proberen om mijn harten te vergiftigen?'

'Nee,' antwoordde ik opnieuw, maar ik was benieuwd waar deze reactie toe zou leiden. 'Is dat zo?'

'Ja. Ik mag het niet laten gebeuren, want mijn boetedoening is nog niet voltooid.' Ze keek om zich heen alsof ze bang was dat er iemand meeluisterde. 'Hoe ben je dit keer verbrand?'

Ik kon een paar korte zinnen achter elkaar uitbrengen als ik er maar aan dacht om te pauzeren en adem te halen, dus gaf ik haar een paar details van mijn ongeluk – wanneer, waar, hoe lang geleden. Toen vroeg ik hoe ze heette.

'Je weet mijn naam.' Ze voelde steeds zoekend aan haar borst, naar iets wat er kennelijk niet meer was. Haar bewegingen deden me denken aan de manier waarop ik altijd mijn geboortelitteken had aangeraakt.

'Wat doe je?' vroeg ik.

'Ze hebben mijn halsketting afgepakt. Ze zeiden dat ik er iemand mee kon bezeren,' antwoordde ze. 'Er is hier pasgeleden een meisje gestorven.'

Ik dacht aan Thérèse. 'Hoe weet je dat?'

'O, ik weet het een en ander over de dood,' lachte ze, 'maar waarschijnlijk hebben wij nog geluk.'

'Hoezo?'

'We hebben langer geleefd dan een zevenjarige. Wel honderd keer zo lang.'

'Waar heb je het over?'

'Ik heb een hond die Bougatsa heet.' Haar armen hingen nu langs haar zij en ze trok met haar vingers. 'Hij vindt je vast aardig.'

'Ik hou niet van honden.'

'Wel van deze.'

'Honden vinden mij niet aardig.'

'O. Omdat je zo stoer en gemeen bent, hè?'

Durfde ze echt te spotten met een brandwondenslachtoffer?

'Waar komt die naam vandaan?' vroeg ik. 'Bougatsa?'

'Zo heet de vulling van een Grieks pasteitje, en mijn hond

heeft precies dezelfde kleur. Ik kan hem wel een keertje meenemen.'

'Honden zijn hier niet toegestaan.' Ademhalen. 'Zelfs bloemen kunnen dodelijk voor me zijn.'

'Ha! Zo dom ben ik niet. Je weet dat je ergere dingen te vrezen hebt dan een hond.' Ze legde haar hand zachtjes op mijn borst. Ik huiverde, niet alleen door de aanraking, maar ook door de gloed in haar ogen. 'Je bent sterk in de verleiding om zelfmoord te plegen, en daar kan ik me wel iets bij voorstellen. Maar er is een tijd en een plaats voor zulke dingen, en het is nog niet zover.'

Waarom zou ze zoiets zeggen? Ik moest van onderwerp veranderen. 'Je ziet er goed uit voor iemand van zevenhonderd jaar.'

'Jij niet,' zei ze, mijn hele lichaam bekijkend. Het was de eerste keer dat iemand een grapje maakte over mijn brandwonden. 'Wat vind jij dat ik met mijn harten moet?'

'Ik denk...' Ik pauzeerde even om de indruk te wekken dat ik mijn antwoord zorgvuldig overwoog, maar eigenlijk bereidde ik me voor op de lengte van de volgende zin. 'Ik denk dat je ze aan hun rechtmatige eigenaar moet geven.'

Ze sperde haar ogen wijd open, alsof ik een sleutel in een verborgen sleutelgat had gestoken, en ik vroeg me af of ik op het verkeerde knopje van het gestoordenbedieningspaneel had gedrukt. Maar haar gezichtsuitdrukking veranderde direct daarop van opgetogen in argwanend. Ze liep naar een hoek van mijn bed waar ze iets in een vreemde taal reciteerde. '*Jube, Domine benedicere.*' Latijn? Er volgde een kort gesprek waarbij ze in een taal die ik niet begreep in het luchtledige sprak en wachtte op een antwoord dat ik niet kon horen. Toen het eerste denkbeeldige gesprek was afgelopen, maakte ze een diepe buiging en liep naar een andere hoek om de voorstelling te herhalen. En vervolgens bij de derde hoek. Ze beëindigde elk gesprek met dezelfde woorden als waarmee ze begon – '*Jube, Domine benedicere*' – en ging weer op de plek staan waar ze was begonnen, nu zonder de argwanende blik.

'Mijn Drie Meesters bevestigen dat jij het echt bent. Voor jou heb ik mijn laatste hart vervolmaakt.'

Deze woorden maakten duidelijk diepe emoties bij haar los. Ze leek op het punt te staan in tranen uit te barsten toen ze zei: 'Ik heb zo lang gewacht.'

Op dat moment trok Beth de gordijnen open. Ze leek verbaasd dat ik bezoek had na zo veel weken zonder, maar haar verrassing veranderde al snel in bezorgdheid toen ze de blik van waanzinnige vreugde in de ogen van de vrouw zag. Toen merkte Beth op dat mijn bezoekster weliswaar een operatieschort droeg, niet in de tint groen van bezoekers, maar met de donkere tint van patiënten, en dat ze een armband met de kleurcode van een psychiatrische patiënt had. Beth, professioneel als altijd, ging niet zelf de confrontatie met mijn bezoekster aan, maar weigerde wel om me met haar alleen te laten. Ze liet meteen een hulpverpleger komen om de vrouw terug naar de psychiatrische afdeling te 'begeleiden'.

Ik had het gevoel dat ik niets te vrezen had, ik vond het zelfs wel prettig dat er iets spannends gebeurde in een omgeving die verder zo deprimerend steriel was. Tot de komst van de ziekenbroeder praatten de vrouw en ik rustig verder terwijl Beth waakzaam op de achtergrond bleef. Mijn bezoekster fluisterde zodat niemand kon meeluisteren. 'We hebben een gemeenschappelijke kennis.'

'Dat betwijfel ik.'

'Je hebt haar maar één keer ontmoet, in een menigte. Ze kan niet praten,' zei ze en ze boog zich naar me toe, 'maar ze heeft je een aanwijzing gegeven.'

'Een aanwijzing?'

'*Heb je je nooit afgevraagd waar je litteken echt vandaan komt?*' Mijn bezoekster stak haar hand uit naar haar borst en ik dacht dat ze de plek zou aanwijzen waar mijn litteken zat, maar ze voelde alleen maar vergeefs naar haar ontbrekende halsketting.

Hoe kon deze vrouw de exacte tekst kennen van het briefje dat ik op de vliegshow had gekregen? Maar ik blijf een rationeel mens – dit was een vreemd toeval, meer niet. Om dat te bewijzen probeerde ik haar op het verkeerde been te zetten: 'Mijn lichaam is één groot litteken.'

'Niet je brandwonden. Het litteken waarmee je bent geboren, op de plek van je hart.'

Op dat moment arriveerde de hulpverpleger die de vrouw met geruststellende woorden probeerde weg te leiden. Beth hielp door met haar lichaam mijn bezoekster richting deur te dirigeren.

Mijn stem was nog zwak, maar ik verhief hem zo goed als ik kon. 'Hoe wist je dat?'

De vrouw draaide zich om, de armen die aan haar ellebogen trokken negerend. 'Het probleem met mensen zoals wij is dat we niet gewoon sterven.'

Toen voerde de hulpverpleger haar de kamer uit.

Voor alles is een logische verklaring; dus was er ook een logische verklaring voor het feit dat de vrouw van mijn litteken af wist.

Eerste verklaring: een toevalstreffer.

Tweede verklaring: het was een geintje van een vriend, iemand die dacht dat het grappig zou zijn om een actrice te sturen die een psychotische vrouw speelde die heel persoonlijke dingen van me wist. Bezwaren tegen deze hypothese zijn dat ik nooit iemand uit mijn vriendenkring had verteld over de Aziatische vrouw op het vliegveld en dat ik geen vrienden meer had die geintjes met me uithaalden.

Derde verklaring: de vrouw kende mijn seksfilms en wist van het litteken op mijn borst. Een op celluloid aantoonbaar feit omdat ik nooit de moeite had genomen om het met make-up te verbergen. (Je zweet te veel in mijn vakgebied.) Ik stond in het ziekenhuis alleen niet ingeschreven onder mijn pornonaam, maar onder mijn echte naam, en gezien mijn huidige uiterlijk was het onmogelijk om de man te herkennen die ik vroeger was geweest.

Laatste verklaring: de vrouw was dol op mijn seksfilms en ze was een stalker die me had opgespoord via mijn intussen opgedoekte productiemaatschappij. Iemand, waarschijnlijk die zak van een advocaat van me, had haar verteld over mijn ongeluk en had haar doorverwezen naar de brandwondenafdeling.

Maar als ze een geobsedeerde fan was, waarom had ze dan niets gezegd over mijn vroegere carrière? En als ze op zoek was gegaan naar de acteur die ze had gezien, hoe had ze dan blij kunnen zijn toen ze me in deze toestand aantrof? En tot slot, hoewel het gedrag van de vrouw veel vreemde trekjes vertoonde, wees niets erop dat ze verslaafd was aan harde porno. Heus, ik ben in mijn leven zo veel mafkezen tegengekomen dat ik ze er meteen uitpik.

Ik bedacht dat ik het haar maar moest vragen als ze terugkwam, want op de een of andere manier wist ik dat ze zou terugkomen. Toen ik tegen mijn verpleegsters zei dat ik het prima vond om bezoek te krijgen van de vrouw van de psychiatrische afdeling keken ze me allemaal met een vreemd lachje aan. Wat triest, dachten ze vast, dat ik uitkeek naar het bezoek van een gek. Maar dat weerhield me niet en ik vroeg Beth zelfs of ze wilde uitzoeken hoe ze heette. Ze weigerde, dus vroeg ik het Connie. Die zei ook dat het tegen de regels was om informatie over andere patiënten vrij te geven. Daarop zei ik dat het wel 'heel, heel erg onvriendelijk' zou zijn als Connie me niet de naam gaf van de enige die me in lange tijd was komen opzoeken. Aangezien ze vóór alles aardig wilde zijn, kwam Connie al snel terug met de gevraagde informatie.

De vrouw heette Marianne Engel.

Vóór het ongeluk was ik langer. Het vuur deed me krimpen als *beef jerky* tijdens het droogproces. Ooit was ik zo slank en aantrekkelijk geweest als een Griekse jongeman uit de derde eeuw, met het soort billen waar Japanse zakenlui dol op zijn. Ze betalen veel geld voor een paar lekkere meloenen. Mijn huid was zacht en gaaf als het onberoerde oppervlak van yoghurt, mijn buik was in symmetrische vlakken verdeeld en mijn armen waren soepel gespierd. Maar mijn gezicht was mijn echte wapenrusting. Ik had jukbeenderen die Verlaine natte dromen zouden hebben bezorgd. Mijn ogen waren donker en diep genoeg voor een dagtochtje van de speleologenclub. Een homoseksuele man vertelde me een keer dat hij ervan droomde om de eikel van zijn penis zacht op mijn onderlip te mogen laten rusten. Ik lachte hem uit, maar stiekem beschouwde ik het als een groot compliment.

Na het ongeluk heb ik geprobeerd mijn ijdelheid van me af te zetten, maar het kost me nog steeds moeite. Ik denk terug aan vroeger, toen mijn gezicht perfect was en de wind mijn haar zo omhoogblies dat het eruitzag als de zachte onderveren van de vleugel van een vogel. Ik denk terug aan de keren dat vrouwen zich op straat omdraaiden en naar me glimlachten, zich afvragend hoe het zou zijn om mijn schoonheid ook maar één stralend moment te mogen bezitten.

Als je de omschrijving gelooft van het monster dat ik nu ben, moet je ook de omschrijving geloven van de schoonheid die ik was. En na mijn ontmoeting met Marianne Engel voelde ik dat verlies – vooral in de lege regionen van mijn kruis – nog veel sterker.

Ongeveer tien dagen later vereerde ze me weer met een bezoek, gekleed in een mantel die leek te zijn vervaardigd naar een verfijnd middeleeuws model. Ik probeer je niet voor de gek te houden, zo zag hij er echt uit. De kap hing over haar gezicht en haar ogen glansden als aquamarijn in een mijn. Ze legde een vinger op haar lippen als teken dat ik stil moest zijn en sloop naar mijn bed. Ik wilde lachen, maar ik zag dat het een serieuze aangelegenheid voor haar was. Toen ze naast me stond, trok ze de gordijnen dicht zodat we misschien weer wat privacy hadden. Ze had zich geen zorgen hoeven maken, want op dat moment lagen er maar twee andere patiënten op de kamer. De een was weg voor revalidatietherapie en de ander lag te snurken.

Binnen de barrière van kunststof voelde ze zich veilig genoeg om haar kap naar achteren te schuiven – een klein stukje maar, niet helemaal – en ik zag dat de wallen onder haar ogen waren verdwenen. Ze zag er een stuk beter uit dan tijdens haar eerste bezoek, en ze rook sterk naar tabak. Ik vroeg me af of ze echt langs de verpleegsters had weten te glippen of dat ze haar gewoon hadden laten doorlopen. Vanwege het feit dat ze weer niet het juiste bezoekersschort droeg, gokte ik erop dat ze onopgemerkt was binnengeglipt. Ze bleef de hoeken van haar kap vasthouden, klaar om hem indien nodig meteen weer over haar hoofd te trekken.

'Ik wil niet dat ze weten dat ik hier ben.'

'De artsen?'

Marianne Engel knikte. Ik zei dat ze niet bang hoefde te zijn, dat het aardige mensen waren.

'Je weet niet veel van artsen.' Ze voelde in de boord van haar mantel en haalde een leren koord met een pijlpunt eraan te voorschijn. 'Kijk, ik heb mijn ketting terug.' Ze hield hem boven haar hoofd en daarna ging haar hand naar mijn borst, zodat de pijlpunt als een magische amulet zoekend boven mijn hart hing. 'Mag ik?'

Ik wist niet wat ze bedoelde, maar ik knikte.

Marianne Engel deed haar hand omlaag zodat de pijlpunt op mijn borst kwam te liggen. 'Hoe voelt dat?'

'Alsof hij er thuishoort.'

'Dat is ook zo.'

'Hoe wist je van het litteken op mijn borst?'

'Niet zo'n haast. Het uitleggen van zulke dingen kost tijd.' Ze haalde de ketting van mijn borst en deed hem zelf weer om. 'Vind je het goed als ik het dit keer hou bij een verhaal over een draak?'

'Er was eens een draak die La Gargouille heette. Hij leefde in Frankrijk, in de buurt van de Seine. La Gargouille was een vrij alledaagse draak met groene schubben, een lange nek, scherpe klauwen en kleine vleugeltjes waarmee hij onmogelijk leek te kunnen vliegen, maar dat desondanks toch kon. Zoals de meeste draken kon hij vuur spuwen, bakken water spuiten en grote bomen uitrukken met zijn klauwen.

De bewoners van de nabijgelegen plaats, Rouen, haatten de

draak en leefden in angst. Maar wat konden ze doen? Hij was veel sterker dan zij, dus brachten ze elk jaar een offer in de hoop dat dat hem rustig zou houden. La Gargouille gaf zoals de meeste draken de voorkeur aan jonge maagden, maar de inwoners offerden doorgaans misdadigers. Hoe dan ook werden er mensen opgegeten, wat de situatie allesbehalve aangenaam maakte.

Dit ging zo tientallen jaren door, tot er rond het jaar 600 een priester met de naam Romanus in de stad aankwam. Hij had over La Gargouille gehoord en wilde weleens een poging wagen om het beest te temmen. Als ze een kerk bouwden en elke inwoner zich liet dopen, zo bood Romanus aan, zou hij afrekenen met de draak. Dat leek de dorpelingen, ook niet op hun achterhoofd gevallen, wel een aardige regeling. Wat hadden ze te verliezen, afgezien van de draak?

Dus toog Romanus naar de Seine met een bel, een bijbel, een kaars en een kruis. Hij stak de kaars aan, zette hem op de grond en sloeg vervolgens zijn bijbel open voordat hij La Gargouille opriep. Het monster kwam onbezorgd te voorschijn uit zijn grot; hij was tenslotte een draak, dus wat had hij te vrezen van een miezerige mens? Dergelijk bezoek was in elk geval goed voor een portie vers vlees.

Op het moment dat de draak verscheen, luidde Romanus de bel – alsof hij een sterfgeval aankondigde – en begon hij Gods woord voor te lezen.

Bij het horen van dit geluid blies de draak kleine rookwolkjes uit alsof de woorden hem amuseerden, tot hij besefte dat hij geen vuur kon spuwen als hij dat wilde. Zijn longen deden pijn en al snel voelde hij zich uitgeput en moest hij naar adem happen.

Toen La Gargouille doorkreeg dat hij de priester niet met vuur onschadelijk kon maken, stormde hij op hem af. Romanus hief onverschrokken zijn kruis op naar het monster, dat tot de ontdekking kwam dat het geen poot meer kon verzetten, alsof een onzichtbare hand hem tegenhield. Van welke kant het beest het ook probeerde, de priester weerde alle aanvallen af en La Gargouille kwam geen stap dichter bij zijn kwelgeest. Met het kruis in zijn ene en de bijbel in de andere hand bleef Romanus voorlezen, vertrouwend op zijn geloof; elk bijbelvers was als een pijl onder de schubben van de draak, elk hoofdstuk als een speer in zijn flanken.

La Gargouille had in zijn lange leven nog nooit zoiets meegemaakt en hij wilde zich terugtrekken. Hij keek naar links en naar rechts, maar met behulp van zijn kruis dreef Romanus het monster recht naar achteren. Toen de draak was teruggedreven in zijn grot, las Romanus onversaagd verder tot het beest verslagen door zijn knieën zakte. Tot besluit sloeg Romanus zijn bijbel dicht en blies hij de kaars uit; de ceremonie was voltooid en het monster was getemd.

Ontdaan van strijdlust boog La Gargouille zijn kop en stond hij toe dat Romanus zijn misgewaad eroverheen trok. Met behulp van zijn kruis draaide de priester deze leiband strak aan en hij voerde de verslagen draak naar de stad.

Iedereen wist dat je een draak alleen kunt doden door hem te verbranden op de brandstapel, en zo geschiedde. La Gargouille huilde in doodsnood, maar dat klonk de dorpelingen als muziek in de oren. Het gekrijs ging tot het laatst toe door omdat de kop en nek van La Gargouille niet wilden branden – door het vermogen om vuur te spuwen waren deze delen vuurbestendig. Maar uiteindelijk stierf het dier en waren de dorpelingen bevrijd van hun gesel.

De inwoners waren integer en ze hielden zich aan hun deel van de afspraak. Iedereen liet zich dopen en ze bouwden de kerk. Bovenop werd de niet-verbrande kop van La Gargouille gezet, waar hij eeuwenlang fungeerde als model voor chimaera's en gargouilles.'

Marianne Engel ging helemaal op in het verhaal zodat ik de gelegenheid had haar wat beter te bekijken. Haar ogen, die vandaag blauw waren, schoten niet meer voortdurend heen en weer, uitkijkend naar artsen. Ze staarde zo intensief en direct naar me dat ik er verlegen van werd.

Ze was niet wat je een klassieke schoonheid zou noemen.

Haar tanden waren misschien een beetje te klein voor haar mond, maar dat heb ik altijd wel sexy gevonden. Ik denk dat de meeste mannen haar wenkbrauwen iets te borstelig zouden vinden, maar eerlijk gezegd zijn zulke mannen idioten. Alleen over haar neus viel te redetwisten. Hij was zeker niet te groot, maar ook niet verfijnd. Een klein hobbeltje op de brug wees erop dat hij ooit gebroken was geweest, maar ik vond dat dat haar juist karakter gaf. Je zou haar kunnen verwijten dat haar neusvleugels iets te breed waren, maar een beetje rechter zou zo'n zaak direct naar de prullenbak hebben verwezen.

Haar huid was bleek, alsof ze niet vaak in de zon kwam. Ze leek eerder mager dan dik, maar vanwege haar mantel was haar bouw moeilijk in te schatten. Ze was langer dan de meeste vrouwen, maar niet lang genoeg om de normen op dat gebied te overschrijden. Ze was aangenaam lang, zou je kunnen zeggen. Haar leeftijd was moeilijk in te schatten, maar ze leek achter in de dertig.

Lang nadat ze was uitverteld besefte ik dat ik haar nog steeds aanstaarde. Ze glimlachte terug, niet ontstemd, maar tevreden. Ik zei het eerste wat in me opkwam: 'Heb jij dat verzonnen?'

'Nee, het is een oude legende,' lachte ze. 'Ik ben niet goed in het verzinnen van verhalen, maar ik weet wel veel van geschiedenis. Wist je bijvoorbeeld dat Jeanne d'Arc in Rouen is verbrand en dat haar as in de Seine is gegooid?'

'Nee, dat wist ik niet.'

'Ik vind het wel een prettige gedachte dat haar lichaam nog steeds deel uitmaakt van het water.'

We praatten nog wat, over allerlei dingen. Toen kwam dokter Edwards binnen voor haar dagelijkse ronde – ik herkende haar voetstappen – en ze trok het gordijn open.

'O,' zei ze, verbaasd om een bezoeker aan te treffen. 'Kom ik ongelegen?'

Marianne Engel trok haar kap naar voren, schoot overeind en raakte bijna verstrikt in het gordijn toen ze langs dokter Edwards schoot. Op weg naar buiten draaide ze zich om en smeekte ze: 'Niets zeggen.'

In de dagen na Marianne Engels bezoek begon Nan met een elektrische dermatome mijn eigen gezonde huid af te schaven en die op beschadigde plekken aan te brengen. Ze zei dat het een stap vooruit was in mijn behandeling, maar zo voelde het niet. De gezonde huid had nog steeds werkende zenuwen, dus bij elke oogst werd letterlijk de buitenlaag van mijn lichaam geschaafd, met achterlating van open wonden. Het duurde zo'n twee weken voordat de huid was hersteld en de procedure herhaald kon worden. Ik kweekte nieuwe huid om die alleen maar weer te laten verwijderen; ik was een huidkwekerij en de dermatome was de oogstmachine.

Na elke schaafbeurt werd ik volgesmeerd met crème en losjes in verband gewikkeld. Een paar dagen later wisselde een van de verpleegsters, meestal Beth, het verband. Nan stond erbij om te kijken hoeveel van de transplantatiehuid had gehecht, en er werd een ruwe schatting gemaakt om te bepalen of de procedure was geslaagd of mislukt. Een score van vijfentachtig procent was goed; bij alles daaronder maakte Nan klakgeluidjes met haar tong. Minder dan zestig procent hield in dat ze haar oplapwerk opnieuw moest doen.

Zelfs als de huid aansloeg, was die vanwege het ontbreken van vetklieren in het weefsel extreem droog. Alsof er mieren onder je huid zitten is niet alleen een te clichématige omschrijving van hoe het voelde, maar ook niet beeldend genoeg. Bostermieten in de weer met kleine kettingzagen misschien; of wenkkrabben in een haren boetekleed en op glasfiber schoenen; of een horde babyratten die kleine ploegen bezet met prikkeldraad voorttrokken? Tapdansende onderhuidse kakkerlakken op voetbalschoenen en met cowboysporen? Misschien.

Ik wachtte dagenlang op de terugkeer van Marianne Engel.

Ik dacht te vaak aan haar, het vulde tijd die ik anders had besteed aan het angstig toeleven naar de volgende debrideersessie of aan het uitwerken van zelfmoordplannen. Toen ik in mijn maag pijn begon te voelen, vroeg ik me af of ik haar daadwerkelijk miste, deze vrouw die ik nauwelijks kende. Was dit verlangen? Ik wist het echt niet, aangezien ik tot nu toe alleen iets soortgelijks had gevoeld als mijn cokeleveranties waren stilgevallen.

Later bleek dat het gevoel in mijn maag geen hunkeren was. Al snel flamenco-dansten mijn ontregelde ingewanden zich naar ondraaglijke pijn. Mijn darmen gloeiden alsof ze vol chilipepers zaten en in mijn anus klepperden castagnetten. Nan porde in mijn buik en vroeg of het pijn deed. Ik zei tegen haar dat het voelde alsof de kloterige Spaanse Burgeroorlog er werd uitgevochten. Al snel verschenen er andere artsen op mijn kamer, rijen witte jassen die me aan de slagvelden van de Eerste Wereldoorlog deden denken. Ze maakten scans, ze maakten röntgenfoto's en ze mompelden dingen als 'interessant' en 'hm'. (Ongeacht hoe interessant iets ook mag zijn, een arts mag nooit 'interessant' of 'hm' zeggen in het bijzijn van de patiënt.) Al snel stelde het kwetterkoor van artsen vast dat ik een ernstige alvleesklierontsteking had, waardoor een groot deel van mijn alvleesklier was afgestorven. Je hebt steriele en geïnfecteerde alvleeskliernecrose. Bij mij was het geïnfecteerd. Als ik niet onmiddellijk werd geopereerd, was er grote kans dat ik het niet zou overleven. Dus zeiden de artsen dat er weinig anders op zat dan zo snel mogelijk een flinke homp van mijn alvleesklier te verwijderen. Waarom niet, zei ik schouderophalend. Minder dan vijf uur na de diagnose werd ik een operatiekamer binnengerold waar de anesthesist me vroeg om terug te tellen vanaf tien. Ik kwam maar tot zes.

Brandwondenpatiënten kunnen niet op reguliere wijze worden verdoofd, en wat we in plaats daarvan krijgen – ketamine – zorgt vaak voor waanbeelden. Voor de afwisseling had ik een heel prettige hallucinatie, een onverwachte opsteker tijdens een verder rampzalige ervaring. Ik keek uit over de oceaan met een beeldschone Engelse naast me, en waar kun je als brandwondenslachtoffer beter over dromen dan over water?

Toen ik bijkwam, hoorde ik dat de helft van mijn alvleesklier was weggehaald. De chirurg had voor de zekerheid ook maar een stuk beschadigd darmweefsel verwijderd. Hij zou wel hebben gedacht dat als hij toch bezig was, hij net zo goed alles kon pakken waar hij bij kon. Stukje bij beetje veranderde ik in medisch afval. Wie weet strippen de artsen me wel tot het volledige nietszijn.

Marianne Engel zat in een hoek van mijn kamer iets te lezen, gekleed in iets met een onduidelijke kleur. Toen mijn ogen zich hadden aangepast, zag ik dat het een bezoekersschort was. Toen ze zag dat ik wakker was, liep ze naar me toe. Op het omslag van het boek stond *Non Omnis Moriar*.

'Wat doe je hier?' Ik hoopte op een antwoord dat mijn aanzienlijke ego zou strelen.

'Ik kom om je lijden te zien.'

'Wat?'

'Ik benijd je.'

Los van haar mentale toestand: een brandwondenpatiënt kan met geen mogelijkheid begrip opbrengen voor iemand die zegt dat ze je ellende benijdt. Ik vocht me uit de mist van mijn verdoving voor een zo kwaad mogelijke uitval als ik kon opbrengen. Ik weet niet meer wat ik precies zei, maar het was niet aardig.

Toen ze inzag hoezeer haar woorden me hadden gekwetst, probeerde ze het uit te leggen. 'Ik benijd elk leed omdat lijden noodzakelijk is om tot geestelijke schoonheid te komen. Het brengt je dichter bij God. Zij die lijden, zijn de uitverkorenen van God.'

'Steek jezelf dan maar in brand,' brieste ik, 'dan kun je zien hoe prachtig je wordt.'

'Ik ben veel te zwak,' antwoordde ze, zich kennelijk niet bewust van mijn sarcasme. 'Ik ben niet alleen bang voor de vlammen, maar ook dat ik sterf voordat mijn lijden is voltooid.'

De narcose trok me terug in de duisternis. Ik was blij dat ik werd onttrokken aan deze conversatie.

De precieze aard van de ziekte van Marianne Engel was nog on-
duidelijk, maar toen ze zei dat 'zij die lijden de uitverkorenen
van God waren', gokte ik op schizofrenie.

Schizofrene mensen worstelen vaak met religie. Volgens
sommige artsen is er een verband met de leeftijd waarop de aandoening ontstaat: meestal tussen de zeventien en vijfentwintig,
een periode waarin veel mensen vraagtekens zetten bij wat ze
geloven. Schizofrene mensen hebben vaak intense periodes van
een verhoogd bewustzijn – of regelrechte waanvoorstellingen
zoals auditieve hallucinaties – waardoor ze kunnen gaan geloven
dat zij speciaal door God zijn uitgekozen. De toestand wordt
verergerd door het feit dat ze vaak niet inzien dat de symboliek
van religie metaforisch is.

Het christendom is gebaseerd op de idee dat Jezus is gestorven voor de zonden van de hele mensheid: om ons te verlossen
werd Christus gemarteld en aan een kruis genageld. Een schizofreen iemand die probeert het verhaal te begrijpen, zou tot deze
conclusie kunnen komen: Jezus is de geliefde Zoon van God en
Jezus doorstond ongelooflijk lijden, en daarom houdt God het
meest van hen die de grootste pijn doormaken.

Er bestaat een lange traditie van devote gelovigen die denken
dat lijden je dichter bij de Heiland brengt, maar een menselijk
tintje is altijd beter dan een algemeen verhaal. Sta me daarom
toe je te vertellen over het leven van Heinrich Seuse, een Duitse
religieuze mysticus. Seuse werd in het jaar 1295 geboren en hij
zou uitgroeien tot een van de belangrijkste religieuze figuren uit
die tijd. Hij stond bekend als de *Minnesänger* – de 'minstreel' –
vanwege de poëtische aard van zijn geschriften.

Seuse trad op dertienjarige leeftijd toe tot de orde der dominicanen in Konstanz, en volgens eigen zeggen was hij de eerste
vijf jaar van zijn religieuze leven net als alle anderen. Maar op
zijn achttiende ervoer hij een plotselinge verlichting – een gevoel van hemelse vreugde dat zo intens was dat hij zich afvroeg
of zijn ziel was gescheiden van zijn lichaam. Hij beschouwde
deze gebeurtenis als zijnde zo belangrijk dat hij hiermee zijn levensverhaal begon, *Het leven van de dienaar*. Sommige geleerden

beweren dat *Het leven van de dienaar* de eerste biografie in de Duitse taal is, terwijl anderen zeggen dat het helemaal geen biografie is. Veel van de tekst lijkt te zijn geschreven door Elsbeth Stagel, een jonge vrouw uit het klooster van Töss, de favoriet onder Seuses spirituele dochters. Naar het schijnt heeft ze veel van hun gesprekken opgetekend om die zonder Seuses medeweten als basis voor *Het leven* te gebruiken, en toen Seuse ontdekte wat ze had gedaan, verbrandde hij een deel van het manuscript voordat een 'boodschap van God' hem opdroeg het restant te behouden. Niemand weet hoeveel van *Het leven van een dienaar* is geschreven door Stagel en hoeveel door Seuse.

Het leven van een dienaar is een fascinerend verhaal dat een prachtig beeld schetst van de visioenen die Seuse gedurende zijn leven kreeg: God liet hem beelden zien van de hemel, de hel, het vagevuur, en aan hem verschenen zielen die waren heengegaan die verhaalden over hun leven in het hiernamaals. Uitstekend leesvoer, en hartstikke spannend! Maar het meest pakkende in *Het leven van een dienaar* zijn Seuses – of Stagels – beschrijvingen van de folteringen waaraan hij zichzelf onderwierp.

Als aanhanger van het gedachtegoed dat lichamelijk gemak de ziel verzwakt, beweerde Seuse dat hij vijfentwintig jaar lang nooit verwarmde ruimtes betrad en dat hij geen water dronk tot zijn tong door de droogte begon te barsten en het een jaar duurde voor hij genezen was. Hij hanteerde strenge regels op het gebied van voeding – één maaltijd per dag en nooit vlees, vis of eieren – en toen hij een keer een visioen kreeg waarin zijn verlangen naar een appel sterker was dan zijn zoektocht naar eeuwige wijsheid, strafte hij zichzelf door twee jaar lang geen fruit te eten. (Je vraagt je af of hij niet gewoon de moraal van het verhaal had kunnen inzien en echt fruit was blijven eten in tegenstelling tot de metaforisch verboden vruchten.)

Seuses onderkledingstuk was voorzien van honderdvijftig scherpe koperen spijkertjes die in zijn huid staken. Op zijn bovenlichaam droeg hij een haren boetekleed met een ijzeren ketting, met daaronder een houten kruis ter grootte van een mannenhand dat was bezet met nog eens dertig koperen spijkers.

Het kruis zat ingeklemd tussen zijn schouderbladen en bij elke beweging – met name bij het knielen voor het gebed – drongen de spijkers diep in zijn vlees, waarna hij azijn in de wonden smeerde. Seuse droeg dat kruis acht jaar lang tot God in een visioen verscheen en hem het dragen ervan verbood. Hij droeg zijn boetekleed zelfs als hij sliep – op een oude deur. Als hij ging slapen, bond hij zijn handen vast met leren riemen, want als zijn handen los waren, kon hij ze gebruiken om de ratten te verjagen die 's nachts aan hem knaagden. Soms trok hij tijdens zijn slaap zijn ketenen los, dus besloot hij leren handschoenen te dragen die ook met koperen nagels waren bezet en die zijn huid zo effectief openreten dat het leek alsof hij er met een kaasschaaf overheen was gegaan. Seuse bleef zestien jaar lang aan deze gewoonten vasthouden tot God hem in een ander visioen opdroeg deze slaapuitrusting in een nabijgelegen rivier te gooien.

In plaats van Seuse verlichting te verschaffen toen hem was verboden om zichzelf te straffen, baarden deze goddelijke interventies hem grote zorgen. Toen een non hem een keer vroeg hoe het met hem ging, antwoordde hij dat het niet best ging omdat hij al een maand geen pijn had ervaren en zich zorgen maakte dat God hem vergeten was.

Dergelijke fysieke kwellingen waren nog maar het begin, besefte Seuse – ze waren geen tastbaar bewijs voor zijn grote liefde voor de Heer. Daarom knoopte hij op een avond zijn habijt open en sneed hij met een stilet de letters ihs in het vlees boven zijn hart. (Maak je geen zorgen als je er niets van begrijpt: ihs is in het Grieks de afgekorte versie van de naam Christus.) Het bloed stroomde uit zijn opengereten vlees, maar hij beweerde dat hij in zijn extase nauwelijks pijn voelde. De ingekerfde letters bleven zichtbaar en hij koesterde de wond tot het einde van zijn aardse leven; hij beweerde dat de wetenschap dat de naam van Christus met elke hartslag met hem meebewoog hem troost bood in zware tijden.

Seuse stierf in 1366 na een lang leven, een leven dat vermoedelijk nog veel langer moet hebben geleken dan het was.

Ik vind het interessant dat Seuse 'het licht zag' op achttienjarige leeftijd, de leeftijd waarop schizofrenie zich doorgaans manifesteert. Als je schizofreen was, kon je het slechter treffen dan in de religieuze wereld van het Duitsland in de veertiende eeuw. In het tijdperk van de mystiek werden visioenen niet gevreesd, maar vereerd. Als je jezelf murw sloeg, was dat geen zelfvernietigingsdrang, maar trachtte je Christus te evenaren. Als je stemmen hoorde, stond je in direct contact met God.

Maar er is één gebeurtenis in het leven van Seuse die me vooral fascineert, hoewel het iets is wat ik nooit met onderzoek in de bibliotheek heb kunnen verifiëren. Marianne Engel beweerde dat ze hem ooit had ontmoet.

Toen ik weer wakker werd, was Marianne Engel weg, maar ze had een cadeautje op mijn nachtkastje achtergelaten: een kleine, stenen gargouille.

Ik pakte het kleine monstertje op en bekeek het van alle kanten. Hij was zo'n vijftien centimeter hoog en leek op een half menselijke deegbal in de kleur van een sombere regenwolk. Zijn dikke buik hing over zijn gekruiste beentjes, zijn ellebogen rustten op zijn knieën en zijn kin lag op zijn drievingerige handen. Op zijn rug zaten korte, dikke vleugeltjes, waarschijnlijk meer voor de show dan om echt mee te vliegen. Zijn hoekige kop rustte op zijn afgezakte schouders als een kei die ligt te wachten tot iemand hem over de rand van een afgrond duwt. Hij had reusachtige ogen onder neanderthalerwenkbrauwen en een mond vol scheve tanden. De gargouille leek dreigend te willen kijken, maar slaagde daar niet in. Zijn gezichtsuitdrukking was ontwapenend en verdrietig, en op de een of andere manier veel te menselijk, als van een wanhopige man die in zijn leven alleen maar tegenspoed heeft gekend en onder de totale last van onuitsprekelijk leed is bezweken.

Mijn lichamelijke toestand verbeterde de dagen na de operatie aanmerkelijk. De vuilnisschuit waaruit mijn maag bestond kreeg zijn drijfvermogen terug, hoewel hij niet zo zwaar beladen kon worden als voorheen. Mijn rechterbeen met de verbrijzelde knie en geplette heup begon ook te genezen en de artsen beloofden dat ze over niet al te lange tijd het metalen spinnenharnas zouden kunnen verwijderen. Het leek alsof ik elke dag iets minder ongemakkelijk in mijn skelet-bed lag.

Nan bewerkte me en schreef geheugensteuntjes voor zichzelf op op mijn status. Ze viel nooit uit haar rol als arts, maar ik sprak haar vaker aan met 'Nan' dan met dokter Edwards. Ik weet niet of ze dat te familiair vond, maar ze vroeg in elk geval niet of ik ermee wilde ophouden. Dat gaf me zo veel moed dat ik in een moment van nieuwsgierigheid durfde te vragen of ze getrouwd was. Ze aarzelde even of ze antwoord zou geven, maar zag er ten slotte toch maar van af.

De stoel naast mijn bed bleef leeg, behalve bij de rondes van de verpleegsters en van Nan. Eén Marianneloze dag werden er twee, toen drie, toen vijf, tot ze een geheel Marianneloze week vormden. Ik wilde haar naar de kleine gargouille vragen, waarom ze me hem had gegeven, wat erachter zat.

Ik las veel, vooral juridische thrillers die me niet echt konden boeien. Ik wilde iets anders, dus vroeg ik Nan of ze voor een paar studieboeken over psychische aandoeningen kon zorgen. 'Je hebt vast wel iets over schizofrenie en manisch-depressieve stoornissen.'

'Dat is niet mijn vakgebied,' antwoordde ze. 'En bovendien zou je over brandwonden moeten lezen.'

Nan had al een paar boeken over brandwondenherstel meegebracht die onaangeroerd op mijn tafeltje lagen. Ik las ze niet om de eenvoudige reden dat ik ze eigenlijk wél zou moeten lezen. We maakten een afspraak: voor elk boek over psychologie zou ik een van de boeken over brandwonden lezen. Nan beschouwde dat als een overwinning en stond erop dat ik zou beginnen met een van haar boeken.

Toen ik dat uit had, verscheen Gregor in zijn corduroy broek met een studieboek over psychologie. Hij gaf het aan me en vertelde dat dokter Edwards hem had gevraagd om het me te komen brengen. Het kwam uit de privécollectie in zijn kantoor.

'Je begint hier toch zeker niet langzaam gek te worden, hè?' grinnikte hij, en ik vroeg me af of hij de hele weg van de psychiatrische afdeling naar mijn kamer op dat zinnetje had lopen broeden. Toen ik hem vroeg of het de bedoeling was dat psychiaters het over 'gekken' hadden als ze naar patiënten verwezen, veegde hij met een geruite zakdoek een zweetdruppel uit zijn wenkbrauwen en gaf geen antwoord. In plaats daarvan vroeg hij waarom ik zo geïnteresseerd was in schizofrenie en manisch-depressiviteit.

'Dat gaat je niets aan,' zei ik.

Gregor opende zijn mond alsof hij nog iets wilde zeggen, maar in plaats daarvan glimlachte hij alleen maar en klopte op de kop van mijn kleine gargouille. 'Leuk ding,' zei hij voordat hij op zijn schoenen met kwastjes de kamer uit schuifelde.

De dag daarna kreeg ik bezoek van een klein Aziatisch vrouwtje dat op het eerste gezicht meer op een pop leek dan op een echt mens.

Denk nu niet meteen dat in mijn ogen alle Aziatische vrouwen op porseleinen popjes lijken. Zo'n pop bedoel ik niet. Deze vrouw had een vol gezicht, een platte neus en een stralende glimlach. (Ik heb altijd een hekel gehad aan mensen die breed kunnen glimlachen zonder er idioot uit te zien.) Ze had blozende appelwangen die haar, samen met haar gestreepte shirt en tuinbroek van spijkerstof onder haar operatieschort, iets gaven van een oriëntaalse lappenpop.

'Hallo! Ik ben Sayuri Mizumoto. Leuk om je te leren kennen.' Ze keek me vriendelijk aan en gaf me een hand. En hoewel ik misschien niet elke keer opschrijf dat ze bij elk woord dat ze sprak een brede grijns trok, kun je dat vanaf dit moment als vaststaand gegeven aannemen.

'Wat is Sayuri voor naam?'

'Een hele mooie,' antwoordde ze met een licht Australisch accent. 'Ga maar even overeind zitten.'

78

Ik vroeg waarom ze verwachtte dat ik zou doen wat ze zei.

'Omdat ik je nieuwe revalidatietherapeute ben, en nu ga je overeind zitten.'

'Je weet niet eens...'

'Ik heb met dokter Edwards gesproken, en je kunt het!' Er zat een vreemde combinatie van opgewektheid en beslistheid in de manier waarop ze zei dat ik *het kon*. Ze stak haar handen achter mijn rug en plaatste haar benen wat verder uit elkaar om kracht te kunnen zetten. Ze waarschuwde me dat ik me waarschijnlijk een beetje duizelig zou voelen als het bloed naar mijn hoofd steeg, en ik protesteerde dat ik niet zeker wist of dit wel zo'n goed idee was.

'Natuurlijk wel,' sprak ze opgewekt. 'Drie, twee, een, vooruit!'

En daar kwam ik omhoog. Ze was behoorlijk sterk voor een pop. Heel even was er niets aan de hand, haar handen ondersteunden me. Toen sloeg de duizeligheid toe en begon de kamer vreemd te draaien. Sayuri verplaatste een hand naar de achterkant van mijn nek om mijn hoofd stil te houden. 'Je doet het prima! Rustig aan.'

Toen ze me weer onderuit liet zakken, zei ze: 'Dat viel toch wel mee?'

'Het was godvergeten gruwelijk.'

'Hemeltje!' Ze sloeg gemaakt geschrokken haar hand voor haar mond. 'Je bent echt zoals ze zeiden. Weet je niet dat de mond de poort tot alle onheil is?'

Toen ik mijn ogen na een middagdutje opendeed, stond Marianne Engel over me heen gebogen, met de gordijnen dicht. Over de stoel naast mijn bed hing een bezoekersschort; ik concludeerde later dat ze het had aangehad om de verpleegster die haar had betrapt gunstig te stemmen en het vervolgens meteen weer had uitgetrokken. Ze droeg haar alledaagse kleren: een wijd, wit hemd, ingestopt in een verbleekte spijkerbroek met een riem van kleine, zilveren schijfjes. Haar haar hing losjes over haar schouders. Haar gezicht stond kalm en haar ogen waren helder – overduidelijk groen. Op haar rechterbroekspijp was een draak geborduurd. Eindelijk zag ik mijn vermoeden bevestigd dat Marianne Engel een aangenaam figuur had. De draak leek er ook zo over te denken, want hij kroop van haar enkel kronkelend en haar dij strelend omhoog naar haar heup. Elke schub was een gekleurd lovertje; de robijnrode ogen waren gemaakt van grote namaakjuwelen. De tong likte speels over haar billen. De klauwen van zwarte borduursteken groeven in het heerlijke vlees van haar been. 'Mooie broek,' zei ik. 'Waar bleef je al die tijd?'

'Ik had het druk,' antwoordde ze. 'Die broek heb ik gekregen.'

'Waarmee? Van wie?'

'Met werk, maar toen begon ik te kwakkelen.' Ze zette een stoel naast het bed en ging zitten. 'De broek heb ik van Jack.'

'Vervelend dat je ziek was. Wie is Jack?'

'Het gaat al beter. Jaloers?'

'Gelukkig maar. Je verstopt je vandaag niet voor de artsen?'

'Nee. Jaloers?'

'Op Jack? Puh! Dus jullie kunnen het goed met elkaar vinden?'

'Zo ver zou ik niet willen gaan. Ik wil er niet over praten.'

'De artsen of Jack?'

'De artsen,' antwoordde ze. 'Wil je het over Jack hebben?'

'Natuurlijk niet. Je privéleven is privé, toch?'

'Het is een ingewikkelde relatie.'

'Met Jack?'

'Met artsen.' Marianne Engel trommelde met haar vingers op de juwelen ogen van de broekdraak. 'Maar dokter Edwards is wel oké, geloof ik.'

'Ja. Dus je bent weer hersteld van wat je ook had?'

'Het was vooral uitputting.' Ze hield haar hoofd schuin. 'Vertel eens over je ongeluk.'

'Ik was stoned en reed een afgrond in.'

'Hij die vuur eet, schijt vonken.'

Ik wees naar het beeldje naast mijn bed. 'Ik vind de gargouille leuk.'

'Het is geen gargouille. Het is een groteske.'

'De een zegt dit, de ander dat.'

'Maar dat is een groteske,' antwoordde Marianne Engel. 'Een gargouille is een waterspuwer.'

'Iedereen noemt ze gargouilles.'

'Dan heeft iedereen het mis.' Ze nam een sigaret uit een pakje en liet hem zonder hem aan te steken tussen haar duim en wijsvinger rollen. 'Gargouilles voeren het water af van kathedralen zodat de fundering niet wegspoelt. In Duitsland noemen ze ze *Wasserspeier*. Herinner je je dat?'

'Wat moet ik me herinneren?'

'Waterspuwer. Dat is de letterlijke vertaling.'

'Hoe komt het dat je er zoveel vanaf weet?'

'Van grotesken of van talen?'

'Allebei.'

'Grotesken zijn mijn werk,' antwoordde Marianne Engel. 'Talen zijn een hobby.'

'Hoe bedoel je, grotesken zijn je "werk"?'

'Ik maak ze.' Ze knikte naar het dwergwezen in mijn hand. 'Die heb ik gemaakt.'

'Mijn psychiater vindt hem mooi.'

'Welke psychiater?'

'Dokter Hnatiuk.'

'Hij is beter dan de meesten.'

Ik was enigszins verbaasd. 'Ken je hem?'

'Ik ken de meesten.'

'Vertel eens over je beeldhouwen.'

'Ik raakte erin geïnteresseerd toen ik jou ermee bezig zag.' Met haar andere hand frunnikte ze nu aan haar ketting met de pijlpunt.

'Ik beeldhouw niet.'

'Toen wel.'

'Ik heb nooit gebeeldhouwd,' hield ik vol. 'Waarom vind je het leuk?'

'Het is reducerende kunst. Je eindigt met minder dan waarmee je bent begonnen.' Ze zweeg even. 'Jammer dat je het niet meer weet. Ik heb nog steeds iets wat jij hebt gemaakt.'

'Wat?'

'Mijn *Morgengabe*.' Marianne Engel keek me doordringend aan, alsof ze wachtte tot een niet-bestaande herinnering bij me boven zou komen. Toen ze zag dat dat niet gebeurde, haalde ze haar schouders op en leunde achterover in haar stoel. 'Jack is mijn agent.'

'Een zakenrelatie. Mooi. Vertel eens over hem.'

'Ik denk dat ik je nog even in het duister laat tasten.' Ze was vandaag duidelijk in een opgewekte bui. 'Zal ik je een verhaal vertellen?'

'Waarover dit keer?'

'Over mijzelf.'

4

Eigenlijk doet mijn precieze geboortedatum er niet zoveel toe, maar voorzover ik weet was het ergens in het jaar 1300. Ik heb mijn echte ouders nooit gekend, ze legden me half april, toen ik nog maar een paar dagen oud was, te vondeling bij de poort van het klooster van Engelthal. Normaal gesproken zou een in de steek gelaten kind niet zijn opgenomen en grootgebracht – het was tenslotte geen weeshuis – maar het toeval wilde dat ik werd gevonden door zuster Christina Ebner en priester Friedrich Sunder op de avond dat ze hadden gediscussieerd over wat een teken van God was.

Zuster Christina was op twaalfjarige leeftijd ingetreden in het klooster en twee jaar later begon ze visioenen te krijgen. Toen ze mij vond, was ze begin twintig en haar reputatie als mystica was al gevestigd. Vader Sunder liep tegen de vijftig, hij was een kapelaan uit de buurt die aanzienlijk later dan de meeste anderen toetrad tot de kerk. Ten tijde van mijn komst fungeerde hij al zo'n twintig jaar als biechtvader van de nonnen van Engelthal. Maar het belangrijkste om van ze te weten was hun zachte karakter, want als zij niet zo meelevend waren geweest, was alles heel anders gelopen.

Er zaten twee briefjes in mijn mandje. Het ene in het Latijn, het andere in het Duits, maar beide met dezelfde inhoud. *Een voorbestemd kind, de tiende boreling van goede komaf, geschonken aan onze Verlosser Jezus Christus en het klooster Engelthal. Doe met haar zoals God goeddunkt.* Het was in die tijd ongebruikelijk dat gewone burgers een taal konden schrijven, laat staan twee, dus ik neem aan dat deze briefjes voor hen voldoende bewijs vormden dat ik uit een gegoede familie afkomstig was.

Voorzover ik heb begrepen, kwamen zuster Christina en vader Sunder al snel tot de slotsom dat de vondst van een kind op juist die avond geen toeval was, en wat ook geen kwaad kon was dat zuster Christina zelf ook als tiende kind was geboren. Toen ze me naar de priores brachten, aarzelde deze om tegen hun gezamenlijke argumenten in te gaan. Kon de priores de mogelijkheid negeren dat mijn verschijnen bij de poort van hogerhand bevolen was? Als het om boodschappen van de Heer ging, kon je maar beter aan de voorzichtige kant zijn. Dat was de algemene gedachte onder de zusters van het klooster, hoewel er één was die zich heftig verzette tegen mijn blijven. Dat was zuster Gertrud, de eerste scribent van het scriptorium van Engelthal. Je zou je haar naam moeten herinneren, net als die van degene die haar assisteerde, zuster Agletrudis. Beiden hebben een sleutelrol in mijn leven gespeeld, en over het algemeen niet in positieve zin.

Engelthal werd gezien als een van de belangrijkste spirituele centra van Duitsland. Je denkt misschien dat dit leidde tot een bijzonder strenge opvoeding, maar dat was niet het geval. De nonnen waren aardig voor me, waarschijnlijk omdat ik een afleiding vormde van hun dagelijkse verplichtingen. Ik vond het altijd leuk als ik een van hen aan het lachen kon maken, want zo gauw ze merkten dat ze lachten, deden ze al het mogelijke om ermee op te houden. Ik voelde me alsof ik een regel had overtreden.

Ik voelde me het meest thuis bij zuster Christina en priester Sunder, die een soort vader voor me werd, een feit dat werd weerspiegeld door de naam die ik voor Sunder gebruikte. Zijn eigenlijke titel was 'priester', maar zijn nederigheid was zo groot dat hij eiste dat de anderen hem met 'broeder' aanspraken. Dus voor alle anderen was hij broeder Sunder, maar voor mij was hij vader. Hij vond het goed omdat ik kennelijk een kant van hem zag die verder niemand zag – afgezien van broeder Heinrich, met wie hij een klein huisje deelde bij de bergkam in het bos. In elk geval hoorde ik hem lachen, terwijl bijna alle anderen alleen zijn intense geloof zagen.

Alle andere nonnen waren naar het klooster gekomen nadat ze hun jeugd elders hadden doorgebracht, maar ik sprak mijn eerste woordje tegen vader Sunder. '*Gott*.' God, wat een prachtige introductie tot de taal. Hoe kon hij daardoor tegenover mij hetzelfde masker van diepe vroomheid dragen dat hij alle anderen toonde? Het paste niet bij zijn gezicht als hij met een kind speelde, en tegen de tijd dat hij besefte dat hij in mijn bijzijn dat masker moest opzetten, was het te laat. Maar zelfs als kind besefte ik dat hij zijn imago moest ophouden, en zijn geheim was altijd veilig bij me.

Sunder droeg altijd een haren boetekleed en hij hekelde zichzelf voortdurend, waarbij hij zichzelf uitmaakte voor 'zondaar' – meestal voor de 'zonden uit zijn jeugd', wat die ook waren – en dan bad hij om vergiffenis. Hij geloofde dat hij was 'vergiftigd' door de dingen die hij vóór zijn toetreding tot de kerk had gedaan. Hij had zulke uitbarstingen niet vaak in mijn bijzijn, maar als dat gebeurde, stond broeder Heinrich stilletjes in een hoekje van hun huis met een angstige blik in zijn ogen.

Hoewel hij zichzelf veroordeelde, was vader Sunder altijd bereid anderen te vergeven. En zijn stem had de mooiste klank die je je kunt voorstellen. Als hij sprak, wist je dat niet alleen hij, maar ook God van je hield.

Zuster Christina – ik weet niet eens waar ik moet beginnen. Ze was een verbazingwekkende vrouw. Ze was geboren op Goede Vrijdag, het eerste teken van de zegen die in haar leven zou komen. De mensen zeiden dat zij van alle vertegenwoordigers van God op aarde tot de vijftien meest gezegenden behoorde. Als klein meisje twijfelde ik er geen moment aan dat dat zo was, en pas op latere leeftijd ging ik me afvragen hoe zoiets bepaald kon worden. De visioenen en literaire kwaliteiten van zuster Christina maakten het klooster beroemd. Ze zat altijd te schrijven en zou twee meesterwerken produceren – *Openbaringen* en *Het zusterboek van Engelthal*, het levensverhaal van de belangrijkste nonnen die ons waren voorgegaan. Haar werk inspireerde anderen in het klooster om ook te gaan schrijven. Gertrud van het scriptorium schreef bijvoorbeeld met hulp van broeder Heinrich en broeder Cunrat *Het leven van zuster Gertrud van Engelthal*, maar eerlijk gezegd vond ik dat boek weinig meer dan een poging om haar eigen legende te vergroten.

Gertrud had de vreemde gewoonte om voortdurend tussen haar tanden door adem te halen. Het was onmogelijk om het te negeren en net zo onmogelijk om je er niet aan te ergeren. Er werd gezegd dat haar moeder vóór haar het leven had geschonken aan acht jongens, allemaal met een moeizame bevalling, maar dat Gertruds geboorte pijnloos was verlopen. Je kunt je afvragen wat dat uitmaakt, maar het stelde Gertrud vanaf het begin gelijk met het kindeke Jezus omdat zijn geboorte ook pijnloos was verlopen – een bevalling die net zo onbevlekt was als de conceptie. De mensen zeiden dat de kleine Gertrud nooit aan haar moeders borst had gedronken; ze zoog de lucht naar binnen alsof ze daar rechtstreeks de goddelijke inspiratie aan ontleende. Ik verdacht haar ervan dat ze die gewoonte alleen maar had aangehouden zodat niemand het verhaal zou vergeten.

Van alle boeken die uit deze periode van inspiratie voortkwamen, hou ik het meest van de *Gnaden-vita* van Friedrich Sunder. Ik hou van het boek, maar niet van wat er later mee werd gedaan. Na de dood van vader Sunder werd het gecensureerd en werden onder andere alle verwijzingen naar mij eruit gehaald. Niet dat daardoor mijn ijdelheid is gekwetst, maar ik was – en ben nog steeds – kwaad over de vernietiging van het boek zoals hij het voor ogen had.

Hoe dan ook, dit waren de mensen die ik als kind om me heen had. De enige keer dat ik zuster Christina vroeg wanneer ik in de buitenwereld mocht gaan leven, vertelde ze dat dat nooit zou gebeuren – maar dat dat niet iets was waarover ik moest treuren, het was een geschenk dat ik moest koesteren. God had me in Zijn goedheid Zijn plan voor mij direct bij mijn geboorte onthuld door me meteen in Engelthal onder te brengen. Niet een van de andere nonnen – zelfs Christina niet – was zo gelukkig geweest om haar hele leven in dienstbaarheid aan God te mogen doorbrengen. 'Wat ben je toch een gezegend kind,' zei ze, daarmee aangevend dat het onderwerp was afgesloten.

Iedereen verwachtte dat ik als ik ouder werd ook de pen ter hand zou nemen. De verwachtingen werden alleen maar groter toen ik al op zeer jonge leeftijd begon te praten en het Latijn net zo makkelijk als mijn moedertaal in me opnam. Ik weet het zelf natuurlijk niet meer, maar ze zeggen dat ik me nauwelijks beperkte tot losse woordjes en al meteen in hele zinnen sprak. Je moet weten dat kinderen in die tijd vooral werden gezien als onbeholpen volwassenen. De aanleg van een kind kon niet worden ontwikkeld omdat het karakter bij de geboorte was bepaald – de kindertijd was een periode van openbaring, niet van ontwikkeling, dus toen mijn taalvaardigheid bleek, ging men ervan uit dat die er altijd was geweest, ingebracht door God, wachtend tot hij kenbaar werd gemaakt.

Ik vond het heerlijk als er bezoekers naar Engelthal kwamen. Mensen uit de omgeving kwamen voor medische bijstand naar onze ziekenafdeling, en het was vanzelfsprekend dat ze werden geholpen. Niet alleen uit barmhartigheid, maar ook uit politieke noodzaak. Het klooster groeide snel door schenkingen van grond door de adel, en we vererfden ook de pachters. Er kwamen ook andere bezoekers, reizende geestelijken die wilden weten waardoor Engelthal zo veel visioenen bij de nonnen teweegbracht, of om een praktischer reden, om er de nacht door te brengen. Ik was net zo geïnteresseerd in een zieke boer als in een edelman, want ze brachten allebei verhalen uit de buitenwereld mee.

Zuster Christina zorgde ervoor dat ik mijn hart kon ophalen als er zulke bezoekers kwamen. Ik zat stilletjes in een hoekje van de kamer, concentreerde me volledig op het gesprek en maakte me intussen zo onzichtbaar mogelijk. Gertrud keurde dit natuurlijk af en keek me langs haar spitse neus strak aan. Haar gezichtsvermogen was al tanende, en het kostte haar grote moeite om de bron van haar ongenoegen scherp in beeld te houden.

Gertrud vond dat deze bezoekers haar van haar echte werk afhielden, want als bibliothecaresse behoorde het tot haar taken om bij gelegenheid als tolk op te treden. Ze was daar niet bijzonder goed in, haar Frans en Italiaans waren hooguit pover, maar het hoorde bij haar functie. De meeste bezoekers spraken Latijn of Duits, maar ik hield het meest van degenen die andere talen spraken. Tijdens die gesprekken perfectioneerde ik mijn luistervermogen. De uitdaging lag niet alleen in het begrijpen van de vreemde woorden, maar ook in het doorgronden van onbekende denkbeelden. Ik wist bijvoorbeeld dat paus Clementius het pausdom naar Avignon had overgebracht, maar waarom? En waar was dat? En hoe zag het er daar uit? Op een avond hoorde ik mijn eerste ruzie. Een bezoeker durfde vraagtekens te plaatsen bij de eerbiedwaardigheid van de overleden paus Bonifacius en Gertrud sprong direct op de bres om zijne heiligheid te verdedigen. Voor een jong meisje een schokkende ervaring.

De avond dat mijn talent zich openbaarde staat me nog helder voor de geest. Er was een bezoeker uit het buitenland en Gertrud worstelde zoals altijd met vertalen. Ik begreep nooit wat het probleem was, aangezien ik alles verstond wat er werd gezegd. Het maakte niet uit wat voor het taal het was, ik verstond het gewoon. De bezoeker was een Italiaan, een oude, arme, ongewassen man. Iedereen kon zien dat zijn dagen waren geteld en hij probeerde wanhopig zijn toestand duidelijk te maken. Gertrud wierp haar armen vol walging in de lucht en verklaarde dat zijn accent te plat was om te kunnen ontcijferen.

Misschien kwam het omdat de oude man er zo fragiel uitzag, of misschien kwam het door zijn gierende ademhaling. Misschien kwam het omdat hij tussen elke hap pap zonder een onvertogen woord de zusters bedankte, ondanks het feit dat niemand hem verstond. Of misschien kwam het omdat ik voorvoelde dat als die avond niemand met hem sprak, de mogelijkheid bestond dat niemand ooit nog met hem zou praten. Wat de reden ook was, ik verbrak het mij opgelegde zwijgen en stapte naar voren. Ik vroeg in zijn Italiaanse dialect: 'Hoe heet u?'

Hij keek met een blik vol vreugde op van zijn lepel. 'Paolo,' antwoordde hij, en daarna vroeg hij hoe ik zijn Italiaans kende. Ik zei dat ik dat niet wist, dat het gewoon zo was. Ik vertelde hem dat ik naar buitenlandse bezoekers luisterde en dat ik na hun vertrek in mijn hoofd gesprekken in hun taal voerde voordat ik ging slapen. Hij was vol bewondering. Toen ik vroeg waar hij vandaan kwam, antwoordde hij dat hij het grootste deel van zijn leven in Florence had gewoond, maar dat hij was geboren in het diepe zuiden, in een streek die bekendstond om zijn boerse dialect. Zijn accent, legde hij uit, was een rampzalige combinatie van die twee dialecten. Hij moest lachen toen hij dat zei, en zijn lach deed zuster Christina opschrikken uit haar verbazing. Ze gaf me vragen op, wat volgens mij zowel bedoeld was om mijn vertaalvaardigheid te beproeven als om informatie te verkrijgen. Via mij vertelde de oude man zijn verhaal.

Paolo was zijn hele leven getrouwd geweest met een vrouw van wie hij zielsveel hield. Ze was kortgeleden gestorven en hij wist dat hij haar spoedig zou volgen. Daarom was hij op reis, omdat hij nooit andere landen had gezien en niet wilde sterven zonder iets van de wereld te weten. Hij was niet bang voor de dood, hij was een goed christen geweest en hij wist dat hem de hemel wachtte. Hij vroeg of hij één nacht in het klooster mocht doorbrengen voordat hij zijn reis voortzette. Zuster Christina stemde hierin toe, aangezien zij namens de priores mocht spreken, en Paolo bedankte haar voor haar vriendelijkheid. Ik voelde me voor het eerst in mijn leven belangrijk. Paolo pakte een boek uit zijn tas en stak het me toe. Het was duidelijk dat hij het aan mij wilde geven. 'Ik heb het niet meer nodig.'

Zuster Christina stapte naar voren om het namens mij af te wijzen. 'Zeg tegen hem dat hij zo weinig bezit dat we wat hij wel heeft niet kunnen aannemen, maar bedank hem wel.' Ik vertaalde het en Paolo knikte begrijpend. Hij bedankte de nonnen nogmaals voordat hij het bed opzocht dat voor hem was klaargemaakt.

Zuster Christina zei tegen me dat ik de volgende dag na het morgengebed bij haar en de priores in de kapittelkamer moest komen. Ik vroeg of ik te brutaal was geweest omdat ik me met het gesprek had bemoeid, maar zuster Christina verzekerde me dat dat niet het geval was.

Toen ik er de volgende ochtend kwam, zat de priores aan haar bureau en zuster Christina stond achter haar. Gertrud stond afstandelijk ergens aan de zijkant. De priores was een goed mens, maar desondanks was ik bang voor haar. Gewoon omdat ze zo oud was, met gerimpelde wangen als die van een jachthond.

'Ik begrijp van zuster Christina dat we gisteravond een openbaring hebben gehad,' bromde ze. 'Kind Marianne, er is geen verklaring voor het feit dat je de Italiaanse taal machtig bent. Hoe heb je dit voor elkaar gekregen?'

Zuster Christina knikte geruststellend, wat me moed gaf. 'Als ik een taal hoor, begrijp ik hem gewoon,' zei ik. 'Ik begrijp niet waarom niet iedereen het kan.'

'Kun je het ook met andere talen? Dat is waarlijk opzienbarend.'

'Mag ik iets zeggen?' onderbrak Gertrud ons. De oude vrouw knikte. 'Uw oordeel is juist, priores. Zoals altijd. Toch is de vraag aan de orde waar zo'n ongewone vaardigheid vandaan komt. Ik verzoek u dringend om voorzichtigheid te betrachten aangezien we zo weinig weten over de herkomst van dit kind. Hoe kunnen we zeker weten dat deze vaardigheid afkomstig is van de Heer, en niet van… een andere entiteit?'

Ik was niet in de positie om een dergelijke bewering te betwisten, maar zuster Christina gelukkig wel. 'Waar komt dit volgens ú dan vandaan, zuster Gertrud?'

'Die namen kunnen maar beter niet worden uitgesproken, maar u weet maar al te goed dat er krachten zijn waar een rechtschapen ziel waakzaam voor moet zijn. Ik zeg niet dat het in dit geval zo is, ik stel alleen dat het verstandig is om alle mogelijkheden te overwegen.'

De priores reageerde op de aantijging. 'Tot er reden is om onze mening te herzien, gaan we ervan uit dat dit inderdaad een openbaring van God is en geen list van de Vijand.'

Ik zag dat Gertrud nog meer wilde zeggen, maar ze zag ervan af. 'Ja, priores. Uiteraard.'

De oude vrouw ging verder. 'Ik stel voor dat we dit niet alleen als een openbaring beschouwen, maar ook als een roeping.

Spreekt iedereen alle talen? Kan iedereen als tolk fungeren? Nee. Als zo'n gave wordt herkend, is het ieders plicht om erop toe te zien dat die in dienst van God wordt gesteld. Bent u het daar niet mee eens, zuster Gertrud?'

'Ik ben het ermee eens dat het ons aller taak is om te dienen.' Gertrud perste de woorden uit haar mond zoals een vrek muntjes uit haar portemonnee zou persen.

'Het doet me deugd om dat te horen,' ging de priores verder, 'want ik heb besloten dat u dit kind opneemt in het scriptorium. Het is duidelijk dat haar gaven op het gebied van talen liggen, en haar opleiding moet onmiddellijk beginnen.'

Het hart zonk me in de schoenen. Als ik had geweten dat ik onder Gertruds hoede zou komen, zou ik nooit uit mijn hoekje zijn gekomen. Wat de priores als mijn 'beloning' beschouwde, was in werkelijkheid de ergst denkbare straf, en mijn weerzin werd ongetwijfeld alleen overtroffen door die van Gertrud. In elk geval deelden we een gezamenlijke overtuiging, namelijk dat dit een desastreus plan was.

'Marianne is nog maar een kind,' protesteerde Gertrud, 'ze is absoluut nog niet klaar voor dergelijke verantwoordelijkheden. Ze geeft misschien blijk van wat rudimentaire vaardigheden, maar dat werk vereist ook andere eigenschappen. Geduld bijvoorbeeld, en een aandacht voor detail waarover een kind onmogelijk kan beschikken.'

'Die zal ze leren,' antwoordde de priores, 'onder uw leiding.'

'Ik verzoek u om de zaak verder te bespreken. Ik begrijp uw zienswijze, maar…'

De priores onderbrak haar. 'Ik ben blij dat u het begrijpt. U wilt toch niet dat ik inga tegen Gods wil, zuster Gertrud?'

'Natuurlijk niet, priores.' Gertrud hield haar handen op haar rug en ik hoorde haar nagels in haar habijt klauwen. Zuster Christina stapte naar voren, legde haar hand op mijn schouder en vroeg of we – als de priores het toestond – elkaar even onder vier ogen konden spreken. De priores stemde toe en verliet de ruimte. Gertrud vertrok ook, sissend tussen haar tanden, en deed haar uiterste best om niet met de deur te slaan. Zonder succes.

Zuster Christina sprak. 'Ik weet dat het idee je niet erg aanspreekt, maar ik geloof oprecht dat zuster Gertrud een goede en vrome vrouw is, en dat je veel van haar kunt leren. Je beseft het nu nog niet, maar je gaven zijn net zo uitzonderlijk als onvoorzien. De Heer heeft overduidelijk grootse plannen voor je en ik kan niet tegenover mezelf verantwoorden dat die onvervuld blijven. We moeten vertrouwen op deze openbaring en onszelf voorhouden dat de Heer geen toevalligheden toestaat.'

Je kunt je voorstellen hoe een kind op zo'n uitleg reageert, zelfs een kind dat in een klooster is opgevoed. Hoe kon het Gods bedoeling zijn dat ik door Gertrud werd opgeleid? Ik huilde tot mijn wangen rood zagen. Zuster Christina liet me begaan en reageerde zelfs niet op de klappen van mijn kindervuisten. Ze ontweek wel mijn schoppende voeten, dus kennelijk waren er toch grenzen aan haar zelfopoffering. Toen ik eindelijk uitgeput op de grond zakte, ging ze naast me zitten.

Ik zei dat ik haar haatte, maar we wisten allebei dat dat niet waar was. Ze streelde mijn haar en fluisterde dat alles goed zou komen als ik maar op God vertrouwde. En toen haalde ze een boek uit de plooien van haar habijt, een boek dat ze daar verborgen had gehouden.

'Toen ik Paolo vanmorgen wilde wekken, zag ik dat hij in zijn slaap was overleden. Hij is zonder pijn heengegaan, zijn gezichtsuitdrukking was vredig. Maar het was gisteravond duidelijk dat hij wilde dat jij dit kreeg, dus vervul ik zo zijn laatste wens.'

Zuster Christina gaf me een Italiaans gebedenboek, het eerste boek dat ik mijn eigendom mocht noemen. Daarna bracht ze me naar het scriptorium zodat ik kon beginnen met de vervulling van Gods wil.

5

Enig idee hoe ik het best het middeleeuwse leven dat Marianne Engel beweerde te hebben geleid kan omschrijven als ze – vanzelfsprekend – net zomin in de veertiende eeuw had geleefd als ik? De uitdaging bestaat niet alleen uit het intrinsieke ontbreken van waarheid in haar verhaal, maar ook uit het feit dat ik niet langer alleen mijn denkbeelden kan verwoorden: ik moet ook rekening houden met de hare. Ik heb geprobeerd om het verhaal over Engelthal precies zo weer te geven als zij het vertelde, maar vergeef me als mijn versie soms gebrekkig mocht zijn. Ik heb mijn best gedaan.

Het verhaal wierp ook de vraag op hoe gek Marianne Engel nu eigenlijk was. Geloofde ze echt dat ze was opgegroeid in een middeleeuws klooster, of probeerde ze alleen maar een brandwondenpatiënt te vermaken? Toen ik haar probeerde te laten toegeven dat ze het allemaal verzon, keek ze me aan alsof ik degene was die gek was, en aangezien ik wilde dat ze bleef langskomen, kon ik niet blijven volhouden dat ze gestoord was. Uiteindelijk besloot ik haar te laten doorgaan met het verhaal tot de feiten haar zouden tegenspreken.

Ik was niet de enige die zich bezighield met de geestelijke gezondheid van mijn bezoekster. Dokter Edwards kwam bij me langs met het overduidelijke doel om me verdere bezoekjes van deze nieuwe vrouw in mijn leven te ontraden. Het gesprek begon met een waarschuwing over de fysieke risico's die Marianne Engel meebracht; omdat ze naar binnen glipte als de verpleegsters niet opletten en de kledingvoorschriften negeerde, kon ze allerlei ziektekiemen overbrengen. Dat erkende ik, maar ik wees erop dat het mijn genezing zeker geen kwaad zou doen als ik iets – *iemand* – had om naar uit te kijken.

'Dat kan wel zo zijn, maar je moet je concentreren op je herstel, en niet op...' Nan zweeg even, zoekend naar een diplomatieke formulering, '... andere zaken die niet bijdragen aan je herstel.'

Ik zei dat ze wel heel snel was met bepalen wat wel en niet goed voor me was.

'Ik doe dit al een hele tijd en ik heb gezien wat extra stress bij een patiënt kan aanrichten.'

Ik vroeg of haar bezorgdheid voortkwam uit het feit dat mijn bezoekster af en toe op de psychiatrische afdeling van het ziekenhuis verbleef, en ze bevestigde dat dat niet in Marianne Engels voordeel werkte. Maar, voegde ze er snel aan toe, dat mocht en kon niet als reden worden gebruikt om Marianne Engel bij me weg te houden; als men van mening was dat ze een zelfstandig leven kon leiden, kon ze ook als bezoeker naar een ziekenhuis komen. Desondanks besefte ik dat Nan haar invloed zou kunnen gebruiken om dat zo moeilijk mogelijk te maken.

'Weet je wat,' stelde ik voor, 'als zij mag blijven komen, doe ik nog meer mijn best met Sayuri.'

'Dat zou je hoe dan ook al moeten doen.'

'Maar dat doe ik niet,' zei ik, 'dus ik zou er maar op ingaan.'

Nan moet hebben geweten dat er niet meer in zat, want ze stemde toe. Maar niet zonder eraan toe te voegen: 'Echt leuk vind ik het niet.'

'Dat hoeft ook niet,' zei ik. 'Als je haar maar met rust laat.'

Niet lang na mijn gesprek met dokter Edwards werd ik door Connie en een ziekenbroeder overgebracht naar een eenpersoonskamer, weg van de andere brandwondenpatiënten. Ik vroeg haar wat er aan de hand was – het was vast een vergissing. Nee, verzekerde ze me, het was de bedoeling dat ik mijn eigen kamer kreeg, in opdracht van dokter Edwards, al wist ze niet waarom. Ze zei dat ik maar moest genieten van de luxe van een eigen kamer zolang het duurde, want als het om een misverstand ging, zou het snel genoeg weer worden rechtgezet. Ik werd niet eens uit mijn skelet-bed gehaald, ik werd gewoon met bed en al naar een kleinere, maar heerlijk lege kamer gereden.

Leeg, tot Sayuri verscheen om een oefening te demonstreren die ik elke dag zou moeten gaan doen. 'Dokter Edwards zegt dat je graag meer wilt oefenen,' zei ze terwijl ze een plank schuin omhoog in de lengterichting op mijn bed plaatste. Er zat een gleuf in de plank waarin ze een zilverkleurige bal van een kilo legde. Ik moest de bal omhoogduwen tot die de bovenkant van de plank bereikte en hem dan weer voorzichtig omlaag laten rollen. En daarna opnieuw.

Vroeger zeulde ik bij elke filmopname met talloze kilo's aan filmapparatuur, en nu moest ik me beperken tot het omhoogduwen van een bal over een plank. Wat het nog erger maakte, was dat deze eenvoudige opdracht mijn volledige concentratie vergde. Ik zag de weerspiegeling van mijn ingezwachtelde gezicht op de glanzende bal, en hoe verder ik hem wegduwde, hoe kleiner die reflectie werd. Sayuri complimenteerde me met elke geslaagde poging. 'Prachtig!' Toen we klaar waren, pakte ze de bal alsof die – nou ja, alsof die één kilo woog. Dit kleine Japanse vrouwtje maakte me kwaad omdat ze sterker was dan ik, en ze kleineerde me nog meer door lichtjes te buigen toen ze de kamer uit ging.

De eerstvolgende keer dat dokter Edwards langskwam, vroeg ik naar het hoe en wat van de eenpersoonskamer. Hoe moest ik een dergelijke luxe duiden? Het was geen beloning voor mijn goede gedrag, of voor het harde werk waarmee ik pas was begonnen en wat ik moest volhouden.

Nan vertelde dat ze onderzoek deed naar de effecten van eenpersoonskamers versus gedeelde kamers bij brandwondenpatiënten. Ze hoopte dat mijn geval het nodige duidelijk zou maken over patiënten die tijdens de behandeling werden verplaatst, en toevallig was er een kamer vrij geweest. Ik vroeg of dat inhield dat ik op een bepaald moment weer terug zou gaan, waarop ze zei dat ze dat nog niet wist.

Ik verzekerde haar dat ik het best vond om als proefkonijn te fungeren, maar ik voegde er toch aan toe: 'Weet je zeker dat er geen andere reden is?'

Ze dacht even na en besloot toen om de andere reden te vertellen – eentje die ik al had geraden: 'Ik vind het best dat je bezoek krijgt van juffrouw Engel, maar ik zie geen reden om de andere patiënten aan haar bloot te stellen.'

Ik zei dat ik haar bezorgdheid voor de anderen waardeerde en ze knikte. Toen duidelijk was dat we allebei verder niets te zeggen hadden, knikte ze nog een keer en vertrok.

De bezoekjes van Marianne Engel waren nu prettiger omdat we gewoon samen waren, zonder dichte gordijnen, en omdat de artsen het hadden opgegeven om haar zo ver te krijgen dat ze beschermende kleding droeg. Deels omdat ik steeds gezonder werd en de noodzaak van zulke kleding afnam, en deels omdat ze geen zin meer hadden in de voortdurende discussies daarover. De medische staf was tot de conclusie gekomen dat ze een bezoekster was die ze liever niet zagen komen, maar voor wie ik wel had geknokt, dus vermoedelijk hadden ze besloten dat eventuele risico's geheel voor mijn rekening waren.

Door deze extra privacy werden de gesprekken met Marianne Engel gevarieerder: hoe je vegetarische lasagne moest maken; carnaval in Hamburg; de prachtige melancholie van Marcello's hoboconcert in D mineur; de opbouw van de nederzettingen van de indianen aan de westkust; waarom sommige mensen zo nodig een rockbandje moeten oprichten; de verdiensten van de Canadese literatuur tegenover die van de Russische; de invloed van een bar winterklimaat op iemands persoonlijkheid; de geschiedenis van de Europese prostitutie; waarom mannen gefascineerd zijn door het concept van de 'wereldkampioen zwaargewicht'; mogelijke discussies tussen een Jehova's getuige en een archeoloog; en hoe lang kauwgom in de mond fris van smaak blijft. Mijn vele bezoeken aan de bibliotheek bewezen hun nut.

Ik vroeg naar haar Drie Meesters, en informeerde plagerig of het gebruikelijk was dat middeleeuwse nonnen zo veel beschermers hadden. Ze antwoordde in volle ernst dat dat niet het geval was, maar dat zelfs Heinrich Seuse Drie Meesters had gehad wier goedkeuring hij moest verkrijgen (met hetzelfde Latijnse gebed dat zij gebruikte) als hij iets wilde zeggen.

Mijn reactie lag voor de hand: 'Zijn jouw en zijn Meesters dezelfde?'

'Nee.' Seuses eerste leermeester was St. Dominicus, de oprichter van de orde der dominicanen, die alleen toestemming gaf om te spreken als het tijdstip en de plek daartoe aanleiding gaven. De tweede leermeester, St. Arsenius, stond een gesprek alleen toe als er geen binding met materiële zaken werd gepropageerd. Van de derde, St. Bernardus van Clairvaux, mocht Seuse alleen spreken als het onderwerp hem niet emotioneel raakte.

'En jouw Meesters?'

Ze vertelde wie dat waren: Meister Eckhart, een prominent theoloog die actief was geweest tijdens de jonge jaren van Marianne Engel; Mechthild von Magdeburg, de geestelijk leidster van de begijnen, de orde die Engelthal had opgericht; en vader Sunder, over wie ze al had verteld.

Toen onze gesprekken uiteindelijk bij mijn carrière in de porno kwamen, leek dat nauwelijks nog iets bijzonders; het was gewoon een onderwerp dat langskwam in een lange reeks die allerlei terreinen besloeg. Desondanks was ze nieuwsgierig naar het werk en stelde ze talloze vragen die ik zo goed mogelijk beantwoordde. Toen ik klaar was, vroeg ik of ze het vervelend vond wat ik had gedaan.

'Helemaal niet,' zei ze, en ze vertelde dat zelfs St. Augustinus een losbandig leven had geleid tot hij de Heer had gesmeekt om 'hem te louteren, maar nu nog even niet'.

Ik wees haar erop dat ik niet als gevolg van mijn verleden het geloof zou vinden. Marianne Engel haalde ongeïnteresseerd haar schouders op. Ik wist niet of ze dacht dat ik het mis had en alsnog God zou vinden of dat het haar niet kon schelen. Maar de wending van het gesprek had ook het onderwerp kuisheid naar voren gebracht en ik vroeg met enige aarzeling of ze wist wat er in de brand met mijn penis was gebeurd.

'Ik heb van de medische staf gehoord,' antwoordde ze, 'dat die niet te redden was.'

Dus ze wist het, maar wat vond ze ervan? 'En...?'

'En dat is vervelend.'

Dat was het zeker. 'Ik dacht dat je niet graag met de artsen praatte.'

'Het was zo belangrijk om erachter te komen hoe zwaar je gewond was dat ik er niet onderuit kon.'

Dat was het einde van ons gesprek over mijn ontbrekende penis; het was al meer dan ik eigenlijk had willen zeggen.

Bij elk bezoek was Marianne Engel uitbundiger gekleed dan de keer daarvoor, ze ontpopte zich tot een geheel nieuwe vrouw. Haar polsen rinkelden door haar armbanden van overal ter wereld: Azteeks, Maya, *Tonka Toy*, Ojibwa. Aan haar vingers droeg ze plastic ringen, gele olifanten die Duke Elliphant en Ellaphant Gerald heetten. Op haar gymschoenen zaten zo veel lovertjes dat ze me deden denken aan een school tropische vissen. Toen ze wegging om even te roken, hield ze de plooien van haar paarse jurk op en maakte een reverence. Ik vroeg wat de verandering in haar uiterlijk teweeg had gebracht en ze zei dat als iedereen dacht dat ze gek was, ze zich net zo goed als zodanig kon kleden.

Dat was interessant – het was haar eerste humoristische opmerking over haar eigen geestestoestand. Ik hoopte dat het het begin was van de opening waarnaar ik had gezocht en ik vroeg haar – erop wijzend dat zij al met de artsen over mijn toestand had gesproken – welke diagnose er bij haar was gesteld. Ze kapte het onderwerp af door te zeggen dat de artsen haar specifieke soort charme simpelweg niet begrepen.

Ze haalde een klein in leer gebonden boek uit haar rugzak. Ze vertelde dat ze het me wilde voorlezen. *Inferno* van Dante. Een interessante keuze voor de brandwondenafdeling, zei ik, en ik voegde eraan toe dat dit ondanks mijn voorliefde voor literatuur een klassieker was die ik nog niet had gelezen.

Ze glimlachte alsof ze iets wist wat ik niet wist. Ze zei dat ze ervan overtuigd was dat ik het niet alleen een mooi verhaal zou vinden, maar dat het me ook nog eens heel bekend zou voorkomen.

Marianne Engel vertelde een verhaal uit haar leven dat terugging tot de veertiende eeuw. Als zij dat kan, zal de lezer me vast wel vergeven als ik iets vertel over het leven van Sayuri wat ik op dat moment van mijn verblijf in het ziekenhuis nog niet wist. Als excuus voor deze zijsprong kan ik aanvoeren dat juffrouw Mizumoto me dit alles pas later heeft verteld – en haar verhaal is in elk geval waar.

Sayuri was het derde kind en de tweede dochter van Toshiaki en Ayako Mizumoto. Haar plaats in die rangorde was buitengewoon ongelukkig, want die hield in dat ze als kind de vijfde was die zich elke avond mocht wassen. De traditie wil dat de leden van een Japans gezin hetzelfde badwater delen, en hoewel ze zich eerst afspoelen, wordt het water met elke wasbeurt donkerder. De vader gaat eerst en daarna volgen de mannelijke gezinsleden van oud naar jong. Pas dan mogen de vrouwen zich wassen, ook weer van oud tot jong. Dat hield in dat de vader, de oudere broer, de moeder en de oudere zus allemaal vóór Sayuri het badwater gebruikten. Gedurende haar hele jeugd was ze elke avond genoodzaakt om zich te wassen met het verzamelde afvalwater van haar hele familie.

De verbintenis van Toshiaki en Ayako was een *omiai*, een gearrangeerd huwelijk. Hun band liep misschien niet over van liefde, maar was wel functioneel, wat afgeleid kan worden uit de komst van drie kinderen. Toshiaki maakte lange dagen op kantoor, gevolgd door veel drank en karaoke; Ayako deed het huishouden, regelde de financiën en zorgde dat er eten op tafel stond als haar man beneveld en uitgezongen thuiskwam. Ze voldeden in alle opzichten aan het beeld van een normaal Japans gezin, en het enige wat Toshiaki en Ayako van hun kinderen verwachtten, was dat ze aan dezelfde eisen voldeden.

De eerste zoon, Ichiro – een naam die overigens 'eerste zoon' betekent – bezocht een goede universiteit. Daardoor kreeg hij na zijn afstuderen een goede baan met een goed salaris bij een goed bedrijf; zo gaan die dingen. Ichiro hoefde nadat hij was toegelaten niet eens veel te doen aan zijn studie omdat alleen al het feit dat hij naar de juiste universiteit ging het belangrijkst was; het leren deed er minder toe. Nadat hij zijn goede baan had gekregen, werkte hij een paar jaar tot hij met het juiste Japanse meisje van de juiste leeftijd uit een goede familie trouwde. De juiste leeftijd is trouwens onder de vijfentwintig, daarna verandert ze in een 'kersttaart'. Zoals iedereen weet is kersttaart lekker tot de vijfentwintigste, daarna is het verse er al snel af. Ichiro's vrouw was drieëntwintig, dus ze zat nog ruim voor de uiterste houdbaarheidsdatum. Toshiaki en Ayako waren tevreden; Ichiro zou het huis erven en na hun dood het graf van zijn ouders bijhouden.

Sayuri's zus, Chinatsu – een prachtige naam die 'duizend zomers' betekent – ging ook naar een goede universiteit, kreeg een kantoorbaan en trouwde toen ze vierentwintigeneenhalf jaar was. Nog net op tijd. Ze nam ontslag en wijdde zich aan het krijgen van kinderen. De ouders waren wederom tevreden.

Toen was het de beurt aan hun jongste dochter, de ietwat dwarse Sayuri. (Haar naam betekent 'kleine lelie'. Japanners zijn in elk geval experts op het gebied van naamgeving.)

Sayuri was een paar jaar jonger dan Chinatsu. Haar ouders gingen nooit zo ver dat ze haar een 'ongelukje' noemden, maar ze lieten zich weleens ontglippen dat ze 'niet gepland' was geweest. Haar ouders zouden onder druk wellicht toegeven dat ongeplande dingen problemen met zich mee kunnen brengen, maar als twee kinderen goed was, dan moest een derde kind wel een derde beter zijn. Dus laat niemand zeggen dat Sayuri's ouders spijt hadden van haar komst. Desondanks kon Sayuri goed genoeg rekenen om te weten dat één plus twee de hoeveelheid met een half doet toenemen, en niet met één derde.

Ichiro en Chinatsu hadden allebei de juiste wegen bewandeld en gedaan wat er van hen werd verwacht. Het patroon lag vast en was netjes opgeborgen, als een fraaie kimono; dit patroon van gepast gedrag was zo'n beetje een erfstuk dat door de generaties heen werd doorgegeven. Sayuri hoefde alleen maar de perfectie van het leven van haar ouders voort te zetten en het voorbeeld van haar oudere broer en zus te volgen. Maar helaas was dat het laatste wat ze wilde. Als ze dat deed, zo redeneerde ze, was ze gedoemd om niet alleen haar jeugd, maar haar hele leven in het vuile badwater van haar familie door te brengen.

Het probleem was dat Sayuri niet zeker wist wat ze dan wel wilde, dus hield ze haar mond en wachtte af. Ze deed goed haar best op de middelbare school, maar als haar ouders even niet opletten, wijdde ze al haar vrije tijd aan Engels leren. Buiten hun medeweten kreeg ze op dinsdagavond, als haar ouders dachten dat ze naar volleybal was, bijles van een Australische die Maggie heette. Sayuri ging elke zaterdag naar de film; niet als tijdverdrijf, maar om net zo te leren praten als Jodie Foster, Susan Sarandon en (helaas) Woody Allen. Op zondagmiddag ging ze naar het plaatselijke museum, op jacht naar Amerikaanse toeristen, en als ze er eentje had getraceerd vroeg ze of hij of zij vijf minuutjes met haar wilde praten zodat ze haar Engels kon oefenen. De toeristen stemden zonder uitzondering in, wie kon zulk schattig enthousiasme nou negeren? In de tussentijd vulde Sayuri ijverig toelatingsformulieren in voor de juiste Japanse universiteiten en werd tot een ervan toegelaten. Haar ouders waren tevreden. Nu hoefde Sayuri alleen nog maar af te studeren, een paar jaar op kantoor te werken en voor haar vijfentwintigste aan de man te worden gebracht.

Meteen na haar afstuderen ging Sayuri met Maggie naar de Australische ambassade om een werkvisum aan te vragen. Een week later belde ze haar ouders vanaf het vliegveld van Sydney. Het zal duidelijk zijn dat ze allesbehalve blij waren, niet alleen door haar overhaaste en respectloze optreden, maar ook omdat ze niet eens de moed had gehad om afscheid te nemen voordat ze het land verliet.

In werkelijkheid had ze niet uit een gebrek aan moed zo gehandeld, maar door een teveel eraan. Als ze had geprobeerd met haar ouders te overleggen, hadden ze haar nooit laten gaan. Dan was het een woordenwisseling geworden die Sayuri niet kon winnen, maar die ze ook niet wilde verliezen, dus deed ze gewoon wat ze moest doen om haar leven op haar manier in te richten. In eerste instantie dachten Sayuri's ouders dat ze een grapje maakte – ze belde toch niet echt vanuit Australië? Ze was toch niet echt van plan om te blijven? Toen eindelijk de waarheid tot ze doordrong, kwamen ze met dreigementen en zoete praatjes. Sayuri hing op omdat er toch niets zou veranderen als ze aan de lijn bleef.

Ze bleef een jaar in Australië en had allerlei baantjes: serveerster, huisschilder, fruitplukker, lerares Japans, enzovoort. Al die tijd werd haar huid donkerder, haar glimlach breder en haar Engels beter. Het grootste probleem in westerse landen was dat ze haar kleding vaak op de kinderafdeling moest kopen omdat ze zelfs voor een Japanse klein van stuk was. (Daarom zou ze haar hele leven in het buitenland eruitzien als een speelpop.) Sayuri belde haar ouders één keer per maand – steeds uit een andere telefooncel – om ze te laten weten dat alles goed met haar was en om beleefd hun smeekbeden om terug te komen aan te horen. Soms wierp Ichiro als oudste zoon extra gewicht in de strijd. Sayuri negeerde ook zijn bevelen.

Toen haar visum verstreken was, keerde Sayuri terug naar Japan. Haar moeder huilde en haar vader schreeuwde, hoewel hij ergens ook wel trots was op wat ze had gedaan. Sayuri vertelde hun dat ze naar een Amerikaanse universiteit ging om medicijnen te studeren. Het jaar daarop nam ze drie deeltijdbaantjes, slaagde voor het benodigde examen Engels en werd ze toegelaten tot de afdeling Fysiotherapie van de Universiteit van Michigan. Toen het moment aanbrak dat ze voor de tweede keer vertrok, huilde haar moeder weer een Japanse rivier bij elkaar. Maar haar vader had tegen die tijd de idiote ideeën van zijn dochter geaccepteerd. Toen Toshiaki aanbood een deel van de studiekosten te betalen, knuffelde Sayuri hem lang en stevig. Hij wist niet goed wat hij daarmee aan moest, dus bleef hij maar zo stijf mogelijk staan.

Sayuri slaagde met lof voor haar studie en kreeg een baan in het ziekenhuis waar ze uiteindelijk mij zou leren kennen. Lang voordat ik ten tonele verscheen, had ze haar vader al elke yen terugbetaald die hij had bijgedragen aan haar opleiding.

Dokter Hnatiuk kwam om de paar dagen langs om een nieuw boek over psychologie te brengen. Ik begon hem aardig te vinden. Ik kan niet precies aangeven wanneer ik van mening veranderde, er was geen moment van openbaring waarop ik opeens riep: 'Hé, die eekhoorn is de kwaadste niet.' Het besloop me als het ware. Het belangrijkste was dat hij ophield om ons in een arts-patiëntkader te plaatsen en maar gewoon afwachtte waar onze gesprekken heen leidden. Daarnaast vond hij ook het beeldje mooi dat ik van Marianne Engel had gekregen, terwijl Beth het een 'weerzinwekkend rotding' noemde. Maar wat me echt voor Gregor innam, was dat hij ondanks zijn halfzachte uiterlijk een man was die diep betrokken was bij zijn werk. Op een middag weidde hij langdurig uit over het feit dat advocaten volgens hem de afgelopen halve eeuw de grootste vijand van de psychiatrische zorg waren geweest. Hij vertelde dat ze vochten voor de rechten van de patiënt – wat goed was – maar zelfs tot het punt dat een patiënt die zijn eigen uitwerpselen at niet langer ter observatie mocht worden vastgehouden. 'Advocaten zijn in staat om van stront biologisch voedsel te maken.'

Terwijl de weken verstreken, veranderde de uiterlijke verschijning van Gregor. Hij droeg geen schoenen met kwastjes en oubollige ribbroeken meer en begon kleren te dragen die hem bijna leken te staan. Je kon ze niet betitelen als 'stijlvol', maar ze konden er in elk geval mee door. Hij had flink gesport zodat de rode gloed op zijn wangen er niet langer uitzag alsof hij te snel een trap op was gelopen, en hij was een deel van zijn zwembandjes kwijt.

Gregor vroeg nooit waarom ik psychologieboeken las, maar hij was bereid om al mijn vragen over schizofrenie te beantwoorden. Hoewel ik bij onze gesprekken nooit haar naam liet vallen, liet ik me op een dag (niet geheel per ongeluk) ontvallen dat ik er meer over wilde weten omdat ik bang was dat een vriendin van me ZE IS JE VRIENDIN NIET er misschien aan leed. ZE IS GEWOON EEN GESTOORDE VROUW.

'Ik weet het,' zei Gregor. 'Marianne Engel.'

Gregor leek in zijn nopjes dat hij me een stap voor was, maar ik vermoedde dat hij was geraadpleegd toen dokter Edwards me probeerde over te halen om haar bezoekjes niet te stimuleren. Gregor vertelde dat hij haar meerdere keren had behandeld, de laatste keer toen ze was opgenomen omdat ze in het openbaar 'met geesten sprak'. ZIE JE WEL? Ik vroeg waarom hij dat nooit eerder had verteld. Hij haalde de eed van Hippocrates aan en voegde eraan toe dat hij niet meer over haar zou zeggen dan hij nu had gedaan.

'En verder,' zei hij, 'zal ik een diagnose van schizofrenie noch ontkennen, noch bevestigen.'

Gregor wees er ook op dat hij nooit met iemand praatte over de inhoud van onze gesprekken. Ik zei dat hij mocht zeggen wat hij wilde, aangezien ik niet zijn patiënt was. Hij wierp tegen dat we nog steeds in een ziekenhuis waren waar ik een patiënt was en hij een arts, en dat hij dat voldoende reden vond voor vertrouwelijkheid. Ik zei dat ik psychiaters over het algemeen nutteloos vond en dat het me niets kon schelen wat ze (ik bedoelde hem) van me dachten.

'O, het is misschien wel zo dat velen van ons beter zouden kunnen presteren,' erkende Gregor, 'maar we hebben onze goede momenten. Ik kan bijvoorbeeld vaststellen welke van jouw vele tekortkomingen de grootste is.'

'En welke is dat?'

'Je denkt dat je slimmer bent dan iedereen.'

Met uitzondering van de periodes waarin ze soms bijna een hele week spoorloos was, kwam Marianne Engel nu bijna dagelijks naar de brandwondenafdeling. Ze begon me te helpen met mijn oefeningen, waarbij ze haar hand onder de voet van mijn goede been hield en weerstand bood als ik als een fietser met één been duwde.

'Ik heb dokter Edwards gesproken,' vertelde ze. 'Ze vindt het goed als ik wat te eten voor je meebreng.'

Aangezien ze nu met mijn arts praatte, vroeg ik of ze het goedvond als ik haar geval besprak met een van de artsen die haar had behandeld. Dokter Hnatiuk, om precies te zijn. Ze antwoordde dat ze niet wilde dat ik het met iemand over haar toestand had en ze was verontwaardigd dat ik het zelfs maar had durven vragen. Van iedereen die haar kende, zei ze, zou ik toch moeten weten dat ze niet gek was.

Er hing een tijdje een ongemakkelijke stilte tussen ons, tot Marianne Engel die doorbrak: 'Paracelsus beschrijft een recept voor een brandwondenzalf van varkensvet, maden uit de schedel van een gehangene en delen van een mummie. De hele brij moest geroosterd worden.' Daarna vertelde ze over de geschiedenis van huidtransplantaties, vanaf het begin bij de oude hindoes tot vandaag de dag. Ik trok een van de zwachtels op mijn been opzij zodat ze mijn meest recente transplantaten kon zien, waaronder ook wat negroïde huid. Omdat de huid was ingesneden tot een gaaspatroon zodat er een groter oppervlak mee kon worden bedekt, zag het resultaat eruit als een mislukt schaakbord.

'Als je een racist was geweest,' zei ze terwijl ze haar vinger over de lappendeken van huid liet gaan, 'zou je nu toch wel even moeten slikken.'

Haar vingers gleden voorzichtig over het ruige heuvellandschap. Ze gingen over mijn borst, naar mijn hals en hielden stil bij de schouders om de welvingen te volgen.

'Hoe voelt het om de huid van iemand anders te dragen?'

'Daar heb ik niet echt een goed antwoord op,' zei ik. 'Het doet pijn.'

'Herinner je je hun verhalen? Voel je de liefde die zij hebben gevoeld?'

Soms was het moeilijk om te doorgronden of Marianne Engel echt een antwoord wilde, of dat ze me alleen maar plaagde. 'Is dat een serieuze vraag?'

'Ik moet erdoor aan ons denken,' ging ze verder. 'Ik zou mezelf als huid op jou willen vastnaaien.'

Ik schraapte mijn keel.

'Wist je,' vroeg ze, 'dat mijn lichaam ook getekend is?'

Ik wist wel ongeveer waarover ze het had. Als ze een T-shirt droeg, kon je met geen mogelijkheid om de tatoeages van Latijnse woorden heen die rond haar bovenarmen kronkelden. Op haar linkerarm stond de tekst: *Certum est quia impossibile est*. Ik vroeg wat dat betekende en ze vertaalde het: *Het is zeker omdat het onmogelijk is*. Op haar rechterarm stond de tekst: *Quod me nutrit, me destruit*. Dat betekende volgens haar: *Wat me voedt, vernietigt me ook*.

'Ik snap het niet,' bekende ik.

'Omdat,' lachte ze, 'je me nog niet hebt zien beeldhouwen.'

Toen deed Marianne Engel één klein dingetje. Ze raakte mijn gezicht aan.

Het is iets heel onbeduidends als je gezicht wordt aangeraakt. Toch? Maar sta even stil bij de verbrande, onbeminde monsters van de wereld. Sta even stil bij de mensen wier huid vergeten is hoe het is om genegenheid te voelen. Haar vingers gingen zachtjes over mijn rampspoed en voelden onder het verband om de resten van mijn gezicht aan te raken. Haar vingers gleden liefdevol over mijn ingepakte wang en maakten de barre tocht naar mijn lippen. Daar bleven ze heel even rusten. Ik deed mijn geschroeide oogleden dicht, met kleine littekens op de plaatsen waar ze weken geleden waren dichtgenaaid. Mijn hart bonsde onhandig in mijn borstholte en mijn afgesloten poriën maakten overuren, zonder te zweten.

'Hoe voelt mijn gezicht?'

'Als de woestijn na een zandstorm.'

Ik voelde een overweldigende aandrang om haar te vertellen hoe knap ik voor het ongeluk was geweest, maar ik deed het niet. Wat had het voor zin? En toen stak ik mijn goede hand uit om haar wang aan te raken. Ze deinsde niet terug: nee. Zelfs niet een beetje.

'Er gebeuren goede dingen,' fluisterde Marianne Engel voordat ze opstond om in de hoek van de kamer met haar drie onzichtbare Meesters te spreken. Ondanks het Latijn was het duidelijk dat ze ergens toestemming voor vroeg. '*Jube, Domine benedicere.*'

Toen ze weer terugkwam bij mijn bed, kon ik aan haar glimlach zien dat haar verzoek was ingewilligd.

'Wil je mijn andere tatoeages zien?'

Ik knikte en ze deed haar woeste haardos opzij zodat haar nek zichtbaar werd. Daar was een klein kruis aangebracht dat bestond uit drie ineengevlochten touwen zonder uiteinde. Ze vroeg me het aan te raken. Ik liet mijn vingers er in de lengterichting overheen gaan en vervolgens in de breedte zodat ik feitelijk een kruisteken maakte.

Ze trok haar schoenen uit. Rond haar linkerenkel was een rozenkrans getatoeëerd, zodanig geplaatst dat het kruis op de bovenkant van haar voet rustte. Op die manier, zei ze, was ze altijd voorbereid als ze boete moest doen. Maar ze glimlachte erbij en het was duidelijk dat zelfs zij de opmerking niet al te serieus nam.

Vervolgens trok ze haar broek uit – wat ik niet had verwacht, omdat ik door alle films het idee had gekregen dat vrouwen zich altijd van boven naar beneden uitkleden. Ze droeg geen ondergoed, dus stond ze daar alleen gekleed in haar witte T-shirt met een plaatje van Beethoven erop die zichzelf onder de tafel dronk. (Het onderschrift? *Beethovens Negende.*)

Over de volle lengte van haar rechterbeen was een slang getatoeëerd, op precies dezelfde plek waar de geborduurde draak op haar broek zat. Hij kronkelde om haar heen, net zoals op de bijbelse voorstellingen van de slang rond de Boom van de Kennis van Goed en Kwaad. Marianne Engel stond met haar gezicht naar me toe en ik zag het lichaam van de slang eerst bij de knie verschijnen, vervolgens omhoogkruipen en zich twee keer rond haar dij wikkelen. De ruitvormige kop rustte op haar bekken, richting haar vagina.

Haar blik was strak op mij gevestigd. Ze trok het Beethovenshirt uit, hoewel het heel wat moeite kostte om het over haar haar te krijgen, tot ze volledig naakt midden in mijn kamer stond, met alleen nog de ketting met de pijlpunt om haar hals.

Er waren op de brandwondenafdeling momenten geweest dat ik even een steek van seksuele opwinding had gevoeld. Maddy had haar best gedaan om me te plagen met haar deinende kontje, een paar keer had ze zelfs omgekeken om te zien of het effect had. Maar dit was de eerste keer dat ik echt volledig seksueel opgewonden was. Mentaal in elk geval; ik produceerde nog steeds de hormonen die bloed opstuwen om een erectie te creëren, ik had alleen niets meer waar dat bloed heen kon. Ik stelde zo voor dat het zich daar verzamelde en mijn kruis een rode blos gaf.

Op haar buik had ze nog een kruis, veel groter dan dat in haar nek. Het was een Keltisch kruis, vier armen met een cirkel in het midden. Het was ingesloten in een rechtopstaand ovaal dat het gebied van de bovenkant van haar bekken tot de onderkant van haar ribbenkast besloeg. Direct boven het kruis stonden drie grote blokletters: IHS.

Op haar linkerborst had ze een grote tatoeage van het Heilig Hart, felrood en omringd door een doornenkroon. Het hart werd omhuld door gele vlammen die tot haar schouder reikten.

Ze kwam naast mijn bed staan zodat ik de details van haar uitgebreid getatoeëerde lichaam kon bekijken, en ze zei dat ik de naam van Christus moest aanraken. Ik deed het, en onder mijn goede hand verscheen er kippenvel op haar huid.

Ze draaide zich om zodat ze op de rand van het bed met haar rug naar me toe zat. Vanaf de bovenkant van haar schouders naar beneden waren engelvleugels getatoeëerd waarvan de uiteinden op haar billen rustten. De vleugels vulden haar hele rug en ik stak onwillekeurig mijn hand naar ze uit. Het was alsof ik voelde dat ik het recht had om haar huid aan te raken, alsof die mij toebehoorde. Het duurde even tot ik besefte dat dat niet zo was – niet zo kon zijn – en mijn arm bleef halverwege steken. Hij hing daar onzeker tot Marianne Engel zonder zich om te draaien zei: 'Ik wil dat je me aanraakt.'

Dus liet ik mijn vingers over de veren in inkt gaan. Het was een combinatie van krachtige en heel verfijnde lijnen, zo knap gedaan dat je zou zweren dat het echte veren waren. Nu trok de huid van haar rug zich samen, en mijn hart deed hetzelfde.

Na een paar ogenblikken keek ze verlegen over haar schouder. Ze glimlachte – nerveus, gespannen – en ik trok mijn vingers terug. Ze stond op en begon haar kleren weer aan te trekken. We zeiden niets. Toen ze weer aangekleed was, verliet ze de kamer.

De deskundigen zijn het niet eens over wat het beste moment is om bij een brandwondenpatiënt de stalen spalkpennen te verwijderen omdat spieratrofie de zaken zonder uitzondering bemoeilijkt. Uiteindelijk ging dokter Edwards maar op haar gevoel af bij haar keuze voor een datum om de mechanische spin uit mijn been te halen.

Dit tot grote vreugde van Sayuri, wier handen jeukten om mij uit bed te krijgen. Ze klapte met zwierige gebaren twee keer in haar handen. 'Ben je er klaar voor? Ben je *genki*? Het is zover!'

Maddy en Beth waren erbij om te assisteren, gekleed in blauwe jassen en met grote, gele handschoenen. Ze rekten een paar minuten mijn spieren voordat ze fietsbewegingen met mijn voeten begonnen te maken om de stijfheid in mijn benen te verminderen. Daarna sloegen ze allebei een arm achter mijn rug om me op te tillen tot een staande positie, en ze hielden me vast tot de duizeligheid wegtrok. Geleidelijk verlichtten ze hun greep tot ik op mijn eigen benen stond.

Voor het eerst sinds het ongeluk stond ik overeind. Sayuri telde met te harde stem de seconden – 'Zes, zeven, acht!' – tot mijn benen veranderden van ongekookte in gekookte spaghetti. Plotseling stroomde het bloed door mijn lichaam naar beneden, alsof het zich opeens herinnerde hoe de zwaartekracht werkte, en het gutste uit mijn transplantaten. De zwachtels om mijn benen bloosden alsof ze zich schaamden voor hun nutteloosheid; het begon te tollen om me heen.

De vrouwen legden me in bed en prezen mijn prestatie. Toen mijn hoofd weer tot rust kwam, zag ik dokter Edwards met een opgetogen glimlach in de deuropening staan.

Vóór mijn poging om te staan zou ik op mijn beste, bijdehan-

te machomanier hebben gezegd dat het resultaat er niet veel toe
deed. Staan was zelfs voor een kinderspelletje te stom. Als je jezelf toestond om je over zoiets druk te maken, waar zou je je dan
daarna nog allemaal druk over kunnen maken? Hoewel ik me
niet blij wilde voelen over de lofprijzingen, klonken ze wel oprecht. De vrouwen waren trots op me, en ongewild was ik ook
trots op mezelf.

In plaats van mijn prestatie weg te wuiven begon ik idioot te
grijnzen. Ik bedankte ze allemaal voor hun hulp en het enige wat
me speet, was dat Marianne Engel er niet bij was geweest.

Ik dacht dat ik die nacht als een blok zou slapen, maar dat was
niet zo. Samen met de slaap kwamen de akelige dingen.

Die nacht droomde ik dat Sayuri me overeind had geholpen en me vervolgens opeens losliet. Mijn krakkemikkige lichaam zakte ineen; ik voelde de slang in mijn ruggengraat
kronkelen en draaien. `DENK JE DAT JE ZELFSTANDIG KUNT`
`STAAN?` Nan maakte sarcastische opmerkingen omdat ik als
een pudding in elkaar was gezakt en de verpleegsters gaven elkaar high fives vanwege mijn mislukking. Ik keek onder het skelet-bed. Er waren vlammen, duizend kaarsen. Ik wilde mijn arm
uitsteken om ze te doven, maar het was alsof iemand de spieren
in mijn armen had losgekoppeld, alsof ik een marionet was zonder touwtjes. De vlammen trokken boos-grijnzende gezichten
naar me en met hun gloeiende, gespleten tongen likten ze aan
de lakens van het skelet-bed en veranderden ze in een brandende
lijkwade. Rondom me vielen botten neer, ratelend en kletterend
als een instortende bouwsteiger.

De medische staf bleef lachen. Een van hen sprak met een
harde, Duitse stem: '𝔄lles brennt, wenn die 𝔉lamme nur heiss genug ist. 𝔇ie 𝔚elt
is nichts als ein 𝔖chmelztiegel.' Kennelijk ben ik in mijn dromen net als
Marianne Engel in het dagelijks leven: veeltalig. *Alles brandt als
de vlam maar heet genoeg is. De wereld is niets anders dan één grote
smeltkroes.*

Ik lag bekneld onder de botten terwijl de lijkwade door

brandde. De gezichten in de vlammen bleven hatelijk grijnzen; hun verraderlijke tongen bleven likken en likken. `IK KOM EN JE KUNT ER NIETS TEGEN DOEN.` Ik hoorde pijlen suizen. Ik voelde hoe ze mijn handen raakten, en daarna mijn voeten.

Ik droomde lange tijd dat ik brandde en toen het eindelijk voorbij was en ik wakker werd, was ik gedesoriënteerd door het zweefeffect van het luchtcirculatiebed. Het duurde even voor ik zeker wist aan welke kant van het bewustzijn ik me bevond.

Ik vertelde Marianne Engel dat ik bij mijn eerste poging acht seconden had gestaan en bij de tweede zelfs dertien seconden had gehaald. Ze deed heel erg haar best om gepast enthousiast te reageren, maar ik zag dat iets anders haar bezighield.

'Wat is er?'

'Hm? Nee, er is niets.' Ze liet haar vingers over de dikke bult op mijn schouder gaan die elke dag in grootte toenam. 'Wat is dat?'

'Dat noemen ze weefselexpansie.'

Ik legde uit dat er onderhuids een kleine siliconenballon was ingebracht en dat de artsen er elke dag iets meer zout water in injecteerden. De groeiende ballon rekte mijn huid op, net zoals bij iemand die dikker wordt. Na een tijdje zou de ballon worden geleegd en beschikte ik over een lap extra huid die dan van mijn schouder naar een geschikte plek in mijn hals kon worden getransplanteerd.

'Fascinerend. Ik zou willen dat ik zoiets de eerste keer voor je had kunnen doen.'

'Wat?'

'Laat maar.' Ze raakte de bult nog een keer aan en glimlachte. 'Weet je, dat ding doet me denken aan de bulten die je bij de pest krijgt.'

'Wat?'

'Ik ken iemand...' Haar woorden stierven weg en haar gedachten bleven in de lucht hangen. Ze staarde een tijdje in het niets, maar haar handen waren onrustiger dan wanneer ze met een niet-aangestoken sigaret speelde of aan haar halsketting frunnikte. Ze zagen eruit alsof ze zich wilden ontvouwen en een verhaal wilden onthullen dat ze voor me achterhield.

Na een tijdje knikte ze in de richting van mijn nachtkastje. Daarop lag de stapel psychologieboeken waar ze met de nodige moeite nooit over was begonnen. 'Je hebt onderzoek naar me verricht,' zei ze. 'Zal ik een van je pornofilms huren, zodat ik jou beter kan doorgronden?'

Dit – hoewel ik dacht dat ik nooit een hint in die richting had gegeven – was iets waarvan ik hoopte dat ze het nooit zou doen. Ik vroeg haar te beloven dat ze nooit naar een van mijn films zou kijken.

'Ik heb je al verteld dat het me niets kan schelen,' zei ze. 'Schaam je je ervoor?'

Ik zei dat dat niet zo was, dat ik alleen niet wilde dat ze ernaar keek. Dat was de waarheid, maar niet de volledige: ik wilde niet dat ze ernaar keek omdat ik niet wilde dat ze zou zien wat ik was geweest en het zou vergelijken met wat ik was geworden. Ik wilde niet dat ze mijn knappe uiterlijk zag, mijn zachte huid en mijn gespierde lichaam en dat ze vervolgens de afzichtelijke homp in het ziekenhuisbed zou zien. Ik wist dat dat onredelijk was, en dat ze natuurlijk wist dat er een tijd was geweest dat ik niet verbrand was, maar ik wilde het contrast niet groter maken dan het al was. Als ze me accepteerde zoals ik was, kwam dat misschien alleen omdat ze geen vergelijkingsmateriaal had.

Marianne Engel liep naar het raam en staarde even naar buiten voordat ze zich omdraaide en riep: 'Ik vind het vreselijk om je hier achter te laten, en ik wilde dat ik altijd naast je bed zou kunnen zitten. Ik hoop dat je begrijpt dat ik daar geen zeggenschap meer over heb als ik mijn instructies krijg.'

Dit was een van de zeldzame gevallen dat ik precies wist wat zich in haar hoofd afspeelde: ze had een geheim dat ze met me wilde delen, maar waarvan ze wist dat de meeste mensen het niet zouden begrijpen. Het was van levensbelang dat ze het uitsprak, maar ze was bang dat het absurd zou klinken. Zoiets als proberen uit te leggen dat er een slang in je ruggengraat huist.

'Voordat ik aan het werk ga, slaap ik ter voorbereiding op de steen,' begon Marianne Engel terwijl ze diep ademhaalde. 'Minstens twaalf uur, maar meestal langer. Ik kan de steen voelen als ik erop lig. Ik kan hem hélemaal voelen, alles wat erin zit. Hij is… warm. Mijn lichaam zakt in de contouren en dan voel ik me gewichtloos, alsof ik zweef. Ik kan me op de een of andere manier niet meer bewegen. Maar het voelt geweldig, het is het tegenovergestelde van verdovend. Het lijkt meer alsof je je zo bewust van alles bent, zo hyperbewust dat je je niet meer kunt bewegen omdat het zo overweldigend is.'

'Wat bedoel je,' vroeg ik, 'met dat je kunt voelen wat er in de steen zit?'

'Ik neem de dromen van de steen in me op en de gargouilles die erin zitten zeggen me wat ik moet doen om ze te bevrijden. Ze tonen hun uiterlijk en geven aan wat ik moet weghalen om ze compleet te maken. Als ik genoeg weet, begin ik. Mijn lichaam ontwaakt, maar er is geen tijdsbesef, alleen maar het werk. Er gaan dagen voorbij voordat ik besef dat ik niet heb geslapen en nauwelijks heb gegeten. Het is alsof ik een overlevende onder de lawine van de tijd probeer uit te graven, een lawine die onmetelijke tijden is aangegroeid en opeens van de berg af glijdt. De gargouilles hebben altijd in de steen gezeten, maar op precies dat moment verdragen ze dat niet meer. Ze hebben overwinterd in de steen, en de lente is vervat in mijn beitel. Als ik de juiste stukken weghak, komt de gargouille te voorschijn als een bloem uit een rotsachtige ondergrond. Ik ben de enige die dat kan, omdat ik hun talen versta en ik ben de enige die ze een hart kan geven zodat ze hun nieuwe leven kunnen beginnen.'

Ze zweeg en leek te wachten tot ik iets zou zeggen, wat dan ook – maar hoe reageer je op een dergelijk verhaal? Omdat zij een teken wilde en ik wilde dat ze doorging, zei ik dat het me een uiterst creatief proces leek.

'Nee, integendeel. Ik ben een vat waar water in wordt gegoten en waar water uit stroomt. Het is een cirkel, een vloeiende cirkel tussen God, de gargouilles en mij, want dat is wat God is – een cirkel waarvan het middelpunt overal is en de omtrek nergens.

En de hele tijd dat ik aan het hakken ben, wordt de stem van de gargouille luider en luider. Ik werk zo snel als ik kan, want ik wil dat hij ophoudt, maar hij blijft me opjagen en eisen dat ik hem bevrijd. De stem zwijgt pas als ik klaar ben, en dan ben ik zo uitgeput dat het mijn beurt is om te slapen. Daarom ben ik er soms vijf of zes dagen niet. Zo lang duurt het om de gargouille te bevrijden en zelf te herstellen. Ik heb geen zeggenschap over wanneer een gargouille klaar is en ik kan niet weigeren. Dus vergeef me mijn plotselinge verdwijningen, ik heb geen keus.'

Oké, best. Ik wist nu in elk geval wat ze deed met de meerdere harten die zich volgens haar in haar borst bevonden. Ze gingen naar de beelden die ze maakte.

Ik was ervan overtuigd geweest dat Marianne Engel schizofreen was, maar door haar beschrijving van haar manier van werken moest ik de mogelijkheid overwegen dat ze in plaats daarvan manisch-depressief was. De bewijzen daarvoor stapelden zich op: toen ik haar voor het eerst ontmoette, was ze moe en ging ze sober gekleed, nu stráálde ze qua kleding en persoonlijkheid. Schizofrene mensen zijn meestal stil en weinig spraakzaam, soms zwijgen ze uren achter elkaar, maar Marianne Engel was juist het tegenovergestelde. En dan haar manier van werken. Veel manisch-depressieve mensen worden beroemde kunstenaars omdat hun aandoening als drijfveer fungeert om iets monumentaals te creëren. En dat was precies wat Marianne Engel deed: monumenten creëren. Als haar omschrijving van haar werkwijze geen beschrijving van een manisch iemand aan het werk was, dan wist ik het ook niet meer.

Maar er waren evenveel aanwijzingen voor schizofrenie. Ze had het over de stemmen die uit de steen kwamen en haar instructies gaven. Ze zag zichzelf als een werktuig van het bovenaardse en haar werk als een cirkel van contact tussen God, de gargouilles en haarzelf. Dan heb ik het nog niet eens over haar 'verleden' in Engelthal en haar opvatting dat *Inferno* geschikt leesmateriaal voor de brandwondenafdeling was. Kortom, er was maar weinig in haar leven dat niet op de een of andere manier verband hield met het christendom, en zoals ik al eerder heb gezegd, schizofrene mensen hebben vaak een preoccupatie met het geloof.

De statistieken zouden beide mogelijkheden bevestigen. Schizofrenie komt vaker voor bij mannen dan bij vrouwen, maar meer dan tachtig procent van de schizofrene mensen rookt zwaar en Marianne Engel moest voortdurend weg van de afdeling voor een dosis nicotine. En als ze met me praatte keek ze me altijd aan met die beklemmende, starende blik, iets waar ik pas een verklaring voor vond toen ik in een van Gregors boeken las dat schizofrene mensen zelden met hun ogen knipperen.

De weigering om medicijnen in te nemen komt bij beide aandoeningen voor, maar om verschillende redenen. Iemand die manisch-depressief is, weigert meestal zijn medicijnen in te nemen omdat hij er in manische toestand van overtuigd is dat er geen depressie meer mogelijk is, of hij is zo verslaafd aan het manische dat hij de depressie ziet als de tol die moet worden betaald. Schizofrene mensen weigeren vaak hun medicijnen in te nemen omdat ze denken dat ze worden vergiftigd – iets wat Marianne Engel bij meerdere gelegenheden had beweerd.

Veel artsen zijn er tegenwoordig van overtuigd dat de twee aandoeningen veel vaker tegelijk optreden dan meestal wordt herkend, dus misschien was ze wel beide.

Tijdens de uren die ik al bladerend in de handboeken over geestelijke gezondheid doorbracht in een poging haar beter te kunnen begrijpen, leerde ik mezelf ook beter kennen – en ik moest wel even slikken bij wat ik te weten kwam.

Ik vergeleek voortdurend haar pijn met de mijne, ervan overtuigd dat ze zich onmogelijk kon invoelen in mijn fysieke ellende terwijl ik dat wel kon bij psychische nood. En terwijl veel psychische aandoeningen met de juiste medicatie goed te behandelen zijn, was er geen pilletje waardoor ik voor een normaal mens kon doorgaan. Een gedrogeerde mafketel kon opgaan in de menigte, maar ik zou er altijd uitspringen als een verbrande duim uit de vuist van de mensheid, waardoor ik mezelf de winnaar voelde van een wedstrijd die eigenlijk niet bestond.

De volgende dag droeg Marianne Engel een eenvoudige witte jurk met sandalen, waardoor ze iets weg had van een vrouw uit een dorpje aan de Middellandse Zee. Ze had twee etensmanden bij zich, een blauwe en een witte, en aan de manier waarop ze ze naar binnen sleepte, kon ik zien dat ze zwaar waren. Door haar voorovergebogen houding glipte de pijlpunt aan haar halsketting als aas aan een vislijn in en uit de v-hals van haar jurk. 'Ik hou me eindelijk aan mijn belofte om eten voor je te maken.'

Ik zal even uitleggen waarom dokter Edwards het goedvond dat een bezoeker eten meenam naar de brandwondenafdeling. Naast de psychologische voordelen van een picknick (of zoiets), was er ook een fysiek voordeel. Bij mijn herstel hoorde een aandoening die hypermetabolisme heet: een lichaam dat normaal gesproken genoeg heeft aan tweeduizend calorieën per dag kan na een ernstige verbranding behoefte hebben aan zevenduizend calorieën. Ondanks het slangetje waardoor voortdurend voeding direct in mijn maag werd gepompt, kreeg ik nog steeds niet genoeg binnen en werd ik zelfs aangemoedigd om meer te eten.

Marianne Engel had al eerder lekkers voor me meegebracht, maar het was duidelijk dat dit aanzienlijk substantiëler was. Ze klapte de manden open – één voor de warme gerechten en de andere, met koelelementen, voor de koude dingen – en begon het eten uit te stallen. Er zat een versgebakken focaccia bij die nog naar de houtoven rook, en flessen olijfolie en balsamico-azijn. Ze goot zwierig een scheut van de donkere over de gele vloeistof en doopte daarna een stuk van de focaccia in de gestreepte dressing. Ze sprak het bekende gebed uit voordat ze het brood naar mijn mond bracht. '*Jube, Domine benedicere.*'

Ze had ook kaas meegebracht: camembert, Goudse, blauwe kaas en Iraanse geitenkaas. Ze vroeg wat mijn lievelingskaas was, en toen ik de geitenkaas koos, glimlachte ze breed. Daarop volgden dampende wraps die eruitzagen als crêpes, maar een uiterst doordringende geur verspreidden. Niet iedereen hield van pannenkoekjes met gorgonzola, legde ze uit, maar ze hoopte dat ik ze lekker vond. En inderdaad. Er waren schijfjes meloen in dunne plakjes prosciutto waarbij het oranje van de vrucht tussen het roze van het vlees door gluurde.

Ze ging verder met het leeghalen van de manden. Grote, groene olijven, dik van de rode pepers die erin zaten, rolden loom in een gele kom. Een bordje met tomaten gedrenkt in zwarte azijn met blanke blokjes bocconcini. Sneetjes pita en kommen met hummus en tzatziki. Oesters, krab en sint-jakobsschelpen die een heerlijke verdrinkingsdood waren gestorven in een zee van marinara; op de rand van het bord balanceerden kleine schijfjes citroen, als gereedliggende reddingsboeien. Worstjes met een kraag van peperkorrels. Dolma's die er in hun groene jasjes stoer en macho probeerden uit te zien, overgoten met zoete rode wijn. Dikke ringen calamari. Souvlaki's die een spies deelden met zoete uien en gesmoorde pepers. Er was lamsvlees dat zo mals was dat het uit elkaar viel als je alleen al aan een vork dacht, omringd door een knus gezinnetje van gebakken aardappels.

Ik zat vast onder de culinaire lawine, ik was bang dat ik iets zou omstoten als ik me bewoog.

'Dit krijgen we met geen mogelijkheid allemaal op.'

'Daar gaat het niet om.' Ze pakte een fles uit de koelbox. 'En trouwens, ik denk dat de verpleegsters graag helpen met het opmaken van de restjes. Niet zeggen dat ik alcohol heb gedronken, oké? Ik hou van retsina, je proeft de aarde erin.'

Al snel fladderden de verpleegsters als een zwerm hongerige meeuwen naar binnen. Ik voelde een vreemde, mannelijke trots, zoals wanneer je gezien wordt met een beeldschone vrouw. De verpleegsters giechelden en maakten opmerkingen voordat ze weer verdergingen met hun ronde. Marianne Engel bracht de ene na de andere hap naar mijn mond. 'Probeer dit eens... Je vindt het gegarandeerd lekker... Neem nog wat.'

We deden ons best, maar van tevoren was al duidelijk dat we nooit alles op zouden krijgen. Toen we voldaan waren, pakte ze een metalen thermosfles en schonk Griekse koffie in twee espressokopjes. Die was zo dik dat het een halve minuut duurde om hem uit te schenken. Toen haalde ze het toetje te voorschijn:

baklava met zo veel honing dat die droop als een overvolle bijen-korf. Driekleurig ijs, groen, wit en rood. En natuurlijk bougatsa, waar haar hond naar was vernoemd – lichtbruine vulling met custard tussen laagjes filodeeg.

'Heb je zin in een verhaal?' vroeg Marianne Engel. 'Het gaat over ware liefde, broederlijke toewijding en pijlen die hun doel vinden.'

'Gaat het weer over jou?'

'Nee, het gaat over mijn goede vriend Francesco Corsellini.'

6

Nu was er één ding waarvan Graziana overtuigd was, namelijk dat haar echtgenoot Francesco een goed mens was. Hij was smid in hun woonplaats Florence en hij schiep eer in zijn ambacht, hij probeerde altijd een nog beter hoefijzer of een nog sterker zwaard te smeden. Soms ging hij zo op in zijn werk dat hij pas ophield als Graziana in de deuropening van zijn werkplaats verscheen en hem vermaande dat hij wat minder aandacht aan zijn vuur en wat meer aan zijn vrouw moest besteden. Ze zei voor de grap dat hij in het verleden wel iets heel ergs moest hebben gedaan dat hij zich nu zo ijverig voorbereidde op de hel. Dan lachte hij en beloofde dat hij meteen zou komen, en dan moest Graziana ook lachen. Ze wist dat de hel de laatste plek was waar haar man zou eindigen.

Francesco zou nooit bekend worden als de 'beste zwaardenmaker van heel Italië' of de 'geweldige metaalbewerker uit Florence', maar dat kon hem niet schelen. Hij wilde een goede vakman zijn, een betrouwbare smid met redelijke prijzen, maar hij wilde vooral een liefhebbende echtgenoot zijn. Hij maakte in zijn werkplaats prachtige cadeaus voor Graziana – kandelaars, bestek en de mooiste sieraden. Hij zei altijd dat hij zijn beste werk als smid had geleverd met de vervaardiging van de trouwringen voor hemzelf en Graziana. In één kamer van hun huis bevond zich een verzameling metalen speelgoed voor de baby die ze probeerden te krijgen. Hij droomde van de dag dat hij de liefhebbende vader van haar kinderen zou zijn.

Hij was niet echt knap, deze Francesco Corsellini, maar dat

was zijn vrouw ook niet. Hij was iets te behaard voor sommige vrouwen en zijn armen van staal waren geworteld in een lichaam dat te veel pasta en bier had genuttigd. Graziana noemde hem *l'Orsacchiotto* – 'de beer' – en als ze hem in zijn buik porde, reageerde hij met: 'Hier heb ik voor gewerkt. Dit zijn spieren in rust!'

Graziana had dik haar en donkere ogen, maar voor de rest was ze weinig opvallend. Maar als Francesco tegen haar zei dat ze de mooiste vrouw van Italië was, meende hij dat oprecht. Ze waren al sinds hun jonge jaren onafscheidelijk en er ging bijna geen dag voorbij dat hij God niet dankte dat zij zijn vrouw was.

Ze waren gelukkig. Zij was lief. Hij was toegewijd. Moet er nog meer gezegd worden?

Helaas wel.

Het was het jaar 1347 en vanuit China was er een nieuwe ziekte overgebracht, de vreselijkste ziekte die iemand ooit kon krijgen. Hij verspreidde zich vanuit de havens naar de steden en het Italiaanse platteland, en velde mensen zoals een bosbrand bomen velt. In de steden luidden voortdurend de kerkklokken omdat men geloofde dat het geluid de ziekte kon verdrijven. Veel mensen dachten dat de ziekte werd overgebracht via de stank van de doden, dus droegen ze geparfumeerde zakdoeken voor hun gezicht. Overal werd wierook gebrand, de geur vermengde zich met die van de dood.

Op een middag voelde Graziana zich wat koortsig. Ze ging even liggen om een dutje te doen. Toen ze die avond wakker werd, ontdekte ze in haar lies een puist ter grootte van een ei en onder haar armen zaten zwellingen. Ze wist dat de zwarte dood haar in zijn greep had.

Francesco was in de keuken met het eten bezig. Ze riep tegen hem dat hij onmiddellijk moest weggaan omdat ze de ziekte had. '*Gavoccioli*,' riep ze. 'De bulten!' Ze eiste dat hij zichzelf in veiligheid bracht, want iedereen wist dat er geen genezing mogelijk was, geen hoop. 'Ga weg!' smeekte ze. 'Vertrek nu meteen!'

In de keuken was het stil. Graziana lag in bed, luisterend naar de stilte die tussen haar en haar man hing. Toen hoorde ze hem bezig met de potten en pannen zodat ze hem niet zou horen huilen. Dat ging een tijdje door, en toen hoorde ze Francesco's voetstappen naderen. Ze schreeuwde, vloekte en smeekte dat hij weg moest blijven, maar hij verscheen in de deuropening met een schaal pasta en een karaf wijn.

'Je voelt je beter als je wat eet, al is het maar een beetje,' zei Francesco. Hij liep de kamer in, zette de schaal neer en ging naast haar zitten. En toen boog hij zich voorover om haar te zoenen.

Graziana probeerde hem af te weren. Het was de eerste en enige keer dat ze hem afwees, maar Francesco bedwong haar met zijn krachtige armen en smoorde haar protesten met een zoen. Na een paar seconden besefte ze dat haar verzet zinloos was en gaf zich aan hem over.

Ze aten wat en daarna ging hij naast haar in bed liggen. Door het raam was de volle maan zichtbaar. '*La luna è tenera*,' zei Francesco. 'De maan is zacht.' Hij sloot zijn ogen en ging dichter tegen haar aan liggen. Het laatste wat Graziana die avond zag, was zijn slapende gezicht. Toen ze de volgende ochtend wakker werd, was zijn gezicht het eerste wat ze zag. Ze had hoge koorts, ze zweette hevig en haar hart klopte als een bezetene.

'Kijk,' zei hij zachtjes, 'je begint donkere vlekken op je huid te krijgen.' Graziana begon te huilen, maar Francesco glimlachte en streelde haar haar. 'Niet huilen. We hebben geen tijd voor tranen. Laten we elkaar liefhebben zolang het nog kan.'

Die middag bereikte de ziekte zijn hoogtepunt. Drie dagen lang lagen ze zij aan zij. Drie dagen duurde de vreselijke doodsstrijd van Graziana terwijl hij haar verhalen vertelde over zwanen, wonderen en eeuwige liefdes. Midden in de derde nacht werd Francesco wakker van haar moeizame ademhaling. Ze keek hem aan.

'Het is zover.'

'Ik zie je snel terug,' zei hij.

Francesco zoende Graziana een laatste keer en zoog haar laatste adem in zich op. '*Ti amo*,' zei ze. 'Ik hou van je.'

Toen ze dood was, haalde Francesco de trouwring van haar

vinger. Hij was intussen ook ernstig ziek, maar hij werkte zich uit bed. Hij kon nauwelijks staan, verzwakt door de misselijkheid en de koorts, maar hij worstelde zich naar zijn smidse. Er stond hem nog één ding te doen.

Hij stak het vuur aan en stookte de oven op. Hij smolt hun trouwringen en goot ze in een matrijs in de vorm van een pijlpunt. Toen de pijlpunt klaar was, bevestigde hij hem op een schacht. Hij keek erlangs om te controleren of hij perfect recht was.

Francesco pakte de kruisboog die aan de muur hing. Hij was van zijn vader geweest, een vaardig boogschutter die was gesneuveld toen Francesco en zijn broer Bernardo nog klein waren. Deze kruisboog, die door een medestrijder mee terug naar Florence was genomen, was het enige voorwerp van zijn vader dat Francesco ooit had bezeten. Afgezien van de boog had hij zelfs geen enkele herinnering aan de man.

Hij ging terug naar de slaapkamer, waar Graziana's lichaam lag. Hij deed het raam open en legde de pijl en de kruisboog buiten neer. Het was intussen ochtend en hij riep een passerende jongen aan om een boodschap over te brengen aan zijn broer, die in een ander deel van de stad woonde. Nog geen uur later stond Bernardo voor het raam.

Francesco smeekte zijn broer om niet dichterbij te komen, bang dat hij de ziekte zou doorgeven. Francesco vroeg om een laatste gunst.

'Ik doe alles voor je,' zei Bernardo. 'Ik zal je laatste wens vervullen.'

Nadat Francesco had gezegd wat hij wilde, ging hij op bed zitten met zijn gezicht naar het raam. Snikkend pakte Bernardo de kruisboog en legde de pijl erop. Hij haalde diep adem, ging klaarstaan en riep de geest van zijn vader aan om de pijl naar zijn doel te leiden. Bernardo ontgrendelde de pees en de pijl schoot weg. Het schot was precies en dodelijk.

Francesco viel achterover in bed, naast zijn Graziana, met de pijlpunt die gemaakt was van hun trouwringen vast verankerd in zijn hart. Hij stierf zoals hij had geleefd, vol liefde.

7

Begin niet met te zeggen dat ik overdreven romantisch ben, want toen Marianne Engel klaar was met haar verhaal, was het eerste wat ik zei: 'Vind je het niet deprimerend dat ze allebei zijn gestorven aan de pest?'

Ik laat het aan je fantasie over om je haar toon voor te stellen toen ze zei dat ze dit liefdesverhaal niet 'deprimerend' vond. Toen ze weg was, bekeek ik het verhaal vanuit verschillende gezichtspunten. Het was ietwat wereldvreemd: het oude Italië, opoffering, toewijding en trouwringen die dwars door het hart van de ziel van de ware echtgenoot waren geschoten. Rationeel kwam ik tot de conclusie dat de kern van het verhaal niet was dat het echtpaar aan een vreselijke ziekte was gestorven, maar dat er iets ontroerends in het handelen van Francesco zat. Desalniettemin, als ik in de keuken noedels stond te koken en mijn vrouw begon te roepen dat ze vol enorme puisten zat, zou ik in een vloek en een zucht door de achterdeur verdwenen zijn.

Ik wachtte een paar dagen tot Marianne Engel zou terugkomen, ik wilde haar graag vertellen dat Francesco niet volledig geschift was. Ik wilde haar laten zien dat ik groeide als mens, zoals ze dat in clichématig psychologenjargon zeggen, omdat ze op de hoogte moest worden gebracht van deze ontwikkelingen. Toen ze niet kwam, vroeg ik me af of de gargouilles haar hadden geroepen of dat ik het had verpest met mijn botte commentaar. Toen begon mijn beperkte brein weer te malen: *wat verpest?* Hoe had ik ook maar even kunnen denken dat we samen ooit iets zouden hebben? `IDIOOT.`

Beth kwam met een pakje dat even daarvoor per koerier was bezorgd. Er zat een briefje van bruin perkament in. De woorden leken met een ganzenpen te zijn geschreven, eeuwen eerder, en de letters vloeiden in lijnen die allang niet meer worden geleerd.

Dierbare,

Ik moet de komende dagen werken.

De geest heeft weer bezit van me genomen.

Gargouilles smachten naar hun geboorte.

Ben snel weer bij je,

M.

Ik was blij dat ik niet de oorzaak van haar afwezigheid was; het was gewoon weer een beeldhouwsessie.

Er was een soap op de televisie. Edward leed weer aan geheugenverlies en Pamela's doodgewaande zus was net terug van haar zendingswerk in Afrika. Ik duwde mijn oefenbal over de plank. Ik zag mijn zilverkleurige spiegelbeeld kleiner worden. Ik deed mijn luchtfietsoefeningen. Er werd nog meer huid gestript. De morfine bleef druppelen. De slang bleef aan de onderkant van mijn schedel likken. `IK KOM EN ER IS NIETS WAT JE ERAAN KUNT DOEN.` En nog meer: `KLOOTZAK, MISLUKKE-LING, KNEUS, JUNK, DEMON, MONSTER, DUIVEL, BEEST, BRUUT, KOBOLD, LOZE BELOFTE, EEUWIGE MISLUKKELING. ONGELIEFD. ONBEMIND. ONBEMINBAAR. ONMENS.`

Ach, wat wist die kloteslang ervan? Marianne Engel had me 'dierbare' genoemd.

Ik dacht aan Francesco in zijn hete werkplaats. Ik dacht aan Graziana, die op haar ziekbed pasta at zodat ze zich wat beter zou voelen. Ik dacht aan geliefden in hun stervensuur. Ik probeerde me voor te stellen dat iemand me zo dierbaar was dat ik bereid was om voor iemand te sterven; ik, die zich al nauwelijks kon voorstellen om voor mezelf te leven. Daarna probeerde ik me een voorstelling te maken van wat er zou gebeuren als ik eindelijk de brandwondenafdeling kon verlaten, en hoe dat mijn omgang met Marianne Engel zou beïnvloeden.

Het ziekenhuis was een sterk geïsoleerde omgeving waarbinnen ik haar eigenaardigheden boeiend vond, maar waar ze mijn dagelijks leven niet op een negatieve manier konden beïnvloeden. Ik werd beschermd door de regelmaat van mijn herstelprogramma en de staf tolereerde haar omdat ik dat had bevochten en omdat ik verder geen vrienden had, behalve misschien Gregor. Ik kende haar alleen in deze beperkte en beperkende omgeving, dus moest ik me wel deze vraag stellen: hoeveel verder gingen Marianne Engels eigenaardigheden in de echte wereld?

Als ze vertelde over haar meerdere harten, of over haar leven van zevenhonderd jaar geleden, was dat een leuke afleiding van mijn monotone bestaan. Soms gaf het me een ongemakkelijk gevoel, maar meestal vond ik het stiekem wel spannend dat ze een 'magische band' met me voelde. Maar hoe zou ik op haar hebben gereageerd als ik haar voor het ongeluk was tegengekomen? Ik zou haar meteen hebben weggewuifd en mijn weg hebben vervolgd. Weer zo'n gek. In het ziekenhuis kon ik natuurlijk niet weglopen.

Er zou een tijd komen dat ik dat wel kon, als ik dat wilde.

De kloosterlinge Marianne Engel, voor het laatst gezien als kind in het begin van de veertiende eeuw, was begonnen met haar opleiding in het scriptorium van Engelthal. Dergelijke instellingen bestonden al een paar honderd jaar. Karel de Grote had opdracht gegeven tot de invoering van kopieerruimtes zodat belangrijke geschriften niet verloren zouden gaan. In het begin was het maken van boeken natuurlijk bijna geheel gericht op het bewaren van Gods Woord.

De taak van de scribent was niet eenvoudig. Hij – of, zoals op Engelthal, *zij* – beschikte slechts over beperkte hulpmiddelen: messen, inkt, krijt, schrapers, sponzen, grafiet, linialen en priemen. Uit veiligheidsoverwegingen mochten er in het scriptorium geen kaarsen worden gebruikt. In koude jaargetijden kon de scribent niet eens haar handen warmen. De boeken waren zo waardevol dat de schrijfkamer zich vaak boven in een toren bevond die bestand was tegen aanvallers; in de boeken zelf stonden waarschuwingen over de gevolgen van diefstal of beschadiging. De gebruikelijke versie was dat de boekendief getroffen zou worden door ziekte en koortsaanvallen en dat hij geradbraakt én opgehangen zou worden. Niet één van de genoemde gevolgen, maar allemaal achter elkaar.

Het was een zwaar leven, maar de scribent kon zich troosten met de gedachte dat elk woord dat ze kopieerde in haar voordeel zou tellen op de dag des oordeels en als wapen tegen satan diende. Maar de aartsvijand laat dergelijke aanvallen niet onbeantwoord, dus gaf hij Titivillus, de belangrijkste demon van de kalligrafie, opdracht om terug te slaan.

Titivillus was een geniepig kereltje. Hoewel de scribent de beste bedoelingen had, was het werk eentonig en saai. Gedachten dwaalden af en dat leidde tot fouten. Titivillus werd geacht zijn zak elke dag te vullen met duizend manuscriptfouten. Die werden overgebracht naar satan, zodat ze konden worden opgenomen in Het Boek der Verschrijvingen om dan op de dag des oordeels tegen de scribent te gebruiken. Dus het kopieerwerk had zijn risico's voor de scribent: juist overgenomen woorden waren positieve punten en onjuist overgenomen woorden waren negatieve punten.

Maar het trucje van de duivel pakte verkeerd uit. De wetenschap dat Titivillus bezig was, zorgde ervoor dat de scribenten preciezer werk gingen leveren. Uiteindelijk kreeg Titivillus zijn zakken niet meer vol en moest hij voor straf in kerken de namen opnemen van vrouwen die tijdens de mis zaten te roddelen.

Hoe dan ook, het lettertype dat een middeleeuwse scribent doorgaans gebruikte, heette 'Gotische minuskel', dat opvallend genoeg ook het lettertype was dat Marianne Engel gebruikte als ze iets moest schrijven. Niet dat dat iets bewijst, maar ik wilde het toch even vermelden.

Zes dagen sinds Marianne Engel het briefje had gestuurd. Vijf dagen sinds de meest recente lap huid van de ene naar de andere plek op mijn lichaam was overgebracht. Vier dagen sinds ik zevenendertig seconden bleef staan. Drie dagen sinds mijn laatste gesprek met Gregor. Twee dagen sinds ik zesenveertig seconden bleef staan, ondersteund door de altijd energieke Sayuri Mizumoto. Eén dag sinds ik weer het grootste deel van de tijd aan zelfmoord dacht.

Toen Gregor langskwam, zag ik dat hij aan zijn conditie bleef werken, maar hij had nog steeds een beetje een onderkin waar hij maar niet van afkwam. Hij ging wel deels schuil achter zijn bijgeknipte geitensik, en ik complimenteerde hem met zijn verbeterde uiterlijk en vroeg wie de dame in kwestie was.

Hij antwoordde snel dat er geen vrouw in het spel was. Eigenlijk te snel. In het besef dat hij zich in de kaart had laten kijken, veranderde hij van strategie en probeerde hij het af te doen als iets onbelangrijks, maar dat maakte hem nog minder overtuigend.

Dat is een vreemde, maar hardnekkige gewoonte van mensen die zichzelf onaantrekkelijk vinden: ze generen zich als je suggereert dat ze iemand leuk vinden; omdat ze zichzelf geen aandacht waard vinden, ontkennen ze ook dat ze die zouden durven geven.

We waren nog niet zo vertrouwd dat ik durfde aan te dringen, dus liet ik het er maar bij toen Gregor van onderwerp probeerde te veranderen.

Sayuri beende energiek de kamer in, sprekend in cursief: *'Goedemorgen! Heb je even tijd om over je behandeling te overleggen?'*

Ik zei van niet. Mijn stem was een doffe dreun met een blikkerig randje, alsof iemand een bak met bestek op de grond liet vallen. Precies het effect dat ik hoopte te bereiken.

'*Hemeltje!*' riep Sayuri terwijl ze haar hand voor haar mond sloeg. Daarna verzekerde ze me dat lachen inderdaad gezond was en legde ze uit dat ze een paar tests wilde doen om mijn kracht en beweeglijkheid te meten. Ze wilde de mogelijkheden van mijn lichaam vaststellen door met behulp van een goniometer te meten hoeveel beweging er in mijn gewrichten zat. Ze pakte mijn armen en boog ze bij de elleboog, waarna ze de resultaten in een klein boekje schreef. Daarna testte ze mijn benen waarbij ze ontdekte dat er in mijn rechterknie (de knie die was verbrijzeld) maar weinig beweging zat. Ook dat werd keurig genoteerd. 'Dat is een probleempje.'

Daarna keek ze hoeveel gevoel er in de verschillende delen van mijn lichaam zat door me met een klotestok te prikken en te vragen hoe het voelde. Ik zei dat het voelde alsof ik met een klotestok werd geprikt. O, wat moest ze lachen; wat was ik toch een grappenmaker.

Sayuri gaf me haar pen en vroeg me om een zinnetje in haar boekje te schrijven. Ik schreef onvast: *Waar is ze?* (Nog een voorbeeld van het gesternte waaronder ik ben geboren: mijn rechterhand was intact gebleven terwijl ik linkshandig ben.) Sayuri lette niet op wat ik had geschreven, ze was alleen maar geïnteresseerd in mijn beweeglijkheid. Ik kreeg de pen in mijn linkerhand – die waaraan anderhalve vinger ontbrak – en ze vroeg me om nog iets te schrijven. Het lukte me om de woorden *Val dood* te krabbelen. Sayuri bekeek mijn literaire werk en zei dat het in elk geval leesbaar was.

Tot besluit zei ze dat ik binnenkort mijn eigen oefenprogramma zou krijgen en dat dat reuze spannend was. 'Binnen de kortste keren loop je weer vrolijk rond!'

Ik zei dat ik verdomde goed wist hoe ik moest lopen, dus wat kon daar voor spannends aan zijn?

Sayuri legde – uiterst vriendelijk – uit dat ik misschien wel wist hoe ik met mijn oude lichaam moest lopen, maar dat ik het met mijn nieuwe opnieuw moest leren. Toen ik vroeg of ik ooit weer als een gewoon mens zou kunnen lopen, zei ze dat ik het hele proces van de verkeerde kant benaderde en dat ik me beter kon richten op de eerste stapjes dan op de hele reis.

'Dat soort goedkope oriëntaalse wijsheden kan ik missen als kiespijn.'

Dat was volgens mij het moment waarop ze besefte dat ik per se opstandig wilde zijn en ze kwam dichterbij. Ze zei dat hoe goed ik uiteindelijk zou kunnen lopen van veel dingen afhing, maar vooral van mijn eigen inzet. 'Je hebt je lot in eigen handen.'

Ik zei dat ik betwijfelde of mijn voortgang haar ook maar iets kon schelen, aangezien ze haar salaris toch wel kreeg.

'Dat is niet eerlijk,' antwoordde ze, wat mij de opening bood die ik zocht. Ik maakte van de gelegenheid gebruik om uit te leggen wat 'niet eerlijk' echt inhield. Het was 'niet eerlijk' dat als zij 's avonds naar huis ging om sushi te eten en naar *Godzilla* te kijken, ik nog steeds in mijn ziekenhuisbed lag met een slangetje uit mijn lijf om de pis af te voeren. Dát, stelde ik, was niet eerlijk.

Sayuri besefte dat het geen zin had verder op me in te praten, maar ze bleef vriendelijk. 'Je bent bang, en dat is te begrijpen. Ik weet dat het moeilijk is omdat je wilt weten wat het eindresultaat is terwijl je het begin niet eens kunt overzien. Maar het komt allemaal goed. Het kost alleen tijd.'

Waarop ik antwoordde: 'Trek niet zo'n hooghartige kop, jappentrut.'

De volgende dag verscheen Marianne Engel met een velletje papier dat ze in mijn hand stopte. 'Leer dit,' zei ze, en we oefenden de tekst tot die in mijn hoofd zat.

Een uur later kwam Sayuri met opgeheven hoofd de kamer binnen. Ze keek even naar Marianne, maar richtte zich toen tot mij. 'Volgens de verpleegsters wilde je me spreken.'

Ik probeerde een lichte buiging te maken, maar liggend viel dat niet mee. Ik zei de woorden die ik had geleerd: 'Mizumoto san, konoaidawa hidoi kotoba o tsukatte hontouni gomenasai.

Yurushite kudasai.' (Wat ruwweg betekent: *Het spijt me enorm dat ik gisteren zulke vreselijke dingen tegen je heb gezegd. Vergeef me alsjeblieft.*)

Het was duidelijk dat ik haar hiermee overviel. Ze antwoordde: 'Ik aanvaard je excuses. Hoe heb je die woorden geleerd?'

'Dit is mijn… vriendin, Marianne Engel. Zij heeft ze me geleerd.' Dat was inderdaad zo, maar het verklaarde niet hoe Marianne Engel Japans had geleerd. Ik had het natuurlijk wel gevraagd, maar het uur daarvoor had ze het over niets anders willen hebben dan over de fouten in mijn uitspraak. Ik wist ook niet hoe ze na zeven dagen afwezigheid wist dat ik Sayuri had beledigd. Misschien had een van de verpleegsters het haar verteld, of dokter Edwards.

Het was puur toeval dat dit de eerste keer was dat de twee vrouwen elkaar ontmoetten. Marianne Engel stapte naar voren, maakte een diepe buiging en zei: '水元さま、会えて嬉しいです。マリアンヌ・エンゲルです。'

Sayuri keek blij verrast en maakte ook een buiging. 'そうですか？ 初めまして。どうぞ宜しくお願いします。日本語ができるのですか？'

Marianne Engel knikte. '少し。北海道のラベンダー農場に数年住んでいました。 あなたの名前は漢字で小さな百合になりますか？'

'ええ、そうです。' glimlachte Sayuri. '日本語が上手ですね。'

'いいえ、それほどでも。' Marianne Engel schudde ontkennend haar hoofd. 'あなたの名前は水の元という意味ですか？'

'ええ、そうです。'

Marianne Engel boog opnieuw. 'あなたの名前は私の友人ににとって良い前兆ですね。 彼を宜しくお願いします。マナーの悪悪いのは許してあげて下さい。'

Sayuri hield haar hand voor haar mond om haar lachen te verbergen. 'ええ、最善を尽します。'

Sayuri leek heel erg blij dat mijn verwerpelijke gedrag van de vorige dag voor zo'n onverwachte ontmoeting had gezorgd. Ze nam afscheid en vertrok met een laatste buiging naar Marianne Engel.

Marianne Engel bracht haar mond dicht bij mijn oor en fluisterde: 'Ik wil niet dat je Mizumoto san ooit nog met zwarte kikvorsen overlaadt. Spreken met de bek van het beest zal je pijn niet verlichten. Je moet je hart met liefde blijven openstellen en me vertrouwen. Ik beloof je dat de vrijheid in het verschiet ligt, maar ik kan dit niet alleen.'

Ze pakte een stoel uit de hoek van de kamer. Ze liet zich er zwaar in vallen, met de vermoeide blik van een vrouw die teleurgesteld is in haar falende echtgenoot. Haar vreemde woorden brachten me tot een vraag die ik tot dan toe niet had durven stellen: 'Wat wil je van me?'

'Niets,' antwoordde ze. 'Je hoeft helemaal niets.'

'Waarom?' vroeg ik. 'Wat bedoel je daar precies mee?'

'Alleen door niets te doen zul je in staat zijn om je liefde echt te bewijzen.'

'Dat begrijp ik niet.'

'Dat komt nog wel,' zei ze. 'Dat beloof ik.'

Op dat moment wilde Marianne Engel niet meer praten over dingen die in de toekomst zouden gebeuren en ging ze verder met het verhaal over haar verleden. Ik geloofde er niets van – hoe zou ik dat kunnen? – maar in elk geval voelde ik me op dat moment niet zo dom als ik me later nog vele keren gevoeld heb.

8

Overigens vond ik het tijdens mijn jeugd in Engelthal nog het moeilijkst om mijn mond te houden. Ik wist dat zwijgen een wezenlijk deel uitmaakte van ons geestelijk welzijn, maar desondanks kreeg ik regelmatig een reprimande wegens mijn 'overmatige uitbundigheid'. Heus, ik deed alleen maar wat elk kind doet.

Niet alleen de geluiden waren gedempt op Engelthal, dat gold voor alles. Elk aspect van ons leven stond beschreven in de *Beginselen van de Orde*, een geschrift dat zo uitgebreid was dat er alleen al aan kleding en wassen vijf hoofdstukken waren gewijd. Zelfs de gebouwen moesten heel sober zijn, uit angst dat anders onze ziel zou worden bezoedeld. In de eetzaal moesten we op dezelfde plek zitten als in het koor. Tijdens de maaltijd werden er schriftlezingen gehouden zodat we zowel spiritueel als fysiek gevoed werden. We luisterden naar passages uit de bijbel en veel werk van Sint Augustinus, en soms *Het leven van Sint Dominicus*, de *Legenda Aurea* of *Das St. Trudperter Hohelied*. De schriftlezingen leidden in elk geval af van het smakeloze voedsel – kruiden waren verboden en je moest speciale toestemming hebben om vlees te eten, wat alleen om gezondheidsredenen gebeurde.

Als ik niet voor de mis in de centrale kapel was, bracht ik mijn tijd door in het scriptorium. Gertrud maakte vanaf het begin duidelijk dat ze mijn aanwezigheid maar niets vond. Maar in haar hoedanigheid van armarius zou het ongepast zijn geweest als ze haar afkeer openlijk liet blijken. Daar had ze haar gunsteling zuster Agletrudis voor.

Agletrudis was een ronde, kleine planeet die rond Gertrud draaide, de grootste ster van het scriptorium; alles wat ze deed was erop gericht haar meesteres te behagen door mij te kwellen. Haar enige doel in het leven was het overnemen van het scriptorium na de dood van Gertrud. En ik vormde alleen maar een hindernis op die weg.

Ruim voor mijn komst waren sluipenderwijs financiële beweegredenen een rol gaan spelen bij de werkzaamheden in het scriptorium. Het was heel gebruikelijk dat er boeken werden gemaakt voor welgestelde burgers, vaak in ruil voor hun land na hun dood. Gertrud had ondanks haar zelfverklaarde heiligheid weinig moeite met de economische belangen die die regeling met zich meebracht; ze keurde de verkoop van boeken om een heel andere reden af: het dwarsboomde het gebruik van het scriptorium voor haar eigen doelstellingen. Gertrud had al vroeg in haar carrière besloten om één groot werk voort te brengen waaraan haar naam voor eeuwig verbonden zou zijn – een gezaghebbende Duitstalige versie van de bijbel. Hoewel ze het nooit hardop zei, ben ik ervan overtuigd dat ze hoopte dat het boek bekend zou worden als *Die Gertrud Bibel*.

Daarom was mijn aanwezigheid zo hinderlijk: ik was een jong meisje – een onvolledige volwassene – dat haar afhield van haar echte werk. Ik weet nog wat Gertrud zei toen ze me onder de hoede van Agletrudis plaatste. 'De priores denkt dat dit kind een bijdrage kan leveren. Laat haar de basisvaardigheden van het ambacht zien, bij voorkeur aan de andere kant van de ruimte, maar ze mag nergens aankomen. Die kleine, dikke vingertjes zijn Gods werktuigen onwaardig. En hou haar vooral uit de buurt van mijn bijbel.'

Dus mocht ik in het begin alleen maar toekijken. Je kunt je voorstellen dat dat voor een kind ongelooflijk saai is, maar omdat ik een groot deel van mijn leven stil in een hoekje kennis had zitten vergaren, was het niets nieuws voor me. Ik was gefascineerd door de manier waarop een ganzenveer als een verlengstuk van de vingers van de scribent fungeerde. Ik leerde hoe je inkt samenstelde en hoe je die door toevoeging van vermiljoen of zwavelkwik een rode kleur kon geven. Ik keek hoe de nonnen met een mesje hun schrijfpen slepen als de letters hun scherpte dreigden te verliezen. Ik wist meteen dat ik hier op mijn plaats was.

Dingen die we nu vanzelfsprekend vinden, waren toen heel bijzonder. Neem bijvoorbeeld papier. We maakten het niet zelf, het werd geleverd door een plaatselijke perkamentmaker. Daarna moesten we het klaarmaken voor gebruik. De nonnen sorteerden het op kwaliteit en legden de vellen op de haar- en de vleeszijde zodat de vezelrichting van de bladzijden klopte als het boek werd opengeslagen, en soms wilde Gertrud dat het perkament gekleurd werd 'om het wat extra cachet te geven'. Voor een enkel boek waren de huiden van een paar honderd dieren nodig. Welk meisje zou daar niet door gefascineerd zijn?

Ik kan Gertrud veel verwijten, maar niet dat ze niet toegewijd was aan haar werk. Als het om een vertaling ging, konden de discussies over de vertaling van een enkele zin soms wel een uur duren. Hoewel de meeste nonnen weleens mopperden over Gertruds dictatoriale trekjes, waren ze er toch wel van overtuigd dat ze een taak volbracht waar God haar speciaal voor had uitgekozen. Hun ijver verflauwde nooit, zelfs niet in tijden dat er zeer hard aan *Die Gertrud Bibel* werd gewerkt.

Een paar scribenten vroegen zich af op wiens gezag er werd geprobeerd een dergelijke vertaling tot stand te brengen en of een en ander geen heiligschennis was, maar ze wisten dat ze hun twijfels maar beter niet konden uiten – of ze waren er te bang voor. Dus klaagden ze niet, maar concentreerden ze zich op de zeldzame pagina's van de bijbel die Gertruds goedkeuring konden wegdragen. Ze hadden allemaal hun inbreng, maar zij had het laatste woord.

Alleen de vaardigste scribenten mochten met het beste perkament werken. Ze hield nauwlettend toezicht op het werk en rekte telkens haar magere hals als ze vreesde dat een woord verkeerd werd gespeld of de inkt ging uitlopen. Als de laatste punt achter de laatste zin van een bladzij werd gezet, kon je Gertruds schouders zien zakken en hoorde je haar opgelucht uitademen.

Daarna zoog ze weer luidruchtig een nieuwe ademteug naar binnen.

Zulke momenten van ontspanning duurden nooit lang. Gertrud ging met het vel naar de rubricatrice zodat de nummers van de hoofdstukken en de verzen in rood konden worden uitgevoerd, en terwijl dat gebeurde, maakte de illuminatrice tientallen proefschetsen voor de ruimtes die op de pagina werden opengelaten. Als de laatste beslissingen waren genomen, werd de afbeelding op de juiste plaats aangebracht.

De voltooide bladzijden waren prachtig. Gertrud was zeker een uur bezig met een laatste controle voordat de pagina werd opgeborgen en er aan de volgende werd begonnen. Bladzij voor bladzij groeide het boek, maar er waren ook altijd andere dingen die gedaan moesten worden. Als we een opdracht van de adel moesten verwerken, keek Gertrud verlangend naar haar eerste liefde. Maar ze moest net als iedereen doen wat de priores wilde.

Op de een of andere manier kwam het de priores ter ore dat ik niets mocht doen in het scriptorium. Vermoedelijk zat zuster Christina daarachter. Met een diepe zucht van berusting en een lange uiteenzetting dat ze ertegen was, legde Gertrud uit dat 'ze mij in opdracht van de priores moest laten beginnen met oefenen'. Ze gaf me wat oud perkament dat was verknoeid door verschrijvingen en zei dat ik maar aan de slag moest gaan.

Ik stortte me er vol overgave op. Ik oefende op elk afgekeurd vel dat ik maar kon vinden en naarmate ik beter werd, moesten ze me wel betere pennen geven en meer ruimte om aan mijn vertalingen te werken. Ik kende al Duits, Latijn, Grieks en Aramees, het Italiaans uit Paolo's gebedenboek, en een beetje Frans. Ik las elk boek dat in het scriptorium te vinden was en de zusters waren voortdurend verbaasd over mijn vorderingen, hoewel ik nooit een complimentje van Gertrud kreeg. Zuster Agletrudis schiep er een groot genoegen in om haar op elk foutje van mij te wijzen en als ik me even omdraaide, vielen op mysterieuze wijze mijn inktpotjes om, raakten mijn boeken zoek of brak op de een of andere manier mijn pen. Elke keer als ik zuster Gertrud op deze 'toevalligheden' wees, lachte ze zelfgenoegzaam en zei ze dat ze instond voor het goede karakter van zuster Agletrudis.

Maar op een gegeven moment konden Gertrud en haar volgeling niet meer om mijn talent heen. Ik groeide uit tot de meest veelzijdige vertaler en ik was ook het snelst en meest precies. De ergernis van Agletrudis groeide uit tot jaloezie en ze begon me steeds meer als een bedreiging te zien, en er kwam een verontruste blik in Gertruds ogen toen ze besefte hoe waardevol ik voor de vervaardiging van *Die Gertrud Bibel* kon zijn. Ze was niet zo jong meer, en als ze de bijbel tijdens haar leven voltooid wilde zien, moest het werk versneld worden. Uiteindelijk stond ze me toe om eraan te werken.

Er was ook een leven buiten het scriptorium. Toen ik wat ouder was, ontdekte ik een manier om over het hek van het klooster te klimmen en kon ik me eindelijk in de buitenwereld begeven. Ik wilde niet ongehoorzaam zijn, ik wilde gewoon weten hoe het er daar uitzag. Mijn eerste stop was natuurlijk bij het huisje van vader Sunder en broeder Heinrich. Vader Sunder stak zijn ongenoegen over mijn handelen niet onder stoelen of banken. Hij dreigde me terug te slepen naar het klooster en het de priores te vertellen, maar op de een of andere manier draaide het erop uit dat we vruchtensap dronken en daarna iets te eten namen. En voordat hij het wist, was er zo veel tijd verstreken dat het lastig zou worden om uit te leggen waarom hij me niet meteen had teruggebracht. Dus nadat ik had beloofd dat ik nooit meer zou komen, mocht ik van broeder Heinrich en vader Sunder stiekem terug naar het klooster gaan. De volgende avond ging ik weer naar ze toe. Ik kreeg weer een strenge reprimande, maar ook nu eindigde het met eten en drinken. Dit patroon van mijn verbroken beloftes en hun half gemeende verwijten hield een paar weken aan tot we ten slotte maar ophielden met de schijn op te houden.

Elke keer als ik op de top van de heuvel aankwam en hun huisje zag liggen, sprong mijn hart op. Hun hutje werd een geheim, tweede huis voor me. Op zomeravonden speelden we verstoppertje tussen de bomen. Dat waren de mooiste momenten, als ik vanachter de struiken naar de twee mannen van in de vijftig gluurde, die net deden alsof ze me niet konden vinden.

Engelthal was een kleine gemeenschap, dus was het onvermijdelijk dat anderen achter mijn 'geheime' bezoekjes kwamen. Ik denk dat niemand er enig kwaad in zag, en hoewel mijn uitstapjes onder de nonnen een publiek geheim waren, ben ik er zeker van dat Gertrud, Agletrudis en de priores er nooit van af hebben geweten. Als dat wel zo was geweest, was er direct een einde aan gekomen, gewoon omdat het niet gepast was.

De priores overleed toen ik in mijn tienerjaren was. Ze stierf een vredige dood en er moest zo snel mogelijk een nieuwe priores worden gekozen. Dominicaner kloosters waren democratische instellingen en zuster Christina, die op dat moment net *Het zusterboek van Engelthal* had voltooid en was begonnen met haar *Openbaringen*, werd bijna unaniem gekozen en kreeg de titel moeder Christina. Ik was natuurlijk blij met deze gang van zaken, maar voor zuster Agletrudis lag dat heel anders. Hoe snel hadden de gebeurtenissen voor wat betreft haar verlangen om de volgende armarius te worden zich tegen haar gekeerd. Er was niet alleen een wonderkind in het scriptorium verschenen, maar de nieuwe priores was ook nog eens haar grote verdediger. Toen ik niet lang na de verkiezing van moeder Christina officieel mijn kloostergelofte aflegde, moet dat voor zuster Agletrudis de laatste druppel zijn geweest. Ik zag de brandende haat in haar ogen toen ik de rest van mijn leven gehoorzaamheid aan de gezegende Dominicus en alle prioressen beloofde.

Bij de andere zusters zag ik daarentegen alleen maar goedkeuring en genegenheid. Voor hen moet het hebben geleken alsof alles in mijn leven op zijn plaats viel – maar zo voelde het niet. Ik voelde me een bedriegster in het Huis des Heren.

Ik was grootgebracht in een geheiligde omgeving, maar ik voelde me totaal niet heilig. Veel andere zusters, onder wie Gertrud en Agletrudis, hadden mystieke visioenen, maar ik niet. Dat gaf me een voortdurend gevoel van falen. Ik was vaardig met talen, ja, maar zo voelde dat ook – als een vaardigheid, niet als een gave of openbaring. Ik voelde me door dat ontbreken van tekenen van God niet alleen minderwaardig, de andere nonnen leken ook zo zeker van hun weg terwijl ik nog zoveel niet begreep. Mijn hart en geest waren in verwarring; mij ontbrak de zekerheid die de anderen wel leken te hebben.

Moeder Christina verzekerde me dat ik me geen zorgen moest maken over het wegblijven van visioenen. Elke zuster kreeg haar boodschap pas als ze daar klaar voor was, zei ze, en het was geen kwestie van de Heer aanroepen, maar zo zuiver proberen te leven dat Hij zich vanzelf zou tonen. Toen ik antwoordde dat ik niet wist hoe ik nog zuiverder kon leven, adviseerde moeder Christina me om me voor te bereiden op het Eeuwige Opperwezen door afstand te doen van alle ballast die aan me kleefde. Ik knikte alsof zo'n uitleg alles verhelderde, maar in werkelijkheid was ik net zo in verwarring als een koe die een nieuw hek tegenkomt.

Ik had die ideeën mijn hele leven bestudeerd, maar meer waren het niet geworden. Ideeën, concepten. Vage algemeenheden die ik niet echt kon bevatten. Moeder Christina moet de blik in mijn ogen hebben gezien, want ze herinnerde me eraan dat ik mijn onverklaarbare taalvaardigheid had, en al ging die niet gepaard met mystieke visitaties, het maakte me toch uniek. Het werd steeds duidelijker, zei ze, dat God vast een prachtig plan voor me had. Waarom zou Hij me anders begiftigen met zulke gaven? Ik beloofde dat ik beter mijn best zou proberen te doen, en in stilte hoopte ik dat ik ooit net zo sterk in mezelf zou geloven als zij in mij geloofde.

Toen ik begin twintig was, ontmoette ik voor de eerste en enige keer Heinrich Seuse. Hij was van Straatsburg op weg naar Keulen, waar hij het studium generale onder Meister Eckhart zou gaan volgen. Hoewel het klooster niet echt op zijn route lag, kon hij de gelegenheid om het vermaarde Engelthal te bezoeken niet aan zich voorbij laten gaan. Dat waren zijn eigen woorden.

Het was duidelijk dat hij wist wat hij moest zeggen om moeder Christina te plezieren, maar bij Gertrud lag dat anders. Zo gauw ze hoorde dat Seuse onder Eckhart ging studeren, weigerde ze hem te ontmoeten.

Eckhart was een gevoelig onderwerp. Hoewel hij een deskundig schrijver van in het Latijn gestelde theologische verhandelingen was, was hij misschien beter bekend, of berucht, om de ongewone diensten die hij in het Duits hield. Als Eckhart sprak over de metafysische gelijkenis tussen Gods aard en de menselijke ziel, leken zijn denkbeelden vaak af te dwalen van de gebruikelijke leer, en daar was het geen goede tijd voor. Er was al veel ongenoegen onder de kloosterordes en de clerus vanwege de verplaatsing van het pausdom naar Avignon.

Toen ik over Eckhart had gelezen en Gertrud naar hem had gevraagd, had ze heel fel gereageerd. Ze erkende dat ze zijn werk weliswaar niet had gelezen, maar stelde dat ze dat ook niet hoefde. Ze had zoveel over Eckharts smerige denkbeelden gehoord dat ze de smerige bron ervan niet wilde kennen. Ze spuugde zijn naam uit alsof het een rotte appel was. 'Eckhart was een veelbelovend man, maar hij heeft zichzelf te schande gemaakt. Hij wordt nog weleens tot ketter verklaard, let maar op. Hij weigert zelfs te erkennen dat God goed is.'

Gertruds houding pakte voor mij vreemd genoeg goed uit. Omdat zij Seuse weigerde te ontmoeten, werd ik gekozen om hem het scriptorium te laten zien. Ik schrok van zijn uiterlijk. Hij was zo tenger dat ik nauwelijks kon geloven dat zijn botten zijn gewicht konden dragen, ondanks zijn geringe lengte. Zijn huid was vaalgeel en pokdalig, en ik kon elke ader op zijn gezicht zien. Hij had zulke donkere kringen onder zijn ogen dat het leek alsof hij nooit sliep. Zijn handen, die overdekt waren met korstjes waar hij regelmatig aan krabde, leken op vleeskleurige handschoenen met daarin losjes aan elkaar vastgemaakte botten.

Door mijn beschrijving lijkt hij misschien afstotelijk, maar in werkelijkheid was hij het tegenovergestelde. Het leek alsof je dwars door zijn dunne huid het licht van zijn ziel kon zien. De manier waarop hij zijn slanke vingers bewoog tijdens het praten deed me denken aan jonge twijgjes die bewogen in de wind. En als het leek alsof hij nooit sliep, kwam dat door zijn manier van praten, waarbij je het idee had dat hij voortdurend berichten doorkreeg die te belangrijk waren om te negeren. Hoewel hij maar een paar jaar ouder was dan ik, had ik toch het gevoel dat hij geheimen kende die ik nooit zou kennen.

Ik leidde hem rond door het scriptorium en daarna over de landerijen van Engelthal. Toen we op veilige afstand van meeluisterende oren waren die in elke hoek van het klooster te vinden waren, bracht ik Meister Eckhart ter sprake, en Seuses ogen dansten alsof ik hem zojuist de sleutel van de hemelpoort had overhandigd. Hij vertelde in een razend tempo alles wat hij wist over de man die binnenkort zijn leermeester zou worden. Ik had nog nooit zo'n geniale waterval van denkbeelden gehoord en Seuses stem was vol ecclesiastisch vuur.

Ik vroeg waarom zuster Gertrud beweerde dat Meister Eckhart niet eens wilde erkennen dat God goed was. Seuse legde uit dat Eckhart van mening was dat alles wat goed was, beter kon worden en dat iets wat beter kan worden ook het beste kan worden. Je kunt niet zeggen dat God goed, beter of best is omdat Hij boven alles staat. Als iemand zegt dat God wijs is, liegt hij, omdat alles wat wijs is, wijzer kan worden. Alles wat een mens over God kan zeggen is onjuist, zelfs het gebruik van de naam 'God'. God is het 'bovenwezenlijke niets' en het 'transcendente zijn', stelde Seuse, voorbij alle woorden en voorbij elk begrip. Een mens kan maar beter zwijgen, want elke keer dat hij maar doorbazelt over God, bezondigt hij zich aan een leugen. De ware meester weet dat als hij een God had die hij kon doorgronden, hij Hem nooit als God zou zien.

Die middag ging mijn geest open voor nieuwe mogelijkheden en mijn hart voor nieuwe begrippen. Ik begreep niet waarom Gertrud wilde verhinderen dat Eckharts geschriften in onze collectie werden opgenomen. Wat voor sommigen ketterse beweringen waren, waren voor mij redelijke veronderstellingen over de aard van God. Ik besefte dat de lessen uit mijn jeugd te beperkt waren geweest. Als ik al geen kennis had mogen nemen van de ideeën van Eckhart, wat was me dan nog meer onthouden? Zoals Seuse het die middag met stralende ogen zei: 'Dat wat pijnlijk is, scherpt iemands liefde.'

In een overmoedig moment bekende ik dat ik heel graag iets

van Eckhart wilde lezen. Zijn lippen krulden in een ietwat vals glimlachje, maar hij zei niets. Ik vroeg me af of hij geamuseerd was dat ik een wens uitsprak die tegen het standpunt van het klooster in ging, maar ik stond er niet meer bij stil tot hij een paar dagen later vertrok. Ik had graag nog meer tijd met hem willen doorbrengen, maar Gertrud, die dat misschien voorvoelde, zorgde ervoor dat ik met scriptoriumwerkzaamheden werd overstelpt.

Toen Seuse naar Keulen vertrok, mocht ik bij de poort afscheid van hem nemen. Toen hij zich ervan had vergewist dat niemand keek, stopte hij me een klein boekje toe.

9

Erg vervelend is dat, nu ik de woorden eenmaal heb opgeschreven, ze me voortdurend blijven achtervolgen. *Trek niet zo'n hoogbartige kop, jappentrut.* Ik heb voortdurend de drang om het schildersdoek van gisteren over te schilderen met de verf van vandaag en de dingen die me met spijt vervullen te bedekken, maar deze woorden wil ik zo graag wegwissen dat ik ervan overtuigd ben dat ik ze moet laten staan.

Sayuri Mizumoto is geen trut en ze kijkt niet hooghartig. Dat moge duidelijk zijn. Ik zei die vreselijke woorden omdat ik kwaad was op Marianne Engel omdat ze de hele week niet was geweest.

Ik schaam me voor hoe ik Sayuri heb behandeld en ik ben bang dat ik door dat zinnetje misschien overkom als een racist. Logisch toch? Maar ik verzeker je dat ik het woord 'jap' alleen maar gebruikte omdat ik zocht naar iets waardoor ze zich mogelijk kwetsbaar zou voelen. Ik gebruikte het woord niet omdat ik denk dat Japanners minderwaardig zijn, maar vanwege de mogelijkheid dat Sayuri zich als Japanse in een niet-Japanse cultuur misschien minderwaardig zou kunnen voelen. (Ik heb intussen ontdekt dat ze absoluut geen etnisch minderwaardigheidscomplex heeft.) En zoals het woord 'jap' racisme suggereert, suggereert 'trut' een afkeer van vrouwen, maar eerlijk gezegd heb ik net zo'n hekel aan de meeste mannen als aan de meeste vrouwen. Je zou hooguit kunnen zeggen dat ik een geëmancipeerde mensenhater ben.

Of dat wás ik, liever gezegd. Ik geloof dat ik sinds mijn uitval naar Sayuri veranderd ben. Ik zeg niet dat ik nu opeens grote genegenheid voor de mensheid voel, maar ik durf wel te stellen dat ik aan minder mensen de pest heb dan vroeger. Dat lijkt vrij gering qua persoonlijke groei, maar soms heb je enige afstand nodig om zulke dingen beter te kunnen beoordelen.

De oprechte woede van dokter Gregor Hnatiuk was mooi om te zien. Hij stormde mijn kamer binnen om te eisen dat ik juffrouw Mizumoto mijn excuses aanbood. Kennelijk liep hij een beetje achter: hij had over mijn belediging gehoord, maar niet over mijn in het Japans uitgesproken akte van berouw. Desondanks was het mooi om de glans op zijn bezwete voorhoofd te zien bij zijn verdediging van de eer van de schone maagd.

Toen begreep ik op wie hij verliefd was.

Ik vertelde dat alle voetangels waren verwijderd en voegde eraan toe dat Sayuri door het voorval iemand had gevonden met wie ze Japans kon spreken. Dat kalmeerde Gregor een beetje, maar hij moest nog een laatste hatelijke opmerking kwijt. 'Je komt er nog wel een keer achter dat een grote mond de toegangspoort tot alle onheil is.'

'Ja, Gregor, dat heb ik al eerder gehoord,' zei ik. 'Van Sayuri.'

Zijn eekhoornwangen werden rood. Het was duidelijk dat alleen al het horen van haar naam hem van zijn stuk bracht, en de manier waarop hij zich met een ruk omdraaide om weg te gaan, bevestigde al mijn vermoedens.

Bij de deur bleef hij opeens staan, draaide zich om en zei: 'Spreekt Marianne Engel Japans?'

Hier volgt een vertaling van het gesprek tussen Marianne Engel en Sayuri Mizumoto.

Marianne Engel: Juffrouw Mizumoto. Leuk om u te ontmoeten. Ik ben Marianne Engel.
Sayuri Mizumoto: Is dat zo? Ook leuk om u te ontmoeten. Ik hoop dat u me gunstig gezind wilt zijn. Spreekt u Japans?

Marianne Engel: Een klein beetje. Ik heb een paar jaar op een lavendelkwekerij op Hokkaido gewoond. Is uw voornaam het Chinese karakter voor 'kleine lelie'?

Sayuri Mizumoto: Inderdaad. Uw Japans is erg goed.

Marianne Engel: Niet echt. En uw achternaam betekent toch 'bron van water', hè?

Sayuri Mizumoto: Inderdaad.

Marianne Engel: Uw naam voorspelt veel goeds voor mijn vriend. Zorg alstublieft goed voor hem. Vergeef hem zijn ongemanierdheid.

Sayuri Mizumoto: Ik zal mijn best voor hem doen.

De vraag is: hoe kan ik een vertaling geven van een gesprek dat ik niet verstond toen het plaatsvond?

Het antwoord: Sayuri hielp me. Ze zegt dat het een exacte weergave van het gesprek is, maar omdat ik dat niet kan controleren, zal ik haar moeten geloven. En dat doe ik meestal ook, hoewel nog steeds de angst aan me knaagt dat de hele zaak één grote manuscriptfout is die Titivillus in zijn zak stopt zodat satan het op de dag des oordeels tegen me kan gebruiken. Maar dat risico zal ik moeten nemen.

Ik kan met opluchting zeggen dat mijn wrede woorden het ontstaan van onze vriendschap niet in de weg heeft gezeten. In de vele uren die we samen hebben doorgebracht, heeft Sayuri over haar jeugd verteld (in elk geval haar versie van het verhaal), zoals ik eerder heb weergegeven.

Maar wat ik de afgelopen jaren vooral heb geleerd, is dat Sayuri Mizumoto een uitzonderlijke vrouw is. Hoe kun je anders een vrouw omschrijven die heeft geholpen met vertalingen voor een boek waarin ze wordt uitgemaakt voor 'jappentrut'?

Sayuri en Marianne Engel besloten om mijn revalidatieprogramma gezamenlijk ter hand te nemen. Dokter Edwards had haar bedenkingen, maar ze stemde toe toen Sayuri stelde dat een partner het programma zowel makkelijker als prettiger voor mij zou maken.

Ik had gestaan en zelfs een paar stappen gezet, maar Sayuri wilde me laten lopen. Dat proces hield niet in dat ik simpelweg uit bed klom en naar de hal strompelde. Ze kwam met een speciale stoel waarin mijn benen vrij hingen terwijl zij gehurkt voor me zat en mijn benen fietsbewegingen liet maken. Zij of Marianne Engel drukte haar handen tegen mijn voetzolen om de weerstand van de grond na te bootsen, en ik moest tegendruk geven. Het klinkt eenvoudig, maar dat was het niet.

Aan het eind van elke sessie moest ik van Sayuri zo lang mogelijk blijven staan. Dat was nooit lang, maar ze riep: 'Knokken! Knokken! Knokken!' om me aan te moedigen. Als ik niet meer kon, werd ik teruggelegd in bed en namen we de vorderingen van die dag door.

Soms hield Marianne Engel mijn hand vast en dan kostte het me moeite om me te concentreren op wat Sayuri zei.

Marianne Engel kwam zo bestoft binnen dat het me verbaasde dat ze haar hadden doorgelaten. Ze was vast langs de balie geglipt, hoewel ik niet precies wist hoe, want ze had haar twee manden weer bij zich. Toen ze hurkte om ze leeg te maken, zag ik bij haar knieholte een stofwolkje opstijgen.

'Ik heb nagedacht over het verhaal van Francesco en Graziana,' zei ik opeens, want ik bedacht dat ik Marianne Engel nooit had verteld over de vorderingen op het gebied van de idealistische aspecten van mijn persoonlijkheid. 'Het is romantisch.'

Ze lachte naar me terwijl ze flessen scotch uit het koelgedeelte haalde. 'Deze zijn voor dokter Edwards, Mizumoto san en de verpleegsters. Ik heb liever niet dat je tegen me liegt, maar misschien vind je het verhaal van vanavond beter.'

Toen ze het eten uitpakte, zag ik sporen van geronnen bloed rond haar gehavende vingernagels. Fish-and-chips, worstjes met aardappelpuree. Ribeye met Yorkshire pudding. Finger sandwiches, ham met roerei, kaas en groente. Scones met aardbeienjam, kaiserbroodjes. Bagels met knoflook en ui. Tuinkruidenkaas, roomkaas, Zwitserse kaas, Goudse kaas, gerookte gruyère en emmentaler. Verse komkommersalade met yoghurtsaus in een schattig schaaltje met afbeeldingen van Hans en Grietje. Rode aardappels in vieren zodat je hun blanke binnenste kon zien; dikke groene asperges, zachte boter; rijkgevulde aubergine. Een grote berg plakken vet schapenvlees als een obsceen monument voor alle dichtgeslibde aderen. Een eenzaam bergje zuurkool dat op het laatst leek te zijn toegevoegd omdat iemand vond dat er niet genoeg groente bij zat. Geroosterde eieren, maar wie eet er in vredesnaam geroosterde eieren? Vervolgens een abrupte culinaire bocht richting de Russische staten: *varenyky* (pirogs, in lekentaal) met donkere uienringetjes en *holubtsi* (koolbladeren gevuld met gehakt en rijst) in pittige tomatensaus.

Marianne Engel stopte een heel ei in haar mond, alsof ze dagen niet had gegeten, en slikte het door op een manier die iets dierlijks had. Hoe kon iemand die zo veel honger had van het eten afblijven tijdens het bereiden ervan? Toen ze haar ergste honger had gestild, zei ze: 'Het verhaal van Vicky Wennington bevat zware stormen, onstuimige liefde en de dood op zee!'

Ik installeerde me, benieuwd naar wat er komen ging, en nam nog een hap holubtsi.

10

Kenmerkend voor het maatschappelijke leven in Londen was dat het van het grootste belang was dat je een gerenommeerde familienaam had, en Victoria D'Arbanville beschikte over een van de oudste en meest gerespecteerde. Haar jeugd bestond uit een lange reeks lessen ter vergroting van haar kennis: ze leerde Engels, Frans, Italiaans, Duits, Latijn en een beetje Russisch; ze kon over de theorieën van Darwin meepraten zonder al te veel nadruk te leggen op de verhouding tussen mens en aap; en ze bracht zeer verdienstelijk Monteverdi ten gehore, hoewel ze zelf de voorkeur gaf aan Cavalli. Het kon haar ouders niet veel schelen van welke muziek ze hield, als ze maar met een heer van stand trouwde, want zo hoorde dat bij Victoriaanse jongedames.

Victoria twijfelde er geen moment aan dat dat ook zou gebeuren, tot de dag waarop ze Tom Wennington ontmoette. Geen Thomas, deze man was ten voeten uit een Tom. Ze waren beiden te gast op hetzelfde officiële diner, waar Tom in een slecht passend kostuum een vriend uit de stad vergezelde. Na de maaltijd trokken de mannen zich terug in de salon met als belangrijkste gespreksonderwerpen het Parlement en de Bijbel. Tom had niet echt veel in te brengen over die dingen, maar desgevraagd had hij je wel kunnen vertellen over grondsoorten. Hij was een boer in hart en nieren, net zoals zijn voorvaderen.

Tom was een ruwer type dan Victoria gewend was, maar elke keer als ze hem de weken daarna tegenkwam, per ongeluk of met opzet, sprong haar hart op. En Tom bleef een maand langer in Londen dan hij van plan was geweest; hij nam de feestjes, theekransjes en opera's op de koop toe vanwege de mogelijkheid dat hij haar daar zou treffen. Na een tijdje begon Toms vriend, hoewel hij in goeden doen en vrijgevig was, door zijn kostuums die hij Tom kon lenen heen te raken. Tom, die maar al te goed wist dat zijn akkers zich niet zelf zouden inzaaien, moest een beslissing nemen – alleen naar huis gaan of 'zijn moed opschroeven tot het hoogste punt'. Wat overigens een citaat was dat hij van Victoria had geleerd.

De D'Arbanvilles waren geschokt toen ze hoorden van hun dochters gevoelens voor deze, deze, deze... boer! Maar tegen die tijd was het al veel te laat. Victoria had lady MacBeth niet alleen geciteerd, maar ook haar doelgerichtheid (of snode plannen) overgenomen in haar handelen. Toen na korte tijd duidelijk werd dat Tom weinig met bloemen ophad, zorgde Victoria voor een privérondleiding bij een van de belangrijkste Londense fabrikanten van stoommachines voor agrarisch gebruik.

Tijdens zijn verblijf in Londen had Tom het gevoel gehad dat hij deze hem geheel vreemde wereld alleen had getrotseerd omdat hij volledig in de ban van Victoria was, maar tegelijk besefte hij dat zij niets van zijn wereld wist. Door de rondleiding bewees ze dat ze bereid was dingen te leren over het boerenbedrijf. Haar vragen aan de opzichter toonden aan dat ze zich van tevoren in het onderwerp had verdiept, en dat gaf voor Tom de doorslag dat zij de ware voor hem was.

Toen Tom zijn aanzoek deed, wist ze dat haar dagen in de salons geteld waren. Ze gaf onmiddellijk haar jawoord, zonder mitsen en maren. Haar jaren als Victoria waren voorbij, ze was klaar voor haar nieuwe leven als zijn geliefde Vicky.

De protesten van haar ouders luwden aanzienlijk toen ze hoorden van de uitgestrekte landerijen die Tom toebehoorden, en het stel huwde in een ceremonie die veel te overdreven was naar Toms smaak. Vicky nam haar intrek in de grote boerderij, die aan de ene kant uitkeek over hun velden en aan de andere over de Noordzee. De boerderij stond op een merkwaardige plek, maar Toms overgrootmoeder had willen wonen 'waar de aarde eindigde en overging in de zee'.

Vicky keek misprijzend als Tom zich weer eens niet had geschoren en Tom plaagde Vicky dat haar hakken veel te hoog waren voor het leven op de boerderij, maar stiekem genoot ze van zijn stoppelige kaken, en hij kon zijn ogen niet van haar heupen afhouden als ze op haar stadse schoenen liep. De geur van zijn zweet bezorgde haar kippenvel, en als hij een vleugje van haar parfum rook, moest hij zijn nek afvegen met zijn groezelige zakdoek. In Londen was haar lichaam min of meer verdoofd geweest, maar op de boerderij stond Vicky rechtstreeks in contact met de elementen en de aarde. Ze stookte het vuur op om grote ketels water te verwarmen voor Toms bad. Ze pompte met de blaasbalg, glimlachend, zwetend, en fantaseerde over hoe hij zou aanvoelen onder haar aanraking. Bij die dagelijkse wasbeurten begon Vicky haar handen voor het eerst echt te waarderen. Ze boende het vuil van het lichaam van haar man en vergat de pianolessen uit haar jeugd.

Tegen de oogsttijd raakte Vicky in verwachting. Tijdens de winter nam haar omvang toe en in de lente volgde de bevalling. Vicky noemde het jongetje Alexander, Tom noemde hem Al. De buitenlucht rook nog zoeter dan voorheen.

's Ochtends stonden ze met de baby in hun armen op de rand van hun klif en keken naar het komen en gaan van de vissers. Dat hadden ze altijd al gedaan, en het veranderde niet met de komst van de kleine. Tom deed zijn ogen dicht en stelde zich voor dat hij daar voer. Toen hij jong was, had hij overwogen om bij de marine te gaan, maar hij was van het idee afgestapt toen zijn vader overleed en hij de boerderij erfde.

Maar hij had wel een kleine boot waarmee hij op zondag regelmatig ging varen. Op zo'n zondag, begin november, vroeg hij Vicky of ze met hem meeging. De oogst was binnen en ze konden een dagje vrij nemen. Ze zei dat ze zich niet zo lekker voelde en dat ze bij de baby wilde blijven. 'Ga jij maar,' zei ze. 'Geniet ervan.'

Vanaf de klif keek ze met Alexander in haar armen toe hoe Tom vanuit de haven de zee op zeilde en steeds kleiner werd, tot hij niet meer te zien was. Ze trok haar jas dichter om zich heen en stopte de baby stevig in. Er stak een kille wind op; ze voelde de kou tot in haar botten en haastte zich naar huis. Het is november, dacht ze, dan kun je zoiets verwachten.

De wind bracht noodweer met zich mee, heel plotseling en heftig. Binnen probeerde Vicky haar hoofdpijn van zich af te slapen, met de baby tegen haar borst gedrukt. Ze woelde en draaide tot ze werden opgeschrikt door een felle donderslag. Vicky zat meteen recht overeind en Alexander begon te huilen. Ze kleedde zich aan, gaf de kleine aan de meid en ging naar de rand van de klif.

Vicky zocht de horizon af naar de kleine boot van haar man, maar er was niets te zien behalve grijze, woeste golven.

Algauw kwam een van de knechten om haar terug naar huis te brengen, bang dat ze door de wind over de rand zou worden geblazen. Beneden lagen rotsen waarop je te pletter kon vallen. Toen ze weer binnen waren, probeerden de knechten haar gerust te stellen. 'Tom is een goed zeeman, hij zoekt vast ergens beschutting om het noodweer veilig uit te zitten. Hij komt wel terug als het voorbij is.' Vicky knikte afwezig, want ze wilde het zo graag geloven.

Het noodweer was het hevigste sinds mensenheugenis en hield drie vreselijke dagen aan. Vicky liep steeds weer naar de klif, waar ze op de uitkijk bleef staan tot een van de knechten haar terug naar huis dwong omdat Alexander huilde en getroost moest worden.

Eindelijk was het noodweer voorbij. De donkere wolken vervlogen en de zon brak door. Vicky ging weer naar haar plekje op de klif en daar bleef ze de hele dag, wachtend op de terugkeer van haar man. Maar hij kwam niet.

De dag daarop organiseerde Vicky een zoekactie. Tom was alom geliefd en alle beschikbare boten zochten de kustwateren af.

Er was geen spoor van Tom. Niets. Alleen maar een uitgestrekte, lege watervlakte. Het was alsof de zee alle sporen van zijn bestaan had uitgewist. Na drie dagen zoeken gaven de vissers hun zoektocht met tegenzin op. Ze hadden zelf gezinnen te onderhouden. Ze beloofden Vicky dat ze naar Tom zouden blijven uitkijken.

Zij wilde – kon – het niet zo snel opgeven. Ze huurde een schipper in met zijn boot, en samen zochten ze nog eens zes weken. Vicky leerde elk stukje van de rotsachtige kust kennen. Maar halverwege december konden ook zij de ijzige wind niet langer trotseren. De zoektocht naar de vermiste moest plaatsmaken voor de zorg voor de levenden. Alexander had zijn moeder nodig.

De boerenknechten deden hun werk, maar ze misten de sturende hand van Tom. Het was maar goed dat de oogst voor de storm was binnengehaald. Kerstmis was een sombere aangelegenheid, zonder kerstboom en gebraden gans. Het jaar, dat met Alexanders geboorte zo veelbelovend was begonnen, eindigde in droefenis.

Langzaam pakte Vicky de draad van haar leven weer op, maar ze bleef in het zwart gekleed gaan. Haar buren noemden haar de 'weduwe Wennington'. Er werd enkele malen een mooi bod gedaan op de boerderij, maar ze besloot die niet te verkopen. Het leek ongepast om de grond op te geven die generaties lang had toebehoord aan Toms familie, en ze wilde het huis waar ze had bemind en was bemind niet verlaten. Bovendien kon ze niet terug naar de betere kringen in Londen. Er zat te veel vuil onder haar nagels.

Maar het belangrijkste was dat deze grond het enige was wat Alexander met zijn vader verbond. Deze grond wás Tom. Die eerste eenzame winter leerde Vicky alles wat er te leren viel over het boerenbedrijf, voor haar verdwenen echtgenoot en haar zoontje. Ze moest iets omhanden hebben om niet te hoeven denken aan de onrechtvaardige zee die haar Tom had weggenomen. Maar elke dag stond Vicky bij zonsopgang een uur op de klif. 'Tom is dood,' zeiden de buren. 'Waarom accepteert ze het niet gewoon? De arme stakker.'

In de lente startte Vicky het bedrijf weer op. In het begin hadden de knechten de nodige twijfels, maar toen duidelijk werd dat ze wist waar ze mee bezig was, verstomde hun gemopper. Ze beseften dat haar geld net zo veel waard was als dat van Tom. Ze werkte hard om zichzelf te bewijzen en hoewel de oogst niet zo goed was als het jaar daarvoor, was hij goed genoeg. Precies een jaar na Toms verdwijning hield ze op met het dragen van haar rouwkleding, maar ze bleef trouw elke ochtend naar de klif gaan. Ze zou het nooit aan iemand kunnen uitleggen, maar voor haar voelde het alsof het terugtrekkende water haar liefde meevoerde naar Tom.

De jaren daarna kende de boerderij voorspoedige tijden. Vicky werd bekend als een goede boerin en een gewiekste zakenvrouw. Ze kon de beste arbeiders inhuren omdat ze altijd het best betaalde. Ze kon het meest betalen omdat ze het meest verdiende. Langzaam maar zeker begon ze andere boeren uit te kopen, tegen een goede prijs, en als ze nieuwe grond onder haar hoede kreeg, steeg zonder uitzondering de opbrengst.

Tweeëntwintig jaar lang ging Vicky zo door. Ze werd de grootste landeigenaar van de streek en Alexander groeide uit tot een gezonde jongeman, sterk van lichaam, ziel en geest. Op een dag leerde hij een intelligente, energieke jonge vrouw uit een nabijgelegen dorp kennen. Hij werd verliefd op haar, vroeg haar ten huwelijk en kreeg het jawoord. Vicky wist dat haar zoon gelukkig zou worden.

Tweeëntwintig jaar lang had ze elke ochtend een uur vanaf de klif uitgekeken over de wenkende vingers van de branding. Driehonderdvijfenzestig dagen per jaar. Iedereen wist dat ze wachtte op haar echtgenoot. Achtduizend dagen. Regen, wind, hagel, sneeuw, zon: de weduwe Wennington maalde er niet om. Achtduizend uur. Geen enkele keer verzaakte ze haar eenzame post aan het eind van de wereld, waar het land overging in de zee.

In de herfst na Alexanders trouwen was er een vreselijke storm. Het was de ergste sinds de storm die het leven van Tom had geëist. Het toeval wilde dat het hetzelfde weekeinde was, begin november. De wind loeide om het huis, maar zelfs dit kon haar niet weerhouden van haar gang naar de klif. Ze had zelfs een voorkeur voor dit soort weer, want dan voelde ze zich het dichtst bij haar man. Vicky stond met gespreide armen in de slagregens. Ze fluisterde zijn naam: 'Tom, Tom, Tom…' Haar haar zwiepte alle kanten op, en toen riep ze tegen de storm in: 'Ik hou van je. Ik hou van je. Ik hou van je. Ik zal altijd van je houden.'

Alexander keek toe vanaf de boerderij, gefascineerd en ontzet. Hij had zijn moeders ritueel geaccepteerd omdat het altijd zo was gegaan, maar dit keer was het anders. Meestal stond ze in stilte te peinzen, maar nu maakte ze wilde bewegingen, alsof ze een marionet van de storm was. Alexander haastte zich naar haar toe. 'Moeder, ik heb je nooit eerder gevraagd om dit niet te doen. Kom mee, het is gevaarlijk!'

Vicky riep 'Nee' tegen de wind in.

Alexander probeerde de storm te weerstaan. Probeerde zijn moeder te weerstaan. 'Het maakt niet uit hoe lang je hier staat.'

Vicky schudde haar hoofd. 'Natuurlijk wel.'

Alexander trok de hals van zijn regenjas dicht. Vanonder zijn capuchon riep hij: 'Niemand twijfelt aan je liefde voor hem.'

Vicky draaide zich om naar de zee. Ze sprak zachtjes, zo zacht dat hij het niet kon horen. 'Ik wil hem alleen maar herdenken.'

De aanhoudende regen had kleine geultjes rond haar voeten gegraven. De grond begon week te worden en Alexander voelde de bodem verschuiven. Er ontstond een scheur tussen hen in – tweeëntwintig jaar op dezelfde plek staan had de ondergrond ondermijnd. Alexander stak zijn handen uit, zijn ogen groot van angst. Hij schreeuwde dat ze zijn hand moest pakken. Vicky reikte naar haar zoon, maar toen haar hand bijna de zijne raakte, stopte ze. De angst verdween van haar gezicht en ze glimlachte. Ze liet haar hand zakken.

'In hemelsnaam, moeder!'

Alexander kon geen woord meer uitbrengen. De wind en de regen loeiden, en overal om hen heen weerlichtte het, maar hij had zijn moeder nog nooit zo kalm gezien, zo mooi. Het was alsof ze op haar beurt had gewacht, en dat die nu was gekomen. De grond onder haar begaf het en hij zag zijn moeder in de diepte verdwijnen.

Haar lichaam werd nooit gevonden. Iedereen in het dorp zei dat ze in de diepte van de zee eindelijk weer bij haar geliefde Tom was.

11

De ochtend na het verhaal over Vicky lag er een glazen lelie op het tafeltje naast mijn bed. Ik had geen idee hoe die daar was gekomen, want Marianne Engel was ruim voordat ik in slaap viel weggegaan. Toen ik de verpleegsters vroeg of een van hen de lelie daar had neergelegd, bezwoeren ze me dat dat niet zo was. En Maddy beweerde stellig dat er die nacht niemand langs de balie was gekomen. Dat betekende dat de verpleegsters logen of dat Marianne Engel stiekem in het duister was teruggeslopen.

De tweede vraag over de glazen lelie was: was er een betekenis aan verbonden?

Je vraagt je misschien af waarom ik dat dacht. Sommige voorwerpen, zoals geblazen glaswerk, zijn gewoon mooi om naar te kijken. (Je weet toch nog wel dat echte bloemen verboden waren op de brandwondenafdeling?) Hoe dan ook, ik was ervan overtuigd dat er een betekenis achter zat; hoe langer ik Marianne Engel kende, hoe meer ik ervan overtuigd raakte dat alle dingen op onverklaarbare wijze verband met elkaar hielden.

'Ach,' zei dokter Edwards, 'een klein mysterie kan nooit kwaad. Het dwingt je om ergens in te geloven.'

'Zeg niet dat je gelovig bent, Nan. Daar zou ik niet tegen kunnen.'

'Mijn geloof, of het ontbreken ervan, gaat jou niets aan. Jij hebt jouw leven, zoals gisteravond met dat feestmaal, en ik heb mijn leven.' In haar stem klonk een spoortje van iets – jaloezie, woede, laatdunkendheid? – door.

Ik vond het vreemd dat Nan een maaltijd afkeurde waar ze

zelf toestemming voor had gegeven. Opportunistisch als ik ben, zag ik een mogelijkheid om iets te vragen wat me dwarszat: ja, ik wist dat ik door mijn hypermetabolisme grote hoeveelheden calorieën binnen moest krijgen, maar wat was de échte reden dat Marianne Engel eten voor me mocht meenemen?

'Iedereen moet eten,' zei ze kortweg.

Haar antwoord was natuurlijk geen echt antwoord. Dus vroeg ik het nog een keer. Zoals wel vaker overwoog ze even de voors en tegens van een ontwijkend antwoord tegenover die van het vertellen van de waarheid. Ik vond het fijn als ze dat deed. Zoals altijd loog ze niet. 'Ik geef toestemming om een aantal redenen. Ten eerste is het inderdaad goed voor je als je zo veel mogelijk voedingsstoffen binnenkrijgt. Ik doe het ook voor de verpleegsters, omdat je een stuk aardiger bent als juffrouw Engel is geweest. Maar ik doe het vooral omdat ik niemand ken die zo hard vriendschap nodig heeft.'

Het was vast een opluchting voor haar dat ze het eindelijk had gezegd. Ik vroeg wat ze ervan vond dat Marianne Engel hielp met mijn revalidatie en ze zei precies wat ik had verwacht: dat ze het geen goed idee vond.

'Je bent bang dat ik te afhankelijk van haar word,' zei ik, 'en dat ze me straks laat vallen.'

'Zit je daar zelf ook niet over in?'

'Ja,' antwoordde ik.

Als Nan de waarheid zei, moest ik dat ook wel.

Alles leek min of meer precies te gaan zoals het moest. Nu ik echt de wil had om mijn lichaam beter te laten functioneren en daar ook aan werkte, kon ik voelen dat ik sterker werd. WEET JE DAT ZEKER? Maar ik moest zowel mentaal als fysiek voorbereid worden op de echte wereld.

Maddy zette me in een rolstoel en bracht me naar een gemeenschappelijke ruimte waar nog vier brandwondenslachtoffers zaten. Op het podium stond een man in een keurig overhemd met stropdas. Lance Whitmore was een voormalig pa-

tiënt die brandwonden had overleefd die bijna (maar niet helemaal) net zo erg waren geweest als de mijne. Zijn letsel was minder zichtbaar – alleen aan de rechterkant van zijn gezicht en hals
kon je zien dat hij was verbrand – maar hij vertelde dat hij veel
hard littekenweefsel op zijn bovenlichaam had en dat hij dat aan
het eind van zijn lezing wel kon laten zien als we wilden weten
wat we na een paar jaar herstel konden verwachten. Voor mij
hoefde het niet, ik had mijn handen al vol aan het heden.

De komst van Lance was zowel inspirerend als informatief
bedoeld. Hij leefde al drie jaar in de buitenwereld en wilde ons
wat tips meegeven voor een geslaagde overgang, als een soort
spreker van de AA.

'Als je in het woordenboek het woord "kwetsen" opzoekt, zie
je dat het meerdere betekenissen heeft. Het betekent enerzijds
het toebrengen van lichamelijk letsel, zoals vuur dat bij ons heeft
gedaan. Natuurlijk is er ook de meer gangbare betekenis en jullie zullen nog genoeg beledigingen – al of niet bewust bedoeld –
naar jullie hoofd geslingerd krijgen. De mensen weten niet goed
wat ze met ons aan moeten.'

Het praatje van Lance verliep zoals je kon verwachten: hij
vertelde over de diverse 'uitdagingen en kansen' waarmee hij
was geconfronteerd en wat hij had gedaan om zijn leven weer op
te pakken. Toen hij klaar was, was er gelegenheid om vragen te
stellen.

De eerste kwam van een vrouw die zich tijdens het praatje
voortdurend had zitten krabben. Ze wilde weten of 'die vervloekte donorhuidplekken altijd zo zouden blijven jeuken'.

'De jeuk verdwijnt op den duur. Dat beloof ik.' Er klonk opgelucht gemompel in de groep. Zelfs ik, die me had voorgeno-
men om niets te zeggen, slaakte een dankbare zucht. 'Helaas zit
er niets anders op dan door te bijten, maar mij hielp het om te
denken aan wat Winston Churchill ooit heeft gezegd.'

'"We zullen ons nooit gewonnen geven"?' vroeg de vrouw met
jeuk.

'Zou kunnen,' lachte Lance, 'maar ik dacht meer aan: "Als je
door een hel gaat… blijf doorgaan."'

Een andere patiënt vroeg hoe het was om de straat op te gaan. 'Dat is heel moeilijk, vooral de eerste paar keer. De meeste mensen doen alsof ze je niet zien, maar je hoort het gefluister. Sommigen bespotten je, meestal jonge mannen. Het gekke is dat veel mensen denken dat als je verbrand bent, je dat wel verdiend zult hebben. De oeroude leer, vuur als symbool van goddelijke vergelding. De mensen vinden het moeilijk om met iets onlogisch zoals wij te worden geconfronteerd – verbrand, maar levend – dus moeten we iets hebben misdaan, anders moeten ze accepteren dat hen ook zoiets kan overkomen.' Hij zweeg even. 'Wie van jullie denkt dat zijn brandwonden een soort straf zijn?'

We keken elkaar aan tot één patiënt aarzelend zijn hand opstak, gevolgd door een tweede. Ik was niet van plan mijn hand op te steken, hoe lang Lance ook bleef wachten.

'Dat is heel normaal,' verzekerde hij ons. *'Waarom ik?* Die vraag heb ik mezelf elke dag gesteld, maar ik heb nooit een antwoord gekregen. Ik leidde een fatsoenlijk leven. Ik ging naar de kerk, betaalde mijn belasting en in het weekend deed ik vrijwilligerswerk bij een jongerenvereniging. Ik was en ben een goed mens. Dus: *waarom ik?'* Even stilte. 'Er is geen reden. Een moment van pech, met levenslange consequenties.'

Een andere patiënt vroeg: 'Vragen de mensen naar je brandwonden?'

'Kinderen, omdat ze nog niet weten wat tact is. Ook wel volwassenen, en eigenlijk vind ik dat prima. Iedereen die je de rest van je leven tegenkomt, zal er benieuwd naar zijn, dus is het soms goed om het erover te hebben zodat je je op andere dingen kunt richten.'

Er ging voorzichtig nog een hand omhoog. 'En seks?'

'Ik ben dol op seks.' Lance' antwoord leverde wat gelach op, en ik vermoedde dat hij dit praatje vaak genoeg had gehouden om de juiste antwoorden te hebben op steeds weer dezelfde vragen. 'Het zal voor iedereen anders zijn. Je huid was een belangrijk element bij het gebeuren, toch? Het grootste orgaan van het lichaam, met een oppervlak van drie vierkante meter; dat geeft heel wat mogelijkheden tot genieten. Nu zijn we een hele hoop zenuwuiteinden kwijt en dat is knap waardeloos.'

De patiënt die de vraag had gesteld zuchtte diep, maar Lance stak zijn hand op om aan te geven dat hij nog niet uitgepraat was. 'De huid is de scheidslijn tussen mensen, waar jij ophoudt en de ander begint. Maar bij seks verandert dat allemaal. Als de huid een hek is dat mensen scheidt, dan is seks de poort die je lichaam openstelt voor de ander.'

Die mogelijkheid zou ik nooit meer hebben, met niemand. Ook niet met Marianne Engel.

Lance schraapte zijn keel. 'Ik heb geluk gehad, mijn vrouw is bij me gebleven. Het gebeuren heeft ons emotioneel zelfs dichter bij elkaar gebracht, en dat heeft ook doorgewerkt in ons seksleven. Het heeft mij gedwongen om een betere minnaar te worden, omdat ik, eh, creatiever moest worden. Meer ga ik er niet over zeggen.'

'Wat vond je na je ontslag uit het ziekenhuis het moeilijkst?'

'Dat is een lastige, maar ik denk dat dat het drieëntwintig uur per dag dragen van drukkleding was. Het helpt enorm tegen de littekenvorming, maar – godsamme! – het is alsof je levend begraven bent. Je kijkt uit naar het moment dat je in bad moet, ook al is dat pijnlijk, om even dat kreng uit te kunnen trekken.' Lance hield heel even zijn blik op mij gevestigd en ik had het gevoel dat hij zich rechtstreeks tot mij richtte. 'Ik heb het na mijn ontslag tien maanden gedragen, maar voor sommigen van jullie zal het een jaar zijn, of langer.'

Hij ging verder. 'Pas als je hier vertrekt, besef je echt dat brandwonden voor altijd zijn. Het is een blijvend gebeuren, iets wat zich steeds vernieuwt. Je schiet heen en weer tussen pure euforie dat je nog leeft en wanhopige momenten dat je wilde dat je dood was. En net als je begint te denken dat je hebt geaccepteerd wie je bent, verandert ook dat weer. Want wie je bent, is geen vast gegeven.'

Lance keek een beetje verlegen, alsof hij zich op een terrein had begeven dat hij liever had willen mijden. Hij ging met zijn ogen het zaaltje rond en keek iedereen even afzonderlijk aan voordat hij met zijn afsluiting begon. 'De hedendaagse behandeling van brandwonden is ongelooflijk en de artsen zijn geweldig, en ik ben ontzettend dankbaar dat ik nog leef. Maar dat alles is niet genoeg. Je huid was het symbool van je identiteit, het beeld waarmee je je aan de wereld presenteerde. Maar het was nooit wie je écht bent. Brandwonden maken je niet minder – of meer – mens. Je bent gewoon verbrand. Dus bevind je je in de unieke positie dat je beseft wat de meesten nooit zullen beseffen, dat je huid het omhulsel, maar niet de essentie van een mens is. De samenleving bewijst lippendienst aan het idee dat niet alleen de buitenkant telt, maar wie kan dat beter weten dan wij?

Binnenkort komt er een dag,' zei Lance, 'dat jullie hier de deur uit lopen en moeten beslissen hoe de rest van jullie leven eruit gaat zien. Wil je jezelf laten bepalen op wat anderen zien, of op de kern van jullie wezen?'

TWEE WEL ERG MAGERE KEUZES.

Gregor kwam langs met wat lekkers om me een fijne Halloween te wensen. Als echte mannen repten we niet over ons laatste gesprek, en het snoep was zijn manier om te zeggen dat we moesten doorgaan vanaf het punt waar we voor ons geschil waren gebleven. Als het geen ziekenhuis was geweest, had hij vast een sixpack bier meegenomen.

Die avond werd een doorbraak in onze vriendschap. Gregor vertelde me een lichtelijk gênant verhaal over zijn ergste Halloween, waarbij hij zich – in een ondoordachte poging om indruk te maken op een studente medicijnen op wie hij een oogje had – had verkleed als een menselijke lever. Hij had zijn uiterste best gedaan om zijn kostuum zo echt mogelijk te laten lijken, compleet met een rubber slang die de leverslagader moest voorstellen en die in verbinding stond met een flacon wodka in de linkerkwab. Zijn theorie was dat hij dan een slokje kon nemen als de spanning van de omgang met de vrouw hem even iets te veel werd. (Waarschijnlijk de eerste keer dat een mens alcohol vanuit de lever in het lichaam bracht.) Helaas was hij zo onzeker dat hij al snel stomdronken was. Aan het eind van de avond belandden Gregor en zijn afspraakje op de loft van een kunstenaar die zijn brood verdiende met het namaken van werken van Jackson Pollock. Het verhaal eindigde ermee dat Gregor de kunstenaar een paar honderd dollar moest betalen omdat hij had overgegeven op een van de doeken, waarbij ik me afvraag of dat voor de kwaliteit van het werk veel verschil uitmaakte.

Ik probeerde Gregor te evenaren met mijn meest beschamende kerstverhaal – een mislukte poging om in een winkel een elf te versieren die getrouwd bleek te zijn met een steroïden slikkende kerstman. Daarna vertelde Gregor een van zijn kerstverhalen, toen hij per ongeluk zijn moeder beschoot met de windbuks die hij had gekregen nadat hij maandenlang had bezworen dat hij er ontzettend voorzichtig mee zou zijn. Uiteindelijk besloten we elkaar de meest gênante verhalen uit onze jeugd te vertellen, al dan niet rond de feestdagen. Ik begon.

Zoals elke normale jongen kwam ik op een gegeven moment tot de ontdekking dat het prettig was om met mijn penis te spelen, maar omdat ik op dat moment bij mijn verslaafde oom en tante woonde, had ik niemand met wie ik over mijn biologische ontdekking kon praten.

Ik had door stiekem mee te luisteren met de meth rokende volwassenen begrepen dat er zoiets bestond als geslachtsziekten. Die wilde je beslist niet krijgen, want dan gebeurden er akelige dingen met je jongeheer. (Als tante Debi er echt niet onderuit kon om het ding bij naam te noemen, had ze het altijd over mijn 'jongeheer'.) Ik wist ook dat geslachtsziekten werden overgebracht via de vloeistoffen die vrijkwamen bij seksueel verkeer. Ik had me wel in de materie kunnen verdiepen, maar ik kende de medewerksters van de bibliotheek te goed om het risico te nemen dat ik werd betrapt terwijl ik in zulke boeken zat te neuzen. Bovendien leek het allemaal vrij eenvoudig: een geslachtsziekte kreeg je via sperma en aangezien ik wist hoe je moest klaarkomen, moest ik zorgen dat ik mezelf niet besmette. Dus overwoog ik de verschillende mogelijkheden.

Ik kon stoppen met masturberen, maar daarvoor was het te lekker.

Ik kon een handdoek op mijn buik leggen om de kwalijke

vloeistoffen op te vangen, maar de handdoeken waren te groot om te verstoppen en te lastig om discreet schoon te maken.

Ik kon in een sok masturberen, maar al mijn sokken waren van licht geweven katoen waardoorheen vloeistof in mijn poriën kon dringen.

Ik kon in afsluitbare boterhamzakjes masturberen. Ja: deze benadering was niet alleen medisch verantwoord, het was ook nog eens een buitengewoon comfortabele aanpak. Dit was duidelijk de beste oplossing.

Al snel had ik een uitgebreide collectie volle zakjes onder mijn bed, maar ik kon ze niet zomaar bij het reguliere afval gooien – stel dat iemand ze ontdekte, of dat een rondscharrelende hond de zilte zakjes over het gazon verspreidde? Dus besloot ik dat de beste oplossing was om ze in de vuilnisbak van iemand anders te gooien, hoe verder bij onze trailer vandaan, hoe beter.

De ideale locatie was de rijke buurt van de stad, zowel qua afstand als qua maatschappelijke status ver verwijderd van het trailerpark. Waar ik niet aan had gedacht, was dat welgestelde mensen achterdochtig reageren op jongens die tussen hun vuilnis scharrelen. Al snel kwam er een politiewagen en moest ik tegenover twee potige agenten een verklaring verzinnen voor mijn stiekeme gedrag.

Ik wilde de ware aard van mijn missie koste wat kost geheimhouden, maar de agenten eisten dat ik de plastic tas overhandigde die ik in mijn bezit had. Ik smeekte ze om me te laten gaan en beweerde dat het alleen maar om 'mijn lunch' ging. Toen ze de tas onder dwang afpakten, vonden ze veertig kleine pakketjes met een onbekende witte substantie en wilden ze precies weten wat voor soort drugs ik verhandelde.

Uit angst dat ik voor verhoor mee naar het bureau moest terwijl zij de witte vloeistof lieten analyseren, bekende ik dat ik rondliep met een stel boterhamzakjes met mijn eigen sperma.

In eerste instantie geloofden ze me niet, maar toen ik meer details opbiechtte, zwegen ze eerst verbaasd – tot ze begonnen te lachen. Het zal niemand verbazen dat ik niet erg blij was met hun reactie op mijn gezondheidscrisis. Toen ze uitgelachen waren, gooiden ze mijn afval in de dichtstbijzijnde vuilnisbak en brachten ze me thuis.

In de ontstane sfeer van vertrouwen als mannen onder elkaar pochte Gregor dat hij een verhaal had dat misschien nog wel fraaier was dan het mijne.

Gregor was op jonge leeftijd al net zo onwetend als ik geweest, hoewel hij nooit had gedacht dat hij zichzelf met een soa kon besmetten. Toen hij de genoegens van zelfbevrediging ontdekte, kwam hij tot de volgende gedachtegang: als masturberen met een droge knuist al prettig is, hoe zou het dan voelen met iets wat meer op een vagina lijkt?

Dus sloeg Gregor aan het experimenteren. Hij probeerde vloeibare zeep onder de douche, tot hij tot de wrede ontdekking kwam dat zeep brandt. Bij zijn volgende pogingen gebruikte hij handcrème, wat prima werkte tot zijn vader zich begon af te vragen waarom zijn zoon zo gebrand was op een zachte huid. Uiteindelijk begon Gregor, die een creatieve geest en een volle fruitschaal in de keuken had, zich af te vragen welke mogelijkheden een bananenschil bood. De natuur had die schil toch speciaal ontworpen om daar een langwerpig voorwerp in onder te brengen?

De schil had de lastige eigenschap om te scheuren tijdens de daad, maar daarvoor vond Gregor een oplossing in de vorm van tape. Dat werkte goed, maar hij werd geconfronteerd met hetzelfde probleem als ik: het wegwerken van het bewijsmateriaal.

Hij besloot de boel door het toilet te spoelen, maar na de vierde schil raakte de afvoer verstopt. Toen Gregors vader de verstopping ontdekte, ging hij in de weer met de plopper. Gregor verstopte zich in zijn kamer en bad wanhopig tot God om de schillen omlaag te sturen in plaats van terug omhoog. *Als U me helpt, God, zal ik nooit meer in een schil masturberen.* Toen het Gregors vader niet lukte om de afvoer te ontstoppen, haalde hij de loodgieter erbij die met zijn ontstoppingsveer een ramp kon veroorzaken.

God verhoorde Gregors gebeden. Het belastende fruit ging inderdaad omlaag en het enige commentaar van de loodgieter was dat hij Gregors moeder voorstelde om vezelrijker voedsel op tafel te zetten. Gregor hield zijn belofte en had nooit meer fruit misbruikt, dat verzekerde hij me althans.

We zaten nog na te lachen en beloofden elkaar dat we het nooit verder zouden vertellen toen Marianne Engel binnenkwam, ingepakt als een mummie. Haar blauwgroene ogen priemden tussen de wikkels rond haar hoofd door, en haar donkere haar golfde over haar rug. Ze rekende er duidelijk niet op dat ze een psychiater in mijn kamer zou aantreffen, en al helemaal niet eentje die haar in het verleden had behandeld. Ze bleef doodstil staan, alsof er opeens drieduizend jaar (of zevenhonderd) rigor mortis was ingetreden. Gregor herkende haar onmiskenbare haar en ogen en sprak als eerste. 'Marianne, wat leuk om je weer te zien. Hoe gaat het met je?'

'Prima,' sprak ze kort. Misschien was ze bang dat haar kostuum haar weer rechtstreeks in het gesticht zou doen belanden, omdat op de brandwondenafdeling verpakt in verband rondlopen op zijn best eigenaardig was en in het ergste geval een slechte grap.

Om haar op haar gemak te stellen zei Gregor: 'Halloween is mijn lievelingsfeest, ik vind het nog leuker dan kerst. Je kostuum is prachtig.' Hij zweeg zodat ze kon reageren, maar toen ze bleef zwijgen, ging hij verder. 'Zoiets is heel interessant voor een psychiater. Iemands kostuum biedt je een kijkje in zijn diepste fantasieën. Ik ga me verkleden als een moordzuchtige bolsjewiek.'

Marianne Engel plukte nerveus aan het verband rond haar middel. Gregor zag dat zijn pogingen tot een gesprek op niets uitliepen, dus zei hij beleefd gedag en vertrok.

Na zijn vertrek ontspande ze zich en trakteerde ze me op chocola en spookverhalen – van het traditionele soort, niet die waarin bekenden van haar voorkwamen. Ze vertelde het beroemde verhaal van de twee tieners die wanneer ze op de radio horen dat er uit een nabijgelegen inrichting een gek is ontsnapt met een haak als hand, snel wegrijden van hun romantische plekje en eenmaal thuis aangekomen een losgerukte haak aan de portiergreep ontdekken; het verhaal van een jonge liftster die thuis wordt afgezet waarbij ze haar jas vergeet, en als de chauffeur die een paar dagen later langsbrengt, hoort hij dat de liftster tien jaar eerder is gestorven langs de weg waar hij haar heeft opgepikt; het verhaal van de man die aan de keukentafel een legpuzzel maakt en als het beeld completer wordt, ziet dat het een afbeelding van hemzelf is, puzzelend aan de keukentafel, en op het laatste stukje is een afschrikwekkend gezicht zichtbaar dat door het keukenraam naar binnen kijkt; het verhaal van de kinderoppas die verontrustende telefoontjes krijgt dat het kind onder haar hoede gevaar loopt en als ze de centrale belt om te ontdekken waarvandaan er gebeld wordt, te horen krijgt dat de gesprekken vanuit hetzelfde huis afkomstig zijn; enzovoort.

Tijdens het vertellen had Marianne Engel een laken over haar hoofd en bescheen ze haar gezicht vanaf de onderkant met een van de balie geleende zaklamp. Het was allemaal zo overdreven dat het iets aandoenlijks kreeg. Ze bleef tot ver na het bezoekuur – de verpleegsters hadden het allang opgegeven om Marianne Engel op de regels te wijzen – en om middernacht leek ze geërgerd dat er geen staande klok was om de twaalf (of dertien) slagen te tellen.

Het laatste wat ze zei toen ze in de vroege uurtjes vertrok was: 'Wacht maar tot Halloween volgend jaar. Dan gaan we naar een prachtig feest.'

Ik kreeg nu minder huidtransplantaties. Ik onderging nog wel operaties, wat te verwachten viel, maar ik dagdroomde bijna nooit meer over zelfmoord en ik was uitgegroeid tot Sayuri's beste leerling. Ik zou kunnen liegen en zeggen dat dat door mijn sterke karakter kwam en dat ik vastbesloten was om me aan mijn afspraak met Nan te houden. Ik zou kunnen liegen en zeggen dat ik het voor mezelf deed. Ik zou kunnen liegen en zeggen dat ik het deed omdat ik het licht had gezien. Maar ik deed het vooral om indruk te maken op Marianne Engel.

WAT SCHATTIG. Mijn ellendige slang bewoog haar staart en

aaide me vrolijk aan twee kanten.

Ik kon intussen met behulp van een looprek een paar passen schuifelen. Ik vond dat het nergens op leek, maar Sayuri verzekerde me dat ik binnenkort zou promoveren naar krukken die om mijn onderarmen zouden worden bevestigd.

Iets waar ik ontzettend veel aan had, waren de orthopedische schoenen die speciaal op maat waren gemaakt. Bij het eerste paar kreeg ik pijn in mijn voeten, dus maakte de orthopedische schoenmaker een ander paar dat wel voldeed. Maar het grootste voordeel van de schoenen was vooral psychisch van aard, niet fysiek. Schoenen verbergen het feit dat je een stel tenen mist en zorgen ervoor dat je verminkte voeten er normaal uitzien.

Ik moest erkennen dat Sayuri precies wist wat ze deed. In het begin lag de nadruk op rekoefeningen om de stijfheid van mijn lichaam te verminderen. Toen stapten we over op theraband, elastieken banden die weerstand geven, totdat we overgingen op een eenvoudig programma met gewichten. De gewichten werden elke week verzwaard en soms vroeg ik Sayuri of ik meer mocht doen dan mijn revalidatieprogramma vereiste.

Nu ik een paar stappen kon lopen, kon ik zelf naar het toilet als ik moest. Je zou denken dat dat een opsteker voor je gevoel voor eigenwaarde is, maar het was een forse klap om te ontdekken dat ik niet langer staand kon pissen. Ik vond deze toestand buitengewoon niet-mannelijk.

Ik verbleef nu bijna acht maanden in het ziekenhuis en het werd kerst. Marianne Engel deed wat ze kon en hing slingers op, liet Händel horen en mopperde dat ze geen adventskaarsen mocht aansteken op de brandwondenafdeling.

Op de avond van 6 december zette Marianne Engel mijn orthopedische schoenen op de vensterbank en legde uit dat Sint Nicolaas cadeautjes in schoenen van kinderen stopt. Toen ik vertelde dat we dat op het trailerpark nooit hadden gedaan, herinnerde ze me eraan dat de wereld niet begon of ophield met mijn persoonlijke ervaringen. Daar zat wel wat in. Toen ik zei dat ik geen kind meer was, legde ze me het zwijgen op. 'In Gods ogen zijn we allemaal kinderen.'

Toen Connie mijn schoenen de volgende ochtend weghaalde – 'Wat doen die dingen hier in vredesnaam?' – zag ze dat ze vol honderddollarbiljetten zaten.

Ik was meer ontroerd door het gebeuren dan ik had verwacht. Mijn reactie kwam niet zozeer door het cadeau zelf, maar door het feit dat Marianne Engel zich in mijn situatie had verplaatst. Door de feestdagen zat ik met een probleem: hoe kon ik kerstcadeautjes betalen? Ik had weliswaar wat geld op een rekening onder een valse naam, maar daar kon ik niet bij komen. Waarschijnlijk zou ik het geld zelfs nooit meer kunnen opnemen, want op het valse identiteitsbewijs zat een foto die niet meer met mijn gezicht overeenkwam.

Marianne Engel had doorgehad wat ik nodig had en in plaats van me om geld te laten vragen, had ze een attente manier bedacht om het me te geven. Een cadeautje! Van Sint Nicolaas! En zo was mijn dilemma opgelost. Bijna. Ik moest nog een manier zoeken om de cadeaus van de winkel naar mijn kamer te krijgen, maar daar had ik een plan voor.

Ik vroeg of Gregor na afloop van een van mijn oefensessies met Sayuri wilde langskomen. Toen ze er allebei waren, zei ik: 'Jullie mogen weigeren, maar jullie zouden me echt kunnen helpen. Ik hoop dat jullie wat inkopen voor me willen doen.'

Gregor vroeg waarom ik hen allebei nodig had. Ik legde uit dat ik ze allebei iets wilde geven, maar dat ik ze moeilijk kon vragen om hun eigen cadeau te kopen. Sayuri zou mijn cadeau voor Gregor kopen en hij mijn cadeau voor Sayuri. De rest van de cadeaus konden ze samen kopen.

'Geen punt,' zei Sayuri. 'Ik ben dol op kerstinkopen doen.'

Bij die woorden stemde Gregor ook snel in. Ik gaf ze allebei een envelop met een briefje waarop stond wat ze namens mij voor de ander moesten kopen. Toen ze weggingen, keek Gregor nog even met een vreemd glimlachje om.

Marianne Engel was nog niet klaar met het voorlezen van *Inferno*. Het ging deels zo langzaam omdat ze bij een sessie niet zoveel las, ze genoot liever rustig van de stijl, maar ook omdat ze steeds overging op Italiaans. Ik had nooit de moed om haar hierop te wijzen omdat ze zo opging in het verhaal en omdat het zo mooi klonk als ze Italiaans sprak. Aan het eind van een fragment moest ik bekennen dat ik er niets van had begrepen, waarna ze de volgende dag het stuk herhaalde, dan meestal wel helemaal in het Engels.

Voltaire heeft geschreven dat Dante een gek was met veel exegeten en dat zijn reputatie vooral zou blijven groeien omdat bijna geen mens *De goddelijke komedie* daadwerkelijk las. Volgens mij leest bijna niemand Dante omdat dat eigenlijk niet nodig is. In de westerse wereld is *Inferno* het algemeen geaccepteerde beeld van de hel; op literair gebied is alleen de bijbel dieper verweven met het collectieve bewustzijn van de maatschappij.

'Wist je,' vroeg Marianne Engel, 'dat Dantes hel was gebaseerd op *Het vloeiende licht der Godheid* van Mechthild von Magdeburg?'

'Dat is toch een van jouw Drie Meesters?'

'Ja,' antwoordde ze.

Ik zei dat ik maar heel weinig (of eigenlijk niets) van de vrouw af wist, dus bracht Marianne Engel me op de hoogte. Mechthild was begin dertiende eeuw geboren in Saksen en werd als kind dagelijks bezocht door niemand minder dan de Heilige Geest zelf. Op twintigjarige leeftijd werd ze een begijn in Maagdenburg en leefde ze een plichtsgetrouw leven vol gebed en ascese; wat opviel was dat naarmate ze de intensiteit van haar zelfkastijding opvoerde, haar visioenen ook frequenter werden. Toen ze ze beschreef aan haar biechtvader raakte die overtuigd van hun goddelijke herkomst en vroeg hij Mechthild om ze op te schrijven.

Das fliessende Licht der Gottheit, zoals het meesterwerk in het Duits heet, beïnvloedde talloze latere schrijvers, onder wie Meister Eckhart en Christina Ebner. Het is ook duidelijk dat Dante Alighieri de Latijnse vertaling heeft gelezen, en veel deskundigen zijn ervan overtuigd dat hij Mechthilds ordening van het hiernamaals als basis heeft gebruikt voor *De goddelijke komedie*: boven de hemel, direct daaronder het vagevuur, en helemaal onderaan de hel. In de diepten van Mechthilds hel is satan geketend door zijn eigen zonden en vloeien leed, plagen en rampspoed uit zijn brandende hart en mond. Dat lijkt verdacht veel op Dantes satan, een driekoppig monster, gevangen in een blok ijs in de onderste regionen van de hel, kauwend op een opgewekt trio zondaars (Judas, Cassius en Brutus) wier pus tot in lengte van dagen uit zijn drie muilen stroomt.

'Er zijn mensen die denken,' zei Marianne Engel, 'dat de Matilda die Dante in *Purgatorio* tegenkomt, in werkelijkheid Mechthild is.'

'Denk jij dat ook?' vroeg ik.

'Ik geloof,' zei ze met een glimlachje, 'dat Dante in zijn werk vaak figuren opvoerde die hem hebben beïnvloed.'

Tijdens het voorlezen van het verhaal van Dantes reis voelde ik er een sterke verbondenheid mee en ik was er weg van, ondanks (of misschien wel dankzij?) de omgeving waarin ik me bevond. Het voorlezen had iets geruststellends, net zoals de manier waarop Marianne Engel mijn hand vasthield. Ik keek met verbazing naar de prachtige en de mismaakte hand, en ik wilde dat het verhaal nooit afgelopen zou zijn – misschien uit angst dat ze, wanneer het afgelopen was, zou ophouden me hand in hand door mijn eigen hel te leiden.

Toen ik Marianne mijn theorie voorlegde dat niemand *Inferno* hoeft te lezen om het daarin beschreven beeld van de hel te kennen, was ze het niet met me eens. 'Dat geldt misschien voor de meeste mensen, maar jij kent het zo goed omdat ik je mijn Duitse vertaling heb voorgelezen.'

'O.' Daar had ik niet op gerekend. 'Wanneer heb je het vertaald?'

'Ik denk zo'n tien of twintig jaar nadat Dante het had geschreven. Ik ben er aardig wat tijd mee bezig geweest. Volgens mij ben ik de eerste vertaler van *Inferno*, maar zulke dingen weet je nooit echt zeker.'

'En wanneer heb je het mij voorgelezen?'
'Tijdens je herstel, toen je voor het eerst was verbrand.'

Inferno werd voor het eerst gepubliceerd in 1314. Als Marianne Engel haar vertaling twintig jaar later had voltooid, moet dat rond het jaar 1334 zijn geweest. Gezien haar eerdere bewering dat ze in 1300 was geboren, moet ze rond die tijd halverwege de dertig zijn geweest.

Bij het opsommen van deze cijfers vergeet ik niet dat dit alles nergens op slaat en niet echt gebeurd kan zijn. Ik geef alleen aan dat de tijdlijn waarin deze onmogelijke gebeurtenissen plaatsvonden wel mogelijk was. Dat vind ik zo verrassend van haar mentale toestand: haar absurde beweringen waren theoretisch consequent.

Omdat ik niet in de middeleeuwen heb geleefd, moest ik tijdens het schrijven van dit boek veel research doen en haar beweringen afzetten tegen de feiten. Het interessante is dat alle gebeurtenissen die volgens haar echt waren gebeurd, ook precies zoals zij beweerde hadden kunnen gebeuren, als ze er tenminste niet in de eerste persoon over had verteld.

Hoewel Engelthal onder toezicht van de overkoepelende kerk stond, was het een democratische instelling met een gekozen priores. Alle dagelijkse handelingen stonden beschreven in de *Beginselen van de Orde*. De beschrijvingen van de architectuur, de boeken die werden bestudeerd en de regels voor de maaltijden waren accuraat. Christina Ebner heeft echt in dat klooster geleefd en ze heeft *Het zusterboek van Engelthal* en *Openbaringen* geschreven. Friedrich Sunder was daadwerkelijk een plaatselijke geestelijke en biechtvader van de nonnen, en hij heeft *Gnaden-vita* geschreven. Er was ook een boek dat *Het leven van zuster Gertrud van Engelthal* heette, geschreven met de hulp van ene broeder Heinrich en Cunrat Fridrich.

Er zijn geen gegevens die staven dat Heinrich Seuse Engelthal heeft bezocht, maar het tegendeel is evenmin te bewijzen. Als hij er begin 1320 was, zoals Marianne Engel beweerde, was dat op het moment dat Seuse inderdaad op weg was van Straatsburg naar Keulen om onder Meister Eckhart te gaan studeren. Dus wie zegt dat hij niet het klooster heeft bezocht dat algemeen bekendstond als het middelpunt van de Duitse mystiek? Maar toch. Hoe perfect haar data ook klopten of hoe goed ze ook thuis was in figuren uit de Duitse religieuze wereld, Marianne Engel was schizofreen of manisch-depressief, of allebei. Dat mag ik niet uit het oog verliezen. Zulke mensen doen niet anders dan denkbeeldige werelden bedenken en in stand houden: het maakt deel uit van hun wezen. En er zat een aantal afwijkingen in het verhaal van Marianne Engel; nergens in de overgebleven geschriften van Engelthal wordt een zuster Marianne genoemd, of is er sprake van *Die Gertrud Bibel*. Ik heb geprobeerd Marianne Engel met behulp van die omissies te laten erkennen dat haar verhaal niet waar was.

'Je hebt je er grondig in verdiept, hè?' zei ze. 'Maak je geen zorgen, er is een reden waarom je niets over mij of over Gertruds bijbel kunt vinden. Daar komen we nog wel aàn toe, dat beloof ik je.'

Er kwamen zanggroepjes langs die zongen over stille nachten, heilige nachten. Een Leger des Heils-kerstman bracht koekjes en boeken. De gangen werden versierd.

Het was vreemd om uit te kijken naar de feestdagen. Ik had Kerstmis altijd verafschuwd; het riep herinneringen op aan de smaak van muffe vruchtentaart. (Hiermee refereer ik niet aan een wat oudere, Japanse oude vrijster.) Als kind had ik een reeks kerstvieringen meegemaakt waarbij de Graces het geld dat was bedoeld voor cadeautjes voor mij hadden uitgegeven aan meth, en toen ik volwassen was, stond kerst voor het neuken van een vrouw met een rode muts op.

Ik had nog steeds mijn oefensessies en de regelmatige medische ingrepen, maar de interessantste gebeurtenis zou een bespreking tussen de belangrijke vrouwen in mijn leven worden: Nan, Sayuri en Marianne Engel. Ik had geen idee waarover het zou gaan en gek genoeg wilde niemand er iets over loslaten. Diep in mijn egocentrische hartje ging ik ervan uit dat ze me wilden verrassen met een feestje. Tjonge, wat zat ik ernaast.

Sayuri arriveerde als eerste. Ik heb eerder vermeld dat haar iele lichaam doorgaans verborgen leek te gaan achter een enorme glimlach, maar dit keer had ze alleen haar iele lichaam bij zich. Toen ik haar vroeg of alles goed was, antwoordde ze met een weinig overtuigend 'ja'. Ik drong niet verder aan en vroeg of ze mijn cadeautje voor Gregor al had gekocht. Ze antwoordde bevestigend, en wat dat betreft geloofde ik haar ook. Ik wilde net nog iets vragen toen Marianne Engel en Nan binnenkwamen, als renpaarden die de beste startpositie zoeken. Marianne Engel keek me recht in de ogen en zei: 'Als je hieruit komt, ga je met mij mee.'

'Niet zo hard van stapel lopen,' zei Nan bits voordat ze zich tot mij richtte. 'Zoals je weet, word je waarschijnlijk over een paar maanden uit het ziekenhuis ontslagen...'

'En dan kom je bij mij wonen.' Uit het ongeduld in haar stem bleek dat Marianne Engel deze bijeenkomst volstrekt overbodig vond.

'Rustig aan.' Nan stak haar hand op en keek even geërgerd naar Marianne Engel. 'Die beslissing is niet aan jou.'

'Hij kan nergens anders heen.'

'Ik heb al een plaats in Phoenix Hall geregeld,' reageerde Nan.

'Daar wil hij niet wonen.' En dat klopte, maar dokter Edwards had me de instelling voortdurend aanbevolen vanwege de ervaren medewerkers, de begeleiding op de arbeidsmarkt en medische voorzieningen. Bovendien waren er therapeuten en zat ik tussen andere brandwondenslachtoffers die met dezelfde problemen als ik te maken hadden.

'Ik werk met mensen in Phoenix,' zei Sayuri, 'dus als je daarheen gaat, kunnen we gewoon doorgaan met je looptraining.'

'Ik huur je in,' zei Marianne Engel. 'Geld is geen probleem. Je kunt hem bij mij thuis behandelen.'

Sayuri keek ongemakkelijk naar dokter Edwards. 'Ik weet niet of dat in het beleid van het ziekenhuis past.'

Nan antwoordde dat, afgezien van het ziekenhuisbeleid, Phoenix Hall beschikte over een hele reeks deskundigen die allemaal klaarstonden om hun expertise te demonstreren. Marianne Engel herhaalde dat ze in al mijn behoeften kon voorzien. 'Als Mizumoto san het te druk heeft, huren we iemand anders in. Maar we geven de voorkeur aan haar, omdat we haar graag mogen.'

Ze draaide zich om, keek me recht in de ogen en vroeg eindelijk wat ik nu eigenlijk wilde. 'Wil je naar dat Phoenix-gedoe?'

'Nee.'

'Wil je bij mij komen wonen?'

'Ja.'

Marianne richtte zich weer tot dokter Edwards. 'Klaar. Discussie gesloten.'

Het was misschien wel zo beleefd geweest als ik had gezegd dat ik erover moest nadenken. Ik had tenslotte net de voorkeur gegeven aan Marianne Engel boven de arts die zich maandenlang op deskundige wijze aan mijn herstel had gewijd. Mijn snelle antwoord was op zijn minst onlogisch te noemen.

Maar van één ding was ik in elk geval zeker, en dat was dat voor alle aanwezigen mijn welzijn op de eerste plaats kwam. Ik wist niet dat Marianne Engel en Nan al weken over mijn woonsituatie hadden geruzied, en aangezien ik ze allebei bijna dagelijks zag, moesten ze dat buiten mij om hebben gedaan om mij er zo min mogelijk mee te belasten.

'Er is nog alle tijd om een weloverwogen beslissing te nemen,' zei Nan, waarmee ze aangaf dat de discussie allesbehalve beëindigd was. Het ontging niemand hoezeer ze de nadruk legde op het woordje 'weloverwogen'.

Aan het wonen bij Marianne Engel waren praktische bezwaren verbonden die ik niet kon negeren. Ze zei weliswaar dat ze meer dan genoeg geld had, maar waarschijnlijk was dat toch niet genoeg om mij te onderhouden.

De verzorging van een brandwondenpatiënt is waanzinnig

duur. Afgezien van de kosten van de behandeling – Sayuri's honorarium, medische voorzieningen en oefenapparatuur – waren er de normale onkosten. Eten. Kleding. Vermaak. Andere voorzieningen. Ze zou niet alleen moeten betalen voor mijn kosten als patiënt, maar ook voor die als mens. Er waren misschien wel kosten die konden worden betaald via overheidsbijdragen of uit liefdadigheidspotjes, maar ik betwijfelde of Marianne Engel daar gezien haar karakter een beroep op zou doen; door haar trots, het regelwerk en haar hang naar privacy zou ze niet eens de moeite nemen. Ze zei dat ze over de middelen beschikte om me te onderhouden, maar dat kon ik niet zonder meer aannemen – een schoen vol honderddollarbiljetten was onvoldoende om me van haar rijkdom te overtuigen. Was dat geld net zozeer een fantasie als veel andere aspecten van haar leven? Moest ik geloven dat ze zevenhonderd jaar braaf had gespaard?

Naast het feit dat bij haar wonen financieel twijfelachtig was, was het ook moreel verdacht. Aangezien haar aanbod erop gebaseerd was dat 'haar laatste hart' voor mij was, zou ik onder valse voorwendselen misbruik maken van een verwarde vrouw. Als degene die wel bij zijn verstand was, wist ik wel beter, en zou ik daar ook naar moeten handelen. En waarom zou ik mezelf afhankelijk maken van een geestelijk gestoorde vrouw die ik nauwelijks kende? Hoewel mijn situatie was veranderd en ik fysiek tot minder in staat was dan vroeger, had ik wel sinds mijn tienerjaren op eigen benen gestaan. En voor die tijd hadden mijn voogden, de Graces, zich alleen maar beziggehouden met hun drugsvoorraad. In feite had ik vanaf mijn zesde voor mezelf gezorgd.

Dus ik had een fout gemaakt door Marianne Engels aanbod te accepteren, en Nan had gelijk gehad. Ik zou mijn beslissing terugdraaien en toch maar naar Phoenix Hall gaan.

Toen Gregor die middag langskwam om Sayuri's cadeau af te geven, feliciteerde hij me met mijn beslissing om bij Marianne Engel in te trekken. Toen ik vertelde dat ik van gedachten was veranderd, krabbelde hij terug en zei dat ik de enige logische beslissing had genomen. 'Ik vind dat je onder begeleiding van dokter Edwards enorme vorderingen hebt gemaakt. Ik heb heel veel respect voor haar.'

Ik kende Gregor goed genoeg om te weten wanneer hij niet alles zei wat hij dacht. Dit was zo'n keer. 'Maar?'

Gregor keek links en rechts om zich ervan te vergewissen dat niemand meeluisterde. 'Maar zelfs apen vallen weleens uit een boom.'

Ik had geen idee wat hij bedoelde, dus legde Gregor het uit: *zelfs deskundigen maken fouten*. 'Dokter Edwards is je arts en ze is goed, maar je moet Mariannes effect op je herstel niet onderschatten. Ze komt elke dag, ze helpt je met je oefeningen en het is duidelijk dat ze heel veel om je geeft. God mag weten waarom. Maar ik vertel je niets nieuws.'

`HIJ DENKT DAT JE GESTOORDE VRIENDIN HET ECHT MET JE MEENT.`

Kop dicht, bitch. Ik verbeterde Gregor. 'Ze heeft waanideeën.'

'Je kunt het wel ontkennen,' zei hij, 'maar het is overduidelijk.'

`WAT SCHATTIG.`

Ik had geen zin om ertegen in te gaan. 'Wat zou jij doen?'

'Ik zou ook mijn bedenkingen hebben om bij haar te gaan wonen,' zei hij, 'maar jij bent ook geen lot uit de loterij. Als jullie het met elkaar uithouden, zou ik het doen.'

'Zelfs als ze gek op me is – en ik zeg niet dat dat zo is – dan weet ik nog niet precies wat ik voor haar voel.' Ik zweeg even. 'Ik weet het niet.'

'Als je niet op haar voorstel ingaat, ben je de grootste idioot die ik ken,' zei Gregor. 'En een heel slechte leugenaar.'

Als je maar lang genoeg in een ziekenhuisbed ligt, ga je in je hoofd een lijst opstellen van elk menselijk contact. Ik legde mijn hand op die van Gregor, de eerste keer dat we elkaar aanraakten, en ik zei: 'Bedankt voor het brengen van Sayuri's cadeau.'

`EEN ONTROEREND MOMENT...`

Ik drukte op de patiëntenbel om de verpleegster om meer morfine te vragen.

`... TUSSEN LOSERS.`

Op kerstochtend kwam Marianne Engel mijn kamer binnen met een zak vol cadeautjes en een aluminium koffer die ze meteen onder mijn bed legde. We praatten een paar uur over van alles en nog wat terwijl ze me mandarijnen en marsepein voerde. Zoals altijd ging ze een paar keer naar buiten om te roken, maar soms viel het me op dat ze niet naar tabak rook als ze terugkwam. Toen ik haar vroeg of ze iets in haar schild voerde, schudde ze haar hoofd. Maar haar glimlach verried haar.

Aan het begin van de middag kwamen Gregor en Sayuri, gevolgd door Connie, die net klaar was met haar ronde. Dokter Edwards werkte nooit met kerst en Maddy en Beth hadden allebei vrij genomen om de dag bij hun familie door te brengen. Toen iedereen er was, haalde Marianne Engel haar zak te voorschijn en begonnen we cadeautjes uit te wisselen.

De verpleegsters hadden geld ingezameld en een paar boeken gekocht die sinds kort mijn interesse hadden, zoals over het interne functioneren van middeleeuwse Duitse kloosters en de werken van Heinrich Seuse en Meister Eckhart.

'Je hebt geen makkelijke smaak, dat is duidelijk. Ik moest drie boekwinkels af,' zei Connie. Toen ze besefte dat dat wat klagerig kon overkomen, voegde ze er meteen aan toe: 'Niet dat ik het erg vond, hoor.'

Van Gregor kreeg ik schrijfbenodigdheden, aangezien ik hem had toevertrouwd dat ik me sinds een paar weken op schrijven had gestort, en van Sayuri kreeg ik een bak lavendel-ijs die we gezamenlijk verorberden. Marianne vond het nog het lekkerst, ze was vooral opgetogen door het feit dat ze er een paarse tong van kreeg.

De verpleegsters kregen van mij cd's van hun lievelingsartiesten. Geen erg persoonlijk cadeau, maar ik wist ook niet zoveel van hun leven buiten het ziekenhuis. Sayuri kreeg het cadeautje dat ik Gregor had opgegeven: twee kaartjes voor een filmfestival met het werk van Akira Kurosawa.

'Ik kwam erop toen dokter Hnatiuk me erover vertelde. Hij is weg van Kurosawa.'

Marianne Engel keek me aan, één oog vorsend opgetrokken, want ik ben niet bepaald subtiel.

Toen volgde mijn cadeau voor Gregor, dat door Sayuri was geregeld: een dinerbon voor twee personen in een Russisch restaurant met de allesbehalve originele naam Rasputin. Ik vroeg Sayuri of ze de echte Russische keuken kende, en dat was niet het geval. Nu trok ik één oog op in de richting van Gregor. Toen ze me bedankten voor mijn cadeaus mopperde ik dat Kerstmis zonder die stomme cadeaus geen Kerstmis was. Niemand leek te begrijpen waarover ik het had, wat bewijst dat meer mensen Louisa May Alcott moeten lezen.

Daarna deelde Marianne Engel haar cadeautjes uit. De verpleegsters kregen een geheel verzorgde dag in een kuuroord. Sayuri kreeg een verfijnde handgeblazen glazen boeddhistische tempel en Gregor twee smeedijzeren kandelaars. Ze waren onder de indruk van het vakwerk, en Marianne pochte dat ze waren gemaakt door twee vrienden van haar.

Marianne Engel en ik hadden al eerder besloten dat we elkaars cadeaus later onder vier ogen zouden uitwisselen. En misschien was ik de enige die het opviel, maar het leek erop dat Sayuri en Gregor tot dezelfde beslissing waren gekomen.

Na een tijdje zei Gregor: 'Zijn we klaar voor het vervolg?' Iedereen keek naar Marianne Engel, die knikte. Kerstmis is kennelijk echt een tijd waarin wonderen gebeuren, als de complete medische staf de gebeurtenissen laat afhangen van iemand die schizofreen is. Sayuri zette me in een rolstoel, Gregor duwde me de gang door en toen ik vroeg waar we heen gingen, antwoordde iedereen ontwijkend. Al snel bleek dat de kantine de bestemming was. Misschien dat daar een soort kerstevenement was georganiseerd, met een ingehuurde kerstman of een zanggroepje, hoewel ik het wel vreemd vond dat ik daar dan niets van had meegekregen. Na zo veel maanden in het ziekenhuis ontsnapte er niet veel meer aan mijn aandacht.

Toen de deuren van de kantine opengingen, kwamen de overweldigende geuren van elk denkbaar gerecht ter wereld me tegemoet. Achter in de ruimte was een klein leger cateraars in de weer rond rijkbeladen tafels. Er stonden zo'n dertig tot veertig mensen onder de rode slingers die aan het plafond hingen, en een paar van hen gebaarden in onze richting. Ik dacht eerst dat ze naar mij wezen, maar toen de cateraars Marianne Engel wenkten, besefte ik dat zij het middelpunt van de aandacht was en niet ik. De patiënten kuierden naar ons toe, een oude man die moeizaam hoestte, een vrouw met krullen en haar armen in het verband, een knappe jongen die mank liep. Achteraan liepen een jong meisje zonder haar met een stel ballonnen en opgetogen familieleden.

Iedereen bedankte Marianne voor wat ze had gedaan, hoewel ik op dat moment niet wist wat dat precies was. Nadat Gregor me naar de tafels had gereden en me uit mijn stoel had geholpen, vertelde hij dat zij het hele feest had georganiseerd en betaald. Gezien haar neiging om altijd flink uit te pakken moet dat geen eenvoudige onderneming zijn geweest. Ik kende de uitgebreide maaltijden die ze voor mij had meegebracht, maar dit sloeg werkelijk alles.

Kalkoen, ham, gebraden gans, kip, noedels, geitenvlees met kerrie, wild zwijn en reebout, gehaktbrood, karper (karper? Wie eet er nou karper?), kabeljauw, schelvis, stokvis, schelpdieren, koude vleeswaren, zo'n tien verschillende soorten worstjes, hardgekookte eieren, ossenstaartsoep, vleesbouillon, uiensoep, meer soorten kaas dan je voor mogelijk hield, bruine bonen, gungo-erwten, ui, tafelzuur, koolraap, worteltjes, aardappelen, zoete aardappelen, zoetere aardappelen, zoetste aardappelen, kool, pastinaak, pompoen, witte rijst, bruine rijst, wilde rijst, tamme rijst, antipasti, farce, allerlei broodjes, bagels, koffiebroodjes, kaasscones, groene salade, caesar salad, bonensalade, pastasalade, salade met gelatine, appelsalade met slagroom, spaghetti, fettuccini, macaroni, rigatoni, cannelloni, tortellini, guglielmo marconi (ik kijk even of je nog wel oplet), bananen, appels, sinaasappels, ananas, aardbeien, bosbessen, gemengde noten, pasteitjes, kersttaart, kerstbrood, kokosbrood, chocolade, boomstammetjes, Bertie Bott's Every Flavor Beans, fudge, beschuit met roze muisjes, driekoningencake, vruchtencake, gemberkoek, Torte Vigilia di Natale, beschuit met blauwe muisjes, punch, eierpunch, melk, druivensap, appelsap, sinaasappelsap, frisdrank, koffie, thee, tomatensap en mineraalwater. Iedereen in de kantine schepte meerdere malen op en Marianne Engel bespeelde alle aanwezigen met haar charme en excentriciteit. Wat zeker meehielp, was dat ze een elfenpakje had aangetrokken en er absoluut schattig uitzag. Er was muziek en de mensen praatten opgewekt met elkaar, iedereen deed vrolijk mee. Patiënten die elkaar anders nooit zouden zijn tegengekomen, voerden lange gesprekken, waarschijnlijk vergeleken ze hun kwalen. Gehoest werd overstemd door gelach en er klonken opgetogen kreten van de kinderen, die allemaal een cadeautje vanonder de plastic kerstboom kregen. Kennelijk had Marianne Engel geen echte mogen neerzetten, maar een kunstboom was goed genoeg. Als bloemen al dodelijk voor iemand kunnen zijn, moet je er niet aan denken wat een naaldboom zou kunnen aanrichten.

Ik was die middag extra populair toen bekend werd dat mijn vriendin dit allemaal had geregeld. Een oude man kwam met een grote grijns op zijn gezicht een praatje maken en het was dan ook een schok toen hij vertelde dat zijn echtgenote pas was overleden. Toen ik hem condoleerde, schudde hij zijn hoofd en legde zijn hand op mijn schouder. 'Met mij hoef je geen medelijden te hebben. Ik heb behoorlijk geboft, dat kan ik je wel zeggen. Als je zo'n vrouw aan de haak slaat, vraag je niet waaraan je dat hebt verdiend. Je hoopt alleen maar dat ze nooit van gedachten verandert.'

Tijdens het feest kwam er een vreemd soort opluchting over me. Vanaf onze eerste ontmoeting had Marianne Engel zo'n irrationele genegenheid jegens mij vertoond dat ik verwachtte dat die net zo snel zou verdwijnen als hij was gekomen. Relaties gaan voorbij, zo werkt dat gewoon. We hebben het allemaal al zo vaak meegemaakt, zelfs bij stellen bij wie we ervan overtuigd waren dat 'ze het wel zouden redden'.

Ik heb ooit een vrouw gekend die zich voorstelde dat de liefde net zoiets was als een hond vol energie, zo eentje die altijd achter een stok aan rent en hem dan blij met flapperende oren komt terugbrengen. Volkomen trouw, onvoorwaardelijk. Ik had haar uitgelachen, want zelfs ik had geweten dat de liefde zo niet werkte. De liefde is iets fragiels dat moet worden gekoesterd en beschermd. De liefde is niet robuust en liefde is niet oneindig. De liefde kan door een paar harde woorden of een paar ondoordachte daden vervliegen. De liefde is geen trouwe hond; de liefde is meer een dwergmaki.

Ja, dát is precies wat de liefde is: een piepkleine, zenuwachtige primaat met constant wijd opengesperde, angstige ogen. Voor degenen die niet weten hoe een dwergmaki eruitziet: stel je een mini-Don Knotts of -Steve Buscemi in een bontjasje voor. Stel je het schattigste diertje voor dat je kent nadat er zo hard in geknepen is dat de complete vulling naar het kopje is geperst en zijn ogen eruit puilen. De maki ziet er zo kwetsbaar uit dat je onwillekeurig verwacht dat hij elk moment door een roofdier kan worden gegrepen.

Marianne Engels liefde voor mij leek zo'n wankele basis te hebben dat ik ervan uitging dat hij voorbij zou zijn op het moment dat we het ziekenhuis uit liepen. Hoe kan een liefde die gebaseerd is op een fictief verleden het in een reële toekomst overleven? Dat was onmogelijk. Zo'n soort liefde zou meteen worden vermorzeld tussen de kaken van het echte leven.

Dat was mijn angst, maar deze eerste kerstdag bewees dat Marianne Engels liefde niet iets kwetsbaars was. Hij was robuust, krachtig en massief. Ik dacht dat die liefde alleen mijn kamer op de brandwondenafdeling kon vullen, maar hij vulde het hele ziekenhuis. Bovendien was hij niet alleen voor mij bestemd; hij werd gul gedeeld met vreemden – mensen van wie ze niet dacht dat ze ze kende uit de veertiende eeuw.

Ik had mijn hele leven van die onzinverhalen over de liefde aangehoord, dat hoe meer je geeft, hoe meer je terugkrijgt. Dat had me altijd nogal strijdig geleken met elementaire wiskundige principes. Maar de aanblik van Marianne Engel die zo veel liefde om zich heen verspreidde, maakte een bizar romantisch gevoel in me wakker: het tegenovergestelde van jaloezie.

Het stelde me gerust dat liefde haar natuurlijke instelling was en geen afwijking die was gebaseerd op fantasie. Haar liefde was geen dwergmaki, een ondersoort van de lemuren, die zo worden genoemd omdat Portugese ontdekkingsreizigers op Madagaskar 's avonds bij het licht van hun kampvuur grote, glanzende ogen uit het bos zagen gluren. Ze dachten dat het de ogen van de geesten van overleden reisgenoten waren en noemden de dieren lemuren, naar het Latijnse woord voor 'geesten van de dood'.

Toen het laatste stukje kalkoen op was, bedankte Marianne Engel de cateraars en gaf ze allemaal een envelop met een 'extraatje vanwege het werken met de feestdagen'. Toen ze me terugreed naar mijn kamer zei ze dat het de mooiste kerst was geweest die ze ooit had gehad. Ik zei dat dat niet niks was, gezien het feit dat ze er zevenhonderd had meegemaakt.

Nadat ze me in bed had geholpen, plofte ze tevreden neer op haar stoel. Ik merkte op dat het feest haar een vermogen moest hebben gekost; dat wuifde ze met een nonchalant handgebaar weg en ze trok het koffertje onder het bed vandaan. 'Maak open.'

Het zat propvol pakjes bankbiljetten van vijftig en honderd dollar. In mijn porno- en drugsperiode had ik ook weleens een flink pak geld gezien, maar nooit zoveel als dit. Er schoten getallen door mijn hoofd, ik probeerde een ruwe schatting te maken. Het was lastig rekenen – ik was als verdoofd door de hoeveelheid – dus bespaarde Marianne Engel me de moeite. 'Tweehonderdduizend.'

Tweehonderdduizend dollar. Die zij de hele dag onder het bed had laten liggen. Die iedereen zo had kunnen meenemen. Ik zei dat het stom van haar was; ze antwoordde lachend dat tegenover stomheid zelfs de goden machteloos stonden. En zeg nou zelf, zei ze, wie gaat er op eerste kerstdag onder een ziekenhuisbed kijken op zoek naar een koffer met geld?

'Je denkt dat ik je niet kan onderhouden.' Ze zei het met een onwrikbare stelligheid. Toen ik knikte, zei ze: 'Ik ben klaar voor mijn cadeau.'

De voorgaande weken had ik zitten zwoegen op talloze versies van hetzelfde toespraakje, als een middelbare-schooljongen die maar niet kan beslissen hoe hij zijn favoriete klasgenootje moet vragen voor een feest, maar nu het zover was, voelde ik alleen maar onzekerheid. Verlegenheid. Gêne. Ik wilde galant overkomen, maar net als die schooljongen kon ik geen woord uitbrengen. Het was te laat om te vluchten en ik wist dat mijn cadeaus – het waren er drie – te persoonlijk waren. Te stom. De uren die ik erin had gestoken, waren zinloos geweest: wat voor ijdele waanideeën hadden me doen besluiten om haar zoiets te willen geven? Ze zou ze kinderlijk vinden, te direct, of niet direct genoeg. Ik wilde dat er een bliksemstraal insloeg in mijn nachtkastje, waarin de la mijn lachwekkende cadeautjes lagen.

Ik had drie gedichten voor haar geschreven. De ruggengraatslang lachte me uit om mijn arrogantie.

Ik had mijn hele leven al gedichten geschreven, maar ik had ze nooit aan iemand laten zien. Ik verborg mijn geschriften, en ik verborg mezelf in de dingen die ik had geschreven – alleen iemand die de echte wereld niet aankan, creëert een andere wereld waar hij zich kan verbergen. Soms, als ik besef dat ik zelfs niet als ik dat wilde zou kunnen ophouden met schrijven, gaat er een onprettige rilling over mijn rug, zoals wanneer in een openbaar toilet iemand te dicht bij je staat.

Soms vind ik dat schrijven iets voor watjes is, en het schrijven van gedichten al helemaal. Als ik een bui van cocaïneparanoia had, verbrandde ik al mijn gedichtenbundels en keek ik hoe de bladzijden een voor een in vlammen opgingen en de as als grijze vlokjes wegdwarrelde. Terwijl mijn veraste woorden in rook opgingen, deed het me goed om te weten dat mijn innerlijke wereld weer veilig was: zelfs de beste forensische experts van de FBI zouden mijn gevoelens niet meer kunnen doorgronden. Het prettige van het op papier verbergen van mijn diepste gevoelens was dat ik ze in een mum van tijd kon verbranden.

Een vrouw je bed in praten was veilig, want mijn woorden verdwenen zodra ik ze had uitgesproken; een gedicht voor een vrouw schrijven was als het creëren van een wapen dat ze later tegen me kon gebruiken. Als je weggaf wat je had geschreven, zou het altijd blijven bestaan, klaar om terug te komen en zich op je te wreken.

Dus ik had het verknoeid. Het was eerste kerstdag, ik was gevangen in mijn skelet-bed, Marianne Engel had een cadeau van me tegoed en ik had niets achter de hand. Ik had alleen maar mijn kinderachtige gekrabbel dat het blanke papier bezoedelde. Mijn woorden waren hiëroglyfen vóór de ontdekking van de steen van Rosetta; mijn woorden waren gewonde soldaten die na een verloren strijd huiswaarts strompelen; mijn woorden waren stervende vissen die wanhopig spartelen als het net opengaat en de berg vis op het dek wordt gestort als een glibberige berg die een groene prairie wil worden.

Mijn woorden waren, en zijn, Marianne Engel onwaardig.

Maar ik had geen keus, dus deed ik de la open en – **LOSER** – schraapte al mijn niet-bestaande moed bij elkaar. Ik haalde de drie velletjes eruit, deed mijn ogen dicht en stak ze in de richting van Marianne Engel, hopend dat ze niet in mijn handen uiteen zouden vallen.

'Lees ze voor,' zei ze.

Ik wierp tegen dat ik dat niet kon. Dit waren gedichten, en ik had een pact met de duivel gesloten dat volledig uit de hand was gelopen. Een brandende hellehond was in mijn keel gedrongen en had daar een gebutste gitaar met roestige snaren achtergelaten. Mijn stem was – is – volkomen ongeschikt voor poëzie.

'Lees ze voor.'

Het is nu jaren later. Je hebt dit boek in handen, dus ik ben mijn vrees om geschreven tekst openbaar te maken duidelijk te boven gekomen. Maar de drie gedichten die ik op eerste kerstdag voorlas aan Marianne Engel zullen niet in dit verhaal worden opgenomen. Je hebt al genoeg belastend bewijsmateriaal tegen me.

Toen ik klaar was, kroop ze bij me in bed. 'Dat was prachtig. Dank je. Nu ga ik je vertellen hoe we elkaar hebben ontmoet.'

12

Onder het lezen van het werk van Meister Eckhart veranderde er iets in mijn manier van denken. Niet zo heel veel, maar het was voldoende, en ik begon eindelijk een beetje te begrijpen wat moeder Christina had bedoeld met het loslaten van de ballast van je ziel als je probeerde dichter bij het goddelijke te komen. Maar ik hield het boek verborgen, want iemand als zuster Gertrud zou zijn radicalere standpunten zelfs niet in overweging willen nemen. En hoewel Eckhart als katalysator fungeerde, was het iemand anders die mijn nieuwsgierigheid nog verder versterkte. Toen een van onze oudere nonnen overleed, werden haar taken door Gertrud aan mij overgedragen, waaronder het contact met de maker van ons perkament.

De perkamentmaker was een wat onbehouwener type dan de mannen die ik gewend was, dus was ik verbaasd dat we het zo goed met elkaar konden vinden. Het eerste wat hij me vroeg, was of ik voor hem wilde bidden. Hij legde uit dat de vorige non dat ook had gedaan, en zo maakte ik kennis met het fenomeen van de ene hand die de andere wast. Als ik voor hem bad, gaf hij korting. Hij erkende dat hij had gezondigd, maar voegde er met een sluw glimlachje aan toe dat het nooit in die mate was geweest dat hij aflaten moest kopen.

Hij praatte graag over van alles en nog wat, en ik was onder de indruk van zijn brede kennis, maar misschien alleen maar omdat ik niet wist dat zijn soort gemopper gebruikelijk was in elke kroeg aan het eind van een werkdag. Bij onze maandelijkse ontmoetingen kwam ik veel te weten over het Duitsland buiten de kloostermuren. Paus Johannes was verwikkeld in een conflict met Lodewijk de Vierde. Er braken oorlogen uit en plaatselijke heersers namen huurlegers in dienst die bekendstonden als 'condotta'; een woord dat ik herkende uit het Italiaans. De dood was een handelsartikel geworden, zonder ideologie of geloof, en mijn maag draaide zich ervan om. Ik begreep niet hoe mensen tot zulke dingen in staat waren, maar de perkamentmaker haalde alleen maar zijn schouders op en stelde dat die dingen overal gebeurden.

In het scriptorium moesten we tot 's avonds aan *Die Gertrud Bibel* werken, en dat had resultaat. Ondanks Gertruds eindeloze aandacht voor detail en onze vele andere werkzaamheden zag ik in dat het werk over een paar jaar klaar zou zijn. Ze was oud, maar ik wist dat ze zichzelf zou dwingen om vol te houden. Hoe godvruchtig ze zelf ook beweerde te zijn, ze zou zelfs tegen Christus zelf in verzet zijn gekomen als hij de durf had gehad om haar weg te nemen voordat haar taak was voltooid.

Op een avond, het was al laat, kwam een van de nonnen naar het scriptorium en vertelde fluisterend dat er twee mannen bij het klooster waren aangekomen, van wie er een zo ernstig verbrand was dat het leek alsof hij 'met de vijand had gevochten!' Het klonk allemaal uiterst interessant, maar ik had het druk.

De volgende ochtend werd ik door zuster Mathildis gewekt. Ze was een van de ziekenverzorgsters van het klooster en ze zei dat moeder Christina wilde dat ik naar de ziekenzaal kwam. Ik sloeg mijn mantel om en onderweg door de kloostertuin vertelde ze dat zij en de andere ziekenverzorgsters – zuster Elisabeth en Constantia – de hele nacht bezig waren geweest met de verzorging van het brandwondenslachtoffer. Iedereen was verbaasd dat hij nog leefde.

Moeder Christina wachtte ons op bij de deur van de ziekenzaal. Aan de andere kant van de ruimte waren vader Sunder en de verpleegsternonnen bezig met een man onder een wit laken. Een uitgeputte soldaat in een vuil, gescheurd uniform zat ineengezakt in een hoek. Toen hij me zag, sprong hij overeind en zei: 'Kunt u hem helpen?'

'Zuster Marianne, dit is Brandeis, hij heeft de verbrande man hierheen gebracht. We hebben al onze medische boeken geraadpleegd,' moeder Christina knikte naar de opengeslagen boeken op een tafel, 'maar er is onvoldoende informatie over de behandeling van dit soort verwondingen.'

Ik had geen idee wat er van mij werd verwacht. 'En het Hospitaal van de Heilige Geest in Mainz? Ik heb gehoord dat dat een van de beste is.'

Vader Sunder trad naar voren. 'Daar hebben we natuurlijk aan gedacht, maar hij is er te slecht aan toe om te kunnen vervoeren. We zullen hem hier moeten behandelen.'

'Als er iemand is die alles kent wat er in het scriptorium staat, dan ben jij dat,' zei moeder Christina. Diplomatiek voegde ze eraan toe: 'En zuster Gertrud, natuurlijk. Maar zij heeft dringende taken, dus wil ik jou vragen om de hele bibliotheek af te zoeken naar bruikbare informatie.'

Twee dingen waren onmiddellijk duidelijk. Ten eerste dat dit vooral werd gedaan om Brandeis tegemoet te komen – er was weinig kans dat er in onze boeken iets bruikbaars te vinden was. Ten tweede dat moeder Christina niet geloofde dat Gertrud zich met voldoende overgave aan de taak zou wijden. Er was weinig hoop dat ik iets zou vinden, maar dat was altijd nog beter dan geen hoop, en moeder Christina had klaarblijkelijk besloten dat een mensenleven belangrijker was dan de trots van Gertrud. Wat me, zo moet ik toegeven, buitengewoon verheugde. Maar dat kon ik natuurlijk niet laten blijken, dus boog ik nederig en zei dat ik mijn priores graag ter wille zou zijn, als God dat wilde. Ik vroeg alleen of ik de verwondingen van de soldaat mocht bekijken zodat ik wist naar wat voor remedie ik moest zoeken.

Ik liep naar de tafel, en dat was de eerste keer dat ik je gezicht zag. Het was net als nu verbrand, maar minder erg, en op je borst zat een grote bloedvlek die door het witte laken sijpelde. Ik moest onwillekeurig aan een roos denken die door de sneeuw heen breekt. Op hetzelfde moment wist ik dat het een ongepaste gedachte was. Vader Sunder keek naar moeder Christina, die knikte. Zachtjes trok hij het laken weg. Ik hoorde een zacht scheurend geluid toen de vastgekoekte stof loskwam van je lichaam.

Mijn reactie verbaasde me. Ik was vooral gefascineerd, ik voelde absoluut geen weerzin. Alle anderen in de ruimte, zelfs soldaat Brandeis, deden een stap naar achteren, ik deed een stap naar voren.

Ik zag geblakerde huid, en je lichaam scheidde meer vocht af dan de zwachtels konden opnemen. Ik vroeg om een doek zodat ik het teveel kon wegvegen. Zwart, rood en grijs vloeiden in elkaar over, maar toen ik meer wegveegde, deed ik een verrassende ontdekking. Op je borst bevond zich een rechthoek van nietverbrande huid. Het zat aan de linkerkant, vlak boven je hart, en het stond in scherp contrast met de verwoeste huid eromheen. Precies in het midden zat een enkele wond, een insnijding waar je was getroffen door iets scherps. Ik vroeg Brandeis ernaar, en hij antwoordde dat het de plek was waar de pijl je had getroffen. Hij zei dat de pijl niet ver naar binnen was gedrongen en dat het vuur de grootste schade had aangericht.

Ik wilde weten wat er precies was gebeurd. Het gezicht van Brandeis verstrakte, want hij had het verhaal al aan de verpleegsters verteld en hij wilde er niet weer aan herinnerd worden. Maar hij vermande zich en begon te praten.

Jij en Brandeis waren huurlingen, boogschutters bij een condotta, en hij keek naar de grond alsof hij zich schaamde om in een Godshuis te moeten vertellen wat zijn beroep was. Een dag eerder was er een slag geweest. Het ene moment stonden jullie zij aan zij met jullie kruisbogen, het volgende werd jij getroffen door een brandpijl. Brandeis reageerde snel, maar het vuur verspreidde zich al. Omdat de schacht van de pijl recht uit je borst stak, kon hij je niet over de grond rollen om de vlammen te doven, dus brak Brandeis de pijl vlak bij de punt af. Hij zweeg even om de fikse brandwonden op zijn handpalmen te laten zien. Hij trok de brandende kleren van je af, maar het was al te laat.

Hij week het hele gevecht niet van je zijde en schoot met zijn boog iedereen neer die te dicht in de buurt kwam. Uiteindelijk zegevierde jouw eenheid en liep het gevecht ten einde. Toen jullie tegenstanders zich hadden teruggetrokken, zochten jullie medestrijders het slagveld af naar overlevenden.

Er waren regels die iedereen kende. Als er een gewonde tegenstander werd gevonden, werd hij gedood. Als een van de eigen manschappen gewond was maar behandeld kon worden, dan gebeurde dat. En als iemand nog in leven was, maar te zwaargewond, werd ook hij gedood. Een goede strijder verdiende een beter lot dan een trage dood, en het was zonde om tijd en energie te steken in iemand die toch niet meer kon vechten.

Toen jij en Brandeis door jullie medehuurlingen werden gevonden, was iedereen het al snel eens. Je was te ver heen en met je dood waren zowel jij als de anderen geholpen.

Een jonge strijder die Kuonrat heette, stapte naar voren en bood aan om je de doodsteek toe te brengen, en denk maar niet dat dat een taak was die hem tegen de borst stuitte. Kuonrat zou het met genoegen doen, hij was ambitieus, bloeddorstig en gewetenloos. Kuonrat had zijn zinnen gezet op de hoogste positie, en met jouw dood zou er weer iemand van de oude garde wegvallen die tussen hem en de rang van condottieri in stond, de aanvoerder van de eenheid.

Maar op dat moment was de leiding nog in handen van Herwald, en jullie kenden elkaar al heel lang. Hij had je in de eenheid opgenomen toen je nog jong was. Je was een van zijn langst dienende soldaten en hij had steeds meer respect voor je gekregen. Het zou hem grote moeite kosten om je te laten doden, maar hij had geen keus. Tegelijk weigerde hij om zoiets over te laten aan Kuonrat. Dus gaf Herwald de opdracht aan Brandeis, je beste kameraad. Als Brandeis weigerde, zou Herwald het zelf doen.

Brandeis kon je met geen mogelijkheid doden. Hij richtte zich in zijn volle lengte op en trok zijn zwaard. 'Ik dood iedere man die in de buurt komt. Ik laat mijn vriend niet afmaken als een kreupel paard.'

Waarom kon Brandeis je niet ergens naartoe brengen en je zelf verzorgen? Vanwege het devies van de condotta. Als je huurling werd, dan was je dat voor het leven. Zo was het altijd geweest en zo zou het altijd blijven. Een soldaat moest kunnen ver-

188

trouwen op degene naast hem, je kneep er niet tussenuit als het gevaarlijk werd. Om die regel kracht bij te zetten werd iedereen die probeerde te deserteren zonder uitzondering opgespoord en op brute wijze omgebracht. Als Brandeis toestemming kreeg om te vertrekken om jou te verzorgen, wie kwam er dan als volgende met zo'n verzoek?

Dus stond Brandeis naast je, zijn zwaard opgeheven tegen de hele eenheid en een traditie die niet mocht worden verbroken. Het was ongelooflijk dapper en ongelooflijk dom. Maar misschien hadden de anderen ondanks zichzelf wel respect voor iemand die zijn leven in de waagschaal stelde voor een vriend. De impasse kon alleen worden doorbroken als Brandeis met een werkbare oplossing kwam, en vreemd genoeg slaagde hij daarin.

Brandeis wist hoe dicht Engelthal bij het slagveld lag, en hij had gehoord dat het een plek was waar regelmatig wonderen gebeurden. Brandeis gaf zijn erewoord dat hij zich vóór de volgende slag weer bij zijn eenheid zou voegen als hij toestemming kreeg om je naar het klooster te brengen. Hij voerde aan – omdat iedereen er toch van overtuigd was dat je zou sterven – dat je dan op zijn minst onder de hoede van de Heer zou sterven.

Herwald aanvaardde het voorstel, een zeldzame tegemoetkoming van zijn kant. Het was zowel voor hem persoonlijk als in diplomatiek opzicht een slimme beslissing. Hij liet ermee zien dat loyale soldaten werden beloond, en hij hoefde geen opdracht te geven om een oude vriend te executeren. En niemand kon hem ervan beschuldigen dat hij een bruikbare soldaat liet gaan, want Brandeis had beloofd dat hij zou terugkomen.

De ambitieuze Kuonrat liet het wel uit zijn hoofd om de populaire Herwald hier openlijk op aan te vallen, maar tegen iedereen die het maar horen wilde, fluisterde hij dat het nu al de tweede keer was dat de ijzeren stelregel van de condotta was genegeerd. 'Herinneren jullie je die Italiaanse boogschutter, Benedetto? We lieten hem ontsnappen zonder soldaten achter hem aan te sturen. Herwald heeft ons opnieuw verraden met zijn zwakheid. Hoe lang laten we dit nog doorgaan?'

Slechts een enkeling luisterde. De meesten vonden ook dat je na jaren trouwe dienst dicht bij God mocht sterven, onder de hoede van de nonnen van Engelthal.

Toen Brandeis klaar was met zijn verhaal veegde hij uitgeput in zijn ogen. Misschien zag ik daar een traan, maar het kan ook zweet zijn geweest. En zo kwam je in het klooster. Zo kwam je bij mij.

Iedereen was onder de indruk van Brandeis' verhaal, zelfs degenen die het al eerder hadden gehoord. Vader Sunder verbrak ten slotte de stilte en prees Brandeis voor zijn nobele optreden. Moeder Christina zei dat ze weinig met huurlingen ophad, maar dat ze ware broederliefde meteen herkende. Ze verzekerde Brandeis nogmaals dat we al het mogelijke zouden doen, en de verpleegsternonnen knikten instemmend. Goedbedoelde woorden, maar op alle gezichten was medelijden af te lezen. Iedereen dacht dat je zou sterven.

Ik niet. Ik wilde mijn vingers over je wonden laten gaan; ik wilde je bloed op me. Alle anderen zagen een man die op sterven lag, ik zag een man die wachtte op zijn wederopstanding. Ik dacht aan de wonden van Christus bij zijn kruisiging.

Brandeis rechtte zijn rug, zoals mannen doen als ze denken dat dat hun meer kracht geeft dan waarover ze feitelijk beschikken. Hij boog moeizaam en zei dat hij zijn belofte moest nakomen en moest teruggaan naar zijn eenheid. Hij vertrouwde op ons kunnen en de barmhartigheid van de Heer. Bij de deur keek hij nog een laatste keer naar je om.

Na het vertrek van Brandeis zocht ik in alle werken in het scriptorium naar iets wat zou kunnen helpen bij je behandeling. Ik kon me maar moeilijk concentreren, hoe dringend mijn taak ook was. Ik probeerde me jullie tweeën voor te stellen tijdens de strijd, maar het lukte me niet. Brandeis leek veel te veel met je begaan om ook een moordenaar te kunnen zijn, en je serene gezichtsuitdrukking terwijl je op de tafel lag, bleef me achtervolgen. Toen besefte ik het niet, maar je was natuurlijk in shock. Op dat moment leek het alsof je geest uit het omhulsel van je lichaam was geglipt. Als non vond ik dat heel erg verontrustend. Mijn concentratievermogen werd er niet beter op toen ik bedacht dat ik Brandeis niet had gevraagd waarom die rechthoek boven je hart niet was verbrand terwijl de rest zo beschadigd was.

Onze boeken boden geen enkel middel tegen je vreselijke brandwonden. Er viel geen lichtbundel door een venster die een bruikbare passage verlichtte en er blies geen windvlaag door een open raam die bladzijden omsloeg tot de juiste pagina was bereikt. 's Avonds zag ik me genoodzaakt om terug te gaan naar de ziekenzaal, al was het maar om te vertellen dat ik niets had bereikt.

De situatie was totaal anders dan voorheen. Je schreeuwde met een woede die ik nooit eerder had meegemaakt. Doordat ik was opgegroeid in de stilte van een klooster kon ik me niet voorstellen dat een mens zulke geluiden kon maken. De nonnen probeerden je vast te houden, maar het leek een verloren strijd. Zuster Elisabeth was maar al te blij dat ze haar plaats aan mij kon afstaan. Je was doordrenkt van je eigen lichaamsvocht, en je ogen schoten heen en weer alsof ze een demon volgden die alleen jij kon zien. Ik legde mijn handen tegen je hoofd, maar je bleef het maar heen en weer schudden. Ik streelde je haar en sprak kalmerende woordjes terwijl de anderen water over je heen goten. Elke verkoelende scheut deed je lichaam wild schokken. Ik pakte ook een kan en probeerde je wat te laten drinken. Toen je eindelijk je mond opende, flakkerden je ogen even op voordat ze in het niets staarden.

Er verstreek een minuut in een beklemmende stilte, en ik kon aan de blikken van de anderen zien dat ze dachten dat je dood was. De ziekenverzorgsters gingen aarzelend zitten, uitgeput van de worsteling met jou.

En toen kwam je naar lucht happend weer bij, met in je ogen een angst alsof je de dood recht had aangekeken. Je begon weer te schreeuwen, dus gaf ik je een klap om je uit je trance te halen, maar je ogen begonnen weer te zoeken naar die demon. Ik pakte je zo stevig als ik maar durfde vast en riep naar je, je gezicht een paar centimeter van het mijne. Toen je je eindelijk op mij kon concentreren, leek je angst te vervliegen.

De blik in je ogen leek er vooral een van herkenning. We keken elkaar aan. Ik weet niet hoeveel tijd er verstreek. Je probeerde iets te zeggen, maar het was zo zacht dat ik dacht dat ik me je stem inbeeldde. Ik bracht mijn oor naar je mond. De andere nonnen waren een stukje naar achteren gegaan en konden niet horen dat je haperend een paar woorden zei.

'Mijn hart... Op slot... De sleutel.'

Toen deed je je ogen dicht en gleed je weer weg in bewusteloosheid.

Ik had geen idee wat je met die woorden bedoelde, maar om de een of andere reden versterkten ze mijn zekerheid dat ik voorbestemd was om je te helpen. Je kunt van geen enkele non verwachten dat ze zich iets kan voorstellen bij een mannenhart dat op slot zit, zeker niet bij een man die zich misschien al snel moet vervoegen bij de hemelpoort – of, hoewel ik dat voor mezelf niet wilde toegeven, de hel. Je moet realistisch zijn als het om de eindbestemming van een huurling gaat.

Ik bleef die nacht bij je en veegde de troebele vloeistof weg die over je borst liep. Ik deed het zo voorzichtig mogelijk, maar je huid verkrampte bij elke aanraking. Hoe erg het ook was om je te zien lijden, ik was er voor het eerst in mijn leven van overtuigd dat Engelthal inderdaad de juiste plaats voor me was. Het ontbreken van mystieke visioenen, het niet kunnen doorgronden van de Eeuwige Godheid, die dingen waren nu volkomen onbelangrijk.

De volgende ochtend kwam ik op weg terug naar mijn kamer Gertrud tegen. Ze vroeg gemaakt vriendelijk om 'wanneer ik me even kon vrijmaken van die moordenaar' mijn taken in het scriptorium te hervatten en me weer aan Gods werk te wijden. Ik zei tegen haar dat moeder Christina speciaal om mijn hulp had gevraagd bij de brandwondenpatiënt en dat dat op dit moment voorrang had. Terloops zei ik ook dat moeder Christina dacht dat ik de enige was die in staat was om relevante informatie in ons scriptorium te zoeken. Op Gertruds gezicht was heel even een zweem van woede te zien.

Toen ze zich had hersteld, zei Gertrud: 'Het is heel aardig dat moeder Christina zo veel middelen inzet om deze man te helpen. Maar je moet niet vergeten dat alleen God deze soldaat kan bijstaan. Dat is niet iets voor een bastaardkind dat bij onze poort is achtergelaten.'

Zulke harde woorden had ze nog nooit tegen me gesproken. Ik was geschokt, maar ik verzekerde haar dat ze vanzelfsprekend gelijk had. En ik voegde eraan toe dat ik desalniettemin mijn gebeden moest opzeggen en moest proberen wat te slapen, voor het geval God besloot om een bastaardkind als ik te begenadigen met het vermogen een man in nood te helpen.

Toen ik later die dag weer op de ziekenzaal kwam, hoorde ik dat je het zwaar had gehad tijdens mijn afwezigheid. Je had onsamenhangend gepraat, wild bewegend. Moeder Christina en vader Sunder waren in overleg met de verzorgsters, maar niemand wist wat er moest gebeuren.

Opeens tilde je je arm op en wees je naar mij. Het verwarde mompelen stopte en je zei met duidelijke stem: 'Zij.'

Iedereen was sprakeloos. Afgezien van de paar woorden die alleen ik had gehoord, had je niets verstaanbaars meer gezegd. Er volgde een mooie, dramatische pauze voordat je eraan toevoegde: 'Ik heb een visioen gehad.'

De nonnen hapten naar adem en moeder Christina bad meteen om goddelijke bijstand. Een soldaat met een visioen: Engelthal was inderdaad een mystiek en wonderbaarlijk oord! Maar ik geloofde het niet. Je was nog maar kort in het klooster, dacht ik, en toch was je er al achter dat een hemelse openbaring het enige was wat hier echt op waarde werd geschat.

Moeder Christina deed behoedzaam een stap naar voren. 'Wat voor visioen?'

Je wees weer naar mij en fluisterde: 'God zei dat zij me zou genezen.'

Moeder Christina greep de arm van vader Sunder stevig vast. 'Weet je het zeker?'

Je knikte bijna onmerkbaar en sloot je ogen, precies zoals de nonnen deden om te laten zien hoe diep ze in bespiegelingen verzonken waren.

De verzorgsters vouwden hun handen in hemelse ontzetting en knielden eerbiedig, en vader Sunder en moeder Christina trokken zich terug in een hoek om te overleggen. Even later nam moeder Christina mijn handen in de hare. 'Het is uiterst ongewoon, zuster Marianne, maar we zullen hem op zijn woord moeten geloven. Ik heb toch altijd gezegd dat er meer in je schuilde dan je op het eerste gezicht zou denken?'

Misschien dat moeder Christina, God zegene haar, al een prachtig nieuw hoofdstuk in haar kronieken van Engelthal voor zich zag. Het was niet aan mij om haar uit de droom te helpen. Ik knikte alsof de taak van 'uitverkoren genezer' een zware last was voor een eenvoudige non als ik, maar dat ik hem ten behoeve van het klooster op me zou nemen. Achter moeder Christina leek jij weer in bewusteloosheid te zijn weggegleden, maar er lag een vage glimlach om je mond.

Na de openbaring kreeg ik van de andere nonnen alle ruimte voor je behandeling. Vast uit vrees dat eventuele aardse fouten de goddelijke genezing zouden bezoedelen. Ik maakte je wonden schoon met koud water en verschoonde je verband, maar ik begon ook met het wegsnijden van aangetast weefsel, een handeling die tot protesten van de anderen leidde tot ik ze aan jouw visioen herinnerde. Misschien konden ze het niet aanzien, of misschien vonden ze dat we niet het recht hadden om een door God geschapen lichaam te schenden, maar ze verlieten altijd de ruimte als ik het deed.

Ik zal nooit weten waarom ik besloot dat wegsnijden de juiste werkwijze was. Vanaf mijn geboorte was me ingeprent dat je het goede van het kwade moest scheiden, dus misschien vatte ik dat wel gewoon letterlijk op. En ik zal ook nooit weten waarom je toeliet dat ik je huid wegsneed, maar je deed het wel. Je schreeuwde en raakte soms zelfs even buiten bewustzijn, maar je zei nooit dat ik moest ophouden. Ik stond versteld van je moed.

Die eerste week lag je voortdurend te ijlen. Op de zevende dag zakte je koorts en kwam je weer helemaal terug bij kennis. Ik was het zweet van je voorhoofd aan het deppen toen je opkeek en met zwakke stem begon te zingen.

Dû bist mîn, ich bin dîn:
des solt dû gewis sîn;
dû bist beslozzen in mînem herzen,
verlorn ist daz slüzzelîn:
dû muost och immer darinne sîn.

Het maakte niet uit dat je tijdens het zingen regelmatig moest hoesten. Simpelweg omdat het uit de mond van een herstellende man kwam, was het mooier dan elk ander lied dat ik de nonnen ooit ter meerdere glorie van de Heer had horen aanheffen.

Het nieuws dat je was bijgekomen ging heel Engelthal door. 'Er is waarlijk een wonder verricht door zuster Marianne!' Ik dacht dat het gezond verstand wel zou zegevieren, maar met een klooster vol verrukte nonnen valt niet te redetwisten. Zelfs Gertrud en Agletrudis fluisterden moeder Christina niet langer in haar oor dat mijn aanwezigheid in het scriptorium gewenst was.

13

'Over wie of wat ging dat liedje?'

'Vreemd dat je je moedertaal niet meer kent,' zei Marianne Engel peinzend. '*Jij bent de mijne, ik ben de jouwe: daarvan kun je zeker zijn; je zit opgesloten in mijn hart, de sleutel is weggegooid: en daar zul je altijd blijven.* Het is een oud liefdesliedje.'

'Waarom juist dat liedje?' vroeg ik.

'Je was een krijger, geen zanger. Misschien kende je niets anders.'

We praatten nog even, ze vertelde over de herkomst van het *Minnelied* – middeleeuwse liefdesliedjes – tot het tijd werd om te gaan. Nadat ze haar spullen had gepakt, zei ze dat ik mijn ogen moest dichtdoen.

Toen ik dat had gedaan, deed ze een leren veter met een munt eraan om mijn nek. 'De juiste naam daarvoor is "engel". Ze zijn in de zestiende eeuw in Engeland uitgegeven. Sta me toe dat ik deze aan jou geef.'

Op de ene kant van de munt stond een afbeelding van iemand die een draak doodde; Marianne Engel vertelde het verhaal erachter. 'Dat is de aartsengel Michaël, uit *Openbaringen*. "En er kwam oorlog in de hemel: Michaël en zijn engelen hadden oorlog te voeren tegen de draak... En de grote draak werd op de aarde geworpen."'

'Dank je,' zei ik.

'Als het moment daar is, zul je weten wat je ermee moet doen.'

Zulke opmerkingen van Marianne Engel, die in het ergste geval als nonsens klonken en in het beste geval vooral cryptisch, waren zo gebruikelijk dat ik was opgehouden met vragen wat ze bedoelde. Dat leidde er meestal alleen maar toe dat het gesprek stokte, en echt iets uitleggen deed ze toch nooit.

Marianne zei dat ze pas na Nieuwjaar zou terugkomen, ze had een hele kelder vol onafgemaakte grotesken. Toen ze naar de deur liep, klopte ze op het koffertje met de tweehonderdduizend dollar. 'Denk erom, je komt bij mij wonen.'

`ZIE JE HAAR JE URINEZAK AL VERWISSELEN?`

Ik concentreerde me op de lege kamer. Ik was niet van plan me door mijn kronkelende kwelgeest van mijn stuk te laten brengen.

`IK BEN BENIEUWD OF ZE MANNEN MEENEEMT DIE WEL EEN PENIS HEBBEN.`

De nuttigste functie van mijn vroegere drugsverslaving was dat je er hele dagen mee kon uitwissen. Ik verlangde naar de leegte die cocaïne en drank met zich meebrachten.

`VROUWEN HEBBEN BEHOEFTEN DIE JIJ NIET KUNT VERVULLEN.`

Dokter Edwards kwam binnen. Ze droeg een felrode trui, vanwege de feestdagen. Ik had haar nooit in iets anders dan haar doktersjas gezien. 'Ik hoorde dat het feest erg geslaagd was.'

Ik was blij dat Nan er was, dan bleef de slang tenminste even weg. De slang viel me het liefst lastig als we alleen waren. 'Jammer dat jij er niet bij was.'

Ze keek op mijn status. 'Misschien volgend jaar.'

'Heb jij je er nog mee bemoeid?' vroeg ik. 'Er moesten vast allerlei formulieren worden ingevuld. Juridische dingen over aansprakelijkheid en zo.'

'Het ziekenhuis heeft wel zijn standpunt moeten overwegen,' gaf Nan toe. 'Om niet verantwoordelijk te kunnen worden gehouden voor van alles en nog wat. Stel je voor dat iemand een voedselvergiftiging oploopt.'

'Ik kan me niet voorstellen dat Marianne Engel die hele papierwinkel zelf heeft geregeld.'

'Ik heb als schakel tussen haar en de directie gefungeerd,' zei Nan, 'maar alleen omdat ik dacht dat het goed voor alle patiënten zou zijn. Niet alleen voor jou.'

'Bedankt. Ik weet dat je niet zoveel met haar ophebt.'

Dokter Edwards rechtte nauwelijks merkbaar haar rug. 'Volgens mij is ze een goed mens.'

'Je hebt alleen je twijfels over haar als ziekenverzorger.'

'Mijn mening doet er niet zoveel toe.'

'Natuurlijk wel,' zei ik. 'Mooie trui. Ga je uit?'

Ze keek omlaag alsof ze was vergeten dat ze hem aanhad, maar het was niet erg goed gespeeld. 'Ik hou mijn privéleven liever privé.'

'Lijkt me redelijk,' zei ik. 'Waarom ben je arts geworden?'

'Dat is een persoonlijke vraag.'

'Nee,' corrigeerde ik haar, 'hij gaat over je werk.'

Ze hield haar hoofd schuin. 'Om dezelfde reden als anderen, denk ik. Om mensen te helpen.'

'En ik dacht dat sommige artsen het voor het geld deden,' zei ik. 'Waarom de brandwondenafdeling? Er is makkelijker werk.'

'Ik werk hier graag.'

'Waarom?'

'Als iemand hier naar huis mag, dan is er...' Nan dacht na over hoe ze het zou formuleren. 'Tijdens de opleiding zeiden ze dat ik iedereen die hier binnenkwam, als dood moest beschouwen. Dat is een trucje, omdat heel veel slachtoffers al tijdens de eerste paar dagen overlijden. Maar als je ervan uitgaat dat iemand al zo goed als dood is, en hij overleeft het vervolgens...'

'Op die manier kun je jezelf wijsmaken dat je alleen maar mensen redt en nooit iemand verliest,' zei ik. 'Lukt dat?'

'Soms vind ik het hier vreselijk.'

'Ik ook.' Ik wilde haar hand pakken, maar ik wist wel beter. Dus in plaats daarvan zei ik: 'Ik vind je een geweldige arts.'

'Ik ben egoïstisch. Ik heb gewoon dat gevoel nodig dat ik krijg als ik iemand zie vertrekken.' Ze keek op van de grond en in mijn ogen. 'Heeft iemand je al verteld dat je tijdens de spoedoperaties twee keer een hartstilstand hebt gehad?'

'Nee. Kennelijk is het weer gaan kloppen.'

'Dat gebeurt niet altijd.'

'Ik ga bij Marianne Engel wonen.'

'Ik wil gewoon niet dat je een vergissing begaat nu je al zo ver bent gekomen.'

'Als ik het niet doe, heb ik geen idee waarom je mijn leven hebt gered.'

Nan dacht even over mijn woorden na voordat ze reageerde. 'Ik kan niemands leven redden. Ik kan hooguit proberen te voorkomen dat iemand sterft voordat zijn tijd gekomen is. En zelfs dat lukt maar af en toe.'

'Ik ben er nog,' zei ik.

'Inderdaad.' Ze nam mijn hand in de hare, heel kort. Ze maakte aanstalten om weg te gaan, maar bij de deur draaide ze zich om en zei bijna spontaan: 'Ik ga wat drinken met mijn ex-echtgenoot. Vandaar de trui.'

'Ik wist niet dat je getrouwd bent geweest.'

'Geweest, maar nu niet meer.' Ze rommelde een beetje aan de deurknop. 'Mijn ex-man is een goed mens, maar we pasten niet bij elkaar. Die dingen gebeuren.'

Na Nieuwjaar intensiveerde Marianne Engel haar bijdrage aan mijn revalidatietherapie. Ik bekwaamde me in vaardigheden als tanden poetsen, overhemden dichtknopen en het hanteren van alledaagse gebruiksvoorwerpen voor de tijd na mijn ontslag uit het ziekenhuis. Elke keer als ik alleen mijn goede hand gebruikte, kreeg ik van Sayuri een standje. Op de korte termijn was het misschien makkelijker, legde ze uit, maar zo zou mijn beschadigde hand alleen maar slechter worden. Zelfs zulke eenvoudige handelingen waren 'oefeningen'. Ik was ingepland voor het in bad leren gaan, ook iets wat ik weer helemaal opnieuw moest leren. Mijn tegenzin tegen de aanwezigheid van Marianne hierbij was overduidelijk. Ze had bij allerlei aspecten van mijn revalidatie geholpen, maar ze was er nog niet bij geweest als al mijn verband eraf was. Ze wist dat ik geen penis meer had; ze had hem alleen nog niet *niet* gezien. Als ik bij haar introk, zou zij me moeten helpen bij het wassen, en zoiets was nu eenmaal onmogelijk met kleren aan. Toch was ik er nog niet aan toe dat ze dit manco aan mijn verschijning te zien kreeg.

We kwamen tot een compromis. Hoewel Sayuri het beter vond als Marianne Engel er vanaf het begin bij was, zouden we het de eerste paar keer zonder haar doen, zodat ik aan het idee kon wennen.

Gregor was in de wolken na zijn avondje met Akiro Kurosawa en Sayuri Mizumoto. Ik kreeg uitgebreid te horen wat ze bij de bar hadden gekocht (popcorn en dropveters); dat Sayuri niet van drop hield (kennelijk iets wat bij de cultuur hoort, de meeste Japanners vinden dat het naar iets vies medicinaals smaakt); dat haar vingers per ongeluk de zijne hadden geraakt toen ze tegelijk popcorn wilden pakken; dat ze hand in hand hadden gezeten toen de popcorn op was; dat hij alleen maar had kunnen denken aan zijn vette vingers; dat hij bad dat ze niet zou denken dat het zweet was; dat hij zijn handen aan zijn broek had afgeveegd om haar niet af te stoten met zijn vette vingers; dat er de rest van de avond vier vette vegen op zijn broek hadden gezeten; dat hij ervan overtuigd was dat ze zou denken dat hij maar een viespeuk was; enzovoort. Het was allemaal heel erg aandoenlijk. Gregor vertelde me alles behalve de naam van de film. Waarschijnlijk was dat het minst belangrijke onderdeel van het gebeuren.

Na afloop hadden ze afgesproken om het volgende weekend bij Rasputin te gaan eten.

Marianne duwde me in mijn rolstoel een kamer in waar een heel stel co-assistenten zat te wachten. Sayuri stelde me aan iedereen voor en stelde toen een schijnbaar onschuldige vraag. 'Wat voor werk doe ik?'

De co-assistenten keken elkaar aan, ze vermoedden een valstrik. Een jongeman achterin gaf het voor de hand liggende antwoord dat Sayuri revalidatietherapeute was. Haar glimlach werd nog breder en ze schudde haar hoofd. 'Vandaag ben ik kleermaker. Deze maten moeten heel precies worden genomen, want het pak dat we gaan maken wordt straks vierentwintig uur per dag gedragen, een heel jaar lang.'

Ze haalde een meetlint te voorschijn en vroeg wie haar wilde helpen. Twee co-assistenten stapten naar voren en algauw waren ze druk bezig met de stof voor het drukpak langs mijn lichaam te houden. Omdat ze zo onzeker waren, duurde het langer dan ik had verwacht. Sayuri beantwoordde geduldig al hun vragen en het was duidelijk dat ze niet alleen een goede lerares was, maar dat ze het ook leuk vond om te doen. Toen de maten waren genomen, glom ze helemaal toen ze vertelde wat ze daarna gingen doen – de mal maken voor het plexiglazen masker dat ik zou moeten dragen – wat een veel grotere uitdaging was.

'Hij heeft de meeste operaties aan zijn hoofd intussen wel gehad en de zwellingen zijn afgenomen, dus de belangrijkste functie van het masker is het beperken van de vorming van littekenweefsel. Waar beginnen we mee?'

'We maken een afdruk van zijn gezicht,' antwoordde een van de studenten.

'Nee,' zei Sayuri, en ze hield een camera omhoog. 'We maken foto's ter vergelijking voor als we de binnenkant van het masker gaan maken. Zou jij een jaar lang een masker willen dragen dat niet goed past?'

Sayuri nam de foto's zelf, ze draaide om me heen om elk facet van mijn gezicht te vangen. Ik vond het vreselijk dat ze vastlegde hoe ik eruitzag. Toen ze de camera weglegde, zei ze: 'Nú is het tijd om de afdruk te maken. Wat doen we eerst?'

In elk geval één student had het juiste hoofdstuk geleerd. 'We gieten GelTrate over het gezicht en daaroverheen leggen we stroken gipsverband.'

'Heel goed. Help maar mee.' Sayuri trok een laken van een klaarstaande tafel; daaronder lagen alle benodigde materialen. Ze legden kleine rondjes stof op mijn ogen en ik kreeg buisjes in mijn neusgaten zodat ik kon ademen. De student kneep wat

GelTrate uit een tube in zijn handen en begon het over mijn gezicht te verdelen. 'Dit is hetzelfde materiaal als waarmee ze gebitsafdrukken maken. Dat moet je goed onthouden, want dat vindt ook niemand prettig. Voorzichtig als je het aanbrengt.' De co-assistent had niet zo'n zekere hand als Sayuri, maar ze complimenteerde hem toch en vroeg toen een paar anderen om 'het ook eens te proberen'. Het gevoel van zo veel handen op mijn gezicht was overweldigend. Sayuri bleef uitleggen wat ze deed. 'Het is belangrijk dat we de natuurlijke vorm van het hoofd krijgen, de jukbeenderen, rond de ogen... Denk erom dat je voorzichtig doet.'

Na de GelTrate werd mijn hoofd gefixeerd zodat het op zijn plaats bleef terwijl ze de stroken gipsverband op hun plek legden. Sayuri instrueerde ze over de juiste richting en corrigeerde af en toe een foutje, maar ze herinnerde hen er vooral aan om voorzichtig te zijn. 'Dit is niet zomaar huid, dit is verbrande huid. Onthoud dat.'

Toen het gips eindelijk was aangebracht, moesten we wachten tot het was uitgehard. Sayuri gebruikte die tijd om vragen over mijn genezingsproces te beantwoorden; omdat mijn hoofd in het gips zat, kon ik niets aan het gesprek bijdragen. Marianne Engel stelde, fluisterend om de studenten niet te storen, voor om het laatste canto van *Inferno* voor te lezen. Ik was blij met haar aanbod; ik wilde graag haar stem horen in de duisternis.

Ze begon:

> *'Vexilia regis prodeunt inferni,*
> *staar recht vooruit, of reeds de hellekoning:*
> *zich aan uw blik vertoont,' zo sprak de meester.*

Satan, de koning van de hel, gevangen in een bevroren schelp in het binnenste van het Inferno: wat een passend beeld, peinsde ik, ingepakt in mijn eigen schelp van gips. Dantes leidsman was Virgilius, die hem steeds verder voerde, en mijn gids was Marianne Engel. Ze ging twee keer over op Italiaans, merkte het en ging lachend weer over op Engels. Op de achtergrond klonken de gedempte stemmen van de co-assistenten die verdere informatie kregen over de vele beproevingen bij het behandelen van brandwonden. Toen Sayuri besloot dat het masker verwijderd kon worden, voelde ik haar vingers het gips losmaken. Net op het moment dat ik terugkeerde in het licht, las Marianne de laatste regel van Dante in mijn oor:

Daar gingen we weer uit en zagen weer de sterren.

'Draag alleen witte katoenen shirts met korte mouwen,' zei dokter Edwards, 'en was ze een paar keer na met alleen water. Zeepresten zijn desastreus voor een genezende huid.'

De ochtend daarop zou ik het ziekenhuis verlaten; ik had zo veel vorderingen gemaakt dat ik half februari werd ontslagen, bijna twee maanden eerder dan verwacht. Nan wees naar het dikke boekwerk met revalidatie-instructies dat Marianne Engel vasthield. 'Het bad moet vóór elke wasbeurt worden ontsmet, en er moeten speciale chemicaliën bij. Het lijstje staat in het boek. Je krijgt voldoende mee voor de eerste week, maar daarna zul je het zelf moeten aanschaffen. Er is ook een lijstje met zeepsoorten die je kunt gebruiken. Vergeet na het wassen de zalf niet, en breng vervolgens nieuw verband aan. Over ongeveer een maand zijn de drukpakken klaar, maar tot dan moet je verband blijven gebruiken. O, en als je voor het ongeluk luchtjes of deodorant gebruikte, die zijn nu absoluut verboden.'

'Verder nog iets?' vroeg Marianne Engel.

Nan dacht even na. 'Kijk uit met insecten. Een steek kan voor een nare infectie zorgen. Je hebt toch geen insecten in huis, hè?'

'Natuurlijk niet,' zei Marianne Engel, waarna ze eraan toevoegde: 'Maar een van mijn vrienden is een keer door een wesp gestoken en toen dacht iedereen dat hij dood was. Vreselijk.'

Er viel even een stilte terwijl dokter Edwards en ik probeerden te begrijpen waar ze het over had. We keken elkaar aan en kwamen in stilte overeen dat vragen zinloos was, dus zei Nan alleen dat bij zulke gevallen een anafylactische shock vaker voorkwam en ging verder met haar instructies. Ze wees me erop dat ik net zo veel aandacht moest besteden aan mijn verborgen verwondingen als aan de zichtbare. De huid is het orgaan dat de lichaamstemperatuur regelt door op een hete dag of bij oefeningen warmte af te geven via transpiratie, en mijn lichaam kon dat nog maar ten dele. Door de schade aan mijn zweetklieren en poriën zouden mijn hersens het knap moeilijk krijgen met het regelen van de neurale en endocriene mechanismen. In theorie kon mijn lichaam in opstand komen en zichzelf van binnenuit koken; als ik niet oppaste, zou ik een menselijke verbrandingsinstallatie kunnen worden.

'We hebben je kamer hier steeds op de juiste temperatuur gehouden,' zei dokter Edwards, 'maar je zult een beetje met de airconditioning moeten experimenteren om te kijken wat het beste is. Je hebt toch wel airconditioning, Marianne?'

'Ik laat er zo snel mogelijk een installeren.'

'Mooi. Verder nog vragen?'

Ik vroeg hoeveel morfine ik meekreeg. (Die rotslang zou echt niet uit mijn ruggengraat kruipen als ik het ziekenhuis verliet.)

'Voor een maand,' antwoordde Nan. 'Maar wees voorzichtig. Je kunt beter nu een beetje pijn hebben dan dat je de rest van je leven verslaafd bent. Duidelijk?'

'Natuurlijk,' zei ik, maar ik dacht al GRETIG aan mijn volgende verrukkelijke dosis.

We waren klaar met de instructies voor mijn behandeling, dus werd ik vanwege de ziekenhuisregels in een rolstoel gezet en door Nan naar de uitgang geduwd. Marianne Engel protesteerde niet eens; misschien vond ze dat Nan het voor haar patiënten moest doen als een soort afscheidsritueel.

Bij de ingang ging ik staan, en Nan gaf me een laatste waarschuwing. 'Iedereen denkt dat het ergste achter de rug is als een brandwondenslachtoffer naar huis kan. De realiteit is dat je niet langer beschikt over de alledaagse ondersteuning van het ziekenhuis. Maar je weet ons te vinden, dus aarzel niet om te bellen als er iets is.'

In tegenstelling tot Howard had ik geen vrienden, familie en ex-verloofdes om me uit te zwaaien. Maar ik mocht niet klagen, in tegenstelling tot Thérèse vertrok ik levend. Het personeel en Marianne Engel stonden bijeen voor een warm afscheid met veel 'dank je' en 'veel succes'. Connie gaf me een knuffel, Beth een stevige hand en het is dat Maddy er niet was, anders had ze vast met haar billen voor me gewiegd. Sayuri beloofde dat ze snel zou langskomen om door te gaan met mijn looptraining en ze excuseerde zich voor de afwezigheid van Gregor vanwege een noodgeval met een van zijn patiënten.

Ik dacht dat Nan me een hand zou geven, maar dat was niet zo. Ze omhelsde Marianne en zei dat ze goed op me moest passen. Daarna gaf ze me een zoen op mijn wang en zei dat ik ook goed op Marianne moest passen.

Mag iemand die schizofreen is autorijden? Kennelijk wel. Marianne Engel had een stoere bak uit de jaren zeventig, absoluut niet het soort auto dat ik bij haar had verwacht, en daarom was het precies goed. Ze beweerde dat hij van de schoonheidskoningin van 1967 van Medicine Hat was geweest.

JE KUNT ZELFS NIET BIJ HAAR IN DE AUTO ZITTEN...

De laatste ogenblikken voordat ik in het ziekenhuis terechtkwam, was ik uit een smeulend autowrak gehaald. En nu was het eerste wat ik na mijn ontslag deed, weer in een auto stappen. Ik wist dat het te ver was om te lopen, maar ik wilde dat het anders had gekund.

... ZONDER JE AF TE VRAGEN OF ZIJ WEL ZOU MOETEN RIJDEN.

De motor gromde als een chagrijnige beer die uit zijn winterslaap ontwaakt. De bejaarde eight-track was kapot, dus begon Marianne Engel maar zelf te zingen als tijdverdrijf. Eerst fladderde Edith Piaf uit haar mond als een prachtige, gehavende mus; daarna zong ze zichzelf 'so long' toe met het nummer van Leonard Cohen.

Bij een verkeerslicht stopten we naast een echtpaar in een oude Ford. De vrouw naast de bestuurder zag me – ik zat nog steeds in het verband, dat zou zo blijven tot de drukpakken klaar waren – en ze gilde voordat ze haar blik weer op de weg richtte in een poging om te doen alsof er niets was gebeurd.

De vrouw had ons gezien en gedacht dat Marianne Engel de normale van ons beiden was.

JULLIE ZIJN ALLEBEI NIET NORMAAL.

Zo zou het in de toekomst gaan, en ik had erop voorbereid kunnen zijn. Maar dat was ik niet.

14

Rechtsaf Lemuria Drive op, en het eerste gebouw dat ik zag was uiteraard een kerk. De St. Romanus van Condat was een groot gebouw dat zijn best deed om er eerbiedwaardiger uit te zien dan het in werkelijkheid was. Het zag er niet uit alsof het opzettelijk was verwaarloosd, meer alsof het geld gewoon op was. De verf bladderde, de bakstenen waren beschadigd en de barsten in de ruiten waren afgeplakt met doorzichtig plakband. Naast het betonnen toegangspad stond een bord waarop pater Shanahan in zwarte letters op een witte kunststof achtergrond iedereen uitnodigde voor de zondagse mis. Achter de St. Romanus lag een verwaarloosde begraafplaats met verweerde grijze grafstenen die als rechtopstaande maagtabletten uit de grond staken. Het gras was in lange tijd niet gemaaid en bij de graven lagen rouwboeketten te vergaan. In een paar grotere grafstenen waren engelen uitgehakt die de doden naar de hemel droegen. Ik vroeg Marianne Engel of zij die ook had gemaakt, maar ze zei dat ze zulk werk niet deed.

Haar huis op het ernaast gelegen perceel leek meer op een fort; een grote, stenen vesting die eruitzag alsof ze een beleg door de Hunnen kon doorstaan. Marianne zag dat ik onder de indruk was van de massiviteit van het geheel, en ze vertelde dat ze er niet aan moest denken dat ze in een huis moest wonen dat de tand des tijds niet kon doorstaan.

Toen ze me uit de auto hielp, vroeg ik of ze het niet vervelend vond om naast een begraafplaats te wonen. Ze haalde alleen maar haar schouders op en zei dat ik voorzichtig moest zijn op het pad omdat er een paar keien los lagen. De tuin was overwoekerd door vingergras en eigenzinnige bloemen die lui heen en weer deinden in de wind. Naast een kruiwagen met een in de grond gezakt wiel die als plantenbak fungeerde stond een misvormde, kwijnende boom. De brievenbus had de vorm van de geopende bek van een draak.

Aan de zijkant van het huis zaten twee zware, eiken deuren met grote scharnieren die naar haar atelier leidden en waardoor de stenen naar haar atelier konden worden gebracht. 'Een groot deel van het opknapwerk was aftrekbaar van de belasting. Dat zei Jack tenminste.' `JE WAS JACK TOCH NIET VERGETEN, HÈ?`

Vanuit de achtertuin kwam een lichtbruine hond aanrennen, de beroemde Bougatsa. Marianne Engel bukte om de grote, domme kop te aaien en streek zijn oren naar achteren. 'Boogie!' Ik kwam meteen tot de conclusie dat het beest al mijn vooroordelen jegens honden bevestigde. Hij was sullig zoals alleen een hond dat kan zijn, met een slome, heen en weer zwiepende tong en een deinende kop zoals die van zo'n hoeladanseresje op de hoedenplank van een pooierwagen. `IK WED DAT JACK EEN NORMALE MAN IS DIE HEEL WAT IN HUIS HEEFT.`

'Zullen we een liedje zingen voor deze aardige meneer?' Marianne produceerde een geluid dat leek op dat van een kettingrokende Sasquatch en Bougatsa probeerde haar na te doen. Ik wist dat ze goed kon zingen, dus was het duidelijk dat ze het alleen deed om met de hond te spelen. Van mijn oren zijn alleen kleine hompjes vlees over, die een beetje op gedroogde abrikozen lijken die tegen de samengebalde vuist van mijn hoofd geplakt zijn. Rechts ben ik zo goed als doof, maar links hoor ik nog goed genoeg om te weten dat het afgrijselijk klonk. Ze keken omhoog alsof ze boven zich hoge tonen zagen zweven, klaar om besprongen te worden. Ze sprongen mis. Logisch dat Marianne naast een begraafplaats woonde, alleen een dode zou zulke buren kunnen verdragen.

`ZOALS EEN BAAN.` Smerig reptiel. `ZOALS EEN TOEKOMST.`

Marianne Engel en Bougatsa jammerden verder en ik liet het vreemde huis op me inwerken. De kozijnen waren van oerdegelijk hout en de ramen hadden zulk dik glas-in-lood dat een verdwaalde honkbal waarschijnlijk gewoon terug zou stuiteren. De bakstenen zagen eruit alsof ze door mannen met haar op hun armen en dikke buiken een voor een waren opgetild en vervolgens met een zware houten hamer op hun plek waren geramd. Groene klimoptentakels kropen tegen de muur omhoog naar het meest opvallende aspect van het pand: de gebeeldhouwde monsters langs de dakgoten. Om Marianne Engel te laten ophouden met haar gejank zei ik dat je niet vaak gargouilles op gewone huizen zag.

'Als dat wel zo was, was ik rijk. Het is goede reclame, ik heb er zelfs de krant mee gehaald. En trouwens, ik weet zo langzamerhand niet meer waar ik al die kereltjes moet laten.' De monsters staarden omlaag met hun uitpuilende ogen en volgden me overal, of ik nou naar links of naar rechts stapte. Ik werd gebiologeerd door hun verwrongen lichamen: het bovenlichaam van een man verdween in een vissenstaart zonder echt een zeemeerman te worden; een apentorso rees op uit de lendenen van een paard; de kop van een stier ontsproot uit het lichaam van een gevleugelde leeuw. Een slang die uit een vleermuis groeide. Een woedend vrouwenhoofd dat kikkers uitbraakte. Elk lichaam was een combinatie van twee verschillende wezens; het viel niet mee om te bepalen waar het ene ophield en het andere begon, en het was onmogelijk om vast te stellen welk wezens – of welke delen van de wezens – goed of slecht waren.

'We hebben ze nodig,' zei Marianne.

'Waarvoor?'

'Om de boze geesten te verdrijven.' Ze pakte mijn hand en leidde me door de voordeur. Ik vroeg of ze geen slotgracht en een ophaalbrug moest hebben. Ze vertelde dat dat niet mocht vanwege het bestemmingsplan.

Binnen rekende ik op veel wandtapijten en statige zetels, maar het was er vooral leeg. Het dak werd gesteund door vierkante houten pilaren en de vloer bestond uit brede planken. Ze hing haar jas aan een ijzeren kapstok naast de voordeur en toen ze zag dat ik geïnteresseerd naar het hout keek, zei ze: 'De balken zijn ceders en de panelen cipressen.'

Ze begon haar rondleiding door het huis in de woonkamer, die helderrood was geschilderd. Er was een grote open haard met een dooreengevlochten patroon van engelen en demonen op de schouw. Er stonden twee leunstoelen met een weelderig vloerkleed ertussen die eruitzagen alsof ze klaarstonden voor een serieus gesprek tussen twee regenten.

In de eetkamer hingen grote schilderijen, felle kleuren tegen een golvende achtergrond. Abstracter dan ik had verwacht – als ik van tevoren had moeten raden, zou ik op schilderijen met religieuze thema's hebben gegokt. Er stond een grote eikenhouten tafel met in het midden een vaas met paarse bloemen en aan weerskanten kaarsen in ijzeren kandelaars. 'Die heeft Francesco gemaakt. Hij heeft zo'n beetje al het ijzerwerk in huis gemaakt.' Ik knikte maar: tuurlijk, waarom niet? De meeste huizen worden toch ingericht door Italiaanse geesten?

In de keuken stonden een imposant zilverkleurig fornuis en een antieke koelkast, en aan het plafond hingen rijen koperen pannen. Op de planken stonden glazen potten met pasta en kruiden, en de zonnebloemgele verf gaf de ruimte een vrolijke uitstraling. Alles stond op zijn plek en het enige wat uit de toon viel, was een overvolle asbak. Haar huis verbaasde me opnieuw: niet vanwege de asbak, maar vanwege de netheid.

Haar studeerkamer werd overheerst door een groot, houten bureau waarvan ze beweerde dat het ooit van een Spaanse koning was geweest. Ik knikte maar weer: tuurlijk, waarom niet? Italiaanse geesten kunnen niet alles in hun eentje. Achter het bureau stond een oerdegelijke stoel en aan de rechterkant stond een leren sofa die bestemd leek voor een patiënt van dokter Freud.

Tegen drie muren stonden boekenkasten vol indrukwekkende werken. Spenser, Milton, Donne, Blake en Beda Venerabilis vertegenwoordigden de Engelse schrijvers. Onder de Duitsers bevonden zich Hartmann von Aue, Wolfram von Eschenbach,

Ulrich von Türheim, Walther von der Vogelweide en Patrick Süskind. De Russische boeken omvatten *Het leven van aartspriester Avvakoem*, Mikhail Lermontovs *Demon* en *Dode zielen* van Nikolai Gogol. Spanje leverde St. Theresia van Avila's meesterwerken: *De innerlijke burcht* en *De weg naar volmaaktheid*. De Grieken lieten zich ook niet onbetuigd: Homerus, Plato, Aristoteles, Euripides en Sophocles namen het grootste deel van de onderste plank in beslag, alsof ze lang geleden hadden besloten dat de boekenkast incompleet was als zij niet iedereen op hun schouders droegen. Er was een halve muur met Latijnse boeken, maar de enige waar mijn oog op viel, waren Cicero's *Droom van Scipio* en *Metamorfosen* van Ovidius. Er stond ook een reeks boeken uit Azië, die een beetje uit de toon leken te vallen, maar toch ook niet vergeten wilden worden. Ik kon niet zien of ze Chinees of Japans waren, en vaak gaf de Engelse titel geen duidelijkheid over het land van herkomst. Tot slot waren alle belangrijke religies vertegenwoordigd: de bijbel, de talmoed, de koran, de vier veda's, enzovoort.

Het opvallendste aan de collectie was dat er van elk boek twee exemplaren waren, het origineel en een Engelse vertaling. Natuurlijk vroeg ik Marianne Engel naar de reden.

'De Engelse versies zijn voor jou,' zei ze. 'Dan kunnen we het er samen over hebben.'

'En de originelen?'

'Waarom zou ik een vertaling lezen?'

Marianne Engel pakte twee boeken die niet officieel uitgegeven waren, maar met de hand geschreven op dik papier en ingebonden met ongelijkmatig stiksel. Het handschrift was van haar en gelukkig waren ze in het Engels en niet in het Duits. Christina Ebners *Openbaringen* en de *Gnaden-vita* van Friedrich Sunder.

'Ik dacht dat die je wel zouden interesseren, dus heb ik ze vertaald.'

Er stond nog iets opvallends op de boekenplank: een kleine stenen engel wiens vleugels naar de hemel reikten. Ik vroeg of zij hem had gemaakt, maar die onschuldige vraag leek haar diep te raken. Ze knipperde een paar keer alsof ze haar tranen wilde terugdringen en ze tuitte haar mond om haar trillende onderlip te bedwingen. 'Die heb jij voor me gemaakt,' zei ze met haperende stem. 'Het was mijn *Morgengabe*.'

Daarmee was de rondleiding door het woongedeelte beëindigd. Haar werkplaats was in het souterrain, maar ik had niet meer de energie om naar beneden te gaan. Mijn eerste dag buiten het ziekenhuis had lang genoeg geduurd en ik was een beetje overdonderd door alle vrijheid. Ik was gewend geraakt aan mijn vaste omgeving en vaste programma, en nu werd ik geconfronteerd met allemaal nieuwe indrukken. De rest van de middag brachten we pratend in de woonkamer door, maar de glimlach op haar gezicht die verdwenen was door mijn vraag over de stenen engel keerde niet terug.

`DIT KAN NOOIT LANG DUREN, WEET JE.` De slang sloeg haar staart om mijn ingewanden. `JE VERMORZELT HAAR MET JE GE-` `VOELLOOSHEID.`

Aan het begin van de avond klom ik de trap op met Marianne achter me om te zorgen dat ik niet viel. Ik hunkerde naar mijn morfine om die ellendige slang het zwijgen op te leggen. Ik kon kiezen uit twee kamers: de logeerkamer die al was klaargemaakt, of een soort zolderkamer die uitkeek op de begraafplaats achter de St. Romanus-kerk. Marianne Engel maakte zich zorgen dat de vreemde vorm van de kamer, zo ingeklemd onder het dak, te benauwend zou zijn na zes maanden in het ziekenhuis, maar ik vond hem meteen prettig. 'Het is net een belfort. Perfect.'

Ze gaf me een dosis morfine die aanvoelde als een regenbui in de woestijn en de slang kroop stilletjes terug in haar hol. Ik dacht dat ik tot de volgende ochtend zou doorslapen, maar dat was niet zo. Het was februari en nog niet warm buiten, maar om de een of andere reden leek het binnen bloedheet. Misschien was het deels iets psychisch, omdat ik voor het eerst in tien maanden in een nieuwe omgeving moest slapen.

Mijn niet-ademende huid kwam gedurende de koortsige nacht in opstand en ik droomde van concentratiekampen, van gaskamers en broodmagere mensen. Hun honger transformeerde ze in wezens die te dun waren om menselijk te zijn. Ze keken

me met uitpuilende, beschuldigende ogen aan. Hun blikken
achtervolgden me. Iemand zei in het Duits: 'Alles brennt, wenn
die Flamme nur heiss genug ist. Die Welt is nichts als ein
Schmelztiegel.' *Alles brandt als de vlam maar heet genoeg is.* *De wereld is niets anders dan één smeltkroes.* Het was dezelfde zin als in
mijn nachtmerrie in het ziekenhuis over het skelet-bed dat in
vlammen opging.

Ik schrok wakker onder mijn dunne lakens en wilde dat ik kon
transpireren. Ik hoorde de slang een woord zingen: `HOLOCAUST.`
`HOLOCAUST. HOLOCAUST.` Een woord dat letterlijk 'alles verbranden' betekent, zo heb ik begrepen. Ik werd gekookt in mijn
belfort; dokter Edwards had gelijk gehad, er moest airconditioning komen. `IK KOM EN JE KUNT ER NIETS TEGEN DOEN.`
Het moet gezegd worden, de slang was wel volhardend; het
was alsof er een Jehova's getuige in mijn ruggengraat woonde.

`IK KOM EN JE KUNT ER NIETS TEGEN DOEN.`

Ik keek naar Friedrich Sunders *Gnaden-vita* (wat 'genade-le-
ven' betekent) op mijn nachtkastje. Ik besloot dat ik niet in de
stemming was om te lezen, zeker niet zulke zware kost. Ik stond
op onwillige benen op en wist ze met enige moeite naar de grote
slaapkamer te dirigeren, die – tot mijn verbazing – leeg was. Ik
luisterde naar het huis. Beneden hoorde ik flarden klassieke muziek die ik niet herkende, maar die me om de een of andere reden
deed denken aan landarbeiders. Ik strompelde de twee trappen
af, van het belfort naar de woonverdieping en daarna van de
woonverdieping naar het atelier in het souterrain.

Er stonden wel honderd kaarsen, honderd kleine vlammetjes.
Ik vond het maar niets. Langs smeedijzeren kandelaars dropen
dikke stromen rood kaarsvet en door de talloze spetters op de
vloer leek die op een omgekeerde hemel met rode sterren. Aan
één kant van de kamer zag ik de grote eikenhouten deuren en
aan de andere kant stond een grote houten werkbank. Aan de
muur hing gereedschap en op een plank stond een koffiezetapparaat met daarnaast de stereo die de muziek produceerde. Tegen de wand stond een bezem naast een bergje achteloos bijeen-
geveegd puin. Maar dat waren de onbelangrijke details.

Overal stonden onvoltooide monsters. Bij de meeste grotesken was de onderste helft niet afgemaakt, alsof de koboldmafia ze van de spreekwoordelijke betonnen schoenen had voorzien. Een half zeewezen klauwde zich met zwemvlieshanden omhoog uit een granieten zee. Het bovenlijf van een doodsbange aap steeg op uit een leeuw die nog geen poten had. Een vogelkop rustte op de schouders van een man, maar alles onder de borst was nog onbewerkt marmer. Het flakkerende kaarslicht versterkte de geprononceerde trekken van de wezens nog meer.

Het atelier was als een onvoltooide symfonie, met grotesken die gevangen waren tussen bestaan en niet-bestaan. Het was moeilijk om te bepalen of ze blij of triest waren, bang of onbevreesd, bezield of zielloos; misschien wisten ze het zelf ook nog niet. Er was zelfs niet genoeg licht om te zien of ze prachtig of weerzinwekkend waren. En tussen alle ruwe gargouilles lag Marianne op een grote stenen plaat te slapen, naakt, met alleen de ketting om. De pijlpunt rustte tussen haar borsten en bewoog op en neer op het ritme van haar ademhaling. Hier was ze thuis, bij het licht en de schaduwen die over haar naakte lichaam dansten. Haar haar lag langs haar lichaam als geweven vleugels van zwart touw. Ze omklemde haar steen als mos dat wacht tot het de regen kan opzuigen en ik kon mijn ogen niet van haar prachtige lichaam afhouden. Ik wilde niet zo naar haar staren, maar ik kon er niet mee ophouden.

Ik wist meteen dat ik inbreuk maakte op iets wat strikt persoonlijk was; iets aan het geheel maakte haar kwetsbaarder dan haar naaktheid. Ik voelde me alsof ik een vertrouwelijk gesprek onderbrak en wist dat ik meteen moest weggaan.

Ik liep de trap weer op en besloot in de studeerkamer te gaan slapen omdat het daar koeler was dan boven. Ik legde handdoeken op de leren bank omdat mijn huid nog steeds schilferde en ging liggen. Ik gaf mezelf nog een royale dosis morfine, want wat vergif is voor de een, is voor de ander warme melk. Ik droomde die nacht niet meer over de holocaust.

Toen ik wakker werd, stond Marianne Engel over me heen gebogen, gekleed in een witte ochtendjas. We praatten een tijdje en daarna nam ze me mee naar de badkamer. Daar stond het bad al klaar, met de juiste toevoegingen en een thermometer die over de rand hing. 'Trek je kleren uit.'

In het ziekenhuis had ik wasbeurten in haar aanwezigheid kunnen vermijden door een combinatie van geluk en smoesjes, maar nu kon ik er niet meer onderuit. Mijn weldoenster wilde mijn naakte lichaam zien, dus speelde ik mijn laatste troef uit: ik zei dat mijn naaktheid me in haar bijzijn in verlegenheid bracht en ik vroeg of ze dat kon begrijpen. Ze zei dat ze er begrip voor had, maar dat ik ook gewassen moest worden. Ik zei dat ze mijn privacy moest respecteren. Ze lachte en vertelde over een levensechte droom die ze die nacht had gehad, waarin ik in haar atelier naar haar naakte lichaam had staan kijken.

Hier kon ik me niet uit kletsen. Het beste wat ik kon doen, was een nieuwe regeling voorstellen: ik zou me door haar laten wassen als ik eerst meer morfine kreeg. Compromis aanvaard. Even later stond ik in mijn blootje, ik zag eruit alsof ik van rubber was gemaakt dat niet goed was uitgehard in de mal. Intussen zocht ze op mijn rampzalige lichaam naar een geschikte, naar morfine snakkende ader.

`NU KAN ZE ZIEN WAT JE MIST.`

Ze legde haar hand op mijn heup en ik stak mijn linkerarm uit voor de injectie, maar mijn rechterarm hing strategisch voor mijn kruis.

Ze maakte de injectiespuit klaar en zette de naald op mijn arm. 'Is dit een geschikte plek?' `ZE KAN JOUW LICHAAM BINNEN-` `DRINGEN...` Ik knikte. De naald ging naar binnen en ik dacht zelfs niet aan de morfine; ik dacht alleen maar `... MAAR JIJ` `HET HARE NIET.` dat ik ervoor moest zorgen dat ik mijn rechterarm op zijn plek hield.

'In bad,' zei ze. Maar ik kon niet in bad stappen zonder mijn rechterarm te verplaatsen. Dus bleef ik staan, de lege ruimte tussen mijn heupen verbergend.

'Ik ga je elke dag helpen met wassen,' zei ze zachtjes. 'Het zal niet meevallen om het verborgen te blijven houden.'

Er valt niets te verbergen, dacht ik.

'Ik weet dat hij is weggehaald.'

Ik zei niets.

'Je denkt dat ik het weerzinwekkend vind,' ging ze verder, 'of dat mijn gevoelens erdoor veranderen.'

Ik kreeg eindelijk mijn stem terug. 'Ja.'

'Je hebt het mis.'

Ik liet mijn arm zakken alsof ik haar wilde uitdagen, alsof ik wilde laten zien dat haar reactie haar woorden zou ontkrachten. Ik wilde dat ze zou terugdeinzen bij de aanblik van het litteken waarbij je je zou kunnen voorstellen dat mijn lichaam daar was opengesneden, de penis naar binnen was geduwd en mijn lijf vervolgens weer dichtgenaaid. Ik wilde dat ze zou terugdeinzen bij de aanblik van mijn eenzame scrotum, dat erbij hing als de takken van een kwijnende treurwilg.

Maar ze week niet terug; ze hurkte voor mijn naakte lichaam en boog zich naar voren. Met haar hoofd ter hoogte van mijn kruis bestudeerde ze de vage lijntjes van de hechtingen op de plek waar mijn penis had gezeten, die er lang geleden al uit waren gehaald. Ze hief haar hand op en trok hem terug, maar niet uit weerzin. Haar instinct zei haar dat ze mijn lichaam mocht aanraken voordat ze besefte dat dat niet zo was, in elk geval niet in deze eeuw. Ze keek me aan en vroeg of het mocht.

Ik schraapte mijn keel één keer, twee keer, en knikte zwakjes.

Marianne Engel stak haar hand uit en ging met haar vingers over de gapende leegte. Ik voelde niets omdat het littekenweefsel te dik was; ik wist alleen maar dat ze me aanraakte omdat ik het kon zien.

'Zo is het genoeg,' zei ik.

'Doet het pijn?'

'Nee.' Ik schraapte voor de derde keer mijn keel. 'Heb je nog niet genoeg gezien?'

ZE HEEFT NIETS GEZIEN.

Ze trok haar hand terug en stond op. Ze keek me recht aan, vandaag waren haar ogen groen en gaven ze me een ongemakkelijk gevoel. 'Ik wil je niet in verlegenheid brengen.'

'Dat doe je wel. Soms.'

'Denk je nou echt,' vroeg ze, 'dat ik ooit van je heb gehouden vanwege je lichaam?'

'Ik denk...' Vier, vijf. Rottige keel. 'Ik denk het niet.' En om te laten zien dat ik het meende, stapte ik zonder verder nog iets te zeggen in bad.

De badkuip was een groot gevaarte op leeuwenpoten, en even later was Marianne de dode buitenlaag van mijn huid aan het wegschrobben. Het was een pijnlijke aangelegenheid, dus leidde ze me af – en gaf ze aan dat het vorige onderwerp afgesloten was – door te vragen waarom ik zo slecht had geslapen. Ik vertelde dat ik door de warmte nachtmerries kreeg. Daarna vroeg ik waarom ze op die steen sliep. 'Instructies?'

'Ik dacht dat een van de grotesken er klaar voor was, maar ik had het mis.'

'Je hebt me weleens verteld dat je zo snel mogelijk werkt om de groteske uit de steen te krijgen, maar het souterrain staat vol half afgemaakt werk.'

'Soms komen we halverwege tot de ontdekking dat ze er nog niet klaar voor zijn. Dan stoppen we een tijdje.' Ze schepte water op met haar handen en liet het over mijn hoofd lopen. 'Als ik weer geroepen word, maak ik ze af.'

'Wat gebeurt er als je weigert wanneer ze roepen?'

'Ik kan niet weigeren. God schept genoegen in mijn werk.'

'Hoe weet je dat?'

Ze duwde wat harder met de spons op een plek die niet wilde meegeven. 'Omdat God me het vermogen heeft gegeven om de stemmen in de steen te horen.'

'Hoe werkt dat precies?'

Ze struikelde over haar woorden, ondanks haar taalvaardigheid kon ze niet precies verwoorden wat ze wilde zeggen.

'Ik maak mezelf gewoon leeg. Vroeger wilde ik zo graag Gods boodschap ontvangen dat het niet lukte. Nu maak ik mezelf gewoon leeg, dan is het voor de gargouilles het makkelijkst om met me te praten. Als ik mezelf niet leegmaak, breng ik mijn eigen ideeën in, en die zijn altijd verkeerd. Voor de gargouilles is het veel makkelijker, want zij maken zich in de steen al miljoenen jaren leeg. Hij is in de steen doorgedrongen en heeft ze geïnstrueerd. Vervolgens vertellen ze mij wat God voor plan voor ons heeft. Ik moet...' – ze pauzeerde minstens vijf seconden – 'ik moet mijn eigen vermogens uitschakelen om zo dicht mogelijk bij het pure handelen te komen. Maar alleen God is puur handelen.'

Ik zal niet beweren dat ik het helemaal begreep, maar volgens mij kwam het hierop neer: God instrueerde de 'begraven gargouilles' (de gargouilles die nog in de steen gevangenzaten) welke vorm ze moesten aannemen. De 'begraven gargouilles' instrueerden vervolgens Marianne Engel hoe ze te werk moest gaan. Marianne werd het instrument dat de steen bewerkte. Op die manier kon de gargouille de vorm aannemen die God voor ogen had. De 'uitgegraven gargouilles' (de voltooide beelden) waren dan de verwezenlijking van Gods instructies. Ze waren geen creaties van Marianne Engel, want zij was niet de beeldhouwer; dat was God. Zij fungeerde alleen maar als zijn gereedschap.

Tijdens haar uitleg bleef ze mijn lichaam stevig boenen. Toen ze klaar was, dreven er allemaal huidschilfers op het badwater.

Niet lang daarna kwamen er werklui om airconditioning te installeren en kon ik comfortabel slapen in mijn belfort. Ik bevestigde een paar planken aan de muur – eentje voor boeken en eentje voor de kleine groteske en de glazen lelie die ik in het ziekenhuis had gekregen. De schrijfbenodigdheden die Gregor me had gegeven, kregen een plekje op het bureau dat in een van de hoeken stond. In een andere hoek stonden de tv en de video die Marianne Engel ondanks haar weerzin tegen zulke moderne apparaten voor me had gekocht.

Het ritueel in het souterrain bleef de eerstvolgende tijd achterwege en we ontwikkelden al snel een vaste routine. Als ik 's ochtends wakker werd, gaf ze me eerst mijn injectie en daarna waste ze me. Vervolgens deden we de oefeningen die Sayuri had voorgeschreven. 's Middags deed ik een dutje en dan haalde Marianne de spullen voor mijn verzorging in huis of liet ze Bougat-sa uit. Aan het begin van de avond stond ik weer op en dan speel-den we een kaartspel of dronken we koffie en kletsten we wat. Als ze andere bezigheden had, belde ik Gregor voor een praatje. Ik miste de bezoekjes die hij me in het ziekenhuis bracht en meestal eindigde het gesprek met de belofte dat we snel weer eens moesten afspreken. Daar kwam meestal niet veel van te-recht, hij had het druk met zijn werk en het grootste deel van zijn vrije tijd bracht hij met Sayuri door.

Doorgaans ging Marianne eerder naar bed dan ik en dan las ik Friedrich Sunder of zuster Christina.

De *Gnaden-vita* was een interessant boek hoewel de hoofd-persoon om onduidelijke redenen meermaals van geslacht ver-anderde. Het ene moment schreef Sunder gewoon in de manne-lijke vorm en het volgende was hij – oeps! – opeens een vrouw. Misschien dat die vergissingen het werk waren van latere vrou-welijke bewerkers of kopiisten, of zelfs van Marianne Engel toen ze het boek in het Engels vertaalde. (Wat zal Titivillus zich heb-ben verkneukeld!) Toch betwijfelde ik dat, de vrouwelijke trek-jes waren meer dan typografische foutjes: ze waren een integraal onderdeel van de inhoud.

Een goed voorbeeld was vader Sunders beschrijving van zijn huwelijk met Christus. Een dergelijke verbintenis leek raar in mijn moderne ogen, maar kennelijk waren zulke 'huwelijken' heel gebruikelijk voor mannen in Sunders positie. Ondanks dat viel de buitengewoon erotische aard van de huwelijksceremonie niet te ontkennen. Het huwelijk werd geconsummeerd in een rijkversierd bed dat was bedekt met bloemen, op een binnen-plaats en onder het toeziend oog van een groot aantal bijbelse fi-guren, onder wie de Maagd Maria. Sunder schrijft dat Christus hem omhelsde, hem zoende en dat ze elkaar bevredigden. (Je leest het goed.) Toen Christus klaar was met Friedrich gaf hij de engelen opdracht om hun instrumenten te pakken en ze met net zo veel plezier te bespelen als Hij had gehad met zijn geliefde eega. Jezus stelde zelfs dat door deze consummatie talloze zielen waren bevrijd uit het vagevuur, wat wel aangeeft dat het een hef-tige huwelijksnacht moet zijn geweest.

Misschien had Marianne Engel deze passage wel toegevoegd om mij eens flink voor de gek te houden, want zeg nou zelf, zo'n verhaal kon toch nooit in Sunders originele tekst hebben gestaan? Maar intussen heb ik andere bronnen geraadpleegd en heb ik ontdekt dat het klopt.

Wat ik zelf opvallender vond, was dat er in de *Gnaden-vita* geen enkele verwijzing stond naar een zuster Marianne die als zuigeling te vondeling was gelegd bij de poort van Engelthal. Toen ik haar daarop wees, verzekerde Marianne me dat haar ontbreken in Sunders boek verklaard zou worden voordat ze klaar was met haar verhaal over ons vroegere leven.

'Ik weet dat je niet graag buitenkomt,' zei ze, 'dus laten we nu gaan, nu het donker is.'

Ik stribbelde een beetje tegen, maar ik was toch wel heel nieuwsgierig waar een nachtelijk uitstapje met Marianne Engel (en Bougatsa) heen zou leiden. Even later zaten we in de auto, op weg naar een strand waar ik zelf nooit was geweest. Ik vroeg me af of er ook andere mensen zouden zijn, maar dat leek me onwaarschijnlijk op een koude februarinacht. Ik had het mis. Op het strand brandden een heel stel kampvuurtjes met jongelui eromheen die bier zaten te drinken. Tussen de vuurtjes was voldoende ruimte om iedereen een zekere mate van privacy te geven. Dat beviel me wel.

Marianne legde een deken neer. Ik wilde eigenlijk mijn schoenen uittrekken omdat ze vol zand zaten, maar zelfs in het donker durfde ik het niet vanwege mijn ontbrekende tenen. Ze zei dat ze dolgraag wilde dat ik met haar ging zwemmen, of op zijn minst tot mijn knieën het water in zou gaan, maar ze had geen idee wat voor effect zout water op mijn huid zou hebben. Mijn instinct zei me dat het niet erg prettig zou zijn. Niet dat het er veel toe deed, want ik had als kind nooit leren zwemmen. 'Jammer,' zei ze. 'Ik ben dol op water.'

Ik ging met mijn hoofd op haar schoot liggen en ze vertelde over de wolf Sköll die elke dag achter de zon aan jaagt om hem op te kunnen eten. Er wordt beweerd dat het hem bij Ragnarök, de strijd als het einde van de wereld nabij is, eindelijk lukt en dat zijn broer Hati de maan opeet en dat de sterren uit de hemel zullen verdwijnen. Ze vertelde over de rampzalige aardbevingen die de aarde uiteen zullen rijten wanneer Miðgarðsormur, de slang Midgard, in de diepte van de oceaan met zijn enorme staart zwiept en zo gigantische vloedgolven veroorzaakt. Alle goden raken verwikkeld in een vreselijke oorlog en op het einde verspreidt het vuur zich in alle richtingen. De wereld, zei Marianne Engel, zal branden voordat de verkoolde resten in zee verdwijnen. 'Dat is in elk geval wat mijn vriend Sigurðr denkt.'

Ze sprong overeind en begon zich uit te kleden. 'En nu ga ik zwemmen.'

Doorgaans legde ik me maar neer bij haar eigenaardigheden, maar bij deze mededeling schrok ik echt. Het was overduidelijk veel te gevaarlijk, en ik zei dat het veel te koud was.

'Dat geeft niets,' zei ze. 'Je hebt ook mensen die in wakken in het ijs gaan zwemmen.'

Ik had wel gehoord van zulke evenementen – mensen die een paar minuten in een ijskoude zee springen, meestal voor een goed doel – maar zij werden in de gaten gehouden door een legertje vrijwilligers en artsen. Daar waren genoeg mensen om een zwemmer in nood te hulp te komen, maar zij zou alleen zijn.

'Ik vind het lief dat je zo bezorgd om me bent,' zei ze, 'maar ik heb het al vaker gedaan.'

'O ja?' vroeg ik. 'Wanneer? Waar?'

'In Finland. Heel vaak.'

Finland. 'Dat wil niet zeggen dat je het hier moet doen.' *We zijn hier niet in Finland.*

'Je bent lief. Ik blijf er maar een paar minuten in, en ik blijf in het gedeelte waar ik kan staan.' Ze had intussen al haar kleren uit en ik vroeg haar nogmaals om het niet te doen. 'Een paar minuutjes maar. Niet waar het diep is.'

ER OVERKOMT HAAR HEUS NIETS.

'Ik vind het lief dat je je zo ongerust maakt,' voegde ze eraan toe, 'maar dat is nergens voor nodig.'

Ze liep rustig naar het water. De maan wierp een zilveren glans over het water. Ze hield niet in, ze rilde niet en schepte geen water over haar lichaam om het aan de kou te laten wennen. Nee, ze liep door tot ze aan haar borst in het water stond en toen liet ze zich `DAAR GAAT ZE.` voorovelglijden.

Verderop hoorde ik jongelui lachen vanwege het feit dat iemand zo stom was om in deze `IJSKOUDE` tijd van het jaar te gaan zwemmen. Ik keek naar de rimpels die ze maakte terwijl ze bij me weg zwom, maar ze bleef evenwijdig aan het strand. In elk geval hield ze zich aan haar belofte om niet te diep te gaan. Ik hobbelde achter haar aan om in de buurt te blijven, hoewel ik niet wist wat ik moest doen als ze in moeilijkheden raakte. `ZEG MAAR DAG MET JE HANDJE.` De jongeren roepen, denk ik; door het ongeluk zou mijn lichaam absoluut niet bestand zijn tegen het koude zeewater.

Ze gleed soepel door het water; het was duidelijk dat ze goed kon zwemmen en dat ze ondanks het roken sterk was door het fysiek zware beeldhouwen. Af en toe keek ze naar het strand, naar mij. Ik dacht even dat ik haar zag glimlachen, maar omdat ze zo ver weg was, wist ik het niet zeker. Zenuwachtig hield ik de munt aan mijn halsketting vast tot ik haar zag omkeren en terug zag zwemmen naar de plek waar ze het water in was gegaan.

Toen ze bij de kant kwam – tot mijn opluchting maar een paar minuten later – liep ze net zo het water uit als ze erin was gegaan. Ze haastte zich niet en schudde niet het water van zich af. Ze liep rustig naar me toe, rillend in de nachtlucht, maar minder erg dan ik had verwacht.

'Weet je wat ik het fijnst van het zwemmen vond?'

'Nee.'

'De gedachte dat jij op het strand op me stond te wachten.' Ze pakte een handdoek en droogde haar haar af – een flink karwei, dat kan ik je wel zeggen – trok haar kleren weer aan die ik haar aanreikte, stak een sigaret op en zei dat het tijd was om door te gaan met ons verhaal.

Elke keer als ze even stopte, misschien om de spanning op te voeren, was ik bang dat dat kwam omdat ze ongemerkt toch onderkoeld was geraakt.

15

Langzaam maar zeker ging je toestand vooruit. Je was nog lang niet genezen, maar als ik even de kamer uit was, was ik niet bang meer dat je in de tussentijd zou overlijden.

In het begin zei je dat je niet over je leven wilde praten. Ik wist niet of dat kwam omdat je je schaamde voor je leven als huurling of dat de herinneringen aan je laatste gevecht te pijnlijk waren. Omdat jouw leven niet ter sprake mocht worden gebracht, hadden we het vooral over het mijne. Het leek alsof je erdoor werd gefascineerd, door míj, iets wat ik niet echt begreep. Wat kon er boeiend zijn aan een leven in het klooster? Maar je ogen begonnen te glimmen toen ik vertelde over mijn werk in het scriptorium, en je vroeg gespannen naar je kleren. Ik haalde ze uit de kast waar we ze hadden opgeborgen. Hoewel ze goeddeels aan flarden lagen, hadden de nonnen het toch niet over hun hart kunnen krijgen iets weg te gooien wat niet van hen was.

De pijl was door het borststuk van je maliënkolder gegaan en een groot deel van de stof eromheen was weggebrand, maar ik voelde iets zwaars en rechthoekigs in de binnenzak. Je haalde het eruit, het was verpakt in een lap. De afgebroken schacht van de pijl zat er nog in, de punt stak er een klein stukje doorheen. Je draaide het geheel een paar keer om, verbaasd dat dit toevallige schild had voorkomen dat de pijl dieper in je borst was gedrongen. Nadat je de pijlpunt eruit had getrokken, drukte je hem in mijn hand en zei dat ik ermee mocht doen wat ik wilde.

Ik hoefde er niet eens over na te denken; ik zei meteen dat ik wist wat ik ermee zou doen.

'Wat dan?'

'Ik geef hem terug aan jou,' antwoordde ik, 'nadat ik vader Sunder heb gevraagd of hij hem wil zegenen. Dan kun je hem als bescherming dragen, niet als bedreiging.'

'Ik kijk uit naar dat moment,' zei je terwijl je me het pakje gaf. 'Dit heb ik gekregen van iemand die nu dood is.'

Ik maakte het open. Er zat een handgeschreven boekje in met verkoolde randen die zwarte vegen op mijn handen maakten. Ik vroeg me af hoe het zo ongeschonden het vuur had kunnen doorstaan.

Ik hield het tegen je borst. De contouren sloten precies aan op je brandwonden. Het niet-verbrande stuk huid zat precies op de plek waar het boek tegen je borst gepind had gezeten, wat ook de kleine wond in het midden verklaarde.

Ik bladerde door het boek en zag dat het gat erin kleiner werd naarmate ik meer bladzijden omsloeg en ik vroeg naar de dode man. Je antwoordde dat jullie twee Italianen bij jullie eenheid hadden gehad en dat een ervan in de strijd was gedood, een goede soldaat die Niccolò heette. Het boek was van hem geweest.

Het was niet ongebruikelijk dat de condotta buitenlanders inhuurde, vooropgesteld dat ze over speciale vaardigheden beschikten. Jouw huurlingenleger had Italiaanse boogschutters in dienst genomen en zo was ook de naam 'condotta' in zwang gekomen, het Italiaanse woord voor huurlingenleger, en de soldaten vonden het gewoon mooi klinken.

De Italianen waren uitstekende kruisboogschutters en ze konden goed overweg met jou en Brandeis. Je kende niet veel Italiaans, maar zowel Benedetto – zo heette de ander – als Niccolò kon zich redelijk redden in het Duits en gedurende jullie jaren bij elkaar groeide jullie respect voor elkaar als boogschutter en, wat belangrijker was, als man. Jullie vertrouwden elkaar genoeg om te bespreken dat jullie het vechten moe waren.

Toen Niccolò sneuvelde, besloot Benedetto dat hij er genoeg van had. Hij riskeerde zijn leven dagelijks op het slagveld, dus kon hij het net zo goed riskeren door te ontsnappen. De angst om opgejaagd te worden door een stel spoorzoekers was minder groot dan de angst om te blijven. Benedetto verdween niet zonder iets te zeggen, hij vroeg jou en Brandeis of jullie meegingen. Jullie dachten er een tijdje over na, maar besloten het toch maar niet te doen. Misschien dat Herwald het niet zo erg vond als er één buitenlander vandoor ging, maar als er drie boogschutters tegelijk verdwenen, zou zijn wraak onontkoombaar en vreselijk zijn. Bovendien waren jij en Brandeis in tegenstelling tot Benedetto altijd nog banger voor jullie medestrijders dan voor de vijand. Toch voelden jullie je verplicht om hem te helpen, deels vanwege jullie vriendschap en deels vanwege de bijkomende spanning.

Benedetto achtte het zijn plicht om een paar bezittingen van Niccolò mee te nemen voor zijn vrouw en twee zoons in Florence. 'Zijn zoons moeten straks iets hebben wat van hun vader is geweest.' Dus doorzochten jullie in het holst van de nacht zijn bezittingen. Die bestonden uit een zakje met munten, zijn kleren, zijn laarzen, een boek en een kruisboog. Benedetto koos het geld zodat hij het aan de vrouw kon geven, en de kruisboog was wel een passend geschenk voor de zonen van een krijger.

Je had niet echt een boek nodig, maar toch gaf je Benedetto er wat geld voor. 'Nu hun vader er niet meer is, kunnen ze dit beter gebruiken dan woorden.'

Dat vond Benedetto ook, hij zei dat hij toch al niet begreep wat zijn vriend met een boek had gemoeten. 'Het schijnt door een beroemde dichter uit Florence te zijn geschreven, maar ik maakte er altijd grapjes over. Wat moeten mannen als wij nou met gedichten?'

De volgende ochtend moesten jullie net zo verbaasd doen als de anderen over de verdwijning van Benedetto. De ambitieuze Kuonrat was woedend en hij eiste dat er onmiddellijk een grote expeditie werd uitgezonden om de verrader te zoeken en te doden. Herwald was redelijker. Hij besloot maar een paar man achter Benedetto aan te sturen, en voor niet al te lange tijd.

Herwald stelde: 'De Italiaan gaat terug naar zijn vaderland. Laat hem. Hij is geen Duitser, hij is niet een van ons. Maar denk niet dat hiermee het beleid verandert. Als een Duitser vlucht, zullen we niet rusten voordat hij dood is. Al duurt het jaren.'

Dat bracht de manschappen tot bedaren, de meesten hadden toch al niet veel op met buitenlanders in hun midden. Ze vonden het allang best dat de twee Italianen weg waren, ongeacht de oorzaak. Kuonrat bleef kwaad om Benedetto's verdwijning, maar het hernieuwde dreigement aan het adres van Duitse deserteurs stemde hem tevreden. Desondanks besefte hij dat dit een perfecte gelegenheid was om een lastercampagne tegen Herwald te beginnen. 'Die oude Herwald begint week te worden.'

Op dat moment hield je abrupt op met je verhaal en keek je zo verlegen naar de vloer van de ziekenzaal dat ik vroeg wat er aan de hand was.

'Er is iets vreemds aan dit boek,' zei je. 'Toen ik het voor het eerst zag, was het net alsof het me riep. Alsof het wilde dat ik het kreeg.'

'Dat is niet zo vreemd. Dat heb ik voortdurend met boeken.'

'Maar zuster Marianne,' bekende je, 'ik kan niet lezen.'

Ik weet niet waarom je dacht dat ik had verwacht dat je dat wel kon. Ik wist dat het feit dat ik kon lezen eerder uitzondering dan regel was. Als je het boek niet had gehad, zou de pijl door je hart zijn gegaan. 'Dat boek is waardevoller voor je geweest dan elk ander boek dat ik ooit zal lezen.'

Je wist, of je ging er in elk geval van uit, dat het boek in het Italiaans was. Dat bevestigde ik, maar ik voegde eraan toe dat ik het wel voor je kon vertalen. Je was diep onder de indruk, je kende niemand die kon lezen, al helemaal niet in een andere taal. Ik beloofde dat ik het boek wat beter zou bestuderen en je zou laten weten waarover het ging. Daar was je duidelijk blij mee, maar je had nog een verzoek.

'Bid alsjeblieft voor mijn dode vriend Niccolò, en voor zijn vrouw en kinderen. En voor Brandeis. Ik zou het zelf wel kunnen doen, maar mijn gebeden zijn minder waard dan de jouwe.'

Ik zei dat elk oprecht gebed waardevol was, maar dat ik zeker aan je verzoek zou voldoen.

Diezelfde avond begon ik met de vertaling. Het stond vol religieuze verwijzingen, dus Paolo's gebedenboek kwam goed van pas, maar het was in een dialect geschreven waar ik nogal wat moeite mee had. Het was me meteen al duidelijk dat het totaal anders was dan alles wat ik tot dan toe had gelezen. Ook dit boek kon ik maar beter verborgen houden voor de andere nonnen. De titel luidde *Inferno*, en het was geschreven door Dante Alighieri.

Het was duidelijk dat deze Dante een diepgelovig man was, maar ook dat hij weinig ophad met de gangbare denkbeelden van de kerk. Ik hapte naar adem toen ik in het deel van de hel kwam waar afvallige pausen verbleven. Een van hen was Bonifatius, die tijdens mijn leven paus was geweest. Gertrud en zelfs moeder Christina waren zeer over hem te spreken geweest.

's Avonds zat ik in een moordend tempo te vertalen en overdag zorgde ik voor jou. Als de ziekenverzorgsters weg waren om te bidden las ik je voor wat ik de avond daarvoor had vertaald. Het voelde alsof we iets schandelijks deelden, maar wel iets moois schandelijks. Het verhaal voerde ons naar verschillende plaatsen. De ruwe taal en scherpe beeldspraak namen me mee naar jouw wereld, maar de religieuze opvattingen namen jou mee naar mijn geloofsleven. Op de een of andere manier vonden we elkaar in het midden.

Ik had altijd geleerd dat ik God overal om me heen zou zien, in elk aspect van de schepping, maar dat was nooit echt gebeurd. Ik kreeg te horen dat als ik God niet vond, ik moest bidden voor meer leiding, of dat ik zuiverder moest leven zodat Hij zichzelf aan me zou geven. Dus je kunt je mijn verbazing voorstellen toen ik meer inzicht kreeg in het bovenaardse door de woorden van Dante en ik, na een leven dat in het teken had gestaan van het hemelse, pas echt tot God kwam nadat ik een beeld van de hel had gekregen.

Onze ogenblikken samen waren nooit lang genoeg. Als de andere nonnen terugkwamen, moesten we van onderwerp veranderen. Na verloop van tijd kwam je terug op je beslissing om niets te vertellen over je leven in de condotta. Ik vond alles wat je me vertelde fascinerend, inclusief hoe je huurling was geworden.

Als kind was je er altijd van uitgegaan dat je je vader zou op-volgen bij het metselaarsgilde. Je werkte onder hem en tot je tie-nerjaren leek je leven voorbestemd, tot je vader bij het stenen sjouwen een hartaanval kreeg en je moeder stierf na een korte ziekte die niemand kon benoemen, laat staan behandelen.

Het ene moment was je een zoon van goeden huize en het volgende was je wees. De stad onteigende jullie huis en omdat je geen familie had, was je gedwongen om op straat te leven. Kruimeldiefstal leek geen al te grote zonde als je geen andere keus had.

Op een dag probeerde je wat kleingeld te stelen uit de beurs van Herwald, die in de stad was om voorraden in te slaan. Toen hij je betrapte, was hij eerder onder de indruk van je durf dan van je vergrijp. Hij bood aan je op te nemen in zijn eenheid, en je zag geen reden om het niet te doen. Het bood een avontuurlijk be-staan en je zag simpelweg toch niets beters in het verschiet.

De keus om bij de condotta te gaan was zo slecht nog niet, of zo leek het. De machtsstrijd tussen de paus en keizer Lodewijk leidde tot conflicten en chaos onder de adel. Toen de Duitse strijdkrachten uitgeput raakten, begonnen ze privélegers op te zetten. De situatie was zo complex dat ze vaak niet wisten wie de vijand was en wie een bondgenoot, en de enige zekerheid was dat er altijd werk was voor een huurlingenlegertje. Toen ik je vroeg aan welke kant je vocht – paus Johannes of de keizer – antwoord-de je dat op het moment dat een mens een bepaalde keuze maakt in een oorlog, het altijd de verkeerde is. 'De hele geschiedenis draait om mensen die iets van een ander willen hebben, en meestal hebben ze er geen van beiden recht op.'

Die houding verklaarde hoe je elke dag opnieuw je kruisboog ter hand kon nemen. Het was gewoon een kwestie van praktisch denken. Ik had nog nooit iemand meegemaakt die de dingen zo direct zei, zelfs de perkamentmaker niet, en ik had al helemaal nooit iemand meegemaakt die zo met míj praatte. Ik vond het vreselijk om te moeten constateren dat het me zo fascineerde. Ik had me altijd getroost met de gedachte dat soldaten niets meer dan gewetenloze moordenaars waren, maar jij bewees het tegendeel. Misschien dat ik een beetje een snob was na een heel leven tussen de boeken, maar nu moest ik erkennen dat er veel dingen waren die ik niet wist.

De huid van je borst kromp tijdens de genezing. Je zei dat ik hem moest opensnijden zodat er meer ruimte ontstond. Ik wilde het niet, ik vond het vreselijk om je zo veel pijn te moeten doen. Het was anders dan bij de keren dat ik dode huid wegsneed, toen had ik mijn gevoelens kunnen uitschakelen.

Maar je bleef aandringen. Je zei dat je kon voelen dat het moest gebeuren, je voelde het aan de pijn als je je armen optilde. Dus stopte je om de paar dagen een lap stof in je mond en maakte ik insnijdingen op je borst om het verstrakken tegen te gaan. Het was afschuwelijk en ik moest mijn ogen afwenden, maar ik bleef je gedempte kreten horen. Je hebt geen idee hoe moedig ik je vond. De behandeling leek te werken – na een tijdje kon je uit bed komen en kleine stukjes lopen, en soms raakten onze handen elkaar per ongeluk.

Het was onvermijdelijk dat er geruchten de kop opstaken in Engelthal. De verpleegsters die terugkeerden na hun gebeden hadden het voorlezen van *Inferno* vaak genoeg verstoord om te weten dat we een geheim deelden. En iedereen kon zien dat we anders naar elkaar keken dan andere patiënten en hun verzorgsters. Onze omgang met elkaar viel niet langer te omschrijven als een gewone medische behandeling.

Ik wist zeker dat Gertrud en Agletrudis achter de verhalen zaten. 'Die huurling bezoedelt onze goede zuster Marianne.' Er zat zelfs een kern van waarheid in, want ik had ontdekt dat het mogelijk was om meer lief te hebben dan alleen God. Sterker nog, ik ontdekte dat het beter was om meer lief te hebben dan alleen God.

Het moest wel gebeuren. Moeder Christina besloot je weg te sturen, maar omdat je nog niet volledig genezen was, zou je naar het huis van vader Sunder en broeder Heinrich gaan. 'Om je terugkeer naar het gewone leven te vergemakkelijken,' zei ze. 'Alle voorbereidingen zijn al getroffen.'

Ik had verder niets in te brengen, aangezien ik had beloofd

om mijn leven in dienst van mijn priores te stellen. Je zocht je schaarse bezittingen bij elkaar en bedankte ons allemaal, de andere verzorgsters net zo hartelijk als mij, voor onze goede zorgen. Het was allemaal zo onpersoonlijk dat ik me bijna gekrenkt voelde, maar waarschijnlijk wist je als ervaren krijger welke gevechten je beter uit de weg kon gaan. Van het ene moment op het andere verdween je uit mijn leven en werd je aan anderen toevertrouwd. Ik maakte mezelf wijs dat het zo beter was, en ik was zelfs vastbesloten om het te geloven.

Het was tijd om vooruit te kijken. God had me mijn literaire gaven niet geschonken om godslasterlijke Italiaanse dichters te vertalen, dus stopte ik *Inferno* diep weg. Ik hield mezelf voor dat je was gestuurd om me op de proef te stellen zodat ik mijn aardse verlangens achter me zou laten en God beter kon dienen. Ik bezocht alle gebedsdiensten en werkte tot 's avonds laat in het scriptorium aan *Die Gertrud Bibel*. Gertrud was bezig met het ontwerpen van een omslag voor het boek en vroeg zich af en toe hardop af of edelstenen te overdadig waren. Ik verzekerde haar dat niets te buitensporig was als eerbetoon aan de Heer.

Dit duurde een week en toen drong het tot me door. Ik kon *Inferno* niet houden, want het was niet van mij. Ik moest het aan je teruggeven. Het was net als met je kleren die de nonnen ook niet mochten weggooien. Als ik je boek zou houden, was dat een vorm van diefstal, en ik wist dat de Heer niet zou willen dat ik iets onrechtmatigs deed.

Ik besloot stiekem bij vader Sunder langs te gaan, en waarom ook niet? Ik ging al mijn hele leven heimelijk bij hem langs, dus waarom zou het anders zijn nu jij bij hem verbleef? Als ik afstapte van mijn vaste gewoonten, zou ik mijn leven door jou laten beïnvloeden, en dat was precies wat de priores wilde vermijden. De enige manier waarop ik jou uit mijn leven kon bannen, was door een bezoek te brengen aan het huis waar jij verbleef.

Vader Sunder deed open en knikte in jouw richting. 'Hij probeert al de hele week jouw naam niet te noemen.'

Je had meer kleur op je gezicht dan de laatste keer dat ik je had gezien, en toen je opstond, zag ik dat ook je bovenlichaam soepeler bewoog. Nog even en je zou in staat zijn om te vertrekken, en op datzelfde moment stond mijn hart bijna stil. Ik wendde me tot vader Sunder en vroeg in paniek: 'Wat moet ik doen?'

Hij en broeder Heinrich wisselden een blik of een herinnering uit voordat hij weer naar mij keek en op zachte toon zei: 'Zuster Marianne, het is onvermijdelijk dat je Engelthal verlaat.'

Zolang als ik me kon heugen had vader Sunder zijn spijt betuigd over de zonden uit zijn jeugd, en nu zei hij tegen mij dat ik het klooster moest ontvluchten om deel te gaan uitmaken van diezelfde zondige wereld. Het was het laatste wat ik had verwacht en ik fluisterde zodat jij het niet kon horen: 'Waarom?'

'Ik was bij moeder Christina toen je bij de poort werd gevonden,' antwoordde vader Sunder zachtjes, 'en ik stelde dat je komst een teken van God was. Destijds geloofde ik dat de Heer speciale plannen met je had, en dat geloof ik nog steeds. Ik ben er alleen niet meer zeker van dat die plannen in Engelthal vervuld moeten worden.'

Ik vroeg hem om zich nader te verklaren.

'Ik was er ook bij toen deze man werd gebracht. Ik zag hoe hij eraan toe was. Hij had moeten sterven, maar dat deed hij niet. Niemand kan eromheen dat jij dat hebt bewerkstelligd. Ik denk dat jouw reis met hem nog niet ten einde is, en dat het een reis is waar God welwillend tegenover staat.'

'Maar het is een zonde om mijn gelofte te verbreken.'

'Ik geloof niet in een God,' fluisterde vader Sunder, 'die liefde als een zonde beschouwt.'

Dat waren precies de woorden die ik nodig had, en ik wist niet hoe ik mijn dankbaarheid moest uiten. Ik omhelsde hem zo uitbundig dat hij me moest vragen om mijn greep wat te verslappen.

Ik ging terug naar mijn cel om mijn karige bezittingen bij elkaar te zoeken. Een paar habijten, mijn stevigste schoeisel en Paolo's gebedenboek. Verder had ik niets wat de moeite van het meenemen waard was. Toen ik door de tuin terugliep naar vader Sunder, regende het. Zoals elke non deed die het pad door de kloostertuin af liep, reciteerde ik het Miserere voor de zielen

231

van de overleden nonnen die daar begraven lagen, maar ik verkeerde vooral in angstige spanning voor wat de toekomst zou brengen. De regen was goed, dacht ik, alsof die was gestuurd om mijn aanwezigheid in het klooster weg te wassen.

'Het lijkt erop dat je je spullen hebt gepakt, zuster Marianne.' Het was de stem van Agletrudis. 'Je hebt toch wel afscheid genomen van je voorvechtster, de priores?'

Het was de perfecte sneer. Het kon me niet schelen wat Agletrudis en Gertrud dachten, maar diep vanbinnen had ik het gevoel dat ik moeder Christina verraadde. Maar wat had ik tegen haar kunnen zeggen? Ik zou niet hebben geweten hoe ik moest reageren op de verdrietige blik in haar ogen. Ze had altijd in me geloofd, zelfs als ik dat zelf niet deed, en mijn ontrouw zou totaal onverwacht voor haar zijn gekomen.

Ik liep zonder iets te zeggen door en Agletrudis riep me na. 'Maak je geen zorgen over moeder Christina. Ik zal ervoor zorgen dat ze je nooit vergeet.'

Ik wilde me bijna omdraaien om te vragen wat ze bedoelde, maar wat zou het nut zijn geweest? Dus liep ik door. Ik wist dat Agletrudis niet zou verraden dat ik wegging. Het was juist in haar belang om me stilletjes te laten vertrekken en haar rol als toekomstige armarius weer op te nemen.

Tegen de tijd dat ik het huis van vader Sunder bereikte, had ik Gertrud en Agletrudis uit mijn gedachten gebannen, maar ik zag nog wel het gezicht van moeder Christina voor me. Broeder Heinrich pakte wat te eten in, en hoewel vader Sunder al tegen de zeventig was, stond hij erop om een stukje mee te lopen. Ik sputterde tegen dat het regende, maar hij trok zijn pluviale aan en ging mee.

Vader Sunder liep in het midden en mijn gedachten waren niet bij wat er voor ons lag, maar bij wat ik achterliet. Ondanks vader Sunders vriendelijke woorden viel niet te ontkennen dat ik een zonde beging door mijn heilige gelofte te verbreken. Ik probeerde het voor mezelf te verdedigen en met de nodige moeite wist ik zelfs een redelijk klinkend argument te bedenken.

Van alle nonnen in Engelthal was ik de enige die niet zelf had besloten tot het klooster toe te treden. Zelfs als ze op jonge leeftijd waren gekomen, hadden ze een leven buiten de kloostermuren gekend; ze hadden in de seculiere wereld geleefd en wisten wat ze opgaven als ze toetraden. Die mogelijkheid had ik nooit gehad. Dus als ik samen met jou wegging en later zou teruggaan, zou mijn religieuze leven meer inhoud hebben. Dan zou het mijn keus zijn en niet die van mijn ouders die me bij de poort hadden achtergelaten: om erachter te komen of mijn toekomst in het klooster lag, móest ik er wel weggaan.

Toen we zo'n vijf kilometer hadden gelopen, zag ik dat je moe werd. Dat was logisch, je was zwaargewond geweest en na het ongeluk had je maar weinig beweging gehad, maar je was vastbesloten om zo weinig mogelijk tekenen van zwakte te vertonen – ik wist niet of je jezelf of mij probeerde te overtuigen. Maar het was vader Sunder die als eerste moest stoppen; vanwege zijn vergevorderde leeftijd was hij te moe om verder mee te gaan. Hij pakte je arm en liet je beloven dat je goed voor me zou zorgen, en toen nam hij mij even apart. Hij haalde een halsketting uit een zak in zijn pluviale en drukte hem in mijn hand. De hanger eraan was de pijlpunt die in *Inferno* had gezeten, en hij zei: 'Ik heb gedaan wat je vroeg, zuster Marianne, ik heb hem gezegend.'

Ik wilde hem bedanken, maar hij stak zijn hand op. 'Ik heb nog iets voor je.' Hij voelde weer in zijn pluviale en pakte er wat papieren uit. 'Moeder Christina is blind noch dom. Ze dacht niet echt dat je zou weggaan, maar ze hield rekening met de mogelijkheid. Ze vroeg me of ik deze wilde bewaren, voor het geval dat.'

Hij gaf me de twee briefjes die mijn ouders in mijn wiegje bij de poort hadden achtergelaten. In het Latijn en het Duits stond daar de tekst op die me naar Engelthal had begeleid. *Een voorbestemd kind, als tiende geboren uit een gegoede familie, een geschenk voor onze Verlosser Jezus Christus en het klooster van Engelthal. Doe met haar wat God goeddunkt.*

Pas toen kwamen de tranen die ik had onderdrukt sinds ik mijn beslissing had genomen. Even kwam de twijfel, en ik vroeg vader Sunder of hij echt geloofde dat ik de juiste beslissing nam.

'Marianne, mijn lieve kind,' zei hij, 'ik geloof dat als je in deze kwestie niet naar je hart luistert, je er altijd spijt van zult hebben. Dit is de enige manier.'

16

Ik was alleen thuis, Marianne Engel was boodschappen doen, en dus besloot ik om wat in de *Gnaden-vita* te lezen. Ik had me net in de keuken geïnstalleerd toen ik iemand hoorde binnenkomen door de voordeur van het fort, met voetstappen die leken op die van een moeder-neushoorn die op zoek is naar haar jong. 'Marianne?' Een vrouwenstem vuurde de lettergrepen als een salvo af. Toen ze de keuken binnenkwam, deinsde ze duidelijk zichtbaar achteruit bij mijn aanblik. 'Dus om jou gaat het? Godallemachtig, dit is erger dan ik dacht.'

Klein, maar op de manier van een Napoleon, het soort klein dat zichzelf voortdurend probeert op te trekken om langer te lijken. Dik, maar dik als een met water gevulde ballon, niet slap in het vlees, maar alsof ze elk moment kon exploderen. Leeftijd. In de vijftig? Moeilijk te zeggen, maar zoiets. Ze had geen rimpels, haar gezicht was te bol. Kort haar, te veel rouge op haar wangen; een donker mantelpak met een witte blouse met brede revers; glanzend gepoetste schoenen; handen op haar heupen. Ze keek provocerend, alsof ze me uitdaagde om haar een dreun te geven. Ze zei: 'Wat zie jij er rampzalig uit.'

'Wie ben jij?'

'Jack,' antwoordde ze. Ik ontmoette eindelijk de man die ik zo gevreesd had, alleen om te ontdekken dat het een vrouw was. Maar slechts ternauwernood: Jack Meredith was eerder een karikatuur van een vrouw die had gewild dat ze een man was.

'De agent van Marianne, toch?'

'Je krijgt nooit één rooie cent van haar.' Met één hand schonk ze een kop koffie voor zichzelf in terwijl ze met de andere naar mij bleef wijzen. 'En ze heeft gezegd dat je hier kon wonen?' Kennelijk wist ze het antwoord, want ze liet me niet antwoorden. 'Hoe wil ze je verzorgen? Kun je me dat vertellen?'

'Ze hoeft me niet te verzorgen,' zei ik, 'en haar geld kan me niet schelen.'

'Wat is het dan? Seks?' Ze spuugde het woord uit met de weerzin van iemand die seks beschouwt als een onsmakelijk conflict tussen twee tegengestelde lichamen.

'Ik heb geen penis.'

'Goddank.' Ze brandde haar mond aan de eerste slok koffie. 'Godsamme!'

Ze pakte een stel tissues om haar kin af te vegen en keek me aan met een combinatie van minachting en nieuwsgierigheid. 'Wat is er eigenlijk met je gebeurd?'

'Ik ben verbrand.'

'Dat zie ik ook, denk je dat ik achterlijk ben?' Ze maakte een prop van de tissues en gooide die richting prullenbak. Ze miste en stond kwaad op zichzelf op om de prop er alsnog in te gooien. 'Verbrand, hè? Dat is knap klote.'

'Loop je hier altijd zomaar naar binnen?'

'Ik liep hier al naar binnen toen jij nog drank meesmokkelde naar middelbareschoolfeesten,' blafte ze, 'en ik vind het maar niks dat jij hier woont. Heb je een sigaret voor me?'

'Ik rook niet.'

Ze liep naar een pakje dat Marianne op het aanrecht had laten liggen. 'Waarschijnlijk wel zo verstandig, in jouw toestand.'

'Dus jij bent de agent van Marianne?' Ze had mijn vraag nog steeds niet beantwoord.

'Dat en meer, knul, dus kijk maar uit.' Jack inhaleerde diep en wees beschuldigend met de sigaret in mijn richting. 'Dit gedoe, dat jij hier woont, is een waardeloos idee. Ik zorg wel dat ze zich bedenkt, vuil onderkruipsel.'

Je zult begrijpen dat ik meteen reuze gesteld was op Jack Meredith. Om te beginnen was ze de enige die zo hard praatte dat ik haar nooit hoefde te vragen om iets te herhalen. Maar het was vooral haar buitenproportionele gestalte: ze zag eruit als een menselijke mestkalkoen, gecast als hoofdpersoon voor een roman van Raymond Chandler. Maar wat me nog het meest aan haar beviel was haar totale gebrek aan mededogen met brandwondenslachtoffers. We keken elkaar een tijdje van weerszijden van de tafel aan. Ze rolde de sigaret tussen haar vingers, kneep stoer haar ogen halfdicht en zei: 'Heb ik wat van je aan, grillworst?'

Een paar dagen later zaten Marianne Engel en ik op de veranda achter het huis te wachten op een nieuwe zending steen toen ze me vertelde dat ze Jack opdracht had gegeven een creditcard voor me te regelen. Toen ik zei dat ik me niet kon voorstellen dat ze daar erg blij mee was, zei ze: 'Ze doet wat ik zeg. Ze blaft wel, maar ze bijt niet.'

IK WEET WAT WE MET EEN CREDITCARD KUNNEN DOEN.

We babbelden nog wat voordat ik de vraag stelde waar ik na het laatste deel van haar verhaal mee was blijven zitten – ik wilde weten wat een pluviale was. Marianne legde uit dat het een soort regenmantel was die geestelijken droegen, versierd met voorstellingen uit het Nieuwe Testament. Ik vroeg of er op de pluviale van vader Sunder ook iets had gestaan. Dat was inderdaad het geval. 'En later in ons verhaal,' zei ze plagerig, 'zal ik je vertellen wat het was.'

Toen de vrachtwagen arriveerde, klapte ze in haar handen als een kind op de kermis en haastte ze zich naar de kelderdeur om het zware slot te openen. Ze legde ijzeren rollen neer zodat de stenen naar binnen konden worden gebracht. De aanblik van de stenen die door de opening verdwenen deed me denken aan een hongerige parochiaan bij zijn communie. Ze stond aan de zijkant en drong er bij de bezorgers op aan dat ze toch vooral voorzichtig moesten zijn met haar vrienden. Ze keken haar aan of ze niet goed wijs was, maar volgden wel haar instructies. Toen ze weg waren, trok ze al haar kleren uit en stak ze kaarsen aan. Nadat ze Gregoriaanse muziek had opgezet, ging ze op een van de nieuwe stenen liggen en viel in een diepe slaap die tot de volgende ochtend duurde.

Ze kwam met een brede glimlach mijn kamer binnen en vertelde dat ze fantastische instructies had gekregen, maar dat ze zou wachten met werken tot ik was gewassen. Tijdens het boenen kon ik voelen dat ze er eigenlijk geen zin in had – haar vingers wilden steen voelen, geen huid – maar dat ze het als haar plicht beschouwde. Zo gauw ze klaar was, rende ze naar het souterrain om te beginnen. Ik probeerde in de woonkamer op de middelste verdieping wat te lezen, maar ik werd afgeleid door het ritme van haar beitels. Ik ging naar mijn kamer om wat anders te doen – video kijken, Bougatsa pesten met een handdoek aan een touwtje – maar na een paar uur kon ik mijn nieuwsgierigheid niet meer bedwingen. Ik deed voorzichtig de deur naar het souterrain open en sloop een paar treden af zodat ik Marianne Engel kon bespioneren.

Ik had me geen zorgen hoeven maken dat ze mijn aanwezigheid hinderlijk zou vinden, want ze ging geheel in het beeldhouwen op. Tot mijn verbazing werkte ze naakt; het was een beetje verontrustend om haar zo snel met die scherpe beitels in de weer te zien. Haar gereedschap flitste heen en weer, maar haar handen waren trefzeker en ik keek gebiologeerd naar de dans van metaal, steen en vlees.

De term 'beeldhouwen' volstaat niet om te omschrijven hoe Marianne Engel werkte, het was veel meer dan dat. Ze streelde de steen tot die haar niet langer kon weerstaan en de groteske binnenin prijsgaf. Ze verleidde de gargouilles tot die uit hun stenen grot kwamen. *Ze beminde ze de steen uit.*

Tijdens de daaropvolgende uren verbaasde ik me steeds meer over haar uithoudingsvermogen. Toen ik naar bed ging was ze nog steeds aan het werk en ze ging de hele nacht door, net als de gehele volgende dag en nacht. In totaal werkte ze zeventig uur aan één stuk, waarbij ze liters koffie dronk en honderden sigaretten rookte. Ze had al verteld dat ze op die manier werkte, maar ik had haar nooit echt geloofd. Toen ze zei dat ze dagen achtereen non-stop beeldhouwde, dacht ik dat ze overdreef om aan te geven hoe groot haar discipline was, maar dat was niet zo. Sceptici zouden kunnen denken dat ze wachtte tot ik sliep voordat ze zelf een dutje deed, maar ik werd steeds wakker van haar gehamer. De eerste ochtend rukte ze zich net lang genoeg los van haar werk om me te wassen, maar ik kon zien – en voelen – dat ze het met tegenzin deed. Ze had iets koortsachtigs over zich, een nauwelijks onderdrukte waanzin, terwijl ze met de spons over mijn lijf schoot.

Rond zes uur vroeg ze of ik twee grote vegetarische pizza's wilde bestellen. Normaal gesproken at ze gewoon vlees, maar ik ontdekte al snel dat ze dat, als ze zo aan het beeldhouwen was, manisch weigerde. 'Geen vlees! Geen dieren!' Toen de pizza's waren bezorgd, ging ze naar drie hoeken van de kamer om haar Drie Meesters om toestemming te vragen – '*Jube, Domine benedicere*' – en ze ging pas eten toen zij hun goedkeuring hadden uitgesproken. Ze zat onvast midden tussen de brokken steen en at als een beest, zich nauwelijks bewust van mijn aanwezigheid. Uit haar mond hing een kaassliert naar beneden tot aan haar linkertepel, en ik wilde er het liefst als een mozzarella-commando van afseilen om haar heerlijke borsten te bestormen. De kaarsen verlichtten haar bestofte lichaam en straaltjes zweet liepen als riviertjes over haar engelvleugels. Door haar tatoeages en haar trance had ze zowel iets van Hildegard von Bingen als van een yakuzagangster.

Op de stereo kwamen achtereenvolgens de werken van Carl Orff langs, de *Symphony Fantastique* van Berlioz, de negen symfonieën van Beethoven, Poe (de zanger, niet de schrijver), het eerste album van Milla Jovovich, alles van The Doors, de platen van Robert Johnson, *Cheap Thrills* van Big Brother and the Holding Company (vier keer achter elkaar) en een selectie uit Bessie Smith, Howlin' Wolf en Son House. Naarmate de uren verstreken, ging het volume steeds verder omhoog en werd haar zingen steeds heser. Ondanks mijn slechte gehoor zag ik me ten slotte genoodzaakt om met oordopjes naar mijn klokkentoren te vluchten.

Toen ze klaar was, kon ze nauwelijks nog staan. Het voltooide monster was een mensenhoofd met horens op het lichaam van een knielende draak en ze zoende de stenen lippen voordat ze zich de trap op hees en in bed stortte, nog steeds bedekt met stof en zweet.

'Manisch-depressiviteit komt vaker voor bij kunstenaars,' zei Gregor terwijl hij de bourbon inschonk die hij voor ons had meegebracht. De zon ging onder en we zaten op de veranda achter het huis. Marianne Engel lag nog steeds te slapen na al haar inspanningen. Nadat hij had herhaald dat hij niet kon ingaan op haar behandeling zei Gregor dat hij best wilde ingaan op algemene vragen.

'Toen ik al die boeken had gelezen,' zei ik, 'bedacht ik dat haar symptomen meer overeenkomen met die van schizofrenie dan met die van manisch-depressiviteit.'

'Misschien. Misschien wel allebei,' antwoordde Gregor, 'of geen van beide. Ik weet het niet. Misschien is het een dwangneurose. Heeft ze weleens verteld waarom ze zo veel werk tegelijk moet doen?'

'Ze denkt dat ze instructies van God opvolgt. Ze denkt dat ze haar extra harten weggeeft.'

'Dat is eigenaardig.' Gregor nam een slok. 'Hé, dit is goed spul. Ik heb geen idee wat er met Marianne is.'

'Zulke dingen hoor jij toch te weten?'

Gregor haalde zijn schouders op. 'Je kunt een pakhuis vullen met alle dingen die ik niet weet. Neemt ze haar medicijnen in?'

'Nee. Ze heeft een nog grotere hekel aan pillen dan aan artsen. Voel je maar niet aangesproken.'

Ik vroeg of ze via een soort bevelschrift gedwongen kon worden om haar medicijnen in te nemen. Gregor legde uit dat alleen een voogd die mogelijkheid had. Ik dacht aan Jack, van wie ik kortgeleden had ontdekt dat ze zowel haar curator als haar manager was, maar Gregor zei dat die alleen iets te zeggen had over iemands bezittingen, niet over de persoon zelf. Alleen een rechter kon voor een gedwongen ziekenhuisopname zorgen, en dan nog maar voor hooguit een paar dagen. Ik wierp tegen dat ik niet wilde dat Marianne werd opgenomen, alleen maar dat ze haar medicijnen nam. Gregor zei dat ik het hooguit vriendelijk kon vragen. Toen vroeg hij of we het niet meer over haar toestand konden hebben; hij had niet het idee dat hij de vertrouwelijkheid tussen arts en patiënt had geschonden, maar was bang dat hij toch wel erg dicht in de buurt kwam.

We lieten het onderwerp rusten. Ik vroeg hem naar Sayuri en hij vertelde dat ze elkaar steeds regelmatiger zagen. Ze hadden elkaar die avond ook nog ontmoet. Vervolgens treiterde hij me ermee dat ik het altijd wilde hebben over zijn liefdesleven terwijl ik nooit iets losliet over het mijne. Ik deed er lacherig over – *welk liefdesleven?* – maar daar liet hij me niet mee wegkomen. 'Maak dat de kat wijs.'

Er viel even een stilte, maar het was een prettige stilte. Gregor nam nog een slok bourbon en we keken samen naar de zonsondergang. 'Mooie avond,' zei hij.

'Ze heeft me aangeraakt,' gooide ik eruit.

Daar overviel ik Gregor mee. 'Hoe bedoel je?'

'De eerste keer dat ze me waste, heeft ze mijn… kruis gezien.' Gregor wist door zijn werk in het ziekenhuis van mijn amputatie. 'Ze heeft het bekeken. Ze heeft aan de littekens gevoeld.'

'Wat zei ze?'

'Dat de toestand van mijn lichaam niet relevant voor haar is.'

'Geloofde je haar?' vroeg hij.

'Ik weet het niet.' Ik liet de bourbon ronddraaien in mijn glas. 'Het maakt wel degelijk uit. Hij is weg.'

Gregor fronste. 'Dat stelt me teleur.'

Nu was ik verrast. 'Wat?'

'Jouw antwoord,' zei hij. 'Want ik geloof haar en dat zou jij ook moeten doen.'

Er viel opnieuw een stilte, die dit keer door mij werd verbroken. 'Het is inderdaad een mooie avond, hè?'

Hij knikte. Ik zei maar niet dat de bourbon die Gregor had meegebracht van hetzelfde merk was als die ik op mijn schoot had gemorst waardoor ik de penis in kwestie was kwijtgeraakt.

Gregors bedoeling was goed geweest, dus waarom zou ik hem met een schuldgevoel opzadelen?

Ik dacht dat de bourbon naar slechte herinneringen zou smaken, maar hij smaakte gewoon naar goede drank. En het was lekker om weer eens een borrel te drinken. Marianne Engel hield er het merkwaardige idee op na dat morfine en drank slecht samengingen, maar ik denk dat Gregor me zijn stoere kant wilde laten zien door me een of twee glaasjes toe te staan.

Toen ze enkele dagen later hersteld was, vroeg ik Marianne Engel waarom ze tijdens het beeldhouwen de muziek steeds harder had gezet. Ze legde uit dat de gargouilles steeds luider riepen naarmate het proces vorderde en dat ze het geschreeuw kon overstemmen door het volume van de stereo op te voeren. Ze vertelde dat wanneer ze de buitenste steenlaag eraf aan het hakken was op zoek naar de vorm van de groteske, ze er alleen achter kon komen waar hij precies zat door hem rechtstreeks te raken. Als de groteske gilde van de pijn wist Marianne Engel dat ze diep genoeg zat.

Ik vroeg of ze niet bang was dat ze belangrijke instructies van God overstemde. Ze moest lachen en verzekerde me dat er in de hele wereld geen muziek bestond die zijn opdrachten zou kunnen overstemmen.

Een veelgehoorde klacht onder brandwondenpatiënten is dat de verzekering maar één drukpak vergoedt, ook al kost die kleding duizenden dollars en moet die drieëntwintig uur per dag worden gedragen. Tijdens dat ene overgebleven uur wordt de patiënt gewassen en als de verzorgende daarmee bezig is, hoe kan zij of hij dan tegelijkertijd dat drukpak wassen? Daarom moet je er minstens twee hebben. 'Te duur!' roepen de verzekeringsmaatschappijen wanneer ze de aanvraag afwijzen. Bovendien gaat zo'n drukpak maar drie maanden mee, ook als je er voorzichtig mee omgaat.

Ik had niets te maken met verzekeringsmaatschappijen omdat al mijn kosten volledig werden gedekt door Marianne Engel. Maar ondanks dat koffertje met geld onder mijn skelet-bed vroeg ik me toch af hoe ze dat allemaal kon betalen. Ze verzekerde me voortdurend dat haar faam als beeldhouwster haar geen windeieren had gelegd en dat ze zich geen betere bestemming voor haar geld kon wensen. Ik was niet helemaal overtuigd, maar wat schoot ik ermee op om tegen haar in te gaan? Dat mijn littekens niet langer behandeld zouden worden?

Mijn drukpakken en masker waren half maart eindelijk klaar. Toen Sayuri ze me gaf, kon ik meteen zien hoeveel werk erin had gezeten. Het masker was zo glad dat het zich makkelijk voegde naar de contouren van mijn gezicht. Sayuri legde uit dat de studenten extra aandacht hadden besteed aan waar de littekens boven het huidoppervlak uitstaken en het plastic daarop hadden aangepast.

'Dit zul je ook nodig hebben.' Sayuri liet een apparaat met een veer zien. Mijn gezicht was dusdanig verbrand dat de kans op de vorming van littekenweefsel in de mondhoeken groot was. Als dat niet behandeld werd, zou ik problemen krijgen met eten en praten. Nadat ik de spanner in mijn mond had gedaan, zette ik het masker op. Behalve wanneer ik werd gewassen en mijn huid werd verzorgd moest ik dat altijd dragen, ook wanneer ik sliep. Ik vroeg Marianne Engel hoe ik eruitzag – ik merkte dat mijn stem nu nog meer vervormde – en ze zei dat ik eruitzag als een man die nog heel lang zou leven.

Ik keek in de spiegel. Alsof mijn door littekens misvormde gezicht nog niet genoeg was, werd het nu platgeslagen door doorzichtig plastic. De gedeelten die eerst rood waren, waren onder de druk wit geworden en de spanner had mijn mond tot een angstaanjagende grimas uitgerekt. Elke oneffenheid werd uitvergroot, en ik leek wel een liefdesbaby van Hannibal Lecter en een vrouwelijk Spook van de Opera.

Sayuri verzekerde me dat zo'n lauwe eerste reactie normaal was, omdat alle brandwondenpatiënten – onder wie ik, ook al hadden ze me nadrukkelijk het tegenovergestelde verteld – ervan uitgaan dat het masker hun gezicht zal verbergen. Maar dat was niet zo. Het beschermde me niet en ik had er ook geen steun aan; het was als een microscoop waaronder mijn gezicht tot wanstaltige proporties werd uitvergroot.

Sayuri legde uit in welke volgorde ik de drukkleding moest aantrekken en deed Marianne Engel voor hoe ze de riempjes aan de achterkant moest vastmaken. Terwijl zij druk bezig waren met de praktische details, kon ik alleen ervaren hoe het voelde: alsof de hand van een toornige god zich strak om mij sloot. Het is maar kunststof, besefte ik. Het is niet wie ik ben. De rillingen liepen me trouwens over de rug.

`DAT IS EEN LEKKER GEVOEL, HÈ? ALSOF JE LEVEND WORDT BEGRAVEN.`

De slang maakte me graag belachelijk. `IK KOM ERAAN.`

Toen ik in de eetkamer kwam, zat Marianne Engel al te wachten. Op haar jadekleurige kimono was met keurige steken een tafereel geborduurd: twee geliefden onder een bloeiende kersenboom bij een beekje met karpers. Vanuit de sterrenhemel keek een volle maan op de twee geliefden neer alsof hij niet alleen hun lichtbron was, maar ook de beschermer van hun liefde.

Ze vroeg of ik al trek had. Ik antwoordde bevestigend en zei dat ik een vaag vermoeden had dat het wel Japans zou worden.

'*So desu ne*. Wat scherp opgemerkt,' zei ze met een lichte buiging. Het beekje op haar kimono verdween achter de blauwe sjerp om haar middel, een 'obi' die op haar rug vastgeknoopt zat. 'Ik heb *Makura no soshi* gelezen.'

'Ja, die heb ik op je boekenplank zien staan. Iets met hoofdkussens, toch?'

'*Het hoofdkussenboek* van Sei Shōnagon. Een beroemde Japanse tekst uit de tiende eeuw en de eerste roman uit de literatuurgeschiedenis. Dat zeggen ze tenminste, maar of dat echt zo is? Ik vond dat ik er iets mee moest doen. Het zal je nog verbazen dat er zo veel prachtige Japanse boeken niet in het Latijn zijn vertaald.'

'Nee, hoor.'

Marianne Engel liep terug naar de keuken met korte afgemeten pasjes, omdat ze zelfs *geta* aanhad, de traditionele houten slippers. Ze kwam terug met veelkleurige schalen vol sushi: plakjes witte (en oranje en zilverkleurige) vis lagen op bedjes samengedrukte rijst; kraalvormige, rode viseitjes op een bedje zeewier, en in elkaar gekrulde garnalen, alsof ze tijdens hun laatste uren op aarde elkaar nog innig omhelsden. Er was *inarizushi*, blokjes rijst gewikkeld in dunne plakjes heerlijke goudbruine tofoe. *Gyoza*, dumplings gevuld met rund- of varkensvlees, met een sojasausje. *Yakitori*, aan een stokje geregen, geroosterde reepjes kip of rundvlees. Verder waren er *onigiri*, driehoekjes rijst gewikkeld in zeewier die, zo legde ze uit, allemaal met iets anders gevuld waren, iets heerlijks: pruim, viseitjes, kip, tonijn of garnaal.

Voordat we gingen eten maakten we onze handen schoon met *oshibori*, vochtige, hete doekjes. Daarna legde ze haar handpalmen tegen elkaar en zei ze *itadakimas*, een Japanse zegenwens voor de maaltijd, en vervolgens haar vertrouwde Latijnse gebed.

Ze deed voor hoe ik met eetstokjes mijn misosoep moest roeren en legde uit dat je luid moet slurpen wanneer je *ramen* eet, niet alleen omdat die dan afkoelt maar ook omdat hij dan beter smaakt. Hoewel ze zelf sake dronk, stond ze erop dat ik me bij de woeloengthee zou houden; ze geloofde nog steeds in de idiote theorie dat alcohol en morfine niet samengaan. Telkens wanneer mijn kopje leeg dreigde te raken, vulde ze het met een lichte, maar eerbiedige buiging bij. Toen ik mijn eetstokjes in mijn rijstkom stak als twee bomen op een besneeuwde heuvel, trok ze die er meteen uit. 'Dat is oneerbiedig tegenover de doden.'

Toen de maaltijd uiteindelijk afgelopen was, wreef ze zich vergenoegd in de handen. 'Vanavond zal ik je een verhaal vertellen over een vrouw die ook Sei heette, maar ze leefde honderden jaren na het schrijven van *Het hoofdkussenboek*.'

17

Lang geleden werd in Japan een meisje geboren dat Sei heette. Haar vader was glasblazer en heette Yakichi. Even was de vader teleurgesteld dat ze geen jongen was, maar die teleurstelling verdween zodra hij haar in zijn armen hield. Vanaf dat moment was hij dol op haar en zij op hem.

Yakichi keek trots toe hoe zijn dochter van een levendig meisje opgroeide tot een intelligente jonge vrouw. Ze was mooi, dat was boven elke twijfel verheven, en in haar fijne gezichtje zag hij de oogleden en de wangen van zijn overleden vrouw terug. De moeder was gestorven toen Sei nog klein was en dat had de band tussen vader en dochter alleen maar hechter gemaakt.

Toen ze bijna volwassen was, besloot ze in de voetsporen van haar vader te treden. Yakichi was zeer verheugd over haar beslissing en hij was nu helemaal gelukkig: zijn kennis zou bij zijn dood niet verloren gaan. Sei kreeg de titel glasblazersgezel. Ze bleek opmerkelijk veel talent te hebben en maakte dan ook snel vorderingen. Ze beschikte over een verfijnde techniek en, wat veel belangrijker was, ze zag het voorwerp al voor zich voordat het werd geblazen. Techniek kan altijd worden aangeleerd, wist Yakichi, maar Sei was in staat schoonheid te zien waar anderen alleen lucht zagen.

Sei stak veel op onder haar vaders begeleiding: hoe heet het vuur gestookt moest worden en hoe hard je moest blazen. Ze leerde hoe je de gloed van het hete glas kon lezen. IJverig legde ze zich erop toe haar kennis van het blazen te verdiepen; ze wist dat ze daarmee een wereld kon scheppen. Ze verbeeldde zich dat ze leven in het glas blies, en elke week kwam Sei dichter bij het creëren van de schoonheid van de voorwerpen zoals ze die voor ogen had gehad.

Yakichi nam Sei in het weekend af en toe mee naar de plaatselijke markt, waar hij een kraampje had om zijn spullen te verkopen en dan kwamen de mannen in drommen op hen af. Ze beweerden dat ze het glaswerk kwamen bekijken, maar eigenlijk wilden ze natuurlijk de betoverend mooie jonge vrouw zien. 'Je bent zelf zo mooi als glas,' liet een oude man zich ontvallen, voordat hij zich als een krab uit de voeten maakte toen hij besefte dat hij de woorden hardop uit zijn scharen had laten glippen.

Ze waren al voor de middag uitverkocht. Vooral mannen hadden de spullen gekocht – zelfs als geschenk voor hun vrouw – alleen maar omdat ze iets wilden bezitten waar Sei's adem in opgesloten zat.

Yakichi was zeer tevreden. De zaken gingen beter dan ooit, financieel ging het ze voor de wind en Sei ontwikkelde zich tot een goede glasblazer. Maar ondanks hun succes hoopte Yakichi toch dat zijn dochter zou trouwen. Ook al was hij een beschermende vader, hij wilde dat ze alles zou ervaren wat het leven te bieden had en, zo dacht hij, een 'gunstig' huwelijk zou goed zijn voor de familie.

Dus keek Yakichi keurend naar de mannen die zijn kraam regelmatig bezochten. Dat waren ambachtslieden, landeigenaren, vissers en boeren, soldaten en samoerai. Er zou zeker geen tekort aan gegadigden zijn, bedacht hij tevreden. Tenslotte was Sei mooi, talentvol, gezond, lief en trouw. Ze zou een prima echtgenote zijn en een goede moeder, dat kon iedereen zien, en het zou niet moeilijk zijn om een goed huwelijk te arrangeren.

Toen Yakichi zijn dochter hierover aansprak, was ze geschokt. 'Ik weet dat dat de traditie is,' zei ze huilend, 'maar ik had niet verwacht dat u dat van mij zou vragen. Ik trouw alleen uit liefde, uit liefde alleen.'

De stelligheid waarmee zijn dochter dat zei, verraste Yakichi, want ze was nog nooit tegen zijn wensen ingegaan. Een huwelijk diende de status van de familie te vergroten, dacht de oude man;

het hoefde geen verbintenis uit liefde te zijn. Sei weigerde in te binden en omdat hij zo dol was op zijn dochter, legde hij zich erbij neer. Toch maakte hij zich zorgen, want er was nog niemand geweest die haar goedkeuring kon wegdragen.

Maar zoals het vaak gaat in dat soort zaken leerde Sei algauw een jongeman kennen op wie ze smoorverliefd werd. In het begin vond Yakichi het maar niks, want Sei had Heisaku uitgekozen, een eenvoudige boerenjongen zonder geld en goede financiële vooruitzichten. Het was wel een integere en aardige jongen. Dus misschien...

Yakichi moest denken aan zijn overleden vrouw. Ook al was hun huwelijk gearrangeerd, ze hadden geluk gehad en Sei was in liefde verwekt. Gesteund door de herinnering aan zijn eigen geluk besloot Yakichi dat hij voor zijn dochter op hetzelfde moest hopen. Hij gaf Sei en Heisaku zijn zegen.

In die tijd kreeg een *daimyo*, een plaatselijke feodale landheer, een van haar fraaiere creaties – een bloem van glas – cadeau van een van zijn bedienden. Deze daimyo werd veracht en gevreesd omdat hij zo bot en meedogenloos was. Hij was totaal niet geïnteresseerd in glazen bloemen en vroeg woedend wat de bedoeling van dat onbenullige ding was.

De bediende, die altijd trachtte een wit voetje te halen, zei: 'Ik dacht dat u wel wilde weten, heer, dat deze glazen bloem is vervaardigd door het mooiste meisje van het land.' De daimyo spitste zijn oren en de bediende voegde er snel aan toe: 'En ze is ongehuwd.' Je moet weten dat de bediende onlangs de daimyo had horen zeggen dat hij graag kinderen wilde en dat alleen de mooiste en perfecte vrouw daarvoor in aanmerking zou komen.

De daimyo bedacht meteen een plan van aanpak. Hij stuurde een boodschapper om te laten weten dat hij overwoog een groot glazen standbeeld te laten maken, en dat hij had gehoord dat Sei en haar vader de kundigste glasblazers van Japan waren. Daarom ontbood zijn heer hen, zo liet de boodschapper weten.

De daimyo had nog minder belangstelling voor een glazen beeld dan voor een ladder naar de maan. Zijn belangstelling ging vooral uit naar grondgebied, kastelen, vee en rijst. En een mooie vrouw. Ja, dat interesseerde hem in hoge mate. Maar dat wisten Sei en Yakichi niet, ze waren alleen maar opgetogen. Ze dachten dat dit misschien wel de eerste van een reeks opdrachten uit hogere kringen zou zijn, kortom: de verwezenlijking van hun dromen. Dus vader en dochter laadden meteen hun handkar vol en gingen naar het kasteel van de daimyo.

Ze werden toegelaten tot de binnenplaats, waar de daimyo hen stond op te wachten en zijn wenkbrauwen schoten omhoog toen hij Sei zag. Zijn blik volgde haar voortdurend en Sei kreeg het gevoel alsof er kakkerlakken over haar huid kropen. Ze wist meteen dat hij niet deugde zoals hij daar met zijn vieze vingers aan een van haar glazen bloemen zat. Maar dit ging niet om haar gevoel, zo hield ze zichzelf voor, en ze moest hun waar gewoon zo goed mogelijk aanprijzen.

Sei en haar vader lieten hun mooiste creaties zien en beschreven ze uitvoerig. Ze liet kristallen kraanvogels zien en een doorzichtige mondgeblazen kogelvis. Ze stalde gekleurde sakeglaasjes uit en zware bokalen. Ze zette schalen en miniatuurpaardjes neer, en windorgels die bij het geringste zuchtje wind al de zuiverste klanken lieten horen. Toen vader en dochter hun presentatie hadden beëindigd, lag er een regenboog aan glas voor de daimyo.

De daimyo was echt onder de indruk, van de kunstenares wel te verstaan, niet van de kunst. Sei was de aantrekkelijkste vrouw die hij ooit had gezien. Hij klapte in zijn handen toen Sei en Yakichi voor hem bogen. 'Ik heb mijn besluit genomen,' zei hij.

Vader en dochter hielden hun adem in, wat hoogst ongebruikelijk was voor glasblazers. Ze waren benieuwd, maar zijn beslissing viel anders uit dan ze hadden verwacht. Terwijl hij met zijn vingers langs de glazen bloem streek zei de daimyo: 'Ik acht Sei zeer geschikt om mijn vrouw te worden en mijn kinderen te baren. Ze mag zich gelukkig prijzen dat haar zo'n grote eer ten deel valt.'

Sei wist dat hij een machtig man was en dat je moeilijk tegen zijn wensen in kon gaan. Toch kon ze zich niet inhouden. 'Ik hou van iemand anders.'

Yakichi verontschuldigde zich meteen voor het onbezonnen antwoord van zijn dochter. Desgevraagd moest hij echter wel toegeven dat ze de waarheid had gesproken. De daimyo was des duivels en de glazen bloem knapte in zijn gebalde vuist. Wie kon er nu wedijveren met een landheer? Hij eiste dat ze zou zeggen wie die ander was.

Sei zei zelfverzekerd: 'Het is maar een boerenjongen, maar ik hou oprecht van hem.'

De daimyo vroeg: 'Hoe heet hij?'

Sei was bang dat als ze dat zou vertellen, Heisaku opgespoord en vermoord zou worden. Ze keek even naar de grond en daarna richtte ze haar blik weer op de daimyo. 'De naam van een eenvoudige boerenjongen is niet interessant voor een landheer.'

De vrijpostigheid van het meisje ontstemde de daimyo. Hij lachte, te hard, te rancuneus. 'Een boerenjongen? Je verkiest een boerenjongen boven mij? En je weigert zijn naam te noemen?' De daimyo keek naar zijn hand en zag dat die bloedde waar het gebroken glas hem had gesneden. Het bloed kalmeerde hem omdat het hem eraan herinnerde wie hij was.

'Jij trouwt niet met die boerenjongen,' sprak hij stellig, 'en je zou me dankbaar moeten zijn dat ik je voor zo'n leven heb behoed. Je trouwt met mij.'

Sei sprak met even grote stelligheid. 'Ik trouw niet met u. Ik trouw met de boerenjongen of ik trouw met niemand.'

De reactie van de daimyo was kort en meedogenloos. 'Goed dan. Trouw maar. Trouw met die boerenjongen en ik laat je vader executeren. Trouw met mij en je vader blijft leven.'

Sei was met stomheid geslagen, want ze had niet gedacht dat ze ooit in zo'n situatie zou belanden, noch dat ze ooit met zo'n man te maken zou krijgen. De daimyo vervolgde: 'Over een week kom je terug en kun je kiezen uit twee woorden. "Ja" betekent dat je met me zult trouwen en dat je vader blijft leven. "Nee" betekent dat je me afwijst en dat je vader sterft. Twee kleine woordjes. Denk er goed over na, Sei.' Hij gooide de glasscherven van de bloem voor haar voeten en liep gehaast de binnenplaats af.

Vader en dochter mochten het kasteel verlaten om hun antwoord te overdenken. Ze konden nergens onderduiken; ze konden niet gewoon hun boeltje pakken en verhuizen, want ze zouden toch wel gevonden worden. Yakichi smeekte haar dat ze nee zou zeggen. Hij was oud en had nog maar een paar jaar te leven, zo stelde hij, maar zij had nog een heel leven voor zich. De vader was bereid om te sterven zodat zijn dochter niet gedoemd was tot een ongelukkig leven.

Sei wilde daar niets van weten. Ze weigerde een besluit te nemen dat haar vaders dood zou betekenen. Maar ze wist ook dat ze met die onbehouwen daimyo een doodongelukkig leven zou hebben.

Die nacht kon Sei niet slapen. Ze lag maar te woelen en bekeek het probleem van alle kanten, maar ze zag geen uitweg. Vlak voor zonsopgang kreeg ze een ingeving en wist ze wat haar te doen stond. Toen Yakichi wakker werd, ontdekte hij dat zijn dochter verdwenen was en een briefje had achtergelaten waarin stond dat ze over een week terug zou zijn om de daimyo haar antwoord te geven.

Allereerst ging Sei naar de boerenjongen en legde hem de situatie uit. Ze zei dat Heisaku haar enige ware liefde was, maar dat ze nooit meer met hem zou kunnen praten. Haar laatste woorden tegen hem waren: 'Als je heel goed luistert, zul je kunnen horen dat de wind mijn liefde voor jou fluistert.' Daarna verdween ze.

De dagen verstreken en Yakichi begon te beseffen dat zijn dochter was weggelopen. Ook al deed het hem verdriet dat hij geen afscheid zou kunnen nemen, hij was blij dat ze leefde. Toen er een week voorbij was, verscheen de vader voor de daimyo om te zeggen dat Sei verdwenen was en dat hij graag zijn leven voor haar wilde geven.

De daimyo wilde net opdracht geven tot de executie van de vader toen twee sober geklede en kaalgeschoren vrouwen de binnenplaats betraden. Zelfs Yakichi zag niet meteen dat de jongste vrouw Sei was. Hij barstte in tranen uit omdat Sei toch was gekomen om met die afschuwelijke man te trouwen.

'Wat moet dit voorstellen?' vroeg de daimyo. 'Waarom heb je je kaalgeschoren? Wie is die andere vrouw?'

Sei noch de oudere vrouw gaf antwoord.

De daimyo ontstak in woede. 'Wat is dit voor brutaliteit? Ik beveel je om te antwoorden!'

Toch bleven Sei en de oudere vrouw zwijgen.

'Wat is je antwoord? Word je mijn vrouw en red je je vaders leven? Of moet ik hem laten ombrengen vanwege jouw egoïsme? Geef antwoord, trouw je met me, ja of nee?'

Nog steeds bleven Sei en de oudere vrouw zwijgen.

De daimyo spoog op de grond. 'Executeer de oude man!' beval hij. Maar Sei stak haar hand op om de twee soldaten tegen te houden die haar vader wilden beetpakken. Ze liep naar de daimyo en hield hem een vel papier voor.

Hij gebaarde naar een van de anderen op de binnenplaats om de brief aan te nemen, alsof het beneden zijn stand was om dat zelf te doen, en hij gromde: 'Lees het hardop voor, zodat iedereen kan horen wat dit brutale wicht te zeggen heeft!'

De hoveling bekeek de brief en schraapte zijn keel. Hij had geen keus, dus las hij aarzelend:

'Een week geleden heeft u me gevraagd uw vrouw te worden. Het woord "ja" zou onze verloving bezegelen en het woord "nee" zou mijn vaders doodvonnis bekrachtigen. Ik kan die woorden niet uitspreken, want ik ben nu *mugon no gyo no ama-san*.'

Die laatste woorden bleven half steken in zijn keel. Hij wist dat die zijn heer zouden ontrieven, omdat *mugon no gyo* 'de zwijgplicht' betekende en *ama-san* 'non'.

De hoveling schraapte zijn keel en las verder:

'Ik heb de geloften van zwijgen en armoede afgelegd en ik heb me kaalgeschoren ten teken van mijn toewijding. Ik heb mijn intrek genomen in de tempel op de hoogste berg in deze streek. Daar voelen we ons het dichtst bij Boeddha. Ik kan niet met u trouwen, want ik ben al getrouwd met het Universum. Ik kan uw vraag niet beantwoorden, omdat mijn geloften dat niet toestaan. Omdat ik u geen antwoord kan geven, moet u mijn vader vrijlaten en keer ik terug naar de bergtempel voor een leven in devotie.'

De daimyo was verbijsterd. Hij was machtig, maar hij wist dat hij zich beter niet kon verzetten tegen de almachtige Boeddha. Hij dacht even na voordat hij antwoordde.

'Ik vind je zelfopoffering zeer te prijzen,' zei hij. 'Ik zal je er zeker niet van weerhouden om terug te keren naar de tempel. Dus ga.'

Sei boog om haar triomfantelijke glimlach te verhullen.

'Maar voordat ik je laat gaan,' ging de daimyo verder, 'wil ik dat je je zwijgplicht bevestigt.'

Sei boog nogmaals. 'Goed,' zei de daimyo, 'want als je ooit nog spreekt, dan beloof ik je dat je vader dat met zijn leven moet bekopen en dat jij mijn vrouw wordt. En als jouw boerenjongen je ooit opzoekt in je tempel, laat ik hem en je vader allebei executeren en word jij mijn vrouw. Is dat duidelijk?'

De daimyo liet zijn woorden even tot de anderen doordringen. 'Beloof je plechtig dat je nooit meer zult spreken, en nooit meer die boerenjongen zult zien?'

Sei dacht even na en knikte toen ja. De daimyo zei: 'Dan heb ik er vrede mee.'

Toen ze het kasteel verliet, zag Sei dat Heisaku zich verborgen had tussen de dakspanten. Wat moest hij veel van haar houden dat hij zoiets roekeloos ondernam. Heisaku keek diepbedroefd op haar neer, want nu pas drong de ernst van de situatie volledig tot hem door. Sei keek naar hem op en vormde met haar lippen geluidloos het woord *aishiteru*, 'ik hou van jou'. Haar glasblazerslongen bliezen haar liefdesverklaring naar de oren van de boerenjongen, en het was precies zoals Sei had voorspeld: als hij heel goed luisterde, kon hij horen hoe de wind haar stem fluisterde.

Yakichi en Sei werden door een gewapende escorte naar de

bergtempel gebracht. Haar vader sprak afscheidswoorden, maar Sei kon natuurlijk niets zeggen. Ze huilde stille tranen en Yakichi beloofde dat hij haar zo snel mogelijk een cadeau zou sturen. En toen was hij verdwenen.

Algauw kwam het geschenk aan: al de noodzakelijke glasblazerstoebehoren. De andere ama-san stonden zulke luxe graag toe, want ze hechtten zeer aan schoonheid en zagen dit als een manier om Boeddha te dienen. Bovendien zouden die spullen een inkomstenbron verschaffen om bij te dragen aan hun bescheiden behoeften. Armoede mag dan een deugd zijn, maar zelfs nonnen weten dat er buitengewoon onprettige kanten aan zitten.

Sei mocht een lege ruimte in de tempel gebruiken en elke dag maakte zij allerlei voorwerpen, van servies tot kunstvoorwerpen. De dagen werden weken en de weken werden maanden. Haar werk werd steeds mooier omdat haar techniek zich voortdurend verfijnde. En tegelijkertijd werkte ze gestaag aan een standbeeld dat op Heisaku leek.

Telkens wanneer ze de aandrang voelde om te gaan praten, werkte ze aan het standbeeld, zodat ze toch uiting kon geven aan haar liefde. Dat betekende dat ze er dagelijks mee bezig was. Met veel liefde gaf ze het vorm, heel minutieus, stukje voor stukje. Ze begon met de bal van zijn rechtervoet. Daarna kwam de hiel. Vervolgens de tenen. Bij elke toevoeging – enkel, onderkant scheenbeen, bovenkant scheenbeen, knie – fluisterde ze tijdens het blazen 'aishiteru'. Dat woord werd gevangen in het glas. Aishiteru: ik hou van je.

Kilometers verderop voelde Heisaku de woorden in zijn oren. Die bereikten via zijn ruggengraat zijn hart. Dan stopte hij met ploegen en richtte zijn blik naar de berg in de verte. Dat ging jaren zo door. Telkens wanneer Sei de behoefte voelde om haar liefde te uiten, blies ze een onderdeel van het standbeeld en hulde haar fluisteringen in Heisaku's heupbeen, een vinger, een schouder, een oor... Aishiteru, aishiteru, aishiteru.

Toen het standbeeld van de boerenjongen af was, was haar liefde nog lang niet voorbij. Dus schiep ze een decor voor hem, te beginnen met een veld van glazen leliën waarin hij kon staan. Toen de leliën af waren, moest ze op zoek naar iets anders. Misschien, dacht ze, maak ik wel een boom waar mijn geliefde onder kan staan... Alleen het maken van de blaadjes zou me al genoeg werk verschaffen om mijn leven draaglijk te maken.

Zo regen de dagen zich aaneen tot op een doodgewone ochtend Sei zich aan het wassen was in de bergbeek. Het was heerlijk om het koude water op haar huid te voelen, maar toen ze haar haar uitspoelde voelde ze een felle pijnscheut in haar nek. Voordat ze kon reageren, begonnen haar armen en benen al te verstijven.

Sei was al vaker door insecten gestoken, maar dit was de eerste keer dat ze werd gestoken door een bijzonder soort wesp en het noodlot wilde dat ze een hevige allergische reactie kreeg. Ze kreeg bijna geen lucht meer, haar lichaam reageerde niet meer, en ze kon zich niet meer bewegen. Haar verlamde lichaam werd door de stroom meegevoerd tot het op een rots bleef hangen. Twee uur lang lag ze daar en de kou van het water drong door haar hele lichaam.

Uiteindelijk vond een andere ama-san haar en sleepte haar uit het water. Sei's ogen reageerden niet en door het koude water was haar pols nauwelijks meer te voelen. Er werden meer amasan bij geroepen, maar niemand kon nog een teken van leven ontdekken en ondanks hun zwijggelofte barstten ze in die stille, koude ochtend in de bergen in tranen uit.

Sei was totaal verlamd, al kon ze alles zien, tot het moment waarop ze eerbiedig haar oogleden sloten omdat ze dachten dat ze dood was. Ook toen ze een beetje was opgewarmd, kon ze zich volstrekt niet bewegen. Drie dagen lang baden de ama-san in stilte voor haar. Yakichi werd gewaarschuwd en kwam om zijn dochter te begraven, die haar leven had gegeven om het zijne te redden.

De daimyo kwam ook langs om zich ervan te vergewissen dat het geen list was. Hij had gehoord dat Sei begraven zou worden en dat had zijn achterdocht gewekt: het was algemeen bekend dat boeddhisten werden gecremeerd omdat het vuur hun ziel zou zuiveren. Als het vlees bleef bestaan, zou de ziel blijven verlangen naar zijn aardse bestaan en zich niet op zijn gemak voelen in de hemel. Maar het was Sei's eigen op schrift gestelde wens dat ze zou worden begraven omdat ze voor altijd wilde blijven bestaan op de aarde die Heisaku zou bewerken.

Yakichi had Heisaku meegenomen, maar stelde hem voor als zijn nieuwe glasblazersleerling. Uit angst voor de daimyo was die leugen noodzakelijk. Niemand wist hoe de daimyo zou reageren als hij ontdekte dat dat de jongeman was die Sei boven hem had verkozen.

De daimyo sloot de deksel van de kist nadat hij zich ervan had verzekerd dat Sei erin lag. Niet in staat om zich te bewegen hoorde Sei zijn nare stem: 'Ja, het is goed zo. Ze is echt dood.' Sei was dankbaar dat haar oogleden gesloten waren, want ze moest er niet aan denken dat het weerzinwekkende gezicht van die man het laatste zou zijn wat ze had gezien.

Sei hoorde de touwen knerpen toen ze de kist lieten zakken en haar lichaam aan de aarde werd toevertrouwd. Yakichi gooide de eerste schep aarde in het graf en Heisaku de volgende. Sei hoorde die op de deksel van haar kist ploffen.

Toen begon het wonder. Ze voelde het gif in haar bloed wegebben en haar lichaam zich ontspannen. Ze kon haar ogen opendoen, maar ze zag alleen maar duisternis. Ze kon haar vingers en tenen bewegen, maar was nog niet bij machte om haar armen en benen op te tillen en tegen de deksel te bonzen. Ze wist wel dat ze haar nog zouden kunnen horen roepen. Ze voelde haar stem in haar keel terugkruipen, en was intens blij dat ze toch niet doodging. Ze hoefde alleen maar te gillen…

Toen herinnerde Sei zich haar belofte. Ze zou met de daimyo moeten trouwen wanneer ze zou spreken, ook al was het om zichzelf te redden. Haar vader zou worden terechtgesteld, net als Heisaku. De daimyo was ter plekke aanwezig, dus het had geen zin om te ontkennen dat ze haar belofte had gebroken. Ook viel niet te ontkennen dat Heisaku de tempel had bezocht.

Daarom hield Sei haar mond en liet zich levend begraven. Ze hoorde dat er aarde in haar graf werd gegooid en dat bij elke schep het geluid steeds gedempter klonk. Toen het stil werd, wist ze dat de kuil gevuld was en dat ze nu hermetisch afgesloten onder de grond lag.

Boven het graf huilden Yakichi en Heisaku om het onrecht dat Sei was aangedaan. Ze had zoveel opgegeven om haar dierbaren te beschermen en dan was dit haar dank. De daimyo kon geen traan laten om de vrouw die net was begraven; hij was alleen tevreden dat de vrouw hem niet nog een streek had geleverd.

Omdat hij nooit in de tempel was geweest en hij er waarschijnlijk ook nooit meer zou komen, besloot de daimyo even rond te kijken voordat hij terugkeerde naar zijn kasteel. De ama-san probeerden hem van Sei's atelier weg te houden, maar dat lukte niet. Toen hij het atelier binnen stapte, zag hij tot zijn verbazing het glazen evenbeeld van Yakichi's 'leerling' te midden van een veld leliën. De daimyo besefte meteen dat dit een standbeeld was van de boerenjongen van wie Sei zoveel had gehouden, en hij wist nu ook dat de jongen die zich voordeed als leerling Sei's grote liefde was.

Door de ramen van de tempel viel er zonlicht op het standbeeld. De schoonheid ervan, de zorg voor het detail, wekte de woede van de daimyo. Hij pakte een stok van de werkbank en bezwoer dat eerst het standbeeld eraan ging en daarna de jongen zelf. De daimyo stormde naar voren en maaide met zijn stok als zeis de glazen leliën omver die om het standbeeld stonden. Met één krachtige slag vernielde hij er tientallen tegelijk.

Er volgde een enorme ontploffing toen overal de glazen bloemblaadjes en stelen uit elkaar spatten, en die ging gepaard met een gigantische geluidsgolf. Al het liefdesgefluister dat Sei in haar leliën had verstopt vloog in één keer naar buiten. Dat gebeurde met zo veel kracht dat de glasscherven als een tornado in de rondte vlogen. De daimyo werd onherkenbaar verminkt. Het was zo'n overweldigend geluid dat hij op slag doof en grijs werd.

Het geluid ontsteeg het atelier en verspreidde zich over heel Japan. Iedereen was het er later over eens dat ze nog nooit zoiets moois hadden gehoord. Het klonk als pure liefde.

De daimyo overleefde het, maar als een kreupel, zielig mannetje. Zijn woede en jaloezie hadden zich uiteindelijk tegen hem gekeerd. De lust om anderen te onderdrukken was hem voorgoed vergaan en hij liet Heisaku en Yakichi verder ongemoeid. Heisaku en Yakichi laadden het glazen standbeeld op een kar en namen het mee naar hun dorp. Heisaku trok in bij de oude man als de zoon die hij nooit had gehad en ze ontwikkelden een hechte vriendschap. Ze waren immers verbonden in hun liefde voor de vrouw die ze allebei hadden verloren.

De rest van hun leven stond het standbeeld midden in hun huis. Heisaku voelde zich wel wat ongemakkelijk om elke dag zijn evenbeeld te zien, maar het diende een hoger doel. Wanneer hun verdriet om Sei's dood ze te veel werd, brak Heisaku of Yakichi een klein stukje van het standbeeld af – een vingertopje, een haarlok, het blaadje van een nog overgebleven lelie.

Aishiteru, aishiteru, aishiteru. Vanuit elk glazen brokstukje verlichtte Sei's gefluister hun rouw.

18

Frappant, ze wist overduidelijk het antwoord al, maar toch vroeg Marianne me op gewichtige toon wat voor dag het was.

'Goede Vrijdag,' zei ik.

'Kom mee.' We stapten in haar auto en binnen een halfuur besefte ik waar we heen gingen: naar de heuvels waar ik mijn ongeluk had gehad. Toen we er aankwamen, was er geen spoor van het ongeluk te zien. De bomen leken niet langer een duistere troep huurlingen te herbergen die het op mijn leven hadden voorzien. De houten palen waren vervangen, hadden nieuwe stalen kabels en waren al zo verweerd dat je ze niet kon onderscheiden van de andere. Er waren geen bandensporen en geen omgewoelde aarde; het was gewoon een bocht als alle andere. Toen ik vroeg hoe ze wist waar het was gebeurd, glimlachte Marianne Engel en liet ze Bougatsa, die op de achterbank zat, de auto uit. Hij dartelde opgewonden in het rond en ze sprak hem even vermanend toe toen hij gevaarlijk dicht bij de kant van de weg kwam.

Ze pakte een kleine leren tas uit de kofferbak en nam me bij de hand mee naar het stuk grond tussen weg en ravijn. Daar zag ik de eerste aanwijzing dat mijn ongeluk inderdaad had plaatsgevonden. Onder aan de helling zag ik een kleine zwarte cirkel – ongeveer zo groot als de punt aan einde van deze zin – vlak naast de beek die mijn leven had gered.

Auto's zoefden voorbij en de bestuurders vroegen zich ongetwijfeld af waar we naar stonden te kijken. 'Kom mee naar beneden,' zei ze en ze ging me voor langs de nieuwe houten palen.

Bougatsa rende voor ons uit en vond gelukkig een begaanbaar pad omlaag en daarnaast zag ik een rode plastic scherf van een richtingaanwijzer van een auto. Mijn auto. Mijn maag kromp ineen. Tijdens de afdaling was er genoeg houvast voor mijn orthopedische schoenen, maar ik had moeite om mijn evenwicht te bewaren. Ik probeerde mijn benen op dezelfde manier te sturen als voor het ongeluk, maar dat was onmogelijk: mijn gerestaureerde knie was te zwak. Toen ik tegen Marianne Engel zei dat ik het niet redde, weigerde ze dat te accepteren. Ze ging voor me staan, haar ene been iets lager dan het andere, zodat ik mijn handen op haar rug kon leggen. Dit gaf me voldoende steun om zonder verdere problemen beneden te komen.

Toen we de verschroeide plek bereikten, zag ik dat er alweer kleine plukjes gras opkwamen. Eens zal deze plek weer groen en ongeschonden zijn, dacht ik.

'Wat is er?' vroeg ze.

'Niets,' zei ik. 'Ik had alleen nooit verwacht hier ooit terug te komen.'

'Het is goed om terug te keren naar de plaats waar je een beproeving hebt doorstaan.'

'Daar vergis je je in.' Ik herinnerde me het allemaal weer: de eruptie van glas; de stuurkolom die langs me heen vloog; de motor die sissend afsloeg; de banden die langzaam tot stilstand kwamen; de blauwe steekvlam boven het dak; de manier waarop het vuur tot leven kwam; de stank van mijn brandende haar; en de openspattende blaren op mijn huid. Ik kon me alles herinneren wat me had gemaakt tot wat ik nu was.

'Het maakt niet uit of je het ermee eens bent. Je kunt niet helen wanneer je je ellendige ervaringen verdringt.' Marianne Engel pakte haar tas en haalde een ijzeren kandelaar te voorschijn die volgens haar door Francesco was gemaakt en stak er een kaars in. Ze gaf me een doosje lucifers en vroeg of ik hem wilde aansteken. 'Maar het is ook belangrijk dat je viert dat je precies een jaar later nog leeft.'

Ik merkte op dat het eigenlijk niet precies een jaar was: het ongeluk had dan wel plaatsgevonden op Goede Vrijdag, maar die valt ieder jaar op een andere dag.

'Je moet tijd niet zo letterlijk nemen,' zei Marianne Engel en ze kuste me op mijn gezicht van plexiglas. 'Wat maakt één dag nu uit in het licht van de eeuwigheid?'

'Heel wat,' zei ik. 'Vooral als het om de dag gaat waarop je er bijna was geweest.'

Het zou dramatischer hebben geklonken wanneer op dat moment Bougatsa niet was opgesprongen en wild om zich heen begon te happen naar een insect dat om zijn kop zoemde.

'Maar je bent niet doodgegaan,' zei Marianne Engel. 'En was je leven zo geweldig voor dat ongeluk?'

'Niet echt.'

'Dan moet je een nieuw begin toch dankbaar aanvaarden?'

Ze geloofde echt dat ik opnieuw begon, en misschien was dat ook wel zo, maar niet helemaal. Ik voelde een lichte gêne bij het idee over wat ik ging kopen met de creditcard die Jack voor me had geregeld.

Toen Marianne enkele dagen daarna het fort had verlaten om Bougatsa uit te laten, besloot ik mijn geheime missie voort te zetten. Ik trok een lange grijze regenjas aan over mijn drukpak, en ik deed, ondanks dat het eigenlijk niet mocht, mijn masker af en haalde de spanner uit mijn mond, zette een hoed op, een zonnebril, sloeg als een misdadiger met gehandschoende handen mijn kraag op, en zag in de spiegel een soort persiflage op een potloodventer. Dat vond ik prima, met het oog op met mijn bestemming.

'De dichtstbijzijnde pornozaak.' Mijn stem raspte als een roestige motor waardoor de taxichauffeur me even grondig bekeek in de achteruitkijkspiegel. Hij leek even te aarzelen of hij de onzichtbare man wel zou meenemen, maar dat was voorbij toen ik hem mijn creditcard liet zien. De chauffeur startte de auto en we reden langs de voorkant van de St. Romanuskerk, waar pastoor Shanahan net een nieuw plastic bord ophing met de tekst: WAS UW VRIJDAG ZO GOED ALS HIJ HAD KUNNEN ZIJN?

261

Toen we bij Triple-xxx Velvet Palace aankwamen, vroeg ik de chauffeur om te wachten. Hij knikte; hij had me de auto in zien strompelen en wist dat ik nooit ver zou komen. Het verleden herleefde toen ik binnenkwam. Er hing de vertrouwde geur van latex, leer en glijmiddel. Rechts van mij was een stelling met buttplugs en reusachtige rubberen dildo's, en links van mij een assortiment dienstmeisjespakjes en Japanse-schoolmeisjespakjes. Tijdschriften lagen in schappen tegen de muur, maar het ging mij om de video's die achter in de zaak lagen. Ik bekeek de plaatjes op de doosjes en ontdekte er algauw een van mezelf: *De dokter en zijn pientere pookje.* (Dat heb ik altijd een van mijn grappigste titels gevonden.) Ik legde hem neer voor de kalende winkelbediende met vlekken in zijn gezicht. 'Prima keuze,' zei hij volstrekt ongeïnteresseerd.

Toen ik weer thuis was in het fort stopte ik de cassette in de videorecorder. Eerst lichtte het scherm warm blauw op en daarna verscheen het logo van mijn vroegere productiemaatschappij. De plot liet zoals bij de meeste pornofilms wel iets te wensen over; zelfs voor mij – schrijver, acteur, regisseur en producer – was die niet helemaal te volgen. De film begint met een vrouw, Annie, die voor onderzoek naar het ziekenhuis moet. Wanneer ze moeite heeft om haar ziekenhuishemd aan te trekken, vraagt ze de verpleegster of die haar wil helpen en daarop volgt heel clichématig een vurige lesbische seksscène. De arts (ik) komt toevallig binnen tijdens deze lustige perikelen en, zich niet bekommerend om ethische bezwaren of geslachtsziekten, besluit dat Annie het best behandeld kan worden middels onbeschermde anale seks.

Ik herinnerde me de opnamedag. De catering werd verzorgd door de afhaalchinees Sun Lee die een eindje verderop in de straat zat, en de bezorger kwam te laat. Boyce Burgess stond achter de camera en Irdman Dickson deed het geluid. De opname was om één uur 's middags, maar Irdman was al straalbezopen. Als regisseur had ik hem natuurlijk daarop moeten aanspreken, ware het niet dat ik stijf stond van de cocaïne. Als je de film heel nauwkeurig bekijkt, kun je onder mijn doktersjas een gouden lepeltje aan mijn halsketting zien bungelen wanneer ik op de onderzoekstafel Annie van achteren neem. Vanwege Irdmans dronkenschap is het geluid abominabel en op sommige momenten totaal onverstaanbaar. Soms hoor je een zin, zoiets als dat ik Annies temperatuur wil opnemen met 'mijn grote dikke thermometer'. Waarschijnlijk is het maar beter ook dat het merendeel niet te verstaan valt.

De openingsscène is helaas het beste deel van de film. Vanaf dat moment wordt de film steeds onzinniger. Een van mijn minnaressen is een psychiater die, terwijl ik haar billenkoek geef, doorwauwelt over mijn vijandigheid ten opzichte van vrouwen. Intussen groeit Annie uit tot een hypochondrische nymfomane die meent dat haar allergie voor katten het best behandeld kan worden met een ruime dosis penis.

Dat zou allemaal nog lachwekkend zijn geweest als mijn uiterlijk niet zo confronterend was. Mijn haar danst bij iedere schok van mijn heupen, mijn huid glanst prachtig terwijl het zweet langs mijn hals over mijn borst loopt. Mijn armspieren spannen zich wanneer ik mijn quasi-strenge meesteres sla, haar even loslaat en weer naar me toe trek. Mijn glimlach verstrakt rond mijn spannerloze mond en mijn gezicht verkrampt in een schitterende aankondiging van mijn naderend orgasme.

Ik moest het uitzetten: ik werd bijna misselijk bij de aanblik van de godenzoon die ik was geweest, in vergelijking met het wrak dat ik nu was geworden. Ik werd er doodziek van om het zweet op mijn gave huid te zien, voor eeuwig vastgelegd op film. Ik, die niet meer kan transpireren. Voelde Fred Astaire zich ook zo toen hij oud was en niet meer kon dansen? Filmbeelden van iemands sportieve, jeugdige uiterlijk verzieken je oude dag; zulke beelden zijn een vloek voor Fred Astaire en mij.

Toen ik op eject drukte, kwam de band snorrend naar buiten alsof het apparaat zijn tong naar me uitstak. Ik nam hem mee naar de open haard in de woonkamer en legde hem op een stapel krantensnippers. Toen ik die had aangestoken, zag ik de vlammen zich op de cassette storten.

Dat was de laatste keer dat ik een van mijn oude films bekeek.

Sayuri kwam een of twee keer per week langs en liet me glimlachend steeds moeilijkere oefeningen doen. Het resultaat viel niet te ontkennen: mijn verkrampte spieren begonnen zich te ontspannen en mijn rug veranderde van een vraagteken in een uitroepteken. De nadruk bij de therapie lag op het ingaan tegen de wil van mijn lichaam om de weg van de minste weerstand te kiezen door de sterkste spieren te gebruiken in plaats van de juiste. Sayuri's voornaamste doel was mij op de goede manier te laten lopen; ze liep naast me met haar handen in mijn zij en dwong me rechtop te lopen. Ze corrigeerde de zwaai van mijn armen om mijn evenwicht te verbeteren en wees me er voortdurend op om elke voet even zwaar te belasten. Dat was vooral lastig bij het op en af lopen van een trap.

Toen ik eenmaal de grondbeginselen van het bewegen beheerste, gingen we naar buiten zodat ik verder en ook sneller kon leren lopen. Bougatsa wilde per se mee en liep keffend om ons heen. Sayuri wierp steeds een bal weg die hij moest apporteren, maar dat was voornamelijk om haar aandacht op mij te kunnen richten. Wanneer we weer thuis waren, gebruikten we de fitnessapparaten die Marianne Engel voor me had aangeschaft: een halterbank, een roeiapparaat en een hometrainer om mijn conditie op te bouwen. Sayuri zorgde ervoor dat al deze apparaten in mijn revalidatieproces werden ingepast.

Wanneer ze langskwam, controleerde ze altijd mijn drukpak en soms ontdekte ze iets wat moest worden veranderd. Omdat de wonden op mijn gezicht genazen, moest het drukmasker steeds worden aangepast. Sayuri polijstte het dan en nam het soms mee naar het ziekenhuis voor een ingrijpender aanpassing. Eén keer was het masker verkeerd veranderd en toen ik dat Sayuri vertelde, mompelde ze in het Japans: '*Saru mo ki kara ochiru.*' Toen ik haar vroeg wat dat betekende zei ze: 'Zelfs apen vallen weleens uit een boom. Oftewel...'

Ik onderbrak haar: '... deskundigen maken ook weleens een fout. Ja, dat heb ik eerder gehoord.'

Toen ze mij vroeg waar, zei ik dat ze dat aan haar vriendje moest vragen. Ik geloof dat ik nog nooit iemand zo mooi heb zien blozen.

Eén onderdeel van het middeleeuwse verhaal liet me niet los: de bewering dat Gertrud een Duitse versie van de bijbel aan het maken was. Dat zou dan twee eeuwen zijn voordat Maarten Luther aan zijn beroemde vertaling begon. De katholieke kerk keerde zich heftig tegen Luthers werk, dus waarom zouden ze dat van zuster Gertrud wel hebben goedgekeurd?

Ik pakte die kwestie op mijn gebruikelijke manier aan en tot mijn verbazing ontdekte ik dat er op het moment dat de Luther-se bijbel verscheen al verscheidene Duitse vertalingen beston-den; die van Luther was alleen de eerste die geschreven was in de taal van de 'gewone man'. Eerdere versies waren letterlijke ver-talingen met een sterk verouderd taalgebruik en waren eigenlijk alleen begrijpelijk voor lezers die ook de brontaal Latijn konden lezen.

De vroegste vertaling in een Germaanse taal was die in het Gotisch door Ulfilas en dateert uit de vierde eeuw, tientallen ja-ren voor de Latijnse Vulgaat. Een bijzonder man, die Ulfilas: hij moest daarvoor een totaal nieuw alfabet ontwerpen en bedacht zo veel van het huidige Duits-christelijke idioom. Van deze deels handgeschreven bijbel, de *Codex argenteus* ('zilveren bij-bel') bestaat nog één exemplaar en dat is in het bezit van de uni-versiteitsbibliotheek van Uppsala. Verder is er nog een negende-eeuws manuscript uit Fulda met een oud-Hoogduitse vertaling van de eerste vier boeken van het Nieuwe Testament, en er zou nog een uitgebreidere, maar niet-gesanctioneerde vertaling zijn uit 1260. Enkele delen uit de bijbel, zoals het Onze Vader, be-stonden allang in het Duits, maar er is geen overtuigend bewijs van het bestaan van een integrale Duitse bijbelvertaling uit de tijd dat Gertrud eraan zou hebben gewerkt – alhoewel kort daarna, in 1350, een compleet Nieuw Testament schijnt te zijn opgedoken in Augsburg.

Tot zover kan het dus best kloppen: aan het begin van de veer-tiende eeuw zou best de tijd rijp kunnen zijn geweest om zo'n project op te pakken, en sommigen deden dat ook, dus waarom zuster Gertrud uit Engelthal niet?

Daar zijn eigenlijk genoeg redenen voor, maar misschien

weegt wel het zwaarst dat Gertrud zo godvruchtig was – of in elk geval poogde ze om zich zo voor te doen. Ze zou er nooit van beschuldigd willen worden dat ze heiligschennis pleegde, het schrijven van een niet-gesanctioneerde vertaling van de bijbel is uiterst ketters. Voordat ze zich op zo'n uitzonderlijke taak stortte, zou Gertrud toestemming hebben moeten vragen aan een hogere instantie, en het is bijna ondenkbaar dat ze die zou hebben verkregen. Maar daar zit het 'm nu net in: 'bijna ondenkbaar' is niet hetzelfde als 'volstrekt ondenkbaar'.

De abdis van Engelthal was een vrouw op leeftijd, dus zou seniliteit de reden zijn geweest dat ze een vertaling had toegestaan die een overste bij haar volle verstand zou hebben afgekeurd? Er zijn wel raardere dingen gebeurd. Maar goed, daarbij gaan we uit van de veronderstelling dat Gertruds toestemming van binnen uit het klooster afkomstig was, maar dat hoeft niet noodzakelijkerwijs zo te zijn. Misschien was ze wel buiten het klooster op zoek gegaan naar een kerkvoogd die zo zijn of haar eigen bedoelingen had; bedenk wel dat de Kerk een notoir wespennest van achterkamertjespolitiek was. Mogelijk paste Gertruds werk goed binnen de plannen van een hoge geestelijke en was ze tevreden met haar rol als pion hierin zolang ze zich maar aan haar project kon wijden. Dat zou een uiterst dubieuze afspraak zijn geweest, maar het is altijd makkelijker om de regels te negeren wanneer je daar door een hogere in rang toe wordt aangezet.

Dat is natuurlijk allemaal pure speculatie. Op de vraag waarom Gertrud dacht dat ze dat project kon voortzetten valt geen duidelijk antwoord te geven, maar misschien is dit een mogelijkheid: wellicht onderschat ik de behoefte om eeuwige roem te vergaren. IJdelheid is zowel een grote inspirator als een grote verleider, en de gedachte dat je iets voor de eeuwigheid kunt achterlaten kan zelfs de voorzichtigste mensen tot roekeloosheid aanzetten. Misschien had ze zichzelf wijsgemaakt dat ze niets verkeerds deed, ook al was niet iedereen het ermee eens. Tenslotte werkte ze vanuit de Latijnse Vulgaat, en haar onwrikbare geloof in de kwaliteit van haar eigen vertaling zou haar weleens hebben kunnen verleiden tot de veronderstelling dat uiteindelijk haar bijbel te goed zou zijn om haar te bestraffen. Je kunt je voorstellen dat ze *Die Gertrud Bibel* voor zichzelf legitimeerde, ook al was het geheim, en dat ze het risico liep dat wanneer aan het eind van haar leven het werk voltooid was, het zich tegen haar zou keren, maar dat moest dan maar. Wat zouden ze een oude vrouw nog kunnen aandoen wier plek in de hemel al was gereserveerd?

Toen ik ten slotte aan Marianne Engel vroeg op wiens gezag *Die Gertrud Bibel* tot stand was gekomen, hoopte ik op een sluitend bewijs of iets wat het hele verhaal zou ontkrachten. Maar haar antwoord bevatte geen van beide.

'Ik was nog zo jong dat ik daar nooit naar vroeg, en Gertrud zei er ook niets over. Maar ze deed wel altijd heel geheimzinnig en de nonnen mochten er buiten het scriptorium niets over vertellen.'

'Waarom zijn ze niet in verzet gekomen,' vroeg ik, 'als ze ervan overtuigd waren dat het niet mocht?'

'Misschien omdat ze later verantwoording zouden moeten afleggen in de hemel,' zei ze, 'maar ik denk dat ze banger waren voor Gertrud en Agletrudis hier op aarde.'

Het deed Marianne Engel kennelijk zo goed dat ik gedetailleerd inging op haar verhaal dat ze vroeg of ik nog meer wilde horen.

'Natuurlijk,' antwoordde ik.

19

Zo lag het enige leven dat ik ooit had gekend achter me en voor me strekte zich een leven uit waar ik me geen voorstelling van kon maken. Toen we verderliepen, keek ik achterom en zag ik vader Sunder verdwijnen in de nacht. Ik kende hem al mijn hele leven en nu was hij weg. Toen pas besefte ik dat jij noch ik wist waar we heen gingen.

Jij liep voorop, alsof je precies wist waar we mee bezig waren, en leidde ons steeds verder van Engelthal. Volgens mij was je niet bang dat een horde nonnen een klopjacht zou inzetten; waarschijnlijk vreesde je dat ik de moed zou verliezen en terug zou keren. Dus je liep maar door, ondanks je brandwonden, en ik had moeite om je te volgen. Ik gleed voortdurend uit in de modder, maar ik wilde je laten zien dat ik je kon bijhouden, hoe hard je ook liep. Vermoedelijk vond ik het zo belangrijk omdat ik zelf niet wist of het wel zo was.

Ik kon zien dat je in de oorlog had geleerd om je lichaam te vergeten en alleen op wilskracht door te gaan. Ik had je bijgestaan bij je herstel en ik wist dat deze inspanning vele malen groter was dan wat je had moeten doorstaan sinds je naar Engelthal was gebracht, en ik verbaasde me over je uithoudingsvermogen – totdat je opeens volledig instortte.

Je gleed uit in de modder en je kwam verkeerd neer. Je probeerde meteen weer overeind te komen, maar dat lukte niet: zodra je rechtop stond, verloor je weer je evenwicht. Dit keer strekte je je armen om de val te breken, maar de verkleefde huid op je borst deed je kermen van de pijn. Je trok je armen automatisch weer in en viel met je gezicht in de modder.

Ik snelde toe om je te helpen en in een reflex duwde je me weg. Toen besefte je waarschijnlijk dat we moesten samenwerken om verder te kunnen gaan, dus mocht ik je overeind helpen. Je probeerde een grapje te maken: 'Volgens mij duwde de duivel me omver.'

Even later was je genoeg hersteld om samen naar een boom te lopen. Bedekt door modder gingen we daaronder zitten, terwijl het nog steeds regende. We kropen tegen elkaar aan om warm te worden en zo dicht bij een ander lichaam was ik nog nooit geweest, laat staan het lichaam van een man, maar het was in de verste verte niet wat ik me ervan had voorgesteld. Ik wist dat dit op een gegeven moment zou gebeuren en ik had verwacht dat het opwindend en eng zou zijn, maar ik werd alleen maar bevangen door de angst dat ik de verkeerde beslissing had genomen door Engelthal te ontvluchten.

Zo begon ons leven samen: ijskoude regen, we waren niet in staat om verder te lopen en konden alleen maar wachten tot het weer ochtend werd en de zon misschien – misschien – wat warmte zou brengen. Wellicht was dit een teken, dacht ik, om terug te keren. Dan was ik er voordat iemand me zelfs had gemist en kon ik doen alsof ik ziek in mijn cel lag. Een paar dagen later zou ik dan mijn plichten en mijn vertrouwde leven weer oppakken.

Maar nee. Agletrudis zou de gebeurtenissen zeker niet onvermeld laten en ik kon een zieke niet alleen achterlaten langs de kant van de weg, zeker niet iemand voor wie ik me zo verantwoordelijk voelde. Toch moest ik steeds denken aan de rust in het klooster en aan mijn plek daar. Het scriptorium, tussen de boeken, was mijn thuis. Maar nu, in dit noodweer onder een boom, met een man die ik nauwelijks kende maar in wiens handen ik mijn toekomst had gelegd: moest dat mijn nieuwe leven zijn?

Er zat niks anders op dan de nacht uit te zitten.

Toen de ochtend loodgrijs aanbrak, werd de regen minder maar hield niet op. We gingen weer op pad, maar al je voorgewende energie was verdwenen. Elke aanzet tot een stap was een beproeving en elke volbrachte stap was een kleine triomf. Bij al die kleine overwinninkjes liep ik naast je, met mijn arm om je heen geslagen, bezorgd dat je weer zou vallen en niet meer overeind zou kunnen komen.

Toen diende zich onze eerste meevaller aan: een boerenwagen. Het paard klepperde naar ons toe en jij gebaarde de man te stoppen. Je vroeg waar hij heen ging. Naar de markt in Neurenberg, antwoordde hij. Toen je vroeg of we mochten meerijden, zei hij nee. Er was volgens hem geen plek bij de varkens, en hij wees naar de volgeladen kar achter hem.

'Hoeveel kosten twee dieren?' vroeg je.

De boer noemde zijn prijs en jij pakte de benodigde munten, gaf ze aan hem en klom moeizaam op de kar. Je probeerde een van de varkens eruit te tillen, maar dat lukte niet, dus je wenkte me en samen waren we sterk genoeg. Zodra het varken de grond raakte rende het krijsend het bos in, en bij het tweede gebeurde precies hetzelfde. Je wendde je naar de verbijsterde boer en zei: 'Nu is er wel plek voor ons.'

Dat moest hij toegeven, zij het met tegenzin. Ik zag dat hij liever geen mensen meenam, maar dat hij besefte dat jij hem niet zomaar verder zou laten rijden. Omdat hij het geld al had geaccepteerd was instemmen makkelijker dan tegenstribbelen.

Tijdens de hele rit verdrongen de varkens zich om ons, duwden nieuwsgierig tegen ons aan en besnuffelden ons. Eerst probeerde ik ze nog weg te jagen, maar dat lukte niet omdat ze eigenlijk geen kant op konden. Als ik er eentje wegkreeg, dan nam een andere meteen zijn plaats weer in. Ze krijsten voortdurend, maar het geluid was nog niets vergeleken met hun stank, en tegen de tijd dat we eindelijk de buitenwijken van Neurenberg bereikten, wist ik zeker dat God Zijn boodschappen verstuurde via varkenspoep.

De boer zette ons af bij de herberg van een waard aan wie hij vast een hekel had. We maakten vermoedelijk een wonderlijke indruk met onze aanblik en de geur die we verspreidden toen we om een kamer vroegen. De herbergier aarzelde, hij wist niet zo goed wat hij aan moest met een man met brandwonden en een non die samen op een veewagen reisden. Maar jij stopte hem wat extra geld toe en ik bood aan voor zijn zielenheil te bidden en verzekerde hem ervan dat God mijn gebeden zou verhoren, al zag ik er nog zo smerig uit. Met tegenzin wees hij ons een kamer helemaal achterin toe, ver verwijderd van zijn eigen onderkomen, en we mochten alleen naar binnen wanneer we ons eerst zouden wassen in het beekje vlakbij, met kleren en al.

Er stond maar één bed in de kamer en dat confronteerde me met iets wat ik steeds krampachtig had verdrongen. Er had tijdens onze gesprekken in Engelthal ontegenzeggelijk iets seksueels tussen ons bestaan. Ik wist dat we niet als broer en zus door het leven zouden gaan, maar ik had geen idee hoe het zat tussen mannen en vrouwen. Mijn gezicht moet boekdelen hebben gesproken. Je liep naar het midden van de kamer en legde daar een kleed neer en zei dat je als huurling ook altijd op de grond had geslapen. Je keek de andere kant op toen ik mijn natte habijt uittrok en in bed stapte, en dat lieve vertoon van begrip zal me altijd bijblijven.

Ik was doodop, maar ik kon niet in slaap komen. Misschien hoorde je me woelen, of kwam het door mijn onrustige ademhaling, maar na enkele minuten zei je toch weer iets: 'Marianne?'

Ik durfde bijna niet te antwoorden, maar ik deed het toch. 'Ja.'

'Het is geen goed begin, maar het is wel een begin,' zei je. 'Ik beloof je dat het vanaf nu alleen maar beter zal worden. Ga slapen, je bent hier veilig.'

Die woorden stelden me zo gerust, dat kun je je niet voorstellen, en ik kon maar op één manier reageren: ik gaf je de pijlpuntketting. Ik durfde hem niet bij je om te doen, maar zei dat vader Sunder hem had gezegend om je te beschermen.

'Dan zal ik hem altijd trots dragen,' zei je. 'Dank je wel.'

We sliepen tot 's morgens vroeg en besloten nog een nacht te blijven om aan te sterken voor we weer op pad gingen. We moesten nog steeds bepalen waar we heen zouden gaan en zelfs dat beangstigde me, omdat we de vrijheid hadden om te kiezen hoe ons leven er verder uit zou zien. Jij had sinds je je had aangesloten bij de condotta geen enkele keuze meer gehad, en voor mij was het helemaal nieuw.

De herbergier bereidde een avondmaal voor ons en het verbaasde me dat eten zo lekker kon zijn. Vergeet niet dat nonnen altijd werd geleerd dat hun nederigheid werd gemeten aan de soberheid van hun voedsel. Tijdens het eten maakten we plannen. We wilden allebei naar een wat grotere plaats omdat we, om voor de hand liggende redenen, zo veel mogelijk wilden opgaan in de menigte. De twee grote steden in de buurt waren Neurenberg, aan de rand waarvan de herberg lag, en Mainz. Er werd veel gebouwd in Mainz, vooral kerken, dus dat was een voordeel. Het enige vak dat je naast boogschieten had geleerd was werken met steen, dus daar zou je proberen de kost mee te verdienen. Dat zou niet makkelijk zijn, omdat je al meer dan tien jaar uit het vak was en nog steeds herstellende was van je brandwonden, maar we konden niets beters verzinnen. Je had nog wat geld over van je soldij en broeder Heinrich had me nog wat toegestopt toen we weggingen, dus we konden het wel een tijdje uitzingen.

Er was nog een andere reden om voor Mainz te kiezen: er heerste daar een merkwaardig evenwicht tussen de kerkelijke en wereldlijke macht. De burgers hadden het recht verkregen om hun eigen bestuur te kiezen en hun eigen financiën te regelen, in plaats van dat de kerk dat voor ze deed. Hoewel ik in Engelthal niet echt zo'n belangrijke functie had gehad, leek het me toch beter om in een stad te wonen die losstond van de Kerk. Neurenberg lag zowel geografisch als historisch te dicht bij Engelthal, want Adelheit Rotter had tenslotte met begijnen uit Neurenberg het klooster gesticht.

Eenmaal voor Mainz gekozen, moesten we er ook nog zien te komen. Ik kon niet verder in mijn nonnenhabijt, omdat dat als een vorm van verraad aanvoelde. Ook al wist ik niet hoe ik mezelf moest omschrijven, ik was in elk geval geen zuster meer. We vonden een winkel waar ze moderne kleren verkochten, en dat was een ervaring op zich. Ik paste een overmantel met grote openingen onder de armen, van het soort waarvan ik had geleerd dat dat 'poorten naar de hel' waren omdat ze de mannen verleidden er hun handen in te steken. Zulke kleding was niets voor mij. Uiteindelijk koos ik voor een geweven maillot en een eenvoudige mantel. Ik gooide mijn nonnenkleren liever niet weg, maar stopte ze in mijn rugzak. Al zou ik het willen, dan nog kon ik ze nergens als oud vuil dumpen.

We kwamen Mainz binnen via de poorten aan de kant van de Rijn. Je kunt je niet voorstellen hoe fascinerend ik het vond. Al die luidruchtige mensen! Jou doet dat misschien niet zoveel, maar bedenk dat ik mijn hele leven in een klooster had doorgebracht. We drongen ons door de menigte bij de eetkramen en langs de dronkaards die de taveernen uit strompelden. Niemand boog voor mij, zoals ze altijd hadden gedaan toen ik mijn habijt nog droeg. Ik was een gewone burger.

We gingen naar de armere buurten van de stad, op zoek naar het goedkoopste onderkomen dat we konden vinden. Ten slotte vonden we iets geschikts in de joodse wijk, achter een winkel die werd gedreven door een ouder echtpaar. Ze waren verbaasd dat wij daar wilden wonen, want de vrouw had al snel door dat ik een christen was. Ik verzekerde hen dat ik ze absoluut niet wilde bekeren, en dat overtuigde ze. Kennelijk was onze oprechtheid duidelijk en konden ze zien dat we een verliefd stel waren dat op zoek was naar woonruimte. Of we nu echt verliefd waren, dat wist ik niet, maar zo zag de vrouw van de huisbaas ons. We betaalden een paar maanden huur vooruit en zij gaven ons ter verwelkoming een stuk brood.

We namen de tijd om de stad rustig te verkennen, want jij was nog niet zover dat je meteen op zoek kon gaan naar werk. Die hele eerste week hoopte ik dat de stad ons zou bevallen en, nog belangrijker, dat we elkaar leuk zouden blijven vinden. Mainz was slechts een kilometer of twee in doorsnee, niet zo groot, maar er woonden wel twintigduizend mensen. Voor die tijd een niet-onaanzienlijke stad. Er was een centraal plein waar op de noordoosthoek de markt werd gehouden en de eerste keer dat we er waren was het een kerkelijke feestdag. Daar stond ook het stadhuis, evenals het Heilige Geest Hospitaal, dat ik had aangeraden toen je net was verbrand. Ten westen daarvan bevonden zich een boomgaard en een varkensboerderij van de antonieten-

monniken. Om de een of andere reden geloofden ze dat het fok-
ken van varkens zich prima liet combineren met hun zorg voor
de zieken.

Het aantal religieuze orden in Mainz was opmerkelijk groot.
Er waren franciscanen, augustijnen, de teutonische orde, de
kartuizers en de witte vrouwen en... Ik weet het niet meer, het
waren er zoveel. Maar ik was vooral geïnteresseerd in de begijnen, die eigenlijk nonnen waren zonder een formele orde. Gezien mijn situatie kun je je voorstellen dat ik enige verwantschap
met ze voelde: niet echt behorend tot de Kerk, maar ook niet se-
culier. Ik kwam ze overal op straat tegen en dat deed me goed.
Ook al had ik Engelthal verlaten, het was niet mijn bedoeling
God te verlaten.

De St. Martinuskathedraal torende boven alle andere kerken
in de stad uit. Omstreeks het jaar 1000 had aartsbisschop Willi-
gis die laten bouwen omdat hij een statige plek wilde, daar hij het
recht had verworven om de koningen in Mainz te kronen. Maar
op de dag van de officiële inwijding vloog de domkerk in brand.
Het leek wel alsof het bouwwerk toen de smaak te pakken had,
want vóór onze komst was het maar liefst al twee keer in vlammen opgegaan. Ik vond het altijd wel toepasselijk: drie keer verbrand, drie keer herbouwd.

De St. Martinus was uitzonderlijk mooi. De deuren waren
van brons, er hing een prachtig kruisbeeld en in het schip viel het
licht via de gebrandschilderde ramen in de schitterendste kleuren naar binnen. Er was een oksaal en nog een kleiner koor aan
de oostkant. Daar lagen de graven van enkele aartsbisschoppen
– Siegfried von Epstein, geloof ik, en Peter von Aspelt. In de tijd
dat wij in Mainz waren, kwam daar nog het graf van aartsbisschop Von Bucheck bij. Zodra je binnenkwam drong de rijke
historie van de dom zich aan je op.

Na het verkennen van de stad ging je op zoek naar werk. Je
wist dat je onderaan moest beginnen, maar je was ervan overtuigd dat je inzet zou worden beloond. Elke ochtend stond je
vroeg op om de kerken langs te gaan die in aanbouw waren en
elke dag kreeg je overal nul op het rekest. Daarna ging je langs

particuliere woningen en bedrijfspanden die werden gebouwd, langs nieuwe wegen die werden aangelegd, maar overal werd je afgescheept. Uiteindelijk kenden ze je op alle bouwplaatsen, maar wat je ook deed, niemand bood je werk aan.

Je eerste probleem was dat je niet wilde liegen. Wanneer de voorman naar je werkervaring vroeg, vertelde je eerlijk dat je al een tijd niet met steen had gewerkt. Wanneer ze vroegen wat je dan in de tussentijd had gedaan, zei je dat je soldaat was geweest. Als ze dan precies wilden weten waar, hield je je op de vlakte. Maar de werkelijke reden waarom je iedere keer werd afgewezen, waren je brandwonden. Het waren er niet zoveel als nu, maar vergeet niet dat er veel bijgeloof was in die dagen. Waar zou die man die brandwonden hebben opgelopen, vooral omdat hij er zo vaag over deed? Daar stak vast meer achter.

Elke avond strompelde je weer naar huis, maar voor onze deur bleef je altijd even staan. Je schikte je kleren, maakte een aantal keren beurtelings een vuist en spreidde dan je vingers, voordat je weer een glimlach op je gezicht toverde. Dat weet ik omdat ik je altijd door het raampje kon zien. Voordat je binnenkwam, trok ik me snel terug zodat je nooit hebt geweten dat ik je zag.

Ik had weer andere aanpassingproblemen in ons nieuwe leven. Ik voelde me juist beperkt door de vrijheid. Bij gebrek aan een vast schema voor de gebedsdiensten bezocht ik nu op zelfbepaalde tijden een kerk, maar het bidden was toch anders nu het geen verplichting meer was. Ik begon zelf te koken, iets wat ik in het klooster nooit had gedaan. Ik beperkte me eerst tot verse groenten en fruit vanuit het idee dat ik dat niet kon verknoeien, totdat jij na een aantal weken aangaf dat je wel iets 'stevigers' zou lusten. Dat betekende iets warms, iets met vlees. Aangebrand, niet gaar, verkeerde ingrediënten, van alles wat ik op het vuur zette maakte ik een puinhoop. Je onderging mijn pogingen glimlachend, verborg restjes in je zakken en zei dat ik vooruitging. Opnieuw was je een en al begrip. Uiteindelijk leerde de vrouw van de huisbaas me een aantal basisvaardigheden, omdat ze genoeg had van de dampen die uit mijn keuken kwamen.

Maar het koken was simpel in vergelijking met het spelen van de rol van minnares. Lieve help, wat was dat eng! Maar ook nu was je geduldig, in elk geval geduldiger dan ik redelijkerwijs had kunnen verwachten. Misschien kwam het ook door je brandwonden, want soms kon je geen aanrakingen verdragen. Vóór mij waren er andere vrouwen in je leven geweest en het zou naïef van me zijn om anders te hebben verwacht, maar je maakte er geen geheim van. Er was een tijd voordat we elkaar hadden ontmoet en er was een tijd daarna, punt uit. Meestal kon ik daar wel mee leven, maar soms, ongemerkt, worstelde ik met mijn jaloezie.

Jouw ervaring op het gebied van de lichamelijke liefde had ook zijn voordelen. Gek genoeg had ik – vergeefs – geprobeerd hetzelfde ideaal in de spirituele liefde te bereiken. Jij leerde me een sensualiteit kennen waarvan ik geen idee had dat ik die in me had. Ik ontdekte dat ik… Kijk mij nou, na al die jaren bloos ik nog steeds. Ik kan er nog steeds niet over praten. Laten we het er maar op houden dat ik altijd een kuis leven had geleid en dat ik na een paar maanden met jou besefte dat het leven meer te bieden had.

Maar goed, ik begon te wennen aan een leven buiten het klooster. Ik bezocht nog steeds de St. Martinus, maar al snel bad ik om jouw gezondheid en dat je werk zou vinden, wat betekende dat ik bad om wat ík wilde dat er zou gebeuren en niet wat God wilde. Buiten de kerk sprak ik op straat met begijnen en met een aantal van hen kreeg ik een goede band.

De Kerk vond het eigenlijk ongepast wanneer 'amateurs' zich bemoeiden met zaken Gods, maar daar dacht ik anders over. De begijnen werkten op straat en leefden naar de gelofte van de armoede, in schrille tegenstelling tot de kerken, waar, naar ik ontdekte, de meeste priesters incompetent en zelfs corrupt waren. De begijnen voorzagen in hun onderhoud met het vervaardigen van eenvoudige gebruiksvoorwerpen, het werken in ziekenhuizen en door giften, en niet door verplichte belastingen op te leggen. Elke avond keerden ze terug naar hun begijnhof om de volgende ochtend hun taak weer op te pakken. Hun integriteit was boven elke twijfel verheven. Al snel kwam ik erachter dat de Kerk zich vooral tegen de begijnen keerde omdat de kerkleiding slecht afstak bij die 'amateurs'.

De begijnen konden me niet helemaal plaatsen. Ik kon eindeloos uitweiden over de bijbel en zowel Latijn als Duits lezen. Ik had alle bijbelgeleerden en exegeten bestudeerd. Ik kende het werk van Mechtild von Magdeburg, een voor de begijnen belangrijke mystica, en had haar meesterwerk *Das fliessende Licht der Gottheit* gelezen. Daar wist ik veel van af, maar ik kon en wilde ze niet vertellen over het hoe en waarom. Ze waren ervan onder de indruk, maar raakten er ook van in de war. Wat hen nog het meest interesseerde was mijn uitgebreide kennis van het maken van boeken. Ik wist er meer van af dan hun eigen vakvrouwen, die de armenbijbels vervaardigden die ze op straat uitdeelden.

De winter stond voor de deur, je had nog steeds geen werk gevonden en de voortdurende afwijzingen eisten hun tol. De bouwopzichters reageerden steeds vijandiger op je herhaalde bezoeken en elke avond sleepte je je steeds futlozer naar huis. Je begon jezelf te verwijten dat je niet in staat was 'om te doen wat een beetje man zou moeten kunnen doen'. Ik leerde weer iets over de buitenwereld, namelijk over mannelijke trots. Ik wilde je helpen, maar elke suggestie stuitte op woede. Het maakte het er ook niet makkelijker op dat ik wist dat je woedend was op jezelf, niet op mij.

Ook was het een groot nadeel dat je geen gezellendiploma had, wat wel verwacht werd van een arbeider van jouw leeftijd. Het maakte niet uit dat het niet jouw schuld was dat je ouders waren gestorven toen je nog maar een kind was. Maar het was wel een feit. Het steenhouwersgilde was machtig en jij voldeed eenvoudigweg niet aan hun eisen. Er moest iets gebeuren, en snel, want ons spaargeld raakte op.

Dus nam ik twee besluiten, maar bracht je van geen van beide op de hoogte. Allereerst bood ik mijn diensten aan bij de begijnen. Niet als lid, maar op inhuurbasis.

Hun productie van de armenbijbels was niet zo ingewikkeld,

gewoon houtgravures van afbeeldingen en tekst, maar ik vond ze toch prachtig. Aangezien slechts weinig mensen konden lezen, waren plaatjes de enige manier om de religieuze verhalen onder het gewone volk te verspreiden. Verhalen uit het Nieuwe en Oude Testament werden naast elkaar geplaatst, zodat de lezer zich kon bezinnen op het onderlinge verband. De begijnen onderschatten hun lezers niet, ze probeerden ze tot nadenken aan te sporen. Toch wist ik dat ik de kwaliteit van de tekst kon verbeteren en mooiere combinaties van de fragmenten kon verzinnen. De begijnen hadden eerst hun twijfels, dus gaf ik een aantal voorbeelden en toen moesten ze wel toegeven dat ik goed was. Ze bleven echter wantrouwig om een leek bij hun werk te betrekken en ik besloot dat ik toch maar moest vertellen over mijn leven in Engelthal.

Ze wisten niet hoe snel ze me in hun gelederen moesten opnemen. Dat gaven ze natuurlijk niet hardop toe, maar volgens mij dachten ze dat, wanneer ik in hun midden was, er ook iets van Engelthal op hen zou afstralen. Omdat ze geen geld hadden om mij te betalen, gaven ze me brood en aardappelen. Dat maakte het wel iets makkelijker, want toen je thuiskwam na een dag werk zoeken, kon ik in alle eerlijkheid zeggen dat we het hadden gekregen. Nu hoefde ik niet te zeggen dat ik geld verdiende en jij niet.

Het tweede dat ik deed heb ik je nooit verteld. Vergeet niet dat het al lang geleden is en ik hoop dat je me het vergeeft.

Je stond 's morgens op en bereidde je weer voor op een dag werk zoeken. Ik vroeg terloops langs welke kerken je zou gaan en je zei dat je zou beginnen met de St. Christoffel, vervolgens het clarissenklooster en dan de St. Quintinus. Daarna wist je het nog niet. Toen je je weer naar buiten sleepte, trok ik voor het eerst sinds ik Engelthal had verlaten mijn nonnenkleren weer aan. Ik ging naar de St. Quintinus, omdat ik wist dat het wel even zou duren voordat jij daar aankwam.

'Het wordt een prachtige kerk,' zei ik tegen de bouwopzichter. 'Het schip lijkt relatief kort en de zijbeuken zijn lang. Dat geeft een interessant effect.'

Hij bedankte me, maar wist wel dat ik niet was gekomen om over architectuur te praten. Beleefd – want wie wil er nu een non beledigen? – vroeg hij naar de werkelijke reden van mijn komst. 'Ik ben hier ten behoeve van een vriend,' zei ik, 'een man die werk zoekt. Een man met vele brandwonden.' De opzichter sloeg zijn blik ten hemel en zei dat die verdomme, neem me niet kwalijk, zo'n beetje elke dag langskwam, maar dat ze genoeg arbeiders hadden. Bovendien schrok zijn uiterlijk de overige arbeiders af.

Met mijn liefste stem, die ik me had aangeleerd om over God te spreken, zei ik: 'Maar een mens mag niet alleen op zijn uiterlijk worden beoordeeld. Ik weet zeker dat deze man een goed hart heeft en een niet-onervaren steenhouwer is.'

De opzichter antwoordde, nog steeds beleefd, dat jouw arbeidsverleden als steenhouwer was onderbroken door de vele jaren waarin je soldaat was, een huurling, vermoedde hij.

Ik bevestigde noch ontkende zijn vermoeden, maar stelde nogal cryptisch: 'Er zijn mensen die het als hun plicht zien om namens God de wapens op te nemen, maar zich daarvoor niet op de borst willen slaan. Dus ik vraag u nogmaals of er bij de bouw van zo'n mooie kerk als deze niet plaats is voor nog een arbeider. Zelfs voor een met gaten in zijn geschiedenis. Ik sta persoonlijk in voor zijn karakter.'

Hij nam me op van top tot teen en vroeg waar ik precies vandaan kwam. Ik antwoordde dat ik uit Engelthal kwam, zonder te vermelden dat ik er niet meer als non werkzaam was. Ik kon niet zien of dat indruk op hem maakte. Hij had kennelijk wel van Engelthal gehoord, want hij knikte. Hij zei dat hij zou zien wat hij kon doen, maar dat hij niets kon beloven.

'Dank u dat u mijn verhaal hebt willen aanhoren. Mocht u een plek voor hem vinden, zegt u dan niet dat ik hier ben geweest. Hij is een trots man en het zou goed zijn wanneer hij geloofde dat zijn vasthoudendheid beloond was.' Ik boog en zei dat ik voor hem zou bidden.

Nadat ik me had omgekleed, ging ik rechtstreeks naar de St. Martinus. Niet om te bidden voor het zieleheil van de opzichter, zoals ik had beloofd, maar voor die van mezelf. Mijn bedrog met de kleding van de Kerk bezorgde me grote wroeging. Toen ik de kathedraal verliet, had ik niet het gevoel dat het mij was vergeven. Ik had om een teken gevraagd, maar dat was uitgebleven.

Tot die avond, toen jij uitgeput maar vrolijk en onder het gruis binnenkwam. 'Een van de opzichters heeft me vandaag aangenomen.'

Er gingen weken voorbij en je maakte een gunstige indruk op de bouwplaats. Toen het werk bij de St. Quintinus afgelopen was, beval de opzichter je aan bij de St. Stefanus. Zo kwam je de winter door, je trok van de ene kerk naar de andere. Je kreeg een zekere naam en maakte vrienden en elke dag bracht je dolblij wat geld mee naar huis. Ik zette water op, vulde een grote emmer om jou te kunnen wassen. Je zat nog steeds onder de littekens en je huid was strak, en ik masseerde je lichaam tot de knopen zich ontspanden. Het was voor iedere man zwaar werk, maar vanwege je verwondingen was het voor jou twee keer zo erg. Toch werd je met de dag sterker. Ik maakte het eten klaar dat we ons konden veroorloven, meestal alleen aardappelen en donker brood, goedkoop varkensspek, en datgene wat ik stiekem had verdiend bij de begijnen.

We hadden telkens net genoeg geld om de huur te kunnen betalen. De vrouw van de huisbaas gaf me nog steeds kookles en stelde me voor aan een paar van haar vriendinnen. Het duurde even voordat ze me accepteerden want de verhouding met de christenen was voor de joden in Mainz nogal gecompliceerd – er deden nog steeds verhalen de ronde over het bloedbad dat de kruisvaarders onder leiding van Emich hadden aangericht, en over de aartsbisschop die ooit had geprobeerd alle joden uit de stad te verdrijven. Maar omdat ze woonden en werkten in de stad moesten ze wel met allerlei soorten mensen omgaan. Omdat ik ze nooit mijn religie probeerde op te dringen, kwamen ze vermoedelijk tot de slotsom dat ze mij als individu konden accepteren.

Nu had ik dus naast mijn vriendinnen bij de begijnen ook enkele joodse kennissen, en jij had collega's op bouwterreinen, verspreid over de hele stad. Ik bad niet langer om een teken dat mijn beslissing om Engelthal te verlaten een juiste was geweest. Ik wist nu dat dat zo was.

In het voorjaar deed een bevriende steenhouwer je een bijzonder en onverwacht aanbod. Hij zei dat hij het beu was om 'van die onnozele jochies op te leiden' en hij verlangde naar het gezelschap van een echte kerel. Als jij geen bezwaar zou hebben tegen het lage loon, zou hij bij het steenhouwersgilde een verzoek indienen om bij wijze van uitzondering jou als leerling te mogen aannemen. Hij waarschuwde dat het niet makkelijk zou zijn en dat je er in inkomen op achteruit zou gaan, maar uiteindelijk zou je gezel worden. Binnen enkele minuten kwamen we al tot de conclusie dat je zo'n aanbod waarschijnlijk nooit meer zou krijgen. Het viel niet mee om het gilde te overtuigen, maar uiteindelijk gingen ze akkoord, en zo werd je de oudste leerling van Mainz.

Je stortte je op je werk, van 's morgens vroeg tot 's avonds laat. Je deed alles wat je werd gevraagd, klaagde nooit en voerde al je opdrachten zorgvuldig uit. Het was een voordeel dat je van nature iets met steen had. De lessen die je van je vader had gekregen was je in de loop der jaren niet vergeten.

Geloof in een betere toekomst is een wonderbaarlijk geschenk. We hadden nog steeds geen geld, maar durfden al wel voorzichtig te mijmeren over een nieuwe woning. 'Een huisje, misschien.' Daarmee hadden we iets waarvan we konden dromen en die droom konden we goed gebruiken, want de daling in inkomen had invloed op alle aspecten van ons leven, vooral op ons voedsel. Zonder de 'liefdadigheid' van de begijnen hadden we het nooit gered.

Ook al hadden we een lege maag, toch liepen we vaak door de stad en wezen de huizen aan waar we in zouden trekken. Ooit.

'En wanneer we dat doen,' zei je, 'zou het mij een grote eer zijn wanneer je mijn vrouw wilt worden.'

20

En daar brak ze onze geschiedenis af.

Toen ik er bij haar op aandrong om te vertellen of we inderdaad waren getrouwd, zei Marianne Engel: 'Daar zul je nog even op moeten wachten.'

Ik ging vaak terug naar het ziekenhuis voor mijn voortdurende reconstruerende operaties. Op dat moment was dat vooral nog plastische chirurgie. Ik vroeg aan Nan hoe lang ik nog zou moeten doorgaan met mijn huidtransplantaties, en ze zei dat ze dat niet wist. Ik vroeg haar hoeveel beter ik er ten slotte zou uitzien, en ze antwoordde dat dat verschilde van patiënt tot patiënt.

Ik had altijd het gevoel dat, hoeveel Marianne ook om mij gaf, mijn regelmatige afwezigheid op het fort voor haar een welkome onderbreking vormde waarin ze ongestoord kon werken. Telkens wanneer ik na een paar dagen in het ziekenhuis thuiskwam, trof ik haar uitgeput aan, languit op bed, nog steeds onder het steengruis, en wanneer ik even een kijkje in de kelder nam, werd ik kwaadaardig aangekeken door een nieuw monster. Dan controleerde ik de bakken water en eten die ik voor mijn vertrek had achtergelaten voor Bougatsa en die waren altijd leeg; ik vermoedde dat hij alles in één keer opat zodra ik de deur uit was, maar daar kon ik niets aan doen. Al met al pakten mijn bezoekjes aan het ziekenhuis gunstig uit, want al dat beeldhouwen tijdens mijn afwezigheid had tot gevolg dat we meer tijd samen hadden wanneer ik thuis was.

Maar het kwam ook voor dat ze toch beeldhouwde wanneer ik niet in het ziekenhuis was, en ik kon steeds beter voor mezelf zorgen – en voor haar. Ze kon zich maar net lang genoeg van haar werk losrukken om mij in bad te doen, maar ik voelde dat ze het met tegenzin deed: hoe verder ze met een beeld gevorderd was, hoe harder ze mijn lichaam schrobde. Wanneer ze klaar was, trok ze zich terug in de kelder en bracht ik haar eten. 'Luister, je zou heel wat beter kunnen beeldhouwen – en sneller – als je af en toen eens wat at.'

'Het is niet alleen een kwestie van het te voorschijn halen van de gargouille. Het is ook een kwestie van het scherp houden van de geest.'

'Wat betekent dat?'

'Het aardse leven legt het lichaam in de watten met eten en materiële geneugten,' zei ze. 'Ze bevredigen het lichaam, maar zijn vijanden van de geest. Onthouding scherpt de geest bij de eeuwige strijd met het lichaam.'

Dat was weer zo'n discussie waarin de logica ver te zoeken was; daarom was het ook een discussie die ik alleen maar kon verliezen. Dus ik leegde haar asbakken, vulde haar waterflessen en liet een schotel met fruitsalade achter waarvan ik zeker wist dat die onaangeroerd was wanneer ik weer beneden kwam.

Zo'n manische periode duurde enkele dagen. Daarna verontschuldigde Marianne Engel zich voor haar afwezigheid, maar ik had niet veel reden tot klagen omdat ze eigenlijk maar een of hooguit twee van die sessies per maand had. Het beeldhouwen betaalde goed, en ook mijn rekeningen, en de rest van de tijd stond ze altijd voor me klaar: iedereen met een echtgenote met een fulltime baan zou zeggen dat ik niet moest zeuren.

Bovendien bood iedere sessie mij de gelegenheid om oude kennissen op te bellen voor een extra zending morfine die ik betaalde met mijn creditcard.

De andere klanten in de supermarkt probeerden niet naar ons te kijken, maar daar slaagden ze niet in. Marianne Engel wuifde naar een oma die ons stond aan te gapen en die ervandoor schoot alsof ze op iets immoreels was betrapt, maar ze kon het toch niet laten om nog twee keer achterom te kijken.

Verstandelijk begreep ik al die aandacht voor mij wel, maar emotioneel vond ik het vreselijk. Mijn anonimiteit was voorgoed verdwenen, want ik viel nu altijd en overal op. Het feit dat mijn lichaam verstopt zat achter plexiglas en drukkleding maakte me in zekere zin intrigerender. Zoals in elke goede horrorfilm is hetgene wat je erbij moet fantaseren enger dan wat je werkelijk ziet.

Ik hoorde in een gangpad een moeder tegen haar kind zeggen dat het niet naar me mocht staren. De jongen van een jaar of vijf, zes, zocht bescherming achter haar been, maar hij bleef naar me kijken. De moeder zei: 'Het spijt me. Hij is, eh, nieuwsgierig en, eh, te vriendelijk...'

'Daar moet je nooit je excuses voor aanbieden! Je kunt nooit te vriendelijk zijn!' Marianne Engel boog zich voorover naar het kind en keek hem aan. 'Wat een schatje. Hoe heet je?'

'Billy.'

'Heet je voluit William?'

'Ja.'

'Wat een mooie naam.' Marianne knikte met haar hoofd naar mij. 'William, vind je mijn vriend eng?'

'Een beetje,' fluisterde Billy.

'Hij valt reuze mee als je hem eenmaal beter hebt leren kennen.'

Ik vroeg me af wie ze meer in verlegenheid bracht – Billy, Billy's moeder of mij – en ik zei dat we moesten gaan. Ik was vergeten welk effect mijn kraakstem op mensen had wanneer ze die voor het eerst hoorden, maar toen Billy over de eerste schrik heen was, vroeg hij half nieuwsgierig, half ontzet: 'Wat heeft u?'

De moeder gaf hem een standje en legde uit dat zo'n vraag niet erg beleefd was. Ik wuifde het incident weg, maar Marianne Engel vroeg of ze ook niet een beetje nieuwsgierig was. Billy's moeder begon te hakkelen en twee woorden waren uiteindelijk te verstaan: 'Nou, ja...'

'Natuurlijk bent u dat. Kijk eens goed naar hem. William stelt alleen maar de vraag die iedereen in zijn hoofd heeft.' Ze streek de jongen door zijn haar om hem te laten merken dat ze niet boos op hem was.

'Hij zit nog maar op de kleuterschool,' zei de moeder.

'Ik ben gewond geraakt bij een brand.' Ik wilde alleen maar het gesprek beëindigen, zodat we verder konden gaan, maar Billy had nog een vraag: 'Deed dat zeer?'

'Ja.' Ik onderdrukte de opwelling om de jongen te waarschuwen voor het spelen met lucifers. 'Ik heb heel lang in het ziekenhuis gelegen.'

'Tjonge,' zei Billy, 'dan zult u wel blij zijn dat u daar weg bent.'

De moeder pakte de jongen nu zo stevig beet dat tegenstribbelen geen zin had. 'We moeten nu echt gaan.' Ze keek niet meer achterom, maar Billy draaide zich om en zwaaide terwijl zijn moeder hem door het gangpad met zich meetrok.

Toen we de supermarkt uit liepen, deelde Marianne Engel al haar kleingeld uit aan de bedelaars die buiten rondhingen. Intussen sprak ze de hele tijd over de half afgewerkte beelden in haar atelier. Kennelijk hadden haar Drie Meesters haar gezegd dat ze die moest afmaken.

Alles ging goed tot we bij de auto kwamen. Toen ik instapte, botste ik met een groot deel van mijn verbrande huid tegen het portier. Mijn lichaam reageerde onmiddellijk op mijn fout en pijnscheuten flitsten van de ene zenuwknoop naar de volgende, en dat kreng van een ruggengraatslang begon te happen aan de onderkant van mijn schedel alsof er een veldmuis zat die ze in één keer wilde doorslikken. `KLOOTZAK! KLOOTZAK! KLOOTZAK!` Mijn handen begonnen te beven en ik snakte naar morfine. Ik smeekte Marianne Engel om me zo snel mogelijk een injectie toe te dienen. Ze pakte de spullen uit mijn noodetui, dat ik altijd bij me had, en spoot me in.

Morfine is een godsdienstfanaat met zendingsdrift; hij speurt je lichaam af naar delen die hij kan bekeren en biedt ze dromen vol melk en honing aan om die traag door je aderen te laten vloeien. De slang zakte weg in die zoete brij en hield zich verder gedeisd, maar ik wist dat ze terug zou komen. De slang kwam altijd terug.

Wanneer was mijn bloed voor het laatst vrij van giftige stoffen geweest? Zo rond mijn twintigste, dacht ik.

Marianne Engel ijsbeerde dagenlang koffiedrinkend en sigaretten rokend door ons huis en foeterde op zichzelf omdat ze haar lichaam niet zuiver genoeg kon krijgen om als medium te dienen voor nieuwe instructies. Uiteindelijk accepteerde ze dat het nu wellicht tijd was om de vele onvoltooide beelden in haar atelier af te maken. 'Ik kan het niet eeuwig blijven uitstellen. De Meesters zeggen het.'

Aan die beelden werkte ze nu anders dan toen ze eraan was begonnen. Ze was niet bezeten met een demonische energie en ze kwam regelmatig naar boven om me te helpen met mijn oefeningen of om Bougatsa uit te laten. Wanneer ze me 's morgens waste voelde het niet meer alsof ik haar stoorde bij haar eigenlijke werk. Dat verschil, zo legde ze uit, kwam niet uit haarzelf maar uit de grotesken. Omdat het karwei al eens halverwege was onderbroken, begrepen ze nu dat er meer tijd beschikbaar was dan ze oorspronkelijk hadden gedacht. 'Ze hebben geleerd dat ze, wat ik ook met ze doe, van steen blijven. Ze weten nu dat ze niet hoeven te schreeuwen om hun zin te krijgen.'

In de loop van enkele weken maakte ze een paar van haar beelden af. De vogelkop op menselijke schouders, maar daaronder alles nog onbewerkt, kreeg nu het bovenlijf van een man en het onderlijf van een geit. Het lijf van het zeemonster dat zich uit een granieten oceaan klauwde, werd afgemaakt, net zoals de schuimkoppen op de golven. Die beelden werden per vrachtwagen naar Jacks galerie gebracht, want sigaretten en drukkleding kosten nu eenmaal geld.

Tot mijn verrassing vroeg Marianne Engel me enkele weken later om haar te vergezellen naar het atelier, de enige plek in het huis die ze als haar eigen domein beschouwde. Ze scharrelde er wat rond, zei niets, keek me niet aan en probeerde zo nonchalant mogelijk over te komen. Dat was in zo'n schril contrast met alle keren dat ik zag hoe ze helemaal opging in haar getergde extase. Ze pakte de bezem, veegde wat brokjes steen in een hoek en zei plotseling: 'Ik hoop dat je niet kwaad wordt.'

Ze liep naar een brok steen dat overdekt was door een wit laken. Ik had er nog geen aandacht aan besteed; in vergelijking met al haar overige excentriciteiten leek het verhullen van een kunstwerk totdat het af was me volkomen normaal. Ik herkende in het laken iets van een menselijk silhouet en het deed me denken aan een tijdens Halloween als spook verkleed kind. Toen ze het doek wegtrok zei ze: 'Ik heb jou gemaakt.'

Daar stond een half afgemaakt beeld van mij. Nee, niet half – het waren alleen de contouren van mijn lichaam. Het was nog niet uitgewerkt, maar ik herkende onmiddellijk de vage silhouet van mijn lijf; de schouders waren op de juiste wijze gekromd; de ruggengraat had een slangenbocht; het hoofd klopte omdat het de juiste disproportie had ten opzichte van de rest van het lichaam. Het was alsof ik mezelf 's morgens in de spiegel zag, voordat mijn ogen echt open waren. Ik stamelde dat ik niet kwaad was omdat ze mij had 'gemaakt', maar wel verward. *Waarom?*

'Ik handel in opdracht van God,' zei ze heel ernstig, waarna ze begon te lachen om te laten zien dat het een grapje was. Ik lachte ook, maar het klonk niet echt overtuigend.

'Ik wil dat je voor me poseert, maar denk er goed over na voordat je ja zegt,' zei ze en ze wees naar alle half afgemaakte gargouilles om haar heen. 'Ik wil niet dat jij hetzelfde lot ondergaat.'

Ik knikte – om aan te geven dat ik erover na zou denken, niet dat ik ermee instemde – en we liepen weer naar boven. Ik probeerde op de manier zoals me was aangeleerd de trap op te lopen, maar toen ik achteromkeek naar het stenen beeld in de hoek, zag ik wel dat ik harder aan mijn houding moest werken.

Jack stormde naar binnen, zwoegend met een plant met veel bladeren die ze in de hoek van de huiskamer neerkwakte. 'De vorige keer dat ik hier was zag ik dat jullie geen enkele plant in huis hebben. Is hier dan niets levends te bekennen?' Jack keek naar mij en zei: 'Goeie god, jij bent er ook niet bepaald op vooruitgegaan, hè?' Direct daarna richtte ze haar aandacht op Marianne Engel, die haar entree geamuseerd had gadegeslagen. 'En voor jou heb ik een aantal particuliere kopers die op zoek zijn naar originelen. Ze zijn niet zo enthousiast over wat er in de galerie staat, dus ze willen weten of je met iets nieuws bezig bent. Ik heb gezegd dat je altijd met iets nieuws bezig bent.'

'Komen ze goed terecht?' vroeg Marianne Engel.

'Ja, ze komen goed terecht,' verzuchtte Jack. 'Ik zorg altijd dat ze goed terechtkomen, en die diertjes van je zullen goed worden verzorgd. Ook al zijn ze verdomme alleen maar van steen. Dat weet je toch? O, en Princeton heeft wat restauratiewerk.'

Marianne schudde haar hoofd. 'Op dit moment heb ik even geen trek in reizen.'

'Juist. Te druk met de zorg voor je krokante vriend,' zei Jack. 'Jezus, Marianne, het betaalt goed en je laat het zomaar aan je neus voorbijgaan. Wanneer kunst zich laat beïnvloeden door liefdadigheid, wordt het een zooitje.'

Marianne Engel omhelsde haar innig, zei wat vriendelijks over mij, maar moest vooral giechelen om haar tirade. Dat maakte Jack alleen maar kwader. 'Weet je nog toen je je over Bougatsa ontfermde? Dat was ook zo'n zwerfgeval.'

In ons veronderstelde vorige leven had ik Marianne Engel een stenen engel gegeven die ik had gemaakt – degene die op haar boekenplank zat – en in dit leven had ze mij een stenen groteske gegeven die zij had uitgehouwen. Er lijkt een zekere symmetrie in te zitten, zoiets als de ommekeer van ons werk: toen was zij degene die met boeken werkte en was ik degene die met steen werkte.

Allemaal pure hypothese, natuurlijk, maar mijn reactie op het idee dat ze een beeld van mij aan het maken was, was puur intuïtief. Het is natuurlijk strelend wanneer een kunstenaar je als model wil hebben, maar het idee dat mijn afzichtelijke uiterlijk voorgoed werd vastgelegd gaf me toch ook een onaangenaam gevoel. Voor het eerst begreep ik de angst bij primitieve volkeren dat camera's tegelijk met hun afbeelding ook hun ziel afpakt.

'Hoe gaat dat dan?' vroeg ik. 'Wat moet ik doen?'

'Je hoeft helemaal niets te doen,' zei ze. 'Je hoeft alleen maar daar te zitten.'

Die opmerking herinnerde me aan ons gesprek nadat ze me had gedwongen Sayuri mijn excuses aan te bieden, toen ze zei dat ik 'niets hoefde te doen' om mijn liefde voor haar te bewijzen. Toen begreep ik niet wat ze bedoelde maar als het dít was wat ze duidelijk wilde maken, hoe zou ik dan nee kunnen zeggen? 'Goed, ik doe het.'

'Het is voor de verandering wel weer eens leuk om een levend model te hebben,' zei ze. 'Eindelijk kan ik de vorm ín de steen aanbrengen, in plaats van hem eruit te trekken.'

Ze begon zich uit te kleden en ik vroeg wat ze aan het doen was. Ze beeldhouwde altijd naakt, zei ze, en dat zou ze nu niet opeens veranderen; was dat een probleem voor mij? Ik zei van niet, maar daar was ik eigenlijk niet zo zeker van. Haar blote lichaam had op mij, ex-pornoacteur en groots vrouwenversierder, altijd een uitwerking die ik niet helemaal begreep. Haar naaktheid had zoiets puurs en ontwapenends...

Maar het was haar huis, dus ze mocht doen of laten wat ze wilde. Zodra ze zich had uitgekleed, hielp ze me uit mijn drukkleding en liet haar vingers over de plooien van mijn verbrande lijf glijden, alsof ze die in hun geheugen wilden opslaan. 'Mooi dat je littekens zo rood zijn. Wist je dat gargouilles vroeger in felle kleuren werden geschilderd om de contouren beter zichtbaar te maken?'

Ze liep naar een van haar beelden en liet haar vingers eroverheen glijden, net zoals ze mij even daarvoor had aangeraakt. Terwijl ik haar handen zag bewegen, stelde ik me een rivier voor die sinds mensenheugenis onverstoorbaar over een steen stroomt. Ze wees op de diep uitgehouwen lijnen onder de ogen van een van haar beesten. 'Zie je hoe de gelaatstrekken benadrukt zijn om schaduwen te creëren en diepte aan te brengen? De parochianen die opkeken naar de gargouille konden die details niet eens zien.'

'Waar doe je het dan voor?'

'We werken ook voor de ogen van God.'

Bij het poseren voelde ik me naakter dan tijdens het acteren in een pornofilm, en die eerste sessie was voornamelijk draaglijk omdat hij zo kort duurde. Ik mocht mijn drukkleding maar een kwartiertje afdoen en die limiet respecteerde Marianne Engel altijd. Het maakte niet uit dat het werk langzaam vorderde; ik was ervan overtuigd dat we nog jaren de tijd hadden om mijn beeld af te maken.

Aan het einde van elke sessie liet ze me de vorderingen zien die ze had gemaakt en dan bespraken we van alles en nog wat. Op een keer liet ze zich terloops ontvallen terwijl ze een sigaret uitmaakte: 'Vergeet niet dat we een Halloweenfeestje hebben.'

Dat hoorde ik voor het eerst, zei ik.

'Nee, hoor,' zei ze. 'Toen je vorig jaar in het brandwondencentrum lag, heb ik je beloofd dat we zouden gaan, weet je nog?'

'Dat is lang geleden.'

'Zo lang is een jaar niet, maar ik weet het goed gemaakt. Ga je mee als ik je nog een verhaal vertel?'

'Waarover?' vroeg ik.

'Volgens mij zal het je wel aanspreken,' zei ze. 'Het gaat over Sigurðr, mijn Vikingvriend.'

21

Slechter dan in het IJsland van de negende eeuw kon je het als jonge wees bijna niet treffen. Sigurðr Sigurðssons ouders waren meegekomen met de eerste stroom Noorse immigranten en besloten dat het land zo'n aparte schoonheid had dat het geschikt zou zijn om een gezin te stichten. Maar toen Sigurðr nog maar negen was, verdween zijn vader tussen het drijfijs en overleed niet lang daarna zijn moeder in haar slaap. De jongen probeerde met de opbrengst van de geërfde grond de benodigde inkomsten te verwerven maar dat mislukte. Sigurðr was simpelweg nog te jong en al snel was hij genoodzaakt zijn kostje bij elkaar te scharrelen met wat de dode, aangespoelde walvissen opbrachten.

Het was niet eens zo'n slechte manier om in je onderhoud te voorzien: het vlees werd gegeten, van het spek werd lampolie gemaakt, en de beenderen dienden als materiaal voor allerlei gebruiksvoorwerpen. Door die spullen te verhandelen kon Sigurðr zich bedruipen. Toch hoopte hij dat het leven meer te bieden zou hebben. Zelfs als kind wist hij dat hij niet zijn hele leven in walviskadavers wilde hakken. Hij wilde een sterke en moedige krijger worden.

Dus wanneer hij geen aangespoelde walvissen stond uit te benen, dook Sigurðr. Wanneer hij op de rand van een fjord stond en de oceaan voor hem uitgestrekt lag, probeerde hij altijd even nergens aan te denken en leek de wereld om hem heen te verdwijnen. Dan zette hij zich af en sprong de lucht in en was er een kort moment van gewichtloosheid wanneer de strijd tussen lucht en zee in evenwicht was, en Sigurðr stelde zich voor – alleen op dat ene prachtige moment – dat hij vlak langs het Walhalla vloog.

Maar de zee won altijd en de jongen sneed als een vallend mes door de lucht en zodra hij het transparante oppervlak doorboorde, kreeg hij het gevoel dat hij thuiskwam. Verder naar beneden ging hij op zoek naar de bodem van de oceaan, voordat hij weer uit het water opsteeg met het gevoel dat hij helemaal gereinigd was. Maar dat gevoel beklijfde niet.

Wanneer hij met de andere jongens speelde – want daar schoot nog wel enige tijd voor over – voelde hij zich een beetje een buitenstaander. Hij vond stoeien en rennen net zo leuk als zij, en hij schiep er zelfs een zeker genoegen in wanneer er door zijn hand wat bloed vloeide, maar er kwam een tijd dat de andere jongens jonge vrouwen vonden om mee te stoeien. Sigurðr, arme Sigurðr, beperkte zich nog steeds liever tot de jongens, en algauw begonnen de mensen zich af te vragen waarom hij geen belangstelling toonde voor het andere geslacht.

Sigurðr begon zijn mannelijkheid te bewijzen door elke avond door te brengen in de plaatselijke taveerne, maar hoezeer hij ook probeerde om zijn ogen gericht te houden op de borsten van de serveerster, zijn blik dwaalde toch altijd weer af naar de behaarde knokkels van de waard. Daarna probeerde hij zich te concentreren op de weelderige billen van Höðbroddr, waarna zijn blik toch steeds weer viel op dezelfde man, iets ouder dan hij, Einarr Einarsson.

Einarr was een brok graniet vermomd als mens, met een machtig bovenlijf en gespierde onderarmen die een man konden temmen – althans, zo stelde Sigurðr het zich voor. Einarrs ogen deden Sigurðr denken aan het ijskoude water waar hij in dook en zijn vlammend rode haar leek op de hartstocht in het hart van de jongeman. Einarr was timmerman van beroep, maar hij was ook een Viking.

De twee mannen kenden elkaar wel, wat bij zo'n kleine bevolking onvermijdelijk is, maar hadden weinig contact gehad tot die avond dat Sigurðr moed verzamelde, op hem afstapte en hem aansprak. Hij maakte zich breder dan anders, zette een lage stem op en lachte zo mannelijk mogelijk. Toch had Einarr al snel in de gaten dat er geen man voor hem zat maar een eenzame jongen.

Sigurðr had zoiets droevigs en toch zo hoopvols over zich dat het op Einarrs gemoed werkte. Hij wist dat de jongen zijn ouders had verloren en hij had hem langs de kust zien zwerven met zakken gevuld met stukken dode walvis. Dus hij stuurde de jongen niet weg maar luisterde, en wanneer Sigurðr een ongelukkige opmerking maakte – en dat gebeurde nogal eens – knikte Einarr alleen maar. Hij voelde niet de behoefte om iemand te beledigen die het toch al zo moeilijk had.

Na die avond in de kroeg zouden er nog vele volgen. Ze vormden een vreemde combinatie, maar toch ook een goede, want Einarr waardeerde een aspect in Sigurðrs karakter dat hij bij zijn Vikingmaten miste. De jongeman had, ook al was hij niet uitzonderlijk intelligent, momenten waarop hij naar iets beters verlangde. Sigurðr wilde niet vernielen, hij wilde scheppen – hij wist alleen niet hoe. Hij had het er vaak over hoe geweldig het moest zijn om, net zoals Einarr, dingen te maken van hout. Einarr gromde dan alleen wat, maar vanbinnen was hij het met hem eens – hij had inderdaad een mooi vak – en met een beetje begeleiding zou er best wat van de jongen kunnen worden.

Kort daarna stelde Einarr voor dat Sigurðr hem zou helpen in zijn timmerwerkplaats en dat aanbod werd enthousiast aangenomen. Hij zou niet echt zijn leerling worden, omdat het er niet naar uitzag dat Sigurðr uiteindelijk voor zichzelf zou beginnen, maar het zou een mooie tijdsbesteding zijn. Sigurðrs hart bonsde de eerste keer dat hij bij Einarrs *langhuis* aankwam.

Het huis was gebouwd in de typisch IJslandse stijl, met materiaal dat toevallig voorhanden was. Ruwe stenen waren als fundering neergelegd rondom staande balken, en de muren bestonden uit plaggen opgevuld met berkentakken. Einarr wees trots op een onderdeel dat je elders niet zag: in de hoek van het langhuis had hij een geul gegraven waardoor water uit een nabijgelegen beekje stroomde. Je hoefde niet naar buiten om schoon water te halen, want je hoefde alleen maar vloerdelen te lichten en een emmer vol te laten lopen.

Overal in het huis lagen stapels hout: afkomstig uit IJsland, uit Noorwegen of aangespoeld op de kust. Alles moest binnen liggen om te drogen voordat het kon worden bewerkt. Aan de muren hing tientallen ijzeren gereedschappen: vijlen, raspen, messen en beitels, en er waren planken waarop de oliën stonden om het hout mee af te werken.

Bijna alle banken, kasten en zelfs landbouwwerktuigen waren bewerkt met ingewikkelde motieven. Sigurðr gleed met een vinger zachtjes over de kronkelende groeven van een meubelstuk, een wieg die vlak bij de muur stond. Elke hoek was voorzien van een verticale paal in de vorm van een drakennek met een kop die precies in een hand van de ouder paste zodat het kind in slaap gewiegd kon worden.

'Daar slaapt mijn zoontje, Bragi.'

Sigurðr wist dat Einarr vader was en dat hij getrouwd was. Daar hoefde hij niet zo nodig aan herinnerd te worden. 'Hij is mooi,' zei hij en hij wees daarna op een ton helemaal vol met dunne houten stokken. 'Wat zijn dat?'

'Ik ben niet een heel goede boogschutter, maar als je een echt rechte schacht wilt, moet je bij mij zijn.'

'Is Einarr weer aan het opscheppen?'

Zonder dat ze haar hadden gehoord was een vrouw binnengekomen. Ze wiegde een kind dat ze de borst gaf. Haar ogen waren nog helderder blauw dan die van Einarr, en in haar haar, dat in een kleurrijke hoofdband achterovergebonden was, zaten lichtblonde streepjes die ze had gebleekt met loog.

'Jij moet Sigurðr zijn. Leuk om je eindelijk eens te ontmoeten.'

'Dit is Svanhildr,' stelde Einarr haar voor. 'Mijn anker.'

'Omdat ik je rustig hou, bedoel je?' vroeg zijn echtgenote.

'Nee,' antwoordde haar man, 'omdat je me de diepte in sleurt.'

Svanhildr gaf hem een harde klap op zijn schouder en Einarr stak ook een hand uit – niet om terug te slaan, maar om de baby vast te pakken zodat die niet zou vallen.

'Die kleine bofkont,' zei Einarr, 'is Bragi.'

Svanhildr gaf het kind over aan haar man, herschikte de tro-feeënketting om haar hals en deed haar schortjurk dicht. Een keten met sleutels om haar middel rinkelde mee met de vele voorwerpen van haar halsketting waardoor elke beweging van haar muziek maakte. Ze gaf haar man nog een melodieuze klap en nam het kind weer in haar armen. Je kon zien dat deze vrouw tevreden was met haar leven.

De man en de jongen werkten de hele middag door – Einarr liet voornamelijk zien waartoe de verschillende werktuigen dienden – tot Sigurðr terugging naar huis nadat hij Svanhildrs uitnodiging om te blijven eten had afgeslagen.

Toen Svanhildr de volgende dag de deur van het langhuis opendeed, gaf Sigurðr haar een zak. 'Ik heb haai meegenomen,' zei hij.

'Wat aardig van je,' zei ze en ze overdreef beleefd de zwaarte van de zak. 'Ik zal hem laten fermenteren en wanneer hij klaar is, kom je bij ons eten.'

Er viel even een stilte, tot Sigurðr plotseling zei: 'Ik vind lie-ver een dode walvis, maar haaien zijn ook bruikbaar.'

'Ja. Kom binnen.' Ze trapte een verdwaald stuk timmerhout opzij. 'Als je je tenminste nog een weg kunt banen door al dat hout. Soms heb ik het gevoel dat ik in een bos woon.'

Opnieuw brachten de mannen de dag samen door; dit keer werd uitgelegd hoe het gereedschap onderhouden moest wor-den. Toen Svanhildr weer vroeg of hij bleef eten, accepteerde Si-gurðr de uitnodiging. Ze maakte stoofschotel met kip en zee-wier klaar en terwijl de mannen aten, schommelde ze de draken-wieg totdat Bragi in slaap viel.

Ze zaten tot laat in de avond rondom het vuur waarvan de rook opsteeg naar het rookgat in het dak. Svanhildr warmde een keteltje bier en wanneer in de glazen pullen van de mannen al-leen nog maar droesem over was, doopte ze de gansvormige le-pel in het brouwsel en schonk hen weer bij. Toen Sigurðr een compliment maakte over het bier legde Svanhildr uit dat haar geheim de combinatie van jeneverbes en gagel was. 'Er wordt vaak gezegd dat het geluk van een man afhangt van de kwaliteit van zijn eten,' zei ze, 'maar voor Einarr geldt eerder de kwaliteit van zijn drank.'

Einarr gromde instemmend en nam nog een slok.

Toen Sigurðr die avond in gedachten terugliep naar huis, wreef hij zijn vingers over het stuk haaienhuid dat hij niet aan Einarr had gegeven. Hij had het afgesneden van de rugvin omdat hij wist dat het prima schuurpapier was, maar hij had niet het juiste moment gevonden om het te geven. Toen hij bij zijn bouwvallige huisje was aangekomen, waren zijn vingers zo gevoelloos geworden dat hij niet eens merkte dat ze onder het bloed zaten.

De middagen daarop ontdekte Sigurðr dat hij handiger was met verf dan met hout. Hij maalde pigmenten – zwart uit houtskool, wit uit botten, rood uit oker – en lakte er het hout mee af. Sigurðr was drie keer blij: met zijn nieuw ontdekte talent, met de kleuren en met de glimlach die daardoor op Einarrs gezicht verscheen.

Einarr was ook blij. Sigurðrs schilderwerk verbeterde niet alleen zijn producten, de jongeman was ook prettig gezelschap – nog niet echt een vriend, maar zeker meer dan een collega. Als blijk van waardering gaf Einarr hem een langwerpig voorwerp, gewikkeld in een wollen lap en dichtgebonden met een leren koordje. Er zat een zwaard in met een rijkbewerkt drakengevest. 'Het wordt tijd dat je een goed zwaard krijgt,' zei Einarr, 'in plaats van dat vismes dat je nu hebt.'

Sigurðr knikte, omdat hij niet wist wat hij anders moest doen. Sinds de dood van zijn ouders was dit het eerste cadeau dat iemand hem had gegeven.

'Zal ik je leren hoe je ermee om moet gaan?' vroeg Einarr.

Einarr begon Sigurðrs techniek bij te schaven en de leerling nam gretig zijn aanwijzingen over. Einarr was onder de indruk. 'Je lichaam weet van nature welke kant het op moet en dat is goed. Je kunt veel dingen leren, maar dat geldt niet voor zwaardvechten.'

Sigurðr staarde naar de grond. Hij wilde niet dat Einarr zag dat hij moest blozen na zo'n compliment.

'Hij moet een naam krijgen,' zei Einarr. '*Sigurðrsnautr* stel ik voor. Want als je dat zwaard ooit in een man steekt, is dat een geschenk dat hem lang zal heugen.'

Toen Sigurðr die avond naar huis ging, bekeek hij voortdurend het zwaard van alle kanten. Hij vond het een mooie naam: 'Sigurðrs geschenk'. Hij knoopte de eindjes van het leren koord dat om het pakje had gezeten zorgvuldig aan elkaar en hing het om zijn nek. Vanaf die dag had hij het altijd om, maar zorgde er wel voor dat het verborgen zat onder zijn tuniek. Het was niet nodig het zichtbaar te dragen; het idee dat iets wat Einarrs vingers hadden aangeraakt nu steeds zijn huid aanraakte was voor hem voldoende. Die gedachte bezorgde Sigurðr soms kippenvel, als bij een felle noordenwind.

Toen onvermijdelijk de dag kwam waarop Einarr zich inscheepte voor een reeks plundertochten verwachtte Sigurðr dat hij weer zou terugkeren naar zijn bestaan in eenzaamheid. Maar Svanhildr nodigde hem uit om iedere ochtend pannenkoeken en bier te komen nuttigen en hij kwam – tot zijn eigen verbazing – ook steeds opdagen. Bragi was al wat groter en voegde algauw een nieuw woord toe aan zijn groeiende woordenschat. Hij kende 'moeder' en 'vader' en 'hout', maar op een dag keek hij naar de man die zich te goed zat te doen aan een pannenkoek en zei: 'Sig Sig.'

Einarr mocht dan alle voorraadkasten in het huis hebben gemaakt, het was Svanhildr die het bewind erover voerde met haar sleutelketen. Een Vikinghuishouden kon alleen de barre winter doorkomen met een zorgvuldige planning en Sigurðr kreeg steeds meer waardering voor haar werk. Ze kende alle methodes om vlees te conserveren – roken, pekelen, inmaken, en nog meer – zodat haar man het niet zat werd dat hij steeds dezelfde maaltijd voorgeschoteld kreeg. Na een tijdje begon Sigurðr haar te helpen na het ontbijt, hij sneed het vlees in plakken terwijl zij het pekelnat klaarmaakte waarin ze ingelegd zouden worden.

Tijdens de afwezigheid van haar man liet Svanhildr geen moment blijken dat ze twijfelde aan zijn behouden terugkeer, maar toen bekend werd dat het schip terug was, snelde ze naar de kust en sprong in Einarrs armen. Ze kuste hem hartstochtelijk, stompte hem twee keer in zijn gezicht en kuste daarna zachtjes het bloed van zijn lippen. Sigurðr wist het niet zeker, maar het leek erop dat toen Svanhildr haar vuist naar achteren haalde, Einarr zijn kin al aanbood om de klappen op te vangen.

Sigurðr hielp mee de buit naar het langhuis te brengen en stond ervan te kijken hoeveel het was: kostbare metalen, zakken met munten, gereedschap gepikt uit buitenlandse werkplaatsen en de flessen wijn die op de terugreis niet waren gebroken. Toch was het duidelijk dat Svanhildr meer verwachtte. Toen pakte Einarr een met edelstenen bezette versiering die hij van het omslag van een bijbel in een van de Engelse kloosters had gerukt en legde die in Svanhildrs hand. Ze bewonderde het sieraad even voordat ze het aan haar trofeeënketting hing, en nu begreep Sigurðr waar al die amuletten vandaan kwamen. Overal vandaan.

Tot laat in de avond dronken ze bier en wijn en toen viel Sigurðr, die te dronken was om naar huis te waggelen, in een diepe slaap op een van de banken tegen de muur, tot hij gewekt werd door de geluiden van een vechtpartij. Dat dacht hij tenminste in een moment van desoriëntatie, maar hij besefte algauw dat hij zijn gastheer en gastvrouw hoorde vrijen.

Einarr nam zijn vrouw bruut van achteren, waarbij zijn handen haar heupen naar zich toe trokken. Het leek alsof Svanhildr wanhopig probeerde te ontsnappen en dat was ook zo, maar tegelijk ook weer niet: het behoorde tot hun spel. Toen ze zich eindelijk had losgemaakt, greep Einarr haar trappende benen en draaide haar om. Toen hij van bovenaf bij haar binnendrong, kraste ze met naar nagels over zijn rug en kerfde daar bloedstrepen. Ze beet zo hard in zijn hals dat hij haar hoofd aan haar haren moest wegtrekken. Ze gilde van de pijn, glimlachte daarna vals en zei tegen haar man dat hij naar rotte vis stonk en neukte als een mietje. Einarr gromde dat ze de volgende ochtend niet meer rechtop zou kunnen lopen.

Het duurde een hele tijd voordat Sigurðr weer in slaap viel.

Toen hij weer wakker werd, had Einarr – tandafdrukken bij zijn keel – de stank al van zijn lijf gewassen in de dichtstbijzijnde warmwaterbron. Bragi was aan het rondrennen, onwennig nu zijn vader er weer was, en Svanhildr – blauwe plekken op haar armen – smeekte de jongen zachtjes te doen, terwijl ze geduldig met een walvisbenen kam de klitten uit Einarrs haar probeerde te kammen. Om de zo veel tijd sloeg ze haar armen om hem heen en fluisterde ze: '*Ég elska þig. Ég elska þig. Ég elska þig.*' Ik hou van je. Ik hou van je. Ik hou van je.

Toen Sigurðr overdreven gaapte ten teken dat hij wakker was, liep ze snel bij haar man vandaan om vers water te halen zodat hun gast zich kon wassen. Nog voordat ze de emmer had kunnen aanreiken, had Bragi zich in Sigurðrs armen gestort. Zijn woordenschat had zich uitgebreid en hij kraaide vrolijk: 'Oom Sig!'

Niet lang daarna kwam Einarr voor de tweede keer met een aanbod dat Sigurðrs leven zou veranderen: of hij meewilde met de Vikingtochten. De lange reizen waren saai en hij miste het leven thuis, zo legde hij uit, dus kon hij het gezelschap van een vriend wel gebruiken.

Het aanbod was aantrekkelijk, want Sigurðr vond dat hij als man maar weinig voorstelde: 's morgens dook hij in het water en ging op zoek naar dode dieren; 's middags werkte hij als knecht, en wanneer hij zich eenzaam voelde hielp hij de echtgenote van een andere man met huishoudelijke klusjes. Sigurðr beloofde dat hij erover zou nadenken, maar wist al dat hij het aanbod zou aannemen, niet in de laatste plaats omdat Einarr hem een 'vriend' had genoemd.

Sigurðr wist dat de Vikingen hun bedenkingen over hem hadden. Er was de nodige argwaan – geruchten deden de ronde dat Sigurðr een *fuðflogi* was, een man die vol afgrijzen vluchtte bij het vooruitzicht van seksueel contact met een vrouw – maar niemand wilde Einarr beledigen. Wanneer je leven afhangt van de staat van het schip is het niet raadzaam om de scheepstimmerman tegen je in het harnas te jagen. Bovendien hadden de Vikingen in principe niet zo veel moeite met homoseksuele gevoelens, zolang ze zelf maar de overheersende partij waren. Een man die zich tijdens de seks onderwierp aan een ander zou dat ook in andere omstandigheden doen, zoals tijdens de strijd, maar er was geen enkel bewijs dat Sigurðr zich ooit had onderworpen aan een man – er was alleen het vermoeden dat hij er geen bezwaar tegen zou hebben. Nadat zijn kracht en vaardigheid met de wapens waren getest, mocht hij op proef mee met een expeditie langs de Engelse kust.

Het was een imposant schip, met schilden van koeienhuid en zeilen van wol en aan de voorkant een woest kijkende, uitgesneden slang. Ze oriënteerden zich op de zon en de sterren. De Vikingen zaten op lege kisten die bij thuiskomst vol zouden zitten. De meeste bemanningsleden keken vol spanning uit naar de komende strijd. Ze bereidden zich voor op de belegeringen door het zingen van krijgsliederen, door elkaar in het gezicht te slaan en door zichzelf snijwonden toe te brengen zodat hun zwaard alvast de smaak van bloed kon proeven. Sommigen maakten zichzelf wijs dat ze bezeten waren door dierlijke geesten, en om dat idee kracht bij te zetten namen ze stevige porties *berserkjasveppur* – vliegenzwam – voordat ze op de Engelse kust landden.

Einarr raadde Sigurðr aan om daarvan af te blijven. Hij had de paddenstoelen gebruikt bij zijn eerste rooftocht, maar werd er alleen maar warrig van. Hij moest wel bekennen dat hij ze soms gebruikte in zijn werkplaats wanneer hij geen inspiratie had bij zijn houtsnijwerk. Na een paar paddenstoelen, zei hij, kon hij zich een betere voorstelling maken van een bepaald ontwerp dan wanneer hij volkomen nuchter was.

Sigurðr kwam er al snel achter dat het vechten hem goed afging en dat het niet moeilijk was om de Engelsen te overweldigen; meestal gaven ze meteen de buit om er maar vanaf te zijn, vooral monniken deden dat. De rooftocht was een groot succes en Sigurðr had zich, met de hulp van Einarr, goed van zijn taak gekweten. Hij werd gevraagd voor een tweede tocht, daarna voor een derde en werd vervolgens een vast lid van de bemanning. Voor het eerst in zijn leven had Sigurðr het gevoel dat hij ergens bij hoorde. Als iemand zonder familie had hij er nu opeens twee – die van Einarr, en die van de Vikingbroeders – en hij was ervan overtuigd dat zijn pasverworven manhaftigheid hem uiteindelijk de toegang tot het Walhalla zou verschaffen.

Zo ging het jarenlang door. Tussen de rooftochten door oefenden ze met hun wapens en werd hun samenwerking in het schrijnwerkersvak steeds hechter. Het houtsnijwerk van Einarr werd nog fantasierijker, wellicht vanwege het bier waarvan hij steeds vaker tussendoor een slok nam, of door de paddestoelen die hij gebruikte wanneer hem de inspiratie ontbrak. Sigurðrs verftechniek verbeterde zich eveneens. De mannen brachten de meeste dagen samen door en hun vriendschap verdiepte zich met de dag.

Het was natuurlijk onvermijdelijk dat Sigurðr verliefd werd op Einarr. Het was niet alleen maar fysieke aantrekkingskracht, maar iets wat dieper ging, waarachtiger en beter was. Het was even onvermijdelijk dat Einarr het wist, maar hij was er zeer geroutineerd in geworden om te negeren dat Sigurðr af en toe dromerig naar hem keek. Zo gingen ze ermee om: doen alsof het niet bestond. Erover praten zou niets goeds opleveren, dus dat deden ze niet, en het bleef tussen hen in hangen als een lange nacht waar geen dageraad op volgde.

Svanhildrs liefde voor Einarr werd met het jaar sterker; maar de voordelen van zijn Vikingleven legden het af tegen de harde realiteit van zijn perioden van afwezigheid, en ze werd humeurig in de weken voorafgaand aan elke nieuwe plundertocht. Op een keer was het erger dan anders. Ze snauwde Einarr telkens af wanneer hij vroeg of ze zijn bierglas wilde bijvullen, vervloekte de goden zonder duidelijke aanleiding, en barstte zelfs in tranen uit toen Bragi zijn knie schaafde tijdens het spelen met een speelgoedzwaard.

Toen Einarr er niet langer tegen kon, pakte hij haar bij haar schouders en schudde haar net zo lang heen en weer tot ze uiteindelijk haar hart luchtte.

'Jij bent het probleem,' zei ze. 'En jouw tochten, zeker nu ik weer zwanger ben.'

Er verscheen een glimlach op Einarrs gezicht.

'Schei uit! Ik kan helemaal niet meer zwanger zijn,' jammerde ze. 'Ik ben oud.'

'Maar niet té oud,' zei Einarr. 'Kennelijk.'

De avond voordat de mannen vertrokken, had ze gerookte ham voor ze klaargemaakt en kregen ze vers bier, maar ze sprak bijna geen woord. De volgende ochtend ging ze niet met Einarr mee naar de kust. Ze gaf hem alleen bij de voordeur een klap op zijn mond bij wijze van afscheid.

De plundertochten verliepen net zoals anders. De reputatie van de Vikingen was bijna al genoeg om elk gevecht te winnen voordat er een zwaard werd geheven, en tegen de tijd dat ze hun laatste doelwit bereikten was hun schip al zwaarbeladen. Misschien waren ze wat zelfgenoegzaam geworden, want ze waren niet zo goed voorbereid als anders. Het Engelse stadje was al vele malen probleemloos aangevallen, maar de inwoners hadden verdedigingstechnieken geleerd in een poging om hun trots terug te winnen. Ze verwachtten niet dat ze de Vikingen konden verslaan, maar ze waren erop gebrand om in elk geval een aantal indringers te doden.

Terwijl de Vikingen hun boot uit stormden en het strand op renden, kwam er opeens een pijlenregen op hen af. Meestal had Sigurðr een scherpe blik en dat was die ochtend niet anders; hij zag een pijl die recht op hem afkwam. Hij wilde wegduiken, maar besefte dat de man achter hem getroffen zou worden als hij dat deed.

Einarr.

Dus dook hij niet weg.

De pijl boorde zich door de huiden om Sigurðrs borst en met een schrille schreeuw stortte hij ter aarde, zijn hand om de schacht geklemd.

De Vikingen herstelden zich van de eerste schrik en het stadje werd ingenomen, zoals altijd. De pijl was diep in Sigurðrs borst gedrongen, voorbij de weerhaak, en kon er niet uit getrokken worden zonder de wond open te scheuren.

Sigurðr wist dat. Hij was bang maar raapte al zijn moed bijeen, ook al werd zijn blik wazig zoals zich ijs vormt op ongebruikte roeiriemen. 'Einarr?'

'Ja.'

'Ik ga dood.'

'Welnee.'

'Vergeet me niet.'

'Hoe kan ik nu een man vergeten,' zei Einarr, 'die zo stom is om te geloven dat hij doodgaat aan een onschuldige vleeswond?'

'Einarr?'

'Wat is er?'

'Ik moet je iets vertellen.'

'Je bent nogal spraakzaam voor iemand die doodgaat.'

'Nee,' hield Sigurðr vol. '*Ég elska…*'

'Met al dat gebabbel,' onderbrak Einarr hem, 'lijk je wel een vrouw. Spaar je krachten.'

Aan Einarrs gezicht kon hij zien dat het gesprek ten einde was, dus deed hij zijn ogen dicht en liet zich door zijn vriend naar de boot dragen. Eenmaal aan boord sneed Einarr met een mes het vlees rondom de schacht weg en Sigurðr brulde het bij elke snee uit van de pijn. Toen het gat groot genoeg was, trok Einarr met een tang de pijlpunt eruit en hield hem omhoog zodat Sigurðr, hoewel bijna buiten bewustzijn, de vlezige vezels kon zien die eraan hingen.

'Svan heeft je goed te eten gegeven,' zei Einarr. 'Er zit vet bij je hart.'

Tijdens de terugreis was Einarr voortdurend bezig met het uitwassen van het verband en het controleren of de wond begon te ontsteken, maar het leek erop dat die misschien niet genas, maar ook niet verergerde. Sigurðr had geen enkel besef van tijd tot hij zich opeens realiseerde dat Svanhildr hem een kom soep met prei en ui voorhield.

'De warmte zal je goed doen,' zei ze.

'Ik ga wel weg. Het is niet goed voor een zwangere vrouw om een zieke in huis te hebben.'

Ze keek geamuseerd. 'Jij bent familie en daar willen we dus niets over horen.'

'Maar de baby…'

'Drink op. Als ik in je wond de uien ruik, weet ik dat je ingewanden beschadigd zijn.'

De dagen daarna baden Einarr en Bragi tot de godin van de

genezing, en Svanhildr verzorgde voortdurend Sigurðrs wond. De plaatselijke genezer zegende enkele runentekens gekerfd in stukjes walvisbot in ruil voor een van Einarrs beste kasten, en strooide die botjes rondom de bank waarop Sigurðr sliep.

Het leek te werken, want Sigurðrs wond bleef uienvrij. Toen duidelijk was dat Sigurðr zou blijven leven, ging hij naar de werkplaats om een gaatje te boren in een van de runenbotjes. Dat gaf hij aan Svanhildr.

'Het zou me een grote eer zijn,' zei hij, 'als je dit aan je trofeeënketting zou toevoegen. Het hoeft niet, maar…'

Ze liet hem niet eens uitpraten, maar omhelsde hem heftig knikkend.

Het herstel verliep traag. Sigurðr kon nauwelijks zijn armen optillen en af en toe vlijmde er onverwachts ergens een pijnscheut op, maar hij kreeg er algauw genoeg van om verzorgd te worden. Hij hielp Einarr bij zijn nieuwste project: een boot om met Bragi te vissen in de kreken. Hij wilde per se elke vierkante centimeter beschilderen; dat was helemaal niet nodig, maar hij genoot ervan om weer een kwast in zijn hand te voelen. Het karwei duurde veel te lang, maar Einarr klaagde niet één keer over de traagheid van zijn vriend.

Svanhildrs zwangerschap verliep voorspoedig, ondanks dat ze aan de oude kant was voor zo'n riskante onderneming. Toen de weeën begonnen, rende Bragi naar de vroedvrouw, terwijl de mannen achterbleven om haar moed in te spreken. Niet veel later werd het gezin aangevuld met een tweede zoon, gezond, blozend, met de naam Friðleifr.

Toen duidelijk werd dat het kind zou blijven leven, besloten de mannen te drinken op het voorspoedige verloop van de gebeurtenissen. Zelfs Bragi mocht laat opblijven en enkele glazen sterk bier drinken; omdat hij nu een jonger broertje had op wie hij moest letten, vond zijn vader dat hij mocht leren drinken als een echte man.

De kamer was gehuld in de gloed van het haardvuur en de speklampen, en Einarr moest lachen toen zijn zoon – nu zijn oudste zoon, merkte hij trots op – op onvaste benen naar zijn slaapbank stommelde. 'Nee, nog niet helemaal een man,' plaagde hij, terwijl Sigurðr riep dat het bier haar op Bragi's borst zou kweken. Of in elk geval de volgende ochtend een spijker in zijn hoofd.

In een mum van tijd was de jongen diep in slaap en Einarr, die tevreden constateerde dat zijn vrouw en zijn jongste ook veilig lagen te slapen, ging even naar zijn werkplaats. Hij kwam terug met een zakje dat hij naar Sigurðr gooide; er zaten een paar gedroogde paddestoelen in. 'Nu moeten we echt eens gaan vieren dat de goden ons goedgezind zijn.'

Beiden aten enkele berserkjasveppur – Sigurðr vond het niet bepaald lekker, maar hij zou zijn vriend nooit iets weigeren – en toen stopte Einarr de rest in de bierketel boven het vuur. 'Dit gaan we koken. Het smaakt niet lekker, maar het effect…'

Ze dronken door tot diep in de nacht, en Einarr probeerde de schoonheid van de bewegende lijnen te beschrijven die om hem heen zweefden, wat voortdurend de lachlust van Sigurðr opwekte. Een paar keer schoot Svanhildr na een van Sigurðrs kreten verward overeind, maar ze viel zonder iets te zeggen weer in slaap. De mannen dronken door tot de ketel leeg was, en daarna aten ze de soppige restanten van de bodem.

'Het was goed van je dat je Svan dat runenblokje voor haar halsketting hebt gegeven,' zei Einarr met dikke tong. 'Ik wou dat ik eraan had gedacht.'

'Ze heeft voor me gezorgd,' zei Sigurðr. 'Net als jij.'

'Het werd tijd dat ze iets van jou om haar hals had.'

'Ik hou van…' zei Sigurðr, '… haar.'

'Dat weet ik.'

'Bragi,' ging Sigurðr verder. 'Ik hou ook van Bragi.'

'Ik heb iets voor je.' Einarr trok zich weer even terug in zijn werkplaats en dit keer kwam hij terug met de pijlpunt die in Sigurðrs borst was gedrongen. Hij ging moeizaam zitten, dichter bij Sigurðr dan voor hij wegging. 'Geef me je halsketting.'

'Ik wist niet…' mompelde Sigurðr. 'Ik wist niet dat je hem had gezien.'

'Ik wist het vanaf het begin, maar ik werd er weer aan herinnerd toen ik dit…' hij hield de pijlpunt omhoog, '… uit je borst sneed.'

Sigurðr gaf hem het leren koordje en toen Einarr het vasthield, bekeek hij het van alle kanten en zei: 'Het ziet er nog net zo uit als op de dag dat ik er de Sigurðrsnautr mee inpakte.'

Sigurðr staarde in het vuur; hij kon zijn vriend niet aankijken toen Einarr de pijlpunt aan het koordje reeg. Daarna reikte Einarr het Sigurðr aan.

Sigurðr wilde het eerst aanpakken, maar bedacht zich en boog zijn hoofd een beetje. Einarr aarzelde even en liet toen de ketting over Sigurðrs hoofd glijden. Sigurðr kon de hand langs zijn haar voelen schuren, misschien zelfs even langs zijn nek strijken. Al die jaren had Sigurðr gefantaseerd dat die handen daar zouden zijn.

Ze zaten een moment doodstil en keken elkaar aan.

Sigurðr leunde iets naar voren en Einarr week niet terug. Ze waren zo dicht bij elkaar. Sigurðr schraapte zijn keel, die een beetje dichtzat vanwege het gekookte bier met paddestoelen, en met schorre stem zei hij eindelijk de woorden die hij al zo lang had willen zeggen: '*Ég elska þig.*'

Einarrs ogen vernauwden zich even, maar verder viel er van zijn gezicht niets af te lezen.

Sigurðr leunde nog iets verder naar voren en nog steeds week Einarr niet terug. Dus dichtte hij nu de afstand, drukte zijn mond op die van Einarr en kuste hem.

Einarr reageerde niet. Sigurðr vatte dat op als een instemming en kuste hem heftiger.

Toen voelde Sigurðr dat Einarr zich terugtrok, gevolgd door een enorme dreun tegen de zijkant van zijn hoofd. Door die klap tuimelde hij van de bank af en toen hij opkeek zag hij Einarr op hem afspringen met een opgeheven been. De trap trof Sigurðr vol in zijn ribben en deed hem naar adem happen. Met zijn zwaardarm gaf Einarr hem een maagstoot, maar daar bleef het niet bij. Het was allemaal ongecoördineerd, voornamelijk ongerichte woede, en de meeste klappen misten hun doel.

Sigurðr probeerde weg te komen, maar Einarr ramde met zijn

schouder tegen zijn borst. Sigurðr viel languit tegen een van de lampen, die omviel. Hij probeerde van dat moment gebruik te maken om zich weg te draaien, maar Einarr dook op hem met nog meer wilde vuistslagen. Zo veel dreunen, zo snel en overal – tegen Sigurðrs kaak, zijn schouders, zijn keel, en de kwetsbare plek op zijn borst waar de pijl was binnengedrongen. Hij kon nauwelijks ademhalen; dat kwam natuurlijk door al die klappen, maar ook door het feit dat hem dit overkwam.

De baby. Friðleifr lag te huilen in zijn drakenwieg. Hij voelde kennelijk dat er iets helemaal mis was in de voor hem zo nieuwe wereld. Svanhildr was overeind gesprongen en schreeuwde tegen haar echtgenoot dat hij moest ophouden. Bragi stommelde van zijn slaapbank, verward door het gevecht maar ook door het bier dat nog steeds door zijn aderen vloeide. Hij kreeg geen controle over zijn benen en de vloer leek heen en weer te slingeren als het dek van een schip in de storm.

Einarr was zo ver heen dat de gillende stemmen niet eens meer tot hem doordrongen. Welke demonen hij door de berserkjasveppur ook zag, hij vocht ertegen alsof het de enige echte wezens in de kamer waren.

Sigurðr vocht niet zo fanatiek terug als je zou hebben verwacht. Zijn wonden beperkten weliswaar zijn fysieke mogelijkheden, maar er zat meer achter: toen hij Bragi zag stommelen en Svanhildr hoorde gillen, ontviel hem gewoon de wilskracht. Hij besefte heel goed, alhoewel niet bewust, dat hij in zijn moment van zwakte degenen die hem het dierbaarst waren had verraden – het gezin dat een onzekere jongen had opgenomen en hem het leven van een man had geschonken. In één moment van begeerte had Sigurðr na tien jaar de grens overschreden die Einarr en hij stilzwijgend hadden afgesproken.

Dus liet Sigurðr zich beurs slaan; hij liet Einarr die grens weer tot leven stompen.

Toen Svanhildr zag dat Sigurðr geen weerstand bood, vreesde ze voor zijn leven, en ze liep niet verder door naar de drakenwieg van de baby. Ze greep Einarrs rechterarm toen hij weer wilde uithalen en in een reflex draaide hij zich om en sloeg toe met zijn linker. Door de klap kwakte Svanhildr met haar hoofd tegen een stapel timmerhout.

Bragi wist dat het geen zin had om het tegen zijn vader op te nemen – een jongen die nog met speelgoedzwaarden speelde was geen partij voor een Viking. Angstig keek hij toe hoe oom Sig in elkaar werd geslagen, maar Bragi zag ook nog een groter gevaar: de brandende olie uit de omgestoten lamp had een hoopje houtspaanders bereikt en het vuur begon zich te verspreiden.

Bragi gilde dat de kamer in brand stond, maar zelfs dat was niet genoeg om zijn vader bij zinnen te brengen. Einarrs vuisten bleven onnauwkeurig maar niet-aflatend neerdalen op Sigurðrs lichaam en zijn gezicht was vertrokken van woede.

De banken tegen de muren vatten vlam en het vuur sloeg over op de berkentwijgen die uit de muren staken. De vlammenzee was niet meer te stoppen en – wat nog het ergst was, zag Bragi – verspreidde zich in de richting van zijn moeder, die roerloos lag op de plek waar ze was gevallen. Uit de wond op haar voorhoofd liep bloed in haar gesloten ogen.

Bragi schudde zijn moeder heen en weer, maar ze reageerde niet. Toen hij besefte dat hij haar niet kon bijbrengen, pakte hij haar onder haar oksels beet en spande zijn beenspieren. Hij trok uit alle macht, maar hij was nog te beneveld en te klein, dus hij kon haar alleen schoksgewijs voortbewegen, een klein stukje per keer. Hij moest en zou haar naar buiten krijgen.

Terwijl Bragi Svanhildr naar de deur sleepte, beukte Einarr genadeloos door. Sigurðr zou niet langer hebben kunnen terugvechten, ook al had hij dat gewild: zijn gezicht was één bloederige massa, bijna al zijn ribben waren gebroken en zijn benen trokken bij iedere klap. Toch wist hij tussen zijn gebroken tanden door nog een paar woorden uit te brengen.

'Vuur, Einarr,' stamelde hij. 'Vrouw! Bragi!'

Hij bleef die woorden herhalen tot ze tot hem doordrongen. Einarr hield op met slaan en keek verward om zich heen, als een man die wakker wordt en niet weet waar hij is. Hij zag dat Bragi bij de ingang van het langhuis was maar niet verder kon, omdat het vuur hem de weg versperde.

Hij stormde op ze af en trapte de brandende deur open. Hij pakte Bragi beet en gooide hem naar buiten, maar met Svanhildr kon hij dat niet doen – haar slappe, bewusteloze lichaam maakte dat onmogelijk – dus legde hij haar over zijn schouder en boog zijn hoofd naar voren. De enige manier was erdoorheen; misschien liepen ze brandwonden op, maar ze zouden het overleven.

Sigurðr lag murw op de grond, zag Einarr en Svanhildr verdwijnen door het vlammengordijn en wist dat hij ze nooit zou kunnen volgen. De afstand was simpelweg te groot om te overbruggen en hij dacht: zo eindigt het dus. In vlammen.

Het knetterende vuur klonk als hoongelach en hij dacht dat dat het laatste geluid was dat hij zou horen. Tot hij de baby hoorde huilen.

De zomen van Sigurðrs tuniek stonden al in brand en zijn huid voelde aan alsof die begon te koken. Met zijn gebroken vingers sloeg hij de vlammen uit; het maakte niet uit of hij zijn handen daarbij verbrandde, er zat toch geen gevoel meer in. Bloed sijpelde uit zijn ooghoeken in zijn baard, maar hij veegde dat weg en kroop in de richting van Friðleifrs gehuil.

Buiten, in de vuurgloed van het langhuis, was Svanhildr weer bij bewustzijn gekomen en pakte ze Bragi hysterisch beet. Toen tot haar doordrong dat Friðleifr niet bij hen was, hief ze haar armen ten hemel en begon te jammeren. Ze strompelde naar het langhuis, maar Bragi hield haar tegen; zijn moeder mocht niet het allesverzengende inferno binnengaan.

Einarr, nu weer helemaal bij zinnen, rende op het brandende gebouw af. Zijn eerste impuls was om naar binnen te stormen, maar hij voelde instinctief dat dat zinloos was. Omdat hij niets kon doen, op het vuur afgaan of ervan weggaan, viel hij met zijn gezicht in zijn handen op zijn knieën. Svanhildr bleef schreeuwen naar het brandende huis en Bragi bleef haar vasthouden, tot het duidelijk was dat haar woede zich niet langer richtte op het gebouw. De jongen liet zijn moeder los en ze rende naar Einarr. Ze begon hem te stompen en te trappen totdat ze uitgeput naast hem neerviel.

Einarr bood geen weerstand, maar toen ze ineenzakte, deed hij toch een poging om haar te troosten. Op het moment dat ze zijn hand voelde, keerde ze zich met een ruk van hem af waardoor hij wist dat verdere toenaderingspogingen zinloos waren.

De volgende ochtend was er van het langhuis niet meer over dan smeulende sintels verspreid over de fundering. Er had zich een kleine menigte verzameld – boeren, Vikingen, handelslui – die de ruïne doorzochten. Met lood in de schoenen voegde Einarr zich bij hen.

Hij ging naar de plek waar de drakenwieg had gestaan, die er nu niet meer was: er restte alleen nog een hoopje verbrande stokken en een smeulende drakenpaal die niet zoals de rest helemaal tot as was vergaan.

Iemand riep dat hij het lichaam van Sigurðr had gevonden. Dat lag niet op de plek waar hij in elkaar was geslagen, maar twintig passen verder. Het lijk was zo ernstig verkoold dat Einarr er met geen mogelijkheid zijn vriend in kon herkennen; het had de vorm van een menselijk lichaam, maar was weggeteerd tot op het bot.

Bij die aanblik voelde Einarr zich misselijk worden, en ondertussen stelde de plek van het lijk hem voor een raadsel. In plaats van dat Sigurðr de kant van de deur was op gegaan, had hij zich verplaatst naar de hoek van het huis waar de watergeul zich bevond. Dat zou logisch zijn geweest als de opening groot genoeg was geweest om door te kunnen ontsnappen, maar die was veel te klein. Sigurðr had niet eens de vloerdelen weggehaald, hij lag erbovenop.

Einarr en de mannen rondom het verkoolde lichaam keken elkaar aan, alsof ze bevestiging zochten dat ze niet gek waren, maar er klonk echt geluid in de buurt van het lijk.

Zachtjes. Huilend.

Van beneden. Het kwam vanonder de vloerdelen.

Twee mannen trokken het lijk van Sigurðr opzij, waarbij uit de schedel aswolkjes ontsnapten, en Einarr rukte de planken weg. Ze waren verschroeid, maar niet helemaal verbrand; kennelijk had het lichaam van Sigurðr als een buffer tegen de vlammen gediend. Toen de planken weg waren, zag Einarr in het stromende water, gewikkeld in zijn deken en zorgvuldig vastgemaakt met de pijlpuntketting, de baby liggen. Friðleifr rilde en lag half onder water, maar leefde nog.

Einarr pakte hem op en drukte hem steviger tegen zich aan dan ooit tevoren.

De dagen daarna waren Einarr en Bragi voortdurend op Sigurðrs lievelingsfjord om een enorm gat te graven. Toen het groot genoeg was riepen ze de hulp in van de Vikingbemanning om Bragi's boot – die Sigurðr zo prachtig had beschilderd – naar het graf te dragen. Terwijl ze de boot lieten zakken, waren er een paar Vikingen die bij zichzelf mopperden dat Sigurðr niet zo'n belangrijke krijger was geweest om zo'n mooi bootgraf te verdienen, maar niemand durfde die gedachte hardop uit te spreken. Ze lieten Einarr en zijn gezin alleen om afscheid te nemen van de man die hun kind had gered.

Behalve Sigurðrs lichaam legden ze een aantal spullen in de boot: zijn lievelingsglas en de gansvormige lepel, die ze allebei uit de smeulende resten hadden gered; zijn verfkwasten en pigmenten; Sigurðrsnautr; en de enige niet-verbrande drakenkop van Friðleifrs wieg. Daarna deed Svanhildr haar trofeeënketting af en legde die voorzichtig op Sigurðrs verteerde borst, maar ze hield het helende runenblokje dat hij haar had gegeven.

Svanhildr en Einarr hadden overwogen om ook de pijlpuntketting in het graf te leggen, maar besloten uiteindelijk om het niet te doen. Die zou Friðleifr als talisman krijgen, om het kind te beschermen op zijn weg naar volwassenheid.

Einarr schepte het graf zelf vol. Bragi en Svanhildr, de baby stevig tegen haar boezem geklemd, bleven bij hem terwijl hij de hele nacht doorwerkte. Precies bij zonsopgang ging de laatste schep erin. Einarr zakte uitgeput in elkaar en keek over de oceaan naar de zon die op leek te gaan als het afkeurend oog van Óðinn. Bragi was in slaap gevallen en Einarr, die de vreselijke toedracht niet langer voor zich kon houden, vertelde Svanhildr hoe het gevecht was begonnen.

Toen hij uitgesproken was, raakte Svanhildr haar man voor

het eerst aan sinds het langhuis in brand was gevlogen. Ze kon hem geen woorden van vergeving bieden, maar ze pakte wel zijn hand.

'Ik weet niet waarom ik het heb gedaan,' zei Einarr, en de tranen stroomden over zijn wangen. 'Ik hield van hem.'

Ze zaten nog een hele tijd zwijgend naast elkaar – Einarr huilend – totdat Svanhildr eindelijk iets zei: 'Friðleifr is een mooie naam,' zei ze, 'maar misschien niet zo mooi als Sigurðr.'

Einarr kneep in haar hand, knikte en barstte opnieuw in snikken uit.

'We mogen dit nooit vergeten,' zei Svanhildr en ze keek naar het slapende gezicht van de baby aan haar borst. 'Vanaf vandaag voert dit kind de naam van zijn redder met zich mee.'

22

Als brandwondenpatiënt valt het zelfs onder de gunstigste omstandigheden niet mee om niet op te vallen, maar het is nog veel
moeilijker wanneer er in een stoffenwinkel door een vrouw met
een wilde haardos witte lappen stof tegen je borst worden gehouden om te meten hoeveel stof er nodig is voor je engelengewaad.

Toen er afgerekend moest worden, ging ik tussen Marianne
Engel en de caissière staan en reikte mijn creditcard aan. Dat gaf
me een grappig gevoel van onafhankelijkheid, ondanks het feit
dat het geld van een van haar rekeningen afging. Maar met die il-
lusie kon ik best leven.

Toen we alle benodigdheden voor mijn kostuum hadden aangeschaft, brachten we nog een vreemd bezoekje aan de plaatselijke bank. Marianne Engel wilde mij machtigen voor haar kluis
en kennelijk had de bank een handtekening van mij nodig om de
procedure af te ronden. Toen ik haar vroeg waarom ze dat wilde,
zei ze dat je overal op voorbereid moest zijn, want alleen God
wist wat de toekomst bracht. Ik vroeg of ze me ook een sleutel
van de kluis zou geven. Nee, antwoordde ze, nog niet. Wie was
er nog meer gemachtigd? Niemand.

We dronken bij een café een *latte* zonder schuim en op het
terras gaf Marianne Engel me uitleg over de IJslandse versie van
de hel. Het is kennelijk geen oord van vuur maar van ijs: wij zeggen dat iets 'brandt als de hel', maar IJslanders zeggen *helkuldi*,
'zo koud als de hel'. Dat is ook logisch: wanneer je het hele jaar
door geteisterd wordt door zo'n ijzig klimaat, dan vrees je toch
niet iets anders dan de eeuwige versie van dat klimaat? Voor een

brandwondenslachtoffer niet eens zo'n onaantrekkelijke gedachte omdat het de joods-christelijke idee weerlegt dat de hellestraf bestaat uit eeuwig kwellend vuur.

Het is niet zo vreemd dat de mens zijn beeld van de hel aanpast aan zijn leefomstandigheden. Het is eigenlijk een van de grootste artistieke kwaliteiten in Dantes *Inferno*: de straf voor elke zondaar past bij zijn zonde. De zielen van de Wellustigen, die zich tijdens hun leven steeds lieten meevoeren door hun hartstocht, zijn na hun dood gedoemd meegevoerd te worden door een eeuwigdurende storm. De zielen der Simonisten, die tijdens hun leven de toorn van God over zich hebben afgeroepen, zijn gedoemd om ondersteboven te branden in doopvonten. De zielen van de Vleiers baden in drek, een herinnering aan de vuiligheid die ze op aarde hebben uitgekraamd.

Ik vroeg me af wat mijn versie van de hel zou zijn – als die al bestaat, natuurlijk. Zou ik gedoemd zijn om eeuwig te branden, opgesloten in mijn auto? Of zou ik eeuwig op de debrideertafel moeten doorbrengen? Of zou ik erachter komen dat, wanneer ik eindelijk in staat was om lief te hebben, het al te laat was?

Terwijl ik dat overpeinsde, zag ik een lid van onze geheime broederschap op straat mijn kant op lopen. Het gaf me een vreemd gevoel, die eerste keer dat ik een andere brandwondenpatiënt in het openbaar zag, en eentje die ik nog kende ook: Lance Whitmore, die in het ziekenhuis zo'n inspirerend praatje had gehouden. Hij kwam direct op ons af en vroeg of we elkaar al eerder hadden ontmoet. Ik kon het hem niet kwalijk nemen dat hij me niet herkende, want niet alleen waren de contouren van mijn gezicht tijdens het genezingsproces veranderd, ze zaten ook verborgen achter mijn plastic masker.

'Leuk om een lotgenoot in het openbaar tegen te komen,' zei hij. 'Niet dat we al geesten zijn, maar we doen wel ons uiterste best om niet gezien te worden.'

We kletsten een tijdje over koetjes en kalfjes, en de nieuwsgierige blikken van bijna iedereen die langsliep leken hem niet te deren. Hij merkte ze ongetwijfeld op, maar ik bewonderde de manier waarop hij net deed alsof hij ze niet zag.

Ik had een wit gewaad aan en mijn vleugels bestonden uit kousen die over klerenhangers waren gespannen, versierd met zilverkleurig engelenhaar. Marianne Engel zette mijn aureool goed (pijpenragers, goud geschilderd) en rolde daarna mijn engelenmouw op om een shot morfine te kunnen toedienen die door mij heen vloeide als de lichtgestremde melk van menselijkheid. Bougatsa rende rond en hapte naar onze hielen. Ik vroeg me af hoe een hondenbrein zo'n tafereel verwerkt.

Zij had ook een gewaad aan of – om iets preciezer te zijn – een jurk die zo losjes en geplooid om haar heen hing dat die net een gewaad leek. Haar haar zat nog wilder dan anders, ook al was het samengebonden met een band om haar hoofd die op haar voorhoofd was vastgeknoopt. Een brede lap stof kwam uit haar krullen te voorschijn, die gedrapeerd over haar rug naar beneden hing. De uiteinden liepen onder haar oksels door en hingen als een servet van een kelner over haar onderarm. In haar hand had ze een ouderwetse lantaarn, zonder olie, en om haar linkerenkel – die met de rozenkranstatoeage – zat een blaadjeskrans. Ze legde uit dat die was bedoeld als de lauwerkrans die eigenlijk bij haar voeten op de grond moest liggen, maar een echte zou haar hinderen op de dansvloer. Ik vroeg wie ze moest voorstellen.

'Een van de Dwaze Maagden,' antwoordde ze.

Het feest was in het oudste, duurste hotel in de stad. Een portier met een hoge hoed opende de deur van de taxi en pakte de hand van Marianne Engel. Hij maakte een diepe buiging en bekeek mij daarna onderzoekend, alsof hij erachter probeerde te komen hoe ik die brandwonden zo mooi had weten te schminken. 'Stelt u soms Lucifer voor, meneer?'

'Pardon?'

'De enige gevallen engel die ik ken.' Hij boog kort. 'Knap gedaan. Mag ik er nog aan toevoegen dat de stem er prachtig bij past?'

Toen we de lobby betraden, gaf Marianne Engel me een arm. Het licht was gedempt en aan het plafond hingen zwarte wimpels. In alle hoeken zaten spinnenwebben en er liepen tientallen zwarte katten rond. (Ik vroeg me af waar ze die allemaal vandaan hadden gehaald; hadden ze een asiel overvallen?) De gasten hadden zich verzameld in de grootste danszaal. Er liepen zo'n vijf skeletten rond met rammelende, witgeschilderde botten op een zwarte tricot. Marie Antoinette, met bepoederde pruik en een duizelingwekkend decolleté, was in gesprek met een Lady Godiva wier lange blonde haar over een vleeskleurige bodystocking viel. Een Canadese Mountie dronk whisky met Al Capone. Een vrouw was verkleed als een reusachtige wortelkoningin en stond zwaaiend met een groentescepter naast haar vriendje, het konijn. Een dronken Albert Einstein had ruzie met een nuchtere Jim Morrison, en in een afgelegen hoekje stonden twee duivels hun staarten te vergelijken. Een kelner gleed voorbij met een zilveren dienblad en Marianne Engel plukte er handig een cocktail vanaf, nam een slok en kuste me op mijn maskerwang.

Er was nog plaats aan een tafel met een bloedrood tafelkleed, waarop een kaars gestoken was in een stapel glazen oogballen. We gingen zitten: naast Marianne Engel zat een man verkleed als rubber eend en naast mij zat een sexy politieagente.

Binnen de kortste keren wist ik dat vanaf nu Halloween mijn lievelingsfeestdag was. Toen de politieagente mij met mijn kostuum complimenteerde, hing ik een verhaal op over mijn 'werkelijke leven': ik was leraar Engels op een middelbare school in deze stad. Toen Marianne Engel haar derde cocktail achterover had geslagen – bijzonder, ze dronk zelden alcohol – sleepte ze me de dansvloer op. Ze wist dat ik heimelijk dolgraag met haar wilde dansen; ik oefende me met Sayuri niet uit de naad om de rest van mijn leven als muurbloempje te slijten.

Het orkestje zette een wals in en Marianne Engel rechtte haar rug en omvatte me met haar beeldhouwersarmen. Ze keek me doordringend aan en even had ik het gevoel dat de zee op me af raasde. Ik weet niet hoe lang we daar roerloos stonden totdat zij ons in de cadans van de muziek stortte. Ik hoefde alleen maar te volgen; ze leek intuïtief aan te voelen wat mijn lichaam aankon. Ik hoefde me geen moment zorgen te maken dat ze mijn zwakkere knie forceerde wanneer we soepel onze rondjes draaiden tussen de Romeo's en Julia's door, naast de Esmeralda's en

Quasimodi, langs de Uma's en Travolta's. Marianne Engel keek me aan en de andere dansers in de zaal vervaagden tot ronddraaiende, onbeduidende achtergrondkleuren.

Er leek geen eind aan te komen en het zou nog veel langer hebben geduurd als ik vanuit mijn ooghoek niet een buitengewoon wonderlijk paar had gezien. In eerste instantie hield ik mezelf voor dat ik het me had ingebeeld. Ze verdwenen uit zicht toen Marianne Engel me een halve cirkel liet draaien en ik was ervan overtuigd dat ze bij de volgende keer verdwenen zouden zijn. Maar dat waren ze niet.

Nu kon ik er niet meer omheen: ik zag een Japanse vrouw in een religieus gewaad wier kaalgeschoren hoofd in schril contrast was met het rode haar van de Viking met wie ze danste. Zij was zo gracieus en hij was zo lomp dat het net leek alsof een mus op de hoorns van een stier de rodeo deed. Ze hield haar lippen strak op elkaar terwijl de schede van zijn zwaard irritant tegen haar heup sloeg en toen ze haar arm verschikte naar een betere plek op zijn middel, viel er wat aarde uit de plooien van haar mouw.

Marianne zwaaide me weer rond en toen we terug waren gedraaid naar onze oorspronkelijke positie, was het paar verdwenen. 'Heb jij ze ook gezien?'

'Wie?' vroeg ze.

Op dat moment zag ik een ander paar. Deze vrouw droeg victoriaanse kleding, maar dan een praktische variant, alsof die niet bedoeld was om in te dansen maar om mee op het land te werken. Het waren geen kleren waar je normaal gesproken veel aandacht aan zou schenken op een gekostumeerd bal – ware het niet dat ze doorweekt waren en een waterspoor achterlieten, maar dat leek de man absoluut niet te deren. Hij droeg een leren voorschoot en had gespierde armen en een dikke buik. Ze glimlachte beleefd wanneer hij sprak, maar bleef over zijn schouder kijken alsof ze iemand zocht. We waren net dichtbij genoeg om te kunnen horen dat hij Italiaans sprak en zij in het Engels antwoordde. 'Tom? Ik weet het niet...'

Marianne Engel probeerde me weer rond te laten draaien, maar ik maakte me los. Ik had het paar heel even uit het oog ver-

loren, maar dat was lang genoeg voor ze om te kunnen verdwijnen. Ik zocht koortsachtig de zaal af of ik ze nog ergens kon ontdekken, maar ik zag ze nergens.

Ik ging naar de plek waar de victoriaanse vrouw haar waterspoor had achtergelaten. Maar de vloer was droog. Ik zocht op
de grond naar de aarde die uit de mouw van de Japanse vrouw
was gevallen. Maar de vloer was schoon. Ik zat op mijn knieën en
veegde met mijn handen over de vloer. De andere dansers weken
opzij alsof ik niet goed bij mijn hoofd was. Ik kroop rond, op
zoek naar iets, maar vond niets.

Marianne Engel boog voorover en fluisterde in mijn oor:
'Wat zoek je?'

'Jij hebt ze toch ook gezien?'

'Ik weet niet over wie je het hebt.'

'De geesten!'

'O, geesten.' Ze giechelde. 'Die ontglippen je toch steeds
weer. Alsof je een glibberige paling probeert te pakken. Net
wanneer je denkt dat je hem te pakken hebt, ontsnapt hij weer.'

We bleven nog een paar uur, maar ik was met mijn gedachten alleen nog maar bij die spookverschijningen. Ik wist dat ik
iets onmogelijks had gezien: het was geen zinsbegoocheling. Ik
had ze echt gezien. JE BENT AL NET ZO GESTOORD ALS ZIJ.
Rot op, slang. Ik zal je zo vol morfine spuiten dat je meteen
zou willen vervellen.

Toen we thuiskwamen, zette Marianne Engel thee voor me
om me rustig te krijgen. Toen dat geen effect had, besloot ze
verder te gaan met ons verhaal. Zodra ik wist of we wel of niet
waren getrouwd, werd ik hopelijk weer wat kalmer.

23

Al die tijd voordat je had gezegd dat je me misschien nog ooit ten huwelijk zou vragen, had ik nooit serieus gedacht dat dat echt zou gebeuren. Ik geef toe dat ik er weleens vluchtig over had gefantaseerd, maar ik had één keer een gelofte voor het leven verbroken en ik wist niet zeker of ik een nieuwe wilde afleggen. Ergens was ik bang dat ik je zou verraden zoals ik moeder Christina had verraden, dus toen je niet op ons huwelijk terugkwam, nam ik aan dat je maar wat had gezegd, zoals mannen wel vaker doen wanneer ze in een romantische bui zijn. Eigenlijk kon het me ook niet veel schelen, omdat mijn leven al zo veel meer inhoud had dan ik ooit had durven dromen. Ik werkte voor de begijnen, verbeterde in alle opzichten hun manier van boeken maken, en al snel kwam het welvarende burgers ter ore dat ik opgeleid was in het scriptorium van Engelthal.

Eén ding verandert nooit: de rijken willen pronken met wat zij meer hebben dan de anderen. En in die tijd waren boeken daar bij uitstek geschikt voor. Je gaf niet alleen blijk van je rijkdom, je toonde ook aan dat je smaak had en over een buitengewone intelligentie beschikte. Toch voelde ik me behoorlijk overvallen toen een edelvrouw me benaderde met de vraag of ik een kopie van Rudolfs *Der Gute Gerhard* wilde maken voor de verjaardag van haar man. Ik wees het af, omdat ik bang was dat jij het als een belediging zou opvatten dat ik het kennelijk nodig achtte om bij te dragen aan ons inkomen. Nog iets wat nooit verandert bij rijke mensen: ze denken dat iedereen te koop is. En, inderdaad, ze hebben gelijk. De edelvrouw noemde een bedrag waar jij minstens een jaar voor moest werken. Ik aarzelde opnieuw, maar… nou, we konden dat geld goed gebruiken, dus ik vroeg bedenktijd.

Ik wist niet hoe ik een en ander ter sprake moest brengen. We waren het er allebei over eens dat jouw werk als leerling op termijn perspectieven bood, maar je verdiende zo weinig dat we niet eens in onze eerste levensbehoeften konden voorzien. Het joodse echtpaar van wie we huurden wist van onze situatie af en ook al waren ze zelf ook niet bepaald rijk, ze waren zo vriendelijk om ons voor een gedeelte van de huur uitstel te verlenen. Alleen daardoor konden we het redden, maar jij kreeg het gevoel dat je zowel voor hen als voor mij tekortschoot.

Dagenlang liep ik te ijsberen door onze woning, begon ik aan een zin, maar maakte die niet af. Je vroeg steeds wat er aan de hand was, en ik zei steeds 'niets'. Toen je er uiteindelijk niet meer tegen kon, bleef je net zo lang drammen tot ik vertelde waar ik mee zat. Dat was eigenlijk een truc van mij – mijn eigen verantwoordelijkheid verhullen door jou de bekentenis bij mij af te laten dwingen. Ik zei dat ik weer boeken wilde maken en vertelde over het aanbod van de edelvrouw. Ik deed alsof je me er een enorm plezier mee zou doen als ik de opdracht mocht aannemen.

Je nam het beter op dan ik had verwacht en zei dat ik het zeker moest doen als dat me gelukkig zou maken. Jij had er vrede mee omdat – ook al werd dat nooit uitgesproken – ik dat alleen maar deed als tijdverdrijf. Maar je kon met de beste wil van de wereld je verbazing niet verbergen toen ik vertelde hoeveel geld me was aangeboden.

De edelvrouw gaf meteen een voorschot. Klein voor haar, gigantisch voor ons. Er gingen een paar dagen overheen voordat ik er iets van durfde uit te geven, omdat ik wist dat zodra ik daaraan begon, ik er ook niet meer onderuit kon. Toen ik het eerste geld uitgaf bij een perkamentverkoper, was dat bijna een opluchting voor me en ging ik aan de slag.

Ik voltooide dat eerste boek en de edelvrouw leek er tevreden over. Ik weet niet of ze me had aanbevolen bij haar vriendinnen of dat ze me via andere kanalen op het spoor waren gekomen, maar dat maakte niet uit. Ze vonden me, hoe dan ook.

In Mainz was er een ernstig gebrek aan goede boekenmakers en omdat ik van Engelthal kwam, genoot ik een zeker prestige. Niemand gelooft dat zijn eigen stad echte kunstenaars kan voortbrengen, maar gaat er zonder meer van uit dat ze in andere steden als rijpe appels uit de boom vallen. Belangrijker was dat iedereen het erover eens was dat ze het liefst een manuscript uit een religieus scriptorium wilden hebben, dus als een edelvrouw haar boek niet kon laten maken in een klooster, was ik een goede tweede keus. Dan kon ze er nog extra plezier aan beleven door te stellen dat ze in het bezit was van een manuscript dat was vervaardigd door een non uit Engelthal – natuurlijk zonder daarbij te vermelden dat de non niet langer deel uitmaakte van de Orde.

Al heel snel kreeg ik meer aanvragen dan dat ik tijd had en toen begon het omkopen. Toen ik terloops had verteld dat ik koken zo leuk vond, zei een edelvrouw meteen dat ik een keur aan uitgelezen vleessoorten kon krijgen wanneer ik haar opdracht voorrang zou verlenen. Daar stemde ik mee in en ik ontdekte algauw hoe vlug een roddel zich verspreidde in de hogere stand. Ik kreeg meteen allerlei delicatessen aangeboden en voor ik het wist hadden we op ons menu haver en gerst in plaats van gierst. We kregen fruit van het seizoen – kersen, pruimen, appels, peren en sleedoornbessen – en luxe etenswaren zoals kruidnagel en gember, mosterd en venkel, suiker en amandelen. Je hebt geen idee hoeveel dat voor me betekende. Wanneer ik niet aan het vertalen of kopiëren was, probeerde ik nieuwe recepten uit; ik had het gevoel dat ik nu al het voedsel aan het inhalen was dat we nooit hadden gegeten. De vrouw van de huisbaas hielp me, want voor haar was het ook een zeldzame traktatie om specerijen te gebruiken, en ik moest erom lachen dat ik nu een culinaire zondares was geworden. Had Dante immers niet een edelman uit Siena in de hel gesitueerd omdat hij een 'duur gerecht met groffelnagel' had bereid?

Binnen niet al te lange tijd leefden we als God in Frankrijk. Iedereen was welkom, er stond altijd wel een stoofpot op het vuur en al snel waren we het populairste stel in de buurt. Zelfs mijn begijnenvriendinnen kwamen langs, ook al deden ze alsof ze zo'n uitgebreid maal maar niks vonden. Ik herinnerde ze eraan dat ze zich met een gelofte verbonden hadden aan liefdadigheid en dat het niet erg liefdadig was om mij te beledigen. Zo wendden ze voor dat ze mij een gunst bewezen door mijn maaltijd te nuttigen, en ik ontdekte dat zelfs begijnen flink kunnen roddelen bij een goed maal.

De joodse vrouwen kwamen ook langs en het verbaasde me hoeveel van hen in de handel zaten, vooral wanneer de man was overleden en de vrouw het familiebedrijf had overgenomen. Eerlijk gezegd vond ik dat inspirerend. Toen ik het te druk kreeg om nieuwe opdrachten aan te nemen, raadde een van deze vrouwen me aan mensen in dienst te nemen en een zaak op te zetten.

Tegen die tijd was jouw gekwetste trots al gesust door de inkomsten. Ik mocht van jou mijn gang gaan, dus ik besloot mijn activiteiten uit te breiden. Waarom niet? In het scriptorium had ik geleerd hoe verscheidene mensen samenwerkten om een boek te vervaardigen, dus ik had ervaring in het onderhandelen met handelaren en ik kende elk aspect van het productieproces. Hoe langer ik erover nadacht, hoe meer ik ervan overtuigd raakte dat ik het aankon.

Eerst vond ik een geschikte perkamentmaker. Hij nam me meteen serieus toen ik hem liet zien hoe hij het kalkwater kon verbeteren dat hij gebruikte om zijn dierenhuiden te weken. Toen hij over de schok heen was dat een vrouw hem iets zou kunnen leren, kregen we een uitstekende relatie. We legden schriftelijk vast dat hij elke maand perkament voor me zou produceren en tegen korting als het een grote order betrof. Elke leveringsdag schoven we aan tafel en bespraken boven een kom stoofschotel hoeveel perkament ik de volgende maand nodig zou hebben. We werden goede vrienden en hij begon mijn kookkunst net zo te waarderen als het werk dat ik hem verschafte.

Daarna vond ik een illustrator wiens artistieke ideeën aansloten op die van mij. De onderhandelingen met hem verliepen soepel, want hij was jong en hij zat net in een periode waarin hij met de nodige tegenslag te kampen had. Elke maand leverde ik hem verscheidene foliopagina's om te illustreren met miniaturen. Hij werkte ook als rubricator, wat betekende dat ik één man minder nodig had. We hadden er allebei profijt van; voor het eerst in zijn leven kon hij de kost verdienen als kunstenaar. Hij was me zo dankbaar dat hij zijn prijzen redelijk hield, ook al had hij intussen naam gemaakt en verdrongen andere boekenmakers elkaar om hem in dienst te kunnen nemen.

Er waren nog meer mensen die voor me werkten, vooral freelance schrijvers, maar ik zal je niet vervelen met de details. Het grootste pluspunt van mijn bedrijfje was iets wat ik me nog niet gerealiseerd had. Opeens kreeg ik boeken in handen. Wanneer ik was ingehuurd om kopieën te maken van de *Aeneis* van Vergilius of *De droom van Scipio* van Cicero, voorzag de opdrachtgever me van geleende teksten waarmee ik dan aan de slag kon. Later kreeg ik meer ridderromans: *Parzival* van Wolfram, *Iwein* van Hartmann, *Tristan und Isolde* van Gottfried. 's Avonds nam ik ze mee naar bed en las je dan voor. Dat waren onze gelukkigste momenten: een boek op schoot en jouw hoofd lekker tegen mijn schouder aan. Ik heb geprobeerd je te leren lezen, maar daar had je het geduld niet voor. Bovendien zei je dat je het veel leuker vond als ik je voorlas. Na verloop van tijd was ik meer bezig met het begeleiden van de andere schrijvers dan dat ik zelf aan het kopiëren was, en ik merkte dat ik 's avonds genoeg energie overhad om me te concentreren op mijn vertaling van Dante. Ik had die noodgedwongen laten liggen toen we net in Mainz waren omdat ik geen schrijfmateriaal had, en toen ik schrijfmateriaal kreeg, had ik geen tijd. Nu had ik allebei en ik begreep eindelijk Gertruds gevoelens voor haar bijbel. Ik zou eindeloos nadenken over elk woord om er zeker van te zijn dat de vertaling mijn meesterwerk zou zijn. Waarom zou ik me haasten? Jij en ik hadden nog een heel leven voor ons.

Uiteindelijk liep je leerlingschap ten einde en kreeg je je gezellenpapieren. Normaal gesproken zou dit worden gevolgd door de *Wanderjahre*, waarin je van stad naar stad trok om van verschillende meesters de fijne kneepjes van het vak te leren, maar jij peinsde er niet over om waar dan ook heen te gaan. Je zou wel werk vinden in Mainz, waar de meeste steenhouwers je al kenden en heel goed wisten waarom jij ervoor koos om niet rond te trekken. Niemand zou het de man kwalijk nemen die de oudste leerling was geweest die de stad ooit had gekend.

Het ging ons zo voor de wind dat we nauwelijks spraken over het enige wat aan ons leven ontbrak. Misschien vonden we dat we geen recht hadden om te klagen, of misschien zou dat ongeluk brengen, maar we hadden geprobeerd een kind te verwekken en ik werd niet zwanger. Diep vanbinnen was ik altijd bang dat je zou besluiten dat ik geen geschikte echtgenote was, dus je hebt geen idee hoe opgelucht ik was toen je, zodra je je papieren had ontvangen, zei dat je met me wilde trouwen.

We wilden eigenlijk een huwelijk in besloten kring, maar zodra het bekend werd wilde iedereen die we kenden een uitnodiging. Het was verleidelijk om te denken dat het aan onze populariteit lag, maar waarschijnlijker was dat iedereen een extravagant feestmaal verwachtte. Ik zorgde voor het eten, de milde giften waarmee ik was omgekocht, en algauw stonden er talloze helpers in onze keuken. Toen onze woning te klein bleek, breidden de voorbereidingen zich uit naar de buren. De vrouw van onze huisbaas had de leiding en zelfs de begijnen boden aan om te helpen, ook al konden ze echt niet koken.

Alleen vond ik het jammer dat ik moeder Christina, vader Sunder en broeder Heinrich niet kon uitnodigen. Ik had even overwogen een bericht naar Engelthal te sturen, maar ik wist dat ze de uitnodiging wel moesten afslaan en ik wilde ze niet in verlegenheid brengen. Ik troostte me met de gedachte dat ze erbij zouden zijn geweest als het ook maar enigszins mogelijk was. En jij vond het jammer dat Brandeis er niet bij kon zijn.

Je wist zelfs niet of je vriend nog in leven was. Het ergste was nog dat je hem nooit kon gaan zoeken zonder te verraden dat je je brandwonden had overleefd en zo aan de condotta was ontsnapt, waarvan de enige regel was dat niemand mocht ontsnappen. Je had het jezelf nooit vergeven dat je dankzij Brandeis had kunnen wegkomen, terwijl hij terug moest naar de condotta.

Nog steeds schrok je 's nachts wakker door nachtmerries over de gevechten van vroeger.

Onze trouwdag was een prachtige dag en het weer was precies goed. Steenhouwers mengden zich met boekenmakers, joden met christenen, en iedereen, zelfs de begijnen, at tot hij of zij niet meer kon. Bijna alle gasten gingen zwalkend naar huis en alleen jij en ik bleven nog over om onze eerste nacht als getrouwd stel door te brengen.

Toen we de volgende ochtend wakker werden, gaf je me een kleine stenen engel cadeau die je zelf had gemaakt. In het Duits heet zoiets een Morgengabe – een ochtendgeschenk – een symbool om ons huwelijk te bekrachtigen. Om ons te bekrachtigen. Ik had altijd gedacht dat zo'n rituele erkenning van de liefde, waarvan ik wist dat die echt was, niet zo'n indruk op me zou maken, maar ik plengde eindeloos veel tranen van geluk.

Je vond al snel vast werk en de fysieke arbeid deed je goed. Je gezondheid bleef goed en je hield van het werken met steen. Ik kopieerde boeken, gaf leiding aan mijn personeel en ging verder met mijn vertaling van *Inferno*. We hadden het vaak over verhuizen naar een grotere woning, maar op de een of andere manier zetten we dat toch niet door. We hielden van ons huis, we hielden van onze vrienden en misschien had het ook te maken met de joodse wijk waar we woonden, omdat wij ook buitenstaanders waren. Misschien was een groter huis een droom die we hadden verzonnen toen we er eentje nodig hadden om de moed niet op te geven. Er was één ding dat ons geluk compleet zou hebben gemaakt – ook dat kregen we.

Na jaren vergeefs proberen werd ik eindelijk zwanger. Het gelukkigste moment in mijn leven was toen ik het jou vertelde en ik je gezicht zag. Er was geen spoortje angst of twijfel, alleen blijde verwachting. Je vloog de deur uit om het aan al je steenhouwersvrienden te vertellen en toen je terugkwam pakte je me stevig beet en praatte je honderduit over de voordelen van een meisje boven een jongen en andersom.

Kort daarna waren we een keer op de markt om groenten te kopen, toen een groepje jongemannen ruzie begon te maken met een koopman over een vermeende minachtende opmerking. Hun kleren waren smerig en ze straalden een zelfverzekerde bluf uit die alleen is voorbehouden aan de jeugd. Een wat oudere man keek van een afstandje toe met de blik van iemand die zoiets al honderd keer had gezien, het inmiddels spuugzat was, maar wist dat hij alleen maar kon afwachten tot het achterlijke gedoe voorbij was.

Ik meende dat ik hem weleens eerder had gezien, maar ik kon geen naam aan dat gezicht koppelen. Ik pakte je bij de arm, wees hem aan en vroeg of je hem herkende. Je liet de tas met groenten vallen en je trok wit weg. Toen je eindelijk iets kon zeggen, kreeg je de naam amper je mond uit.

24

Marianne Engel ging op 1 november, ondanks de kater van het Halloweenfeest, direct naar de kelder. De twee dagen daarna kreeg haar laatst overgebleven half afgemaakte beeld – de doodsbange leeuw/aap – poten waarop het kon staan. Toen het af was, ging ze languit liggen op een nieuwe stenen plaat en sliep twaalf uur achter elkaar waarna ze zich koortsachtig op een volgende groteske stortte. Al die tijd zat ik boven, piekerend over de geesten die ik niet kon hebben gezien.

Over haar nieuwe kobold (een menselijk gezicht op het mismaakte lijf van een vogel) deed ze vierenzeventig uur. Pas daarna kwam ze naar boven om het vuil van haar lichaam te wassen en zich vol te proppen met wat ze ook maar in de koelkast kon vinden. Ik verwachtte dat ze daarna zoals gewoonlijk naar haar slaapkamer zou gaan om haar vermoeidheid weg te slapen – maar nee, ze ging meteen weer naar beneden om languit op een ander stenen blok te gaan liggen. Nadat ze de steendromen had opgezogen, was ze weer ruim zeventig uur met de nieuwe opdracht bezig. Toen ze klaar was, was er een wrattige pad met de opengesperde snavel van een arend blootgelegd.

Ze ging slapen om op krachten te komen, maar na tien uur zat ze alweer in de keuken met een pot koffie en een pond spek. (Wanneer ze niet daadwerkelijk aan het beeldhouwen was, mocht ze vlees eten.) Zodra haar bord leeg was, liep ze weer in de richting van de trap. 'Er roept er weer een.' Toen ik zei dat ik me niet kon voorstellen dat ze na zo veel koffie ook maar een oog dicht kon doen, antwoordde ze dat dat niet nodig was. 'Deze sprak al tegen me toen ik met die pad bezig was.'

Hoewel het pas de tweede week van november was, begon Marianne Engel aan haar derde groteske. De toename in de productie was al verontrustend, maar de intensiteit was ook veranderd: ze ging als zo'n razende tekeer dat het zelfs de heftigste sessie die ik had gadegeslagen veruit overtrof. Het zweet droop van haar lichaam en liet sporen na in het gruis en ze zette de zware eikenhouten deuren open om de koele herfstlucht binnen te laten. Ze liet de honderd rode kaarsen die haar omringden continu branden en hun vlammetjes reageerden op de wind als wuivend graan in het veld. Terwijl ze verwoed in de weer was met hamer en beitel kwam onwillekeurig het beeld bij me op van een boer die met een zeis aan het oogsten is in een wanhopige poging om de naderende winter voor te blijven.

Na het derde beeld stortte Marianne Engel zich onmiddellijk op het volgende.

Het gehamer was zo alom aanwezig dat het huis leeg leek wanneer ze haar gereedschap even neerlegde. Soms joeg het – het lawaai, niet de zeldzame stiltes – me het huis uit. Ik ging nooit ver, meestal ging ik ergens in een hoekje zitten en bespiedde de parochianen die de St. Romanuskerk binnengingen. Vader Shanahan stond op de stoep wanneer ze weer vertrokken, drukte iedereen hartelijk de hand en vroeg ze dringend om de volgende week terug te komen. Dat beloofden ze allemaal en de meesten hielden zich daaraan.

Shanahan leek me wel een oprechte kerel, voorzover dat kan bij priesters, hoewel ik moet toegeven dat ik niet echt een onbevooroordeeld waarnemer ben. Ik heb altijd een vreemde ambivalentie ten opzichte van de clerus: omdat ik de Kerk veracht waar ze voor staan, wil ik ze ook als mens verachten. Maar vaak blijkt dat ik aan de man geen hekel heb, alleen aan zijn ambt.

Je denkt vast dat mijn atheïsme voortkomt uit mijn woelige verleden: de familieleden tijdens mijn jeugd, een carrière in de porno-industrie, mijn drugsverslaving, een ongeluk waarbij ik onherkenbaar verminkt raakte. Die veronderstelling is onjuist.

Er is geen logische reden om in God te geloven. Er zijn wel emotionele redenen, maar ik kan niet geloven dat niets iets is alleen omdat dat geruststellend zou zijn. Ik geloof niet in God, net zomin als ik geloof dat er een onzichtbare aap in mijn achterste leeft; ik zou echter in beide geloven wanneer ze wetenschappelijk bewezen zouden kunnen worden. Dat is voor atheïsten de kern van het probleem: het is onmogelijk om het niet-bestaan van iets te bewijzen, en toch hebben theïsten de neiging om de bewijslast naar ons te verschuiven. 'Het niet-bestaan van bewijs is nog geen bewijs van het niet-bestaan,' zeggen ze zelfvoldaan. Dat kan wel zo zijn, maar er hoeft één keer een reusachtig crucifix brandend in de lucht te verschijnen, `GEEN AAP IN JE ACHTERSTE?` dat door iedereen op aarde tegelijkertijd gezien kan worden `WAT DACHT JE VAN EEN SLANG IN JE RUGGENGRAAT?` om me ervan te overtuigen dat God bestaat.

Marianne Engel kwam naar boven om te vragen of ik oploskoffie wilde kopen. Dat vond ik een vreemd verzoek, omdat er in de kelder een koffiezetapparaat stond, maar het was haar geld dat het huishouden draaiende hield, dus ik kon nauwelijks weigeren.

Zodra ik terug was, rukte ze het blik uit mijn handen, pakte een lepel en dook weer haar atelier in. Ik dacht er even over na; ze zou toch niet… en gluurde toen vanaf de bovenste tree naar beneden en zag dat het inderdaad zo was.

Tussen twee trekken van haar sigaret nam ze gulzig een hap oploskoffie, kauwde luidruchtig op de korrels als een honkballer die een stuk pruimtabak wegwerkt, en spoelde het weg met de filterkoffie in haar grote beker.

De bel ging.

De meeste mensen doen gewoon de deur open als de bel gaat, maar voor mij ligt dat ingewikkelder. Voor mij is het een test van mijn wilskracht. Stel dat het een padvindster is die koekjes verkoopt? En ze ziet me, doet het in haar broek en valt flauw. Hoe verklaar je dan een bewusteloze, in urine gedrenkte padvindster op je veranda? Voor iemand die eruitziet zoals ik is dat een open uitnodiging voor de brave burgers om je met brandende fakkels achterna te zitten tot aan de oude windmolen.

Ik besloot het erop te wagen en de uitdaging aan te gaan, zelfs al was het een padvindster. Toen ik opendeed, zag ik een man en een vrouw van middelbare leeftijd, waarschijnlijk een echtpaar, keurig gekleed. De vrouw deinsde terug alsof zij Nosferatu was en ik de zon. (Soms vind ik het prettig om een ander eens de rol van monster te geven.) Intuïtief ging de man voor zijn vampiervrouw staan en beschermde haar met zijn arm. Ze trok haar bovenlip op.

'Ja?'

'Ik, eh… wij…' stamelde de heldhaftige man, niet helemaal zeker van wat hij van mij moest denken, en zijn vrouw kroop steeds verder naar achteren en maakte zich steeds kleiner. Hij vermande zich en zei plotseling: 'We wilden de kerk bezoeken! Meer niet!' Voor het geval ik net zo dom als verbrand was, wees hij met zijn duim in de richting van de St. Romanus. 'We zagen dat hij… eh, eh… gesloten is, en toen zagen we dit huis, met al die gargouilles en zo, zoals bij een kerk, dus vandaar dat wij dachten dat dit huis… eh, eh… bij de kerk hoorde. Of zoiets.' Hij zweeg even. 'Klopt dat?

'Nee.'

Marianne Engel deed iets nieuws met haar steenwerk: ze voorzag elk beeld in wording van een nummer. De eerste was 27, de volgende 26, de derde 25; nu was ze bezig met nummer 24.

Toen ik haar daarnaar vroeg, zei ze: 'Mijn Drie Meesters hebben me onlangs verteld dat ik nog zevenentwintig harten overheb. Ik ben dus aan het aftellen.'

Ik wachtte tot ik donderdagavond de deelnemers aan de bijbel-studieklas van vader Shanahan naar buiten zag schuifelen. Het was hoog tijd om naar de St. Romanus te gaan om mijn beklag te doen over de parochianen die het fort hadden aangezien voor een soort christelijke hulppost.

Ik liep naar het kerkportaal, keek naar links en naar rechts en ging naar binnen. Mijn voetstappen echoden, maar Shanahan, die midden tussen de kerkbanken omhoogkeek naar de ramen, leek mij niet op te merken. In diepe overpeinzing verzonken keek hij naar een gebrandschilderd raam met een afbeelding van Christus aan het kruis. Het was vreemd om te zien dat iemand dat 's avonds deed, want er scheen nu geen daglicht doorheen waardoor Jezus stralend en superieur zou lijken.

Hij werd zich pas bewust van mijn aanwezigheid toen ik iets tegen hem zei – ik bood hem de spreekwoordelijke stuiver aan voor zijn gedachten. Hij schrok van mijn akelige stemgeluid en, toen hij zich omdraaide, ook van mijn plastic gezicht, maar hij herstelde zich direct. Met een kort lachje opperde hij dat hij deze keer misschien weleens waar voor dat geld zou kunnen bieden.

'Vreemd hoe je er elke dag naar kunt kijken,' zei hij en hij wees naar de Christus, 'en toch steeds iets nieuws kunt ontdekken. De vier armen van het kruis verbeelden natuurlijk de vier elementen van de aarde, maar zie je hoe Christus erop genageld is, met zijn armen wijd en zijn voeten bij elkaar? Dan krijg je een driehoek en drie is het getal van God. De Heilige Drie-eenheid. De drie dagen van de opstanding. Hemel, hel en vagevuur. Dat is de gedachte. Dus vier komt samen met drie, de aarde komt samen met de hemel. Dat is prachtig natuurlijk, want is Jezus niet de zoon van God en van de mensen?'

Hij zette zijn bril weer goed en giechelde even. 'U betrapte me midden in een inval die ik kreeg, vrees ik. Kan ik iets voor u doen?'

'Ik woon hiernaast.'

'Ja, ik heb u gezien.'

'Ik ben atheïst.'

331

'Ach, God gelooft wel in u,' zei hij. 'Wilt u soms een kopje thee?'

Hij wees naar zijn kamer die schuilging achter·de kansel en om de een of andere reden besloot ik met hem mee te gaan. Er stonden twee stoelen voor zijn bureau, kennelijk bedoeld voor echtparen die dachten dat een stichtelijk woord hun huwelijksproblemen wellicht kon verhelpen. Op zijn bureau, naast een bijbel, stond een foto van hem met zijn arm om een andere man heen geslagen. Naast hen stond een tamelijk knappe vrouw en een tiener die kennelijk haar zoon was. Het hoofd van de vrouw was opgeheven naar haar man, maar haar blik was strak gericht op vader Shanahan, die er wat ongemakkelijk bij stond met zijn witte boordje. Toen ik hem vroeg of dat zijn broer en schoonzuster waren, leek Shanahan verbaasd dat ik dat zo snel had gezien. 'Lijken we zoveel op elkaar, mijn broer en ik?'

'Zijn echtgenote is een aantrekkelijke vrouw.'

Vader Shanahan schraapte zijn keel terwijl hij wat water in een waterkoker goot. 'Ja. Maar dat is Marianne ook.'

'U kent haar.'

'Ze weet veel van de bijbel, zelfs meer dan ik, maar ze gaat nooit in op mijn uitnodiging om een dienst bij te wonen. Ze zegt dat het probleem bij de meeste christenen is dat ze één keer per week ter kerke gaan om te bidden dat Gods wil wordt uitgevoerd en wanneer dat dan gebeurt, klagen ze.' Hij zette twee kopjes en een kannetje melk op het bureau. 'Ik kan haar niet helemaal ongelijk geven.'

Hij ging voor me zitten en zette zijn bril weer goed, ook al stond die al recht. Ik verwachtte dat hij een oppervlakkig gesprekje zou beginnen, dus ik was verrast toen hij vroeg: 'Zou u dat masker kunnen afzetten tijdens ons gesprek?'

Aan de manier waarop hij het vroeg wist ik dat hij niet geïntimideerd was door het masker, maar alleen nieuwsgierig was naar mijn uiterlijk. Ik legde uit dat het voor mijn herstel noodzakelijk was dat ik het voortdurend droeg. Hij knikte begrijpend, maar ik zag de teleurstelling op zijn gezicht. Ik stelde voor dat ik het dan heel even af zou doen, als hij werkelijk wilde zien wat eronder zat. Hij knikte dat hij dat graag zou willen.

Toen ik het masker had afgezet, leunde hij voorover om mij beter te kunnen zien. Hij krabde zich achter zijn oren en bewoog heen en weer om me van alle kanten te kunnen bekijken. Toen hij klaar was, vroeg ik: 'Zie ik eruit zoals u had gehoopt?'

'Ik had geen verwachtingen. Ik heb voordat ik naar het seminarie ging overwogen om geneeskunde te studeren. Ik ben nog geabonneerd op enkele tijdschriften.'

Het beslissingsmoment voor zijn carrière kwam, zo legde hij uit terwijl hij de thee inschonk, toen hij ontdekte dat artsen op de spoedeisende hulp werd geleerd om binnenkomende mensen met een hartaanval bij voorbaat als 'overleden' te beschouwen. Dat was een manier om ermee om te kunnen gaan: als de patiënt het overleefde, kon de arts geloven dat hij iemand weer tot leven had gebracht, maar als de patiënt 'dood bleef', kon de arts zichzelf wijsmaken dat het niet aan hem had gelegen.

'Maar alleen God heeft de macht over leven en dood,' zei vader Shanahan. 'Een arts kan misschien iemands aardse bestaan rekken, maar een geestelijke kan hem helpen het eeuwige leven te verkrijgen.'

'Gelooft u dat werkelijk?'

'Dat is een vereiste voor deze baan.'

'Dan wil ik u iets vragen. Is het mogelijk om te geloven in het bestaan van de ziel zonder in God te geloven?'

'Voor sommigen wel misschien.' Shanahan nam een slokje thee. 'Maar niet voor mij.'

Nummer 24 was af. Nummer 23 was af. Nummer 22 was af. Het was de laatste week van november en Marianne kwam eindelijk weer naar boven. Ze leek de grens bereikt te hebben van de tijd dat een lichaam zonder een fatsoenlijk maal of de luxe van een echt bed kon.

Ik ben geen geweldige kok, maar ik drong haar een maaltijd op en zorgde ervoor dat die boordevol calorieën zat. Ook al was ze duidelijk doodop, al die cafeïne en nicotine hadden haar in een staat van manische uitputting gebracht. Ze wipte op haar stoel, staarde voor zich uit en liet steeds haar bestek vallen. Toen ze uitgegeten was, probeerde ze op te staan, maar was daar fysiek niet toe in staat. 'Kun je me even helpen?'

Mijn trapklimoefeningen kwamen nu goed van pas. Ik hield haar zo goed mogelijk overeind en werkte haar naar boven. Toen we de badkamer hadden bereikt, zette ik de kranen open en ze ging moeizaam in bad zitten. Het had geen zin om de stop in de afvoer te doen. Eerst moest de toplaag van het vuil ervan afgespoeld worden, dus hielp ik haar met water over haar lichaam gieten. Toen ze eindelijk schoon genoeg was om een echt bad te nemen, lieten we de kuip vollopen.

Ik zat naast het bad en boende haar schoon. Onder haar ogen zaten dikke zwarte wallen. Ik spoelde de stukjes steen uit haar dikke vastgeklitte haar, dat nu als verlepte wingerdranken naar beneden hing. De meest ingrijpende verandering was haar gewichtsverlies: zeker vijf kilo, misschien wel tien. Ze zag er niet goed uit, want ze was veel te snel afgevallen, op precies de verkeerde manier. Ik beloofde mezelf dat ik ervoor zou zorgen dat ze beter ging eten. Meer. Dagelijks.

Het bad had haar weer genoeg kracht gegeven om zonder hulp naar haar slaapkamer te lopen. Zodra ze onder de dekens lag, draaide ik me om om weg te gaan, omdat ik dacht dat ze onmiddellijk in slaap zou vallen. Tot mijn verbazing riep ze me terug.

'Mainz. De markt. Die man. Nieuwsgierig? Dan vertel ik het je zo.'

25

Geschokt waren we. Tot op dat moment wisten we niet eens of hij nog leefde. Je sprak zijn naam uit alsof je jezelf ervan probeerde te overtuigen dat je hem echt weer zag, na zo veel jaren.

'Brandeis.'

Hij had enkele nieuwe littekens, zijn haar was veel grijzer, en hij ontzag duidelijk zijn stijve been dat hij nog niet had toen ik hem had gezien in Engelthal. Maar hij keek vooral vermoeid. De jonge huurlingen bleven de koopman treiteren en zijn blik verried dat hij ervan walgde, maar ook dat het hem allemaal totaal niet verbaasde.

Je trok me mee in de schaduw achter een kraam. De meeste soldaten waren nieuw en kenden jou niet, maar je kon nooit voorzichtig genoeg zijn, zeker niet met die mannen. Jaren eerder was je tot de conclusie gekomen dat de enige reden waarom je verdwijning nooit was onderzocht was dat iedereen, inclusief Brandeis, geloofde dat je aan je brandwonden was bezweken.

Dat je hem dolgraag wilde spreken behoeft verder geen betoog. Je kon, nee, je mocht deze kans niet voorbij laten gaan, maar het probleem was hoe je hem moest benaderen zonder te worden gezien. Toen de jongemannen met de marktkoopman begonnen te vechten, dacht je dat je je wel stiekem in die kluwen kon mengen. Ik was daar faliekant tegen, ook al wist ik dat ik je niet kon tegenhouden. Maar net toen je een stap naar voren deed, verscheen er een nieuwe man ten tonele en de sfeer veranderde meteen. De jonge soldaten lieten de koopman los en deinsden achteruit, alsof ze bang waren om iets te doen zonder zijn toestemming.

Het eerste wat me opviel aan deze man was de wreed intelligente blik in zijn ogen. Zijn ogen glommen alsof hij plezier had in geweld, alsof hij het best gedijde in chaos.

'Wie is dat?' vroeg ik.

Je antwoordde met een ijzige stem: 'Die ambitieuze Kuonrat.'

Uit de onderdanige manier waarop de anderen zich gedroegen kon je opmaken dat Kuonrat nu de nieuwe leider van de bende was. Met een paar woorden en de punt van zijn zwaard tegen de keel van de marktkoopman was het pleit snel beslecht. De huurlingen namen wat ze wilden hebben en de koopman mocht blijven leven.

Kuonrat was wel de laatste die jou mocht zien, maar dat gold niet voor mij. Voordat je me kon tegenhouden, stapte ik uit de schaduw en liep op de groep af. Ik wist dat je me niet kon volgen, want als je te voorschijn kwam, bracht je mij in groter gevaar dan wanneer je me liet gaan. Ik trok de hals van mijn jurk wat verder open en liep rechtstreeks naar Brandeis.

Het was riskant, maar niet onbezonnen. Kuonrat had me nog nooit gezien en Brandeis zou me na zo veel jaar waarschijnlijk niet herkennen, temeer omdat ik geen habijt droeg. Ik probeerde zo goed mogelijk een prostituee na te doen die zich aan Brandeis aanbood. Dat was niet niks, want ook al kon je het nog niet zien, ik droeg wel een kind in me. Enkele andere soldaten begonnen te joelen toen ik me naar Brandeis toe boog om hem iets in zijn oor te fluisteren. Zij namen aan dat ik mijn prijs noemde, maar in werkelijkheid fluisterde ik twee dingen: jouw naam en dat ik de non was die jou had verzorgd in Engelthal.

Brandeis deed een stap naar achteren en met toegeknepen ogen keek hij me aan en zocht naarstig zijn geheugen af naar herinneringen aan het klooster. Toen hij zich had hersteld, zei hij tegen de anderen dat hij zich later weer bij hen zou voegen, waarmee hij suggereerde dat hij een middag van ontucht tegemoet ging. Zelfs Kuonrat knikte goedkeurend en zei: 'Als je klaar met hem bent, kun je misschien terugkomen voor de rest van ons.'

Bij het idee draaide mijn maag zich om, maar ik zei lachend: 'Misschien,' en trok Brandeis mee. Het zou te riskant zijn geweest om jullie in het openbaar met elkaar te herenigen, dus nam ik hem mee naar ons huis want ik wist dat je ons daar al zat op te wachten. Brandeis kon nauwelijks geloven dat je nog leefde. 'Ik dacht… ik was ervan overtuigd… ik ben nog een keer teruggegaan naar Engelthal, maar ze hadden niet verteld…'

Ik schonk ons beste bier en wijdde me aan de maaltijd. Ik wilde een goede indruk maken, ik wilde dat hij kon zien hoe goed ik voor jou zorgde. Je vertelde hem alles wat er in al die jaren was gebeurd en hij kon nauwelijks geloven dat je zo'n leven voor jezelf had opgebouwd.

Toen Brandeis aan de beurt was om zijn verhaal te vertellen, zei hij dat het was veranderd in de condotta. Het was alleen maar slechter geworden. Herwald was in de strijd dodelijk gewond geraakt en Kuonrat was degene die hem met zijn zwaard de nekslag had gegeven. Dat was geen daad van barmhartigheid; Kuonrat eiste het leiderschap op en er was niemand die hem dat durfde te ontzeggen.

Kuonrat nam alleen de bloeddorstigste rekruten aan. Het probleem was niet zozeer hun vechtlust, ze waren vooral dom en meedogenloos. Ze doodden inderdaad meer tegenstanders, maar ten koste van meer slachtoffers in hun eigen gelederen. Ze vielen aan met passie, niet met intelligentie, en Kuonrat hitste ze op alsof het een meute wilde honden was. Mochten ze omkomen, dan wemelde het buiten de steden nog van de jongens die dolgraag hun mannelijkheid wilden bewijzen. Kuonrat vond het tijdverspilling om deze soldaten tegen zichzelf in bescherming te nemen omdat ze meteen weer vervangen konden worden. Bovendien wist hij uit eigen ervaring dat degenen die jarenlang bij de condotta bleven, soms meer macht wilden hebben.

In tegenstelling tot zijn methodes viel er op Kuonrats resultaten niets af te dingen. De condotta was berucht geworden vanwege zijn uitzonderlijke wreedheid en het vermogen om door pure bruutheid veel grotere legers te verslaan. Het succes maakte hem zelfverzekerder en hij kreeg zijn twijfels over het verhuren van zijn leger. Waarom, zo vroeg hij zich af, zou adel land bezitten als dat land alleen door zijn condotta verdedigd kon worden? Geld was niet langer genoeg. Kuonrat wilde meer macht. Hij ontwikkelde plannen om zelf stukken land in te nemen.

Tijdens de jaren onder Kuonrat was Brandeis' verlangen om de condotta te verlaten steeds sterker geworden, maar ontsnappen was nu helemaal onmogelijk geworden. De regel bestond nog steeds dat wanneer je eenmaal bij de troep zat, je erin zat voor het leven, maar daar kwam nog iets bij. Kuonrat was nooit vergeten dat Brandeis hem had getrotseerd toen jij op het slagveld gewond was geraakt en om die reden zocht Kuonrat nog steeds een vorm van vergelding. Als Brandeis ooit de benen nam, zou Kuonrat de beste spoorzoekers achter hem aan sturen, mannen die even vastberaden als wreed waren.

Ondanks al die verachtelijke karaktereigenschappen was Kuonrat niet dom. Hij wist dat hij Brandeis niet zonder meer kon aanpakken, omdat er een aantal oudere soldaten was dat respect had voor Brandeis als boogschutter en als mens. Dus werd Brandeis meestal met rust gelaten. Maar het onuitgesproken dreigement was altijd aanwezig.

Het was zo vreemd om jou samen te zien met een oude vriend, iemand met wie je op het slagveld de dood in de ogen had gezien. Brandeis had een stuk van je leven met je gedeeld dat ik me nooit zou kunnen voorstellen. Er was een vreemde band tussen jullie in de manier waarop jullie zogenaamd stoer deden terwijl jullie de genegenheid in jullie stemmen niet konden verhullen. Ik zag dat je die vroegere tijd miste, niet de veldslagen, maar de kameraadschap. Vreemd, welke dingen je je herinnert, maar van die ene avond is er één moment dat in mijn geheugen is gegrift. Tijdens het eten maakte Brandeis een bijna niet-waarneembaar handgebaar, maar jij wist dat je het water moest doorgeven. Het was een handeling die jullie bij talloze maaltijden bij het kampvuur moeten hebben herhaald. Geen van jullie twee leek het ook maar op te merken.

Aan het einde van de avond viel er een zware stilte. Jullie

staarden elkaar aan, misschien wel een minuut lang, en toen zei Brandeis hardop: 'Ik kan dit leven niet meer aan.'

'Ik zal mijn uiterste best doen om je te helpen,' zei jij.

Maar die avond kon er van ontsnappen nog geen sprake zijn. Als Brandeis verdween, zouden de huurlingen de 'prostituee' weten op te sporen met wie hij het laatst was gezien. We spraken af dat hij zou terugkeren naar de condotta en net zou doen alsof hij met mij zijn pleziertje had gehad. De troep zou nog enkele dagen in de stad blijven en dan vertrekken voor de volgende opdracht. Zodra er een maand verstreken was en de tijd in Mainz een verre herinnering was, zou hij kunnen ontsnappen.

Als alles goed ging, zou niemand erachter komen waar hij was. Brandeis had geen familie in Mainz en er was verder geen enkele aanwijzing waarom hij in die stad zou zijn. Wie zou zich nog zijn middagje seks van een maand geleden herinneren? Dat was het plan.

Bij onze deur stonden jullie er stoer bij, met de borst vooruit. Hij sloeg je op je schouder en jij stompte hem tegen zijn arm. Ik omhelsde hem en beloofde dat ik zou bidden voor zijn veiligheid. Brandeis zei dat hij dat wel kon gebruiken en hij feliciteerde me nog een keer met mijn zwangerschap. Hij nam mijn handen in de zijne en ik voelde de littekens op zijn handpalmen. Nu herinnerde ik me dat ook hij brandwonden had opgelopen, toen hij de brandende pijl uit je borst trok. Nadat hij in het nachtelijk duister vertrokken was, was ik me er intens van bewust hoeveel we hem verschuldigd waren.

De volgende maand kroop voorbij. We spraken wel over Brandeis, maar nooit lang. Het leek op de manier waarop we eerder hadden vermeden over onze kinderwens te praten, alsof we bang waren dat er dan een vloek op zou rusten. Vijf weken. 'Denk je…?' vroeg ik. 'Hij komt wanneer hij komt,' antwoordde je.

Zes weken, geen Brandeis. Ik was vreselijk bezorgd en 's morgens gaf ik over vanwege mijn zwangerschap. 'Hij komt wanneer hij komt,' zei je steeds. Ik maakte me soms waanzinnig veel zorgen over zijn veiligheid, en ook over die van ons wanneer hij hier aangekomen was. Je verzekerde me er voortdurend van dat alles goed kwam en ik deed mijn uiterste best om je te geloven.

Zeven weken. Ik zat thuis bij het raam aan een handschrift te werken. Iemand schuifelde dik ingepakt in zijn mantel door de straat en keek steeds achterom. Ik herkende het stijve been en wist onmiddellijk dat het Brandeis was, ook al kon ik zijn gezicht niet zien. Zijn mantel was bedekt met sneeuw die al vanaf de vroege ochtend viel, bij uitstek een dag om je extra dik in te pakken. Niemand zou een man verdacht vinden die zijn best doet om warm te blijven. Ik liet hem binnen toen er verder niemand op straat langsliep.

Hij schrokte warme soep naar binnen en vertelde hoe hij acht dagen achter elkaar had gereisd, heen en weer en in cirkels lopend, en dat hij steden had vermeden. Hij had zich in leven gehouden met klein wild in plaats van eten te kopen, zodat er geen kooplui waren die zich hem zouden herinneren. Hij wist zeker dat hij niet was gevolgd. Toch stuurden we geen bericht naar je werk en lieten we je op de gebruikelijke tijd thuiskomen. Het was belangrijk om alles er zo normaal mogelijk uit te laten zien.

De eerste dagen zouden de gevaarlijkste zijn. Kuonrat had gegarandeerd zijn beste spoorzoekers erop uitgestuurd zodra ze hadden ontdekt dat Brandeis was verdwenen. Jullie keken voortdurend naar buiten, een kruisboog binnen handbereik. Brandeis had er twee meegenomen, zijn eigen boog en een die hij voor jou had gestolen.

Jullie sliepen om de beurt en Brandeis durfde niet eens zijn tas uit te pakken. Je pakte er een voor jezelf in en droeg mij op hetzelfde te doen. Ik vond het allemaal doodeng, meer dan ik me had kunnen voorstellen. Mocht er iets misgaan – niet dat dat zou gebeuren, natuurlijk – dan was ik niet alleen verantwoordelijk voor mezelf, maar ook voor het ongeboren kind. Ik zei dat ik me niet kon voorstellen dat ze Brandeis in zo'n groot land zouden kunnen opsporen. Toen ik dat had gezegd, keken jullie elkaar alleen maar even zwijgend aan, maar jullie blik sprak boekdelen.

Er gebeurde echter niets. Weken gingen voorbij en er kwam niemand kijken. Jullie sliepen nu allebei de hele nacht door, maar pas nadat je een touwtje met belletjes aan de bovenkant van de voordeur had gehangen. Uiteindelijk besloten jullie dat Brandeis veilig naar buiten kon, maar nog wel met een kap diep over zijn ogen getrokken.

Er waren geen mannen die plotseling uit de schaduwen opdoken, dus na een week vergezelde Brandeis jou naar de bouwplaats. Jouw aanbeveling was voldoende voor hem om aan wat handwerk te komen. Hij werkte hard en at zijn middageten samen met jou, maar hield zich verder afzijdig. Niemand stelde vragen; voor je collega's was hij gewoon een ongeschoolde arbeider. Al vrij snel besloten we dat hij een eigen kamer moest hebben, want ik werd 's nachts regelmatig wakker door kramp in mijn benen. We konden allemaal wel wat meer privacy gebruiken.

We hadden zo veel vrienden dat het niet moeilijk was om een kamer voor hem te vinden, een paar straten buiten de joodse wijk. Ik stond erop om de borg te betalen met geld uit mijn bedrijfje en toen dat geregeld was, besloten we het eindelijk te vieren. Niet dat jullie er volledig van overtuigd waren dat zijn ontsnapping definitief geslaagd was, maar jullie gaven toe dat het er intussen wel op begon te lijken. Het werd een groot feestmaal, en je was zo blij omdat je eindelijk het gevoel had dat je je schuld bij hem had ingelost.

De zwangerschap verliep voorspoedig en ik begon uit mijn kleren te groeien. Tijdens het eten trapte de baby en je drong er bij Brandeis op aan om zijn hand op mijn buik te leggen. Hij aarzelde, maar toen ik hem verzekerde dat hij me daarmee juist een plezier zou doen, legde hij zijn hand voorzichtig erop. Toen hij de beweging voelde, trok hij hem snel terug en keek me met grote, verbaasde ogen aan.

'Dat hebben we aan jou te danken,' zei je tegen je vriend. 'Dat leven is er omdat jij het mijne hebt gered.'

Daarna hieven we het glas op het feit dat we allemaal aan ons vorige leven waren ontsnapt naar een beter leven.

Maar je moet de huid niet verkopen voor de beer geschoten is.

De volgende dag kwam een van de begijnen rennend naar ons toe. Ik wist dat het geen goed teken was, omdat ik nog nooit een begijn had zien rennen. Met haar handen op haar knieën hijgde ze eerst even uit voordat ze met horten en stoten kon uitbrengen dat een groepje mannen – 'Je reinste barbaren, dat zag je meteen' – op de markt navraag had gedaan naar een man die voldeed aan Brandeis' signalement.

Kennelijk was Mainz toch niet zo groot als ik had gedacht. Ondanks alle moeite die we hadden gedaan om onze gast verborgen te houden, wisten zelfs de begijnen dat hij bij ons had gelogeerd. Het pleitte voor hen dat het ze niet raadzaam had geleken om die informatie aan vreemden door te geven, maar het was alleen een kwestie van tijd voordat iemand zich iets liet ontvallen zonder de consequenties daarvan te overzien. Brandeis stelde een aantal vragen over die 'barbaren' en de antwoorden van de begijn namen elke twijfel weg. De mannen waren absoluut spoorzoekers die door de condotta erop uit waren gestuurd. Tot op de dag van vandaag heb ik geen idee hoe ze hem hadden kunnen vinden, maar dat doet er ook niet toe. Het enige wat ertoe deed, was dat Mainz niet langer veilig was.

Brandeis bood aan om alleen te vluchten en zo'n duidelijk spoor achter te laten dat de achtervolgers van ons werden weggeleid. 'Ze zijn alleen op zoek naar mij. Jullie hebben een goed leven hier, dus…'

Je liet hem niet eens uitspreken. Dat was je eer te na. Je zei dat de spoorzoekers ons huis toch wel zouden vinden, wat we ook deden, dus wanneer – niet als, maar wanneer – dat zo was, bestond er een grote kans dat een van hen jou zou herkennen. Wat een klapper zou dat voor ze zijn: erop uitgestuurd om één deserteur te zoeken en terugkeren met twee. Met zoiets kwam je bij Kuonrat in een goed blaadje te staan en de boodschap zou duidelijk zijn: ook al was een soldaat jaren geleden ontsnapt en waande iedereen hem dood, uiteindelijk werd hij toch opgespoord.

Brandeis en jij betoogden dat ik niet mee moest gaan omdat

mijn zwangerschap te vergevorderd was, omdat ik jullie zou ophouden, en omdat ik het kind in gevaar zou brengen. Ik bracht
daartegen in dat het voor mij het gevaarlijkst was om in Mainz te
blijven, waar de spoorzoekers me vast zouden vinden en tot alles
in staat waren om me maar aan het praten te krijgen. Ik maakte
een eind aan de discussie door te zeggen dat het me niet uitmaakte met wat voor argumenten jullie kwamen. Ik wilde niet
achtergelaten worden en als jullie me niet meenamen, zou ik jullie toch volgen. Ja, ik was zwanger, maar ik was best in staat om
te reizen en ik had mijn geluk net zozeer aan Brandeis te danken
als jij. Ten slotte, als jij en ik uit elkaar gingen, waar zouden we
elkaar dan weer terugzien? Ons leven in Mainz was ontdekt,
daar konden we niet meer heen. Ik voerde aan dat ik eigenlijk
juist omdát ik zwanger was bij jou moest blijven, in plaats van het
risico te lopen op een permanente scheiding.

Ik had je alle opties ontnomen en ik had het voordeel dat er
geen tijd meer was voor discussies. Dus we pakten wat spullen
bij elkaar, alleen de meest waardevolle, en troffen voorbereidingen om zo snel mogelijk te vertrekken.

Ik pakte *Inferno* en Paolo's gebedenboek en toen je even niet
keek stopte ik ook stiekem de Morgengabe-engel in mijn tas. Jij
zou zo veel gewicht nooit hebben goedgevonden, maar hij was
me te dierbaar om achter te laten. Ik pakte ook mijn nonnenhabijt in, omdat ik had ervaren dat die een heel nuttige vermom-
ming kon zijn. We pakten al het geld dat we opzij hadden gelegd
voor het huis dat we nooit hadden gekocht, en Brandeis en jij
gingen drie paarden kopen. Ik verkocht mijn specerijen en boeken aan wie ik ze maar kwijt kon, ook al kreeg ik er op zo'n korte
termijn haast niets voor. Enkele uren nadat we het nieuws van de
begijn hadden gehoord, waren we de stad uit. Ik had mijn tas, en
jullie hadden alleen je kruisboog en kleren op je rug. Het leven
dat we jarenlang hadden opgebouwd was weg, in één klap.

Ik was geen geoefend ruiter, op z'n zachtst gezegd, en mijn
zwangerschap hielp ook niet echt. Zelfs toen we de stad uit reden, bleef je maar aandringen dat ik een andere kant op moest
gaan. Drie paardensporen die dezelfde kant op gingen waren

343

makkelijker te volgen dan twee de ene kant op en één in een andere richting. Ik wilde er niet van horen en bracht ertegen in dat we beter onze voorsprong zo groot mogelijk konden maken.

We reden door tot de paarden te moe waren om nog verder te gaan. Mijn rug deed zeer, de pijn schoot bij elke hoefdreun langs mijn ruggengraat omhoog, en mijn onderbuik werd ook gepijnigd. Maar ik peinsde er niet over om te klagen, want ik was bij jou.

We kwamen bij een kleine herberg en ik werd erheen gestuurd om onze overnachting met de herbergier te regelen, want hoe minder jullie werden gezien, hoe beter. Voor we die eerste avond gingen slapen, vroeg ik waar we heen gingen. Brandeis antwoordde: 'Het is beter om geen vast reisdoel te hebben. Wanneer we weten waar we naartoe gaan, weten de achtervolgers het ook.' Dat begreep ik niet, maar ik was te moe om ertegen in te gaan.

De dagen erna reden we zo lang als ik kon volhouden en namen dan een kamer. Niemand van ons waagde zich buiten, behalve ik wanneer ik op zoek ging naar eten. Het duurde niet lang of het reizen begon bij mij zijn tol te eisen. Mijn borsten deden zeer en de kramp in mijn benen werd steeds erger, en de spieren bij mijn ribben voelden aan alsof ze uitgerekt of gescheurd waren. Ik wist dat ik het tempo vertraagde – dat was ons allemaal wel duidelijk – en dat was voor jou een reden om het onderwerp weer aan te kaarten. Je wees me erop dat mijn voortdurende plaspauzes ons niet alleen ophielden, maar ook het spoor veel makkelijker te volgen maakten. Je dreigde zelfs me achter te laten, maar dat kon je natuurlijk niet over je hart verkrijgen.

We namen achterafpaadjes en dwongen de paarden door ijskoude beekjes te waden. Daar hadden ze een enorme hekel aan, maar niet meer dan ik. De paarden konden niet langer het benodigde tempo halen, te veel galop, te weinig rust. Toen ze uitgeput raakten, ruilden we ze in voor nieuwe. De achtervolgers zouden hetzelfde moeten doen om niet achter te blijven

Ook al keek ik voortdurend achterom, ik zag de achtervolgers nooit. Ik wilde graag geloven dat we ze kwijt waren. Eerlijk gezegd begreep ik niet hoe ze ons mogelijkerwijs nog op het spoor zouden zijn, met al die trucs die we toepasten. Maar ze hadden Brandeis in Mainz ook weten te vinden. Ik had geen flauw idee waar ze toe in staat waren, maar jullie hadden met dat soort mannen opgetrokken, dus ik moest jullie angst serieus nemen. Jullie dreven ons in een moordend tempo vooruit.

Met de dag maakte ik me ongeruster over wat al dat paardrijden met ons kind deed – zou het een miskraam kunnen veroorzaken? Ik moest mezelf voortdurend voorhouden dat het elk risico waard was om aan onze achtervolgers te ontsnappen. Op de schaarse momenten dat ik niet over de baby piekerde, sprak ik mezelf moed in door te denken aan de tijd dat we Engelthal verlieten en jij voor ons een plekje op een varkenskar kocht. Ik probeerde mezelf ervan te overtuigen dat dit gewoon een volgende beproeving in ons leven was die we moesten doorstaan, en het stonk in elk geval niet naar varkens.

Na ongeveer een week had ik het punt bereikt waarop ik simpelweg niet meer verder kon. Brandeis en jij hielden het nog wel vol, maar ik drong erop aan om even rust te nemen. We hadden zo'n grote afstand afgelegd dat we vast wel een dag veilig zouden zijn. Jullie stemden ermee in. Niet omdat het veilig was, maar omdat het tijd was om een plan te maken. Dat maakte me niet uit, ik zou elke reden voor een rustdag met beide handen hebben aangegrepen.

We hadden rondjes gereden om onze achtervolgers op een dwaalspoor te brengen en als onbedoeld resultaat daarvan waren we nu niet ver vanwaar we waren begonnen. We waren vlak bij Neurenberg, wat een voordeel was, want zelfs als de achtervolgers ons spoor hadden kunnen volgen, was de stad groot genoeg om ons enkele uren extra respijt te geven.

We vonden een herberg waar jullie aan een tafel de volgende stap bespraken. Misschien konden we naar het noorden, naar Hamburg, of misschien was het veiliger om naar het oosten te gaan, naar Bohemen of Karinthië. Het was onwaarschijnlijk dat onze achtervolgers die bestemming zouden raden, en mocht dat wel zo zijn, dan zou Kuonrat heel wat mankracht moeten vrijmaken voor zo'n lange achtervolging in een ander land.

We zouden maar één dag in Neurenberg blijven, maar mijn lichaam werkte niet mee. Na drie dagen had ik nog steeds te veel pijn om verder te kunnen. Mijn hart ging als een razende tekeer en ik was kortademig. Ik had voortdurend honger, maar kon niets binnenhouden. Ik wilde alleen maar slapen, maar ik lag zo te piekeren dat ik geen oog dichtdeed. Mijn zwangerschap werkte tegen en uiteindelijk gaf ik met tegenzin toe dat je gelijk had: ik was te zwak om verder te gaan. We besloten dat de Kerk zich over mij zou ontfermen. Je zou me aan hun zorg toevertrouwen, met voldoende geld om mijn verzorging te betalen, en wanneer je zeker wist dat je ontsnapt was, zou je terugkomen om mij op te halen. Het plan lag vast en zou de volgende dag ten uitvoer worden gebracht. Ik vroeg waar je heen zou gaan nadat je mij had weggebracht, maar dat wilde je me zelfs niet vertellen. 'Je kunt beter geen vast reisdoel hebben…' Ik huilde me die avond in slaap, terwijl je mijn haar streelde en me ervan verzekerde dat alles goed kwam.

Het lot had daar echter een ander idee over. Midden in de nacht werd er hard op onze deur gebonsd waardoor de stapel meubels die we ertegenaan hadden gezet heen en weer schudde. We beseften meteen dat we waren ontdekt. De enige uitweg was het raam, ook al bevond onze kamer zich op zo'n vijf meter boven de grond.

Ik probeerde uit bed te komen, maar dat lukte me niet, dus jij moest me aan mijn armen overeind trekken. Terwijl ik op adem kwam, pakte Brandeis de tassen bij elkaar; jij keek uit het raam om te zien of er iemand buiten stond en stak je hand op om aan te geven dat we moesten blijven waar we waren. 'Kruisboog,' beval je.

Brandeis pakte een kruisboog en legde een pijl in de lade. Zodra de pees was gespannen, gaf hij het wapen aan jou en jij stak het voorste deel uit het raam. Ik hoorde de pijl door de lucht fluiten en daarna een plof alsof er iets massiefs werd geraakt. Je gebaarde dat de kust veilig was en ging als eerste het raam uit. Dat was niet bij gebrek aan goede manieren, maar iemand moest mij opvangen. Achter ons hoorde ik hoe bijlslagen de deur versplinterden.

Ik stond bij het raam, maar ondanks het directe gevaar durfde ik niet te springen. De val was te diep, te riskant voor de baby. Brandeis stond tussen mij en de deur in en schreeuwde dat ik moest springen. Maar ik bleef onbeweeglijk staan, keek naar beneden waar jij met open armen stond te wachten, tot ik Brandeis achter me hoorde zeggen: 'Het spijt me, Marianne.' En toen duwde hij me door het open raam.

Ik hield mijn armen om mijn buik en jij ving het volle gewicht van mijn val op door achterover in de sneeuw te rollen. Ik hoorde geschreeuw boven en meteen daarna stortte Brandeis zich uit het raam naar beneden.

Er was iets vreemds aan de manier waarop hij viel, maar mijn aandacht was vooral gericht op de dode achtervolger aan de overkant van de straat. Hij lag met zijn gezicht in de papperige, smerige sneeuw, zijn nek in een vreemde hoek gedraaid vanwege de pijl die eruit stak. Toen besefte ik dat de sneeuw niet smerig was, maar rood van de kleine fonteintjes bloed die nog ritmisch uit zijn hals spoten. Je trok me mee naar de paarden en voor ik er erg in had raasden we door de straten van Neurenberg. Brandeis en jij reden ieder aan een kant van mij; jullie leidden mijn paard en bepaalden de koers. Vanwege mijn vermoeidheid en de shock na die overval hadden jullie niet veel aan me.

Ik zag dat mijn paard wolkjes stoom uitblies en moest voortdurend denken aan dat levenloze lichaam op straat. Ik was vooral geschokt door de manier waarop hij de dood had gevonden, de manier waarop jij hem zonder nadenken, zonder enige aarzeling had doodgeschoten. Ik had naar je gezicht gekeken toen je die pijl afschoot en het was toen niet bij me opgekomen dat het doelwit een mens was. Je kaken waren op elkaar geklemd, je ogen waren spleetjes geworden en je vinger weifelde niet. Je haalde kort adem voordat je de trekker overhaalde, maar dat was niet om je hoofd rustig te krijgen, alleen je handen. Het was allemaal gebeurd in, ja, hoe lang had het geduurd? Een seconde? Minder nog? Zou het echt maar zo weinig tijd kosten om een man te doden?

We waren net de stad uit toen ik Brandeis' paard zag steigeren. Het paard wierp hem niet echt af, Brandeis zakte gewoon opzij op de grond. Het dier hinnikte geschrokken en draaide rondjes, alsof het zonder ruiter volstrekt de kluts kwijt was. Overal zat bloed: in de sneeuw, op een flank van het paard, Brandeis' hele been zat onder. De stof van zijn broek was opengereten en aan de bovenkant van zijn dij zat een enorme jaap; de huid van zijn been was omgekruld in een duivelslach en er spoot voortdurend bloed uit. Zijn gezicht was bleek, zijn lippen trilden. 'Een van hen gooide een bijl. Die raakte me net toen ik uit het raam sprong. Het spijt me.'

Ik legde mijn hand op zijn voorhoofd, dat voelde zo koud, zo klam aan. Ik snapte niet hoe hij zo lang op zijn paard had kunnen blijven zitten. Jij waste de wond uit met een handje sneeuw en een roze plasje vormde zich om de dampende wond. Je vroeg om een lap, dus ik trok het eerste wat ik in mijn zadeltas kon vinden te voorschijn. Mijn habijt. Ik had beter iets anders kunnen pakken, maar ik was nog steeds in shock, en het lag bovenop. Je scheurde het tot een provisorisch knevelverband en bond het boven de wond vast.

Met een klap joeg je Brandeis' paard in tegenovergestelde richting, in de hoop dat het onze achtervolgers zou misleiden, en je tilde Brandeis uit de sneeuw. Je herinnerde me eraan dat we nog steeds werden achtervolgd, en dat ze er nu wel extra op gebrand zouden zijn om ons te pakken te krijgen. Je trok Brandeis op je paard en liet hem tegen je rug steunen. Je klemde zijn armen om je middel en bond zijn polsen aan elkaar. 'We zijn niet ver van Engelthal. Zelfs huurlingen respecteren een huis van God.'

Mijn maag kromp ineen, want van alle plekken op aarde was Engelthal wel de laatste waar ik heen wilde. Maar ik begreep hoe bedreigend de situatie was en ik slikte elk protest in. Brandeis moest onmiddellijk worden verzorgd, dus we vluchtten in de richting van het klooster.

Hij hing tegen je rug als een vogelverschrikker die naar het veld werd gebracht. Je paard dreigde te bezwijken onder de last en we kwamen niet snel vooruit, maar je spoorde het zo veel mogelijk aan. We verlieten de kleine paadjes en namen de kortste weg, want het had geen zin meer om ons gedekt te houden. We konden niet stoppen om zijn wond te controleren en mijn hart ging als een bezetene tekeer. Terwijl we voortreden, stelde ik je de vraag die ik niet langer voor me kon houden: 'Hoe kon je die man zomaar neerschieten? Door zijn keel?'

'Ik mikte op zijn borst.' Je zei het zo emotieloos en uit je toon bleek duidelijk dat je het gesprek als afgelopen beschouwde.

Toen ik het landschap begon te herkennen, wees ik de weg. Bij de poort van Engelthal steeg ik met veel moeite af en bonsde op de deur. Het leek verstandiger dat ik het woord zou voeren en het zou trouwens te veel tijd hebben gekost om Brandeis van jouw lichaam los te maken. Zuster Constantia deed de poort open en de verwarring viel van haar gezicht af te lezen. 'Zuster Marianne?'

Ik legde haar onze situatie uit en zag dat ze voortdurend naar jou keek en besefte dat jij de verbrande soldaat was die ze tien jaar daarvoor had helpen verzorgen. Toen zuster Constantia eindelijk haar stem terugvond, zei ze: 'Normaal… normaal gesproken zou ik jullie hebben binnengelaten… maar dit is niet normaal.' Haar blik gleed omlaag, bijna gegeneerd, naar mijn gezwollen buik.

Ik begreep haar aarzeling niet. Wat er ook voor roddels over mijn verdwijning de ronde deden, we hadden bescherming nodig, anders zou Brandeis doodgaan. Ik wees naar hem om onze wanhopige situatie nog eens te benadrukken. Ik zag aan zuster Constantia's gezicht dat zij de bebloede lappen die om zijn been zaten herkende als uit mijn habijt gescheurde stukken stof.

'Als jij ons niet binnen kunt laten,' smeekte ik, 'haal dan moeder Christina. Zij zal deze man niet laten doodgaan.'

'De priores is in Neurenberg en blijft nog wel even weg. Zuster Agletrudis is haar plaatsvervangster. Ik zal haar even halen.' Voordat ze het klooster weer in ging, voegde zuster Constantia er nog één ding aan toe: 'Maar ze heeft je nooit vergeven dat je het scriptorium hebt ontheiligd.'

Ik had geen idee wat ze bedoelde, maar daar zou ik zeker achter komen wanneer zuster Agletrudis was gearriveerd.

26

Eind november werd beeld **21** voltooid, waarmee het maandtotaal op zeven kwam. De beelden **20** en **19** werden afgemaakt in de eerste week van december. Beeld **18** was klaar in de tweede week. Marianne Engels voorbereidingstijd op het steen werd steeds langer, maar haar bed bleef onbeslapen vanaf de avond dat ze me over Brandeis had verteld. Ons leven bestond nu uit nog maar drie dingen: zij hakte en vergat, ik keek toe.

Ik keek toe hoe ze Bougatsa negeerde; ze vergat mij te helpen in bad. Ik keek toe hoe ze elke maaltijd die ik had klaargemaakt opzijschoof; ze vergat met Sinterklaas een cadeautje in mijn schoen te doen die ik op de vensterbank had gezet. Ik keek toe hoe ze honderd sigaretten per dag rookte; ze vergat steeds een ander album op te zetten. Ik keek toe hoe ze bussen oploskoffie leegat; ze vergat het bloed van haar vingers te wassen. Ik keek toe hoe ze steeds magerder werd, ik keek toe hoe haar wangen steeds verder invielen, ik keek toe hoe ze steeds dikkere wallen onder haar ogen kreeg; ze vergat hoe ze woorden tot een samenhangende zin kon rijgen.

JIJ BENT *helemaal niet* NERGENS GOED VOOR.

Ik smeekte haar om even te pauzeren, maar ze hield stug vol dat de tijd begon te dringen. Niet alleen de beelden, maar ook de Drie Meesters dwongen haar om sneller te werken. Ik belde Gregor en Sayuri omdat ik niet wist wat ik moest doen. Ze probeerden haar tot rede te brengen, maar ze hadden net zo goed tegen een muur kunnen praten. Ik weet niet eens zeker of Marianne Engel hun aanwezigheid in de kamer wel had opgemerkt.

Toen ik probeerde Jacks hulp in te roepen, begon zij over de problemen die zij zelf van de situatie ondervond. 'Ik heb geen ruimte meer in mijn galerie en ze blijft maar beelden sturen. Het is niet bepaald het ideale kerstcadeau, weet je.' Ik gooide de hoorn op de haak en zocht meteen vertroosting bij mijn morfinespuit.

Ze liet me mensen inhuren om de extra standbeelden van de kelder naar de achtertuin te verplaatsen. Ik was erop tegen, omdat ik hoopte dat een overvol atelier Marianne Engel zou noodzaken om te stoppen, maar ze was niet te vermurwen. Toen ik protesteerde, begon ze tegen me te schreeuwen in een taal die ik niet kende, en ik gaf me gewonnen. Het was duidelijk dat het vreselijk mis zou gaan.

'Je kunt zo niet blijven werken.'

'Monsters zijn dragers van de goddelijke waarheid.'

'Je zit onder het bloed. Ik zal een bad voor je vol laten lopen.'

'Levensbloed.'

'Eet toch wat,' zei ik voorzichtig. 'Je wordt steeds magerder.'

'Ik verander in het pure niets. Groots.'

'Als je ziek wordt, kun je de grotesken niet meer helpen.'

'Als ik ziek word, ben ik verblijd omdat God aan me heeft gedacht.'

Ze weigerde naar boven te komen om een bad te nemen of te slapen, dus toen ze uitgestrekt op een volgend brok steen lag, nam ik een emmer mee naar beneden met warm water en zeep. Als zij niet naar de zeep kwam, bracht ik de zeep wel naar haar.

De spons over haar ribben was net een auto die over verkeersdrempels reed. Grijs water drupte van haar lichaam op de vloer van het atelier en vormde patronen in het stof. Bougatsa zat te janken in de hoek. Toen ik haar op haar zij draaide om haar rug te wassen, leken haar tatoeages van engelenvleugels uit te zakken omdat haar huid steeds losser om haar lijf hing.

Jack kwam niet opdagen, maar het fanatieke beeldhouwen kon haar nauwelijks zijn ontgaan, gezien haar overvolle galerie. Hoe langer Jack niet met de hulp kwam die ik niet wilde vragen, hoe kwader ik werd. Toen ik mijn woede niet langer kon inhouden, stormde ik haar zaak binnen en eiste, zonder haar ook maar te groeten, dat ze iets moest doen.

'Wat verwacht je dat ik doe?' vroeg Jack. 'Ze geeft meer om jou dan ze ooit om mij heeft gegeven, en jij kunt haar ook niet laten stoppen. Zorg dat ze eet en water drinkt, en wacht tot ze instort.'

'Dat is alles?' zei ik. 'Je strijkt een vette provisie op en dan is dat alles wat je te zeggen hebt?'

'Jezus, wat ben jij een lul.' Jack prikte met een pen tegen mijn schouder. 'Neemt ze haar medicijnen in?'

Ik vertelde dat ik had geprobeerd ze door haar oploskoffie te mengen, maar dat had ze ontdekt. Ze was briesend naar het belfort gekomen en had de glazen pot rakelings langs mijn hoofd gegooid waarna hij tegen de muur uiteenspatte. 'Weet je wel hoeveel werk het is om oploskoffie uit een boekenrek te krijgen?'

Jack knikte. 'Na die ene keer dat ik heb geprobeerd om haar stiekem haar medicijnen toe te dienen, heeft ze drie maanden niet meer tegen me gesproken. Ze dacht dat ik deel uitmaakte van een complot tegen haar.'

Ik kalmeerde enigszins toen ik hoorde dat Jack dezelfde truc als ik had uitgeprobeerd. Ons gesprek eindigde in redelijke harmonie en Jack beloofde dat ze die avond naar het fort zou komen.

Jack bracht eten mee waarvan Marianne Engel kon zien dat er geen medicijnen in verstopt zaten – brood, fruit, kaas – en probeerde een gesprek met haar te beginnen. Dat lukte niet. Ze was boos omdat we haar stoorden en brak het brood in kleine stukjes die ze tussen de stukjes steen op de grond liet vallen, zette daarna de muziek harder totdat die ons wegjoeg. Terwijl we de trap op liepen, konden we haar opgewonden in het Latijn in zichzelf horen praten.

Hoewel we geen enkel resultaat hadden geboekt, waren we toch uitgeput. Jack en ik zaten wel een kwartier zwijgend in de huiskamer naar de grond te staren. Ik besefte dat het Jack wel iets kon schelen, maar dat ze uit ervaring wist dat geen van ons tweeën iets kon doen. Toch zei Jack bij het weggaan: 'Ik kom morgen terug.'

's Morgens trof ik Marianne Engel hangend over het net gereedgekomen beeld **17** aan. Ik sloeg een arm om haar heen en ze had niet de kracht om zich te verzetten, al probeerde ze dat wel. 'Nee, ik moet me voorbereiden op de volgende.' Dat meende ze ook, maar ze kon niet tegen me op en ik hielp haar de trap op.

Weer spoelde ik het stof, zweet en bloed van haar lichaam, terwijl haar hoofd op de porseleinen rand van de badkuip lag alsof ze een marionet was wier poppenspeler pauze had. Tijdens het wassen en zelfs toen ik haar naar bed bracht zei ze voortdurend dat ze terug moest naar haar atelier. Maar ze lag nog niet in bed of ze sliep al.

Marianne Engel was nog altijd van de wereld toen Jack 's avonds langskwam. Gezien het feit dat mevrouw Meredith en ik weer met z'n tweeën waren, brak ik maar een fles bourbon aan.

Jack vertelde welke klanten gargouilles kochten. Het waren indrukwekkende namen: vooraanstaande mensen uit het bedrijfsleven, staatshoofden, beroemde mecenassen, maar ook bekende namen uit de amusementswereld. Ik herkende een aantal topmusici, beroemde filmacteurs en ook een schrijver die bijna over de hele wereld wordt gezien als de koning van het horrorgenre. Een regisseur, bekend om zijn zeer poëtische films over outcasts, had minstens zes exemplaren aangekocht. (Met zijn wilde, donkere haardos en zijn broodmagere gezicht kon hij makkelijk doorgaan voor de bleekzuchtige halfbroer van Marianne Engel.) Het verbaasde me niet dat een aantal kerken haar gargouilles had gekocht, maar wel dat sommige universiteiten ook grote klanten waren.

Jack at het grootste deel op van het Chinese eten dat die we hadden laten bezorgen en spoelde het weg met het ene glas bourbon na het andere. Ze veegde met haar mouw de saus van haar mond en vroeg of mijn penis echt weg was. Toen ik dat beaamde, bood ze haar verontschuldigingen aan dat ze daar grappen over had gemaakt. Ik aanvaardde haar excuses zo vriendelijk mogelijk en op dat moment werd ze een beetje sentimenteel; ik ontdekte dat alcohol – zoals zo vaak bij stoere machodrinkers – ook bij haar dat effect had. Toen ik vroeg of ze nog plannen had met Kerstmis antwoordde ze door haar levensverhaal te vertellen.

Ze was zwanger geworden toen ze nog een tiener was en had een jongetje gekregen, Ted, die nu ergens in de dertig was. Jack trouwde met Teds vader, maar al snel bleek dat hij een agressieve alcoholist was. Ze bleef alleen maar bij hem omdat ze dacht dat ze geen keus had. Het was haar gelukt om de middelbare school nog af te maken, maar van verder studeren was geen sprake. Toen Jack weer zwanger werd, verweet haar man haar dat ze zijn leven probeerde te vergallen: 'Je hebt je weer met kind laten schoppen, ook al hebben we geen rooie stuiver. Trut!' Ted, die toen zes was, moest meemaken dat zijn vader zijn moeder haar hele zwangerschap door minstens één keer per week mishandelde.

Toen Jack in de zevende maand was, sloeg haar man haar op een avond helemaal in elkaar waarna hij laveloos in slaap viel. Jack pakte wat kleren in en kleedde Ted warm aan. Ze zette haar zoon bij de voordeur, pakte een koekenpan, liep naar de slaapkamer en gaf haar echtgenoot daarmee een dreun op zijn hoofd. Volgens Jack had ze dat gedaan om er zeker van te zijn dat hij niet wakker zou worden en hen achterna zou gaan, maar ik dacht dat het haar vooral een goed gevoel gaf. De dagen daarna had ze steeds de plaatselijke krant uitgeplozen om te kijken of ze hem had vermoord. Toen er geen overlijdensbericht in stond, was ze vooral opgelucht maar ook lichtelijk teleurgesteld.

'Nadat ik bij mijn man was weggegaan, was ik soms bang dat hij me zou opwachten bij de inrichting waar mijn moeder verbleef. Ze leed aan schizofrenie,' zei Jack. 'Maar ik heb die schoft nooit meer gezien. Kennelijk vond hij het niet eens de moeite waard om mij te stalken.'

Dat Jacks moeder schizofreen was, vond ik opvallend. Zou er een connectie met Marianne Engel zijn? Dat zou inderdaad zo blijken te zijn.

'Ik hield van mijn moeder en ik moest wel bij haar op bezoek, vooral omdat niemand anders dat deed. Mijn vader was allang uit beeld. Volgens mij kon hij het niet aan om de vrouw van wie hij hield gek te zien worden.'

Ik merkte tussendoor op dat ze zo te horen geen makkelijk leven had gehad.

'Dat klopt als een bus. Alle mannen in mijn leven waren zulke klootzakken dat toen Ted opgroeide,' bekende Jack, 'ik stiekem wenste dat hij homo zou zijn.'

'En?'

'Die mazzel had ik niet,' bromde ze en ze schonk zich nog eens in.

'Je moet de hoop niet opgeven,' zei ik bemoedigend.

'Ja, hoor.' Ze nam nog een grote slok. 'Maar goed, het was allemaal heel zwaar, maar we hebben ons erdoorheen geslagen. Tammie werd geboren, dat is het kind dat in mijn buik zat toen ik bij mijn man wegging. Ik kreeg een baan als serveerster. Klom op tot kok, daarna assistent-bedrijfsleider. Een waardeloze eettent, maar wat moest ik anders? Toen mijn vader was overleden, heeft een notaris me weten op te sporen. Hij had me wat geld nagelaten. Dus de schoft was uiteindelijk toch nog ergens goed voor.' Ze hief haar glas naar de hemel. 'Ik wist dat ik geen twee kinderen kon grootbrengen met het geld dat ik verdiende in dat restaurant, dus gebruikte ik een gedeelte van de erfenis om me in te schrijven voor een avondcursus boekhouden. Haalde keurige cijfers en kon daarna een slechtbetaalde baan bij een goed bedrijf krijgen.'

'Maar dan heb je nog een lange weg te gaan voordat je galeriehoudster bent en de agent van Marianne,' merkte ik op.

'Niet zo lang als je misschien denkt. Ik bleef mijn moeder bezoeken in de inrichting en op een dag zag ik een nieuwe patiënt, een jong meisje, aantrekkelijk. Ze zat alleen aan een tafel. Te tekenen. Ze was anders dan de rest. Misschien kwam dat door haar haar en haar ogen.'

'Marianne,' zei ik.

'Bingo,' zei Jack. 'Alleen heette ze toen nog niet zo. De politie had haar op straat gevonden en ze had geen naam.'

Marianne Engel was niet haar echte naam. Mijn verbazing bracht een zelfvoldaan lachje op haar gezicht. Het deed haar plezier dat er dingen waren die zij wél van onze gemeenschappelijke vriendin wist en ik niet.

'De verpleegster vertelde dat ze was gevonden zonder legitimatiebewijs, en vingerafdrukken hadden niets opgeleverd. Ze wilde of kon niets vertellen over haar verleden. Misschien waren haar ouders dood of hadden haar in de steek gelaten, wie zal het zeggen? Op een dag vroeg ze de artsen om haar Marianne Engel te noemen. Maar goed, na enkele bezoekjes besloot ik een praatje met haar te maken. Toen was ze nog verlegen. Ik vroeg of ze me haar tekeningen wilde laten zien, maar dat weigerde ze. Ik bleef het vragen en een paar bezoekjes later gaf ze eindelijk toe. Ik was er ondersteboven van. Ik had wat verwarde krabbels en zo verwacht, maar het waren fantasiebeesten, monsters, en ze waren zo lelijk, maar ze hadden allemaal ook iets broos. Iets waardoor hun ogen tot leven kwamen.'

Jack zweeg even. Ik keek door de spleten in mijn plexiglas masker en even was ik bang dat ze zou zeggen dat er ook iets kwetsbaars in míjn ogen school. Maar ze nam alleen een slok bourbon en ging verder. 'Ze zei dat ze niet echt een tekenares was. Ze zei dat ze beeldhouwster was en dat deze wezens wachtten om bevrijd te worden uit het steen.'

'Dus,' zei ik, 'zelfs als tiener al...'

'Ja, zelfs als tiener al,' beaamde Jack. 'Ik vond het een fascinerend gegeven, maar ik wist geen moer van kunst. Nog steeds niet, denk ik vaak. Maar dit weet ik wel: haar visie heeft iets unieks. Ik vond het mooi en het blijkt dat veel mensen dat ook vinden. Maar in die tijd knikte ik alleen maar vriendelijk, want wat zou ik er in hemelsnaam mee kunnen doen? Maanden gingen voorbij, ik bleef mijn moeder bezoeken en Marianne bleef me haar tekeningen laten zien. Ik weet niet... ze begon me steeds meer te boeien. Ik had medelijden met haar, vermoed ik. Ze was zo jong en misschien begreep ik hoe het was om gevangen te zitten op een plek die niet goed voor je is. Die inrichting was ongetwijfeld de juiste plaats voor mijn moeder, maar de verkeerde voor Marianne.'

'Wat gebeurde er toen?'

'De artsen experimenteerden net zo lang met haar medicatie totdat ze een combinatie hadden gevonden die aansloeg en haar toestand stabiliseerde. Marianne kan prima functioneren, hoor, als ze haar medicijnen maar inneemt. Maar ze denkt dat die haar harten vergiftigen.' Jack zweeg even. 'Ja, dat waanidee is ook niet nieuw. Ik heb zelfs een keer röntgenfoto's van haar borstkas laten maken om haar te laten zien dat ze maar één hart had en toch wilde ze me niet geloven.'

'Maar hoe...'

'Daar kom ik zo op, als je nou gewoon even je kop houdt.' Jack wees met haar eetstokjes naar me, er zat een stukje kip kung pao tussen geklemd. 'Nadat de doktoren haar stabiel hadden gekregen, plaatsten ze haar in een groepswoning en vond ze uiteindelijk een baantje in een cafetaria. Als bordenwasser, kun je je dat voorstellen? Toen ik dat had gehoord, ging ik bij haar langs. Ze stond daar tot haar ellebogen in het vieze afwaswater. Ik kon alleen maar aan haar prachtige tekeningen denken. Intussen had ze haar eerste tatoeage laten zetten, een van die Latijnse spreuken op haar arm. Toen ik haar vroeg waarom, zei ze dat ze, aangezien ze geen steen kon bekostigen, net zo goed haar lichaam als schilderslinnen kon gebruiken. Al haar tatoeages heeft ze laten zetten wanneer ze om de een of andere reden niet kon beeldhouwen. Verdomme, dacht ik. Als zij zo graag wil beeldhouwen, dan ga ik haar helpen. Dus ik betaalde een avondcursus voor haar, ook al had ik alleen nog dat beetje geld dat mijn vader me had nagelaten en had ik nog kinderen thuis. Wel heel stom, hè?'

Het was stom, maar ik vond het – al zei ik dat zeker niet hardop – ook geweldig. Jack nam nog een van Marianne Engels sigaretten – want Jack rookte 'eigenlijk' niet, zoals ze meer dan eens had verteld – en vervolgde haar verhaal. Wanneer ze bij een aangrijpend gedeelte kwam, priemde ze met haar sigaret in de lucht alsof ze onzichtbare ballonnen probeerde te laten knallen.

'De docent zei dat Marianne de meest getalenteerde leerling was die hij ooit had gehad, alsof zij en de beitel één waren. Toen ik niet langer voor de lessen kon dokken, mocht Marianne van hem toch blijven komen. Hij zei dat hij dan ooit zou kunnen op-scheppen dat hij haar docent was geweest. Daarna nam ik nog een stom besluit en stelde Marianne voor dat ik haar agent zou worden. Dat vond ze goed, zelfs toen ik haar erop had gewezen dat ik niets af wist van het verkopen van kunst. Maar ik wist wel redelijk gereedschap voor haar te regelen, dat ik stomtoevallig op een boedelveiling had gevonden, en ook nog wat steen. Het eer-ste blok was zo'n afschuwelijk goedkoop stuk steen, dat het prak-tisch verkrummelde onder haar beitel, maar het lukte haar toch om een gargouille eruit te halen, en nog een mooie ook. Dus toen zat ik met een beeld dat ik eerst moest verkopen voordat we een tweede blok steen konden betalen, en ik leende van iemand een afgeragde oude pick-up om met dat standbeeld achterin al-lerlei galeries af te gaan. Uiteindelijk vond ik iemand bereid om het te exposeren, maar alleen tegen een waanzinnige provisie, maar op dat moment hadden we geen andere opties meer en zei ik dus ja. Toen het eindelijk werd verkocht, schoot ik er nog bij in ook. Dat geloof je toch niet? Dat hele proces kostte maanden en Marianne liet voortdurend tatoeages zetten, omdat ze gek werd zonder steen. Maar uiteindelijk verkochten we er nog een, en nog een, en toen hadden we opeens geld en kwam alles goed.'

Het was fascinerend om een verhaal over Marianne Engel te horen waarin geen middeleeuwse kloosters voorkwamen. Ik be-sefte nu hoe ik me had laten meeslepen door haar sprookjes.

'Toen ze echt aan de slag kon, viel de beeldenstroom niet te stuiten. Dat was de eerste keer dat ik zag dat ze zo kon worden. De eerste keer dat ze net zo lang doorwerkte tot ze instortte.' Jack wierp een blik naar boven, naar Marianne Engels kamer. 'Ze was jonger en sterker, en ik dacht dat het gewoon ongebrei-deld jeugdig enthousiasme was. Het vuur van een beginnend kunstenaar. Ik had geen idee dat het zo'n... tja, hoe lang nu al...? ... jaar of twintig zo zou doorgaan.'

'Toch moet het haar aardig voor de wind gaan,' zei ik. 'Ik be-doel, dit huis en zo...'

'Ja, financieel zeker. Marianne is op haar terrein de beste ter wereld, en dat is zeker geen flauwekul. Na vijf jaar richtten we de galerie op. Na tien jaar kochten we dit huis. Contant, zelfs geen hypotheek.'

'Hoe ben je haar curator geworden?'

'Dat gebeurde eigenlijk vanzelf,' zei Jack. 'Nee, dat is niet helemaal waar. Het kostte eindeloos veel formulieren en bezoekjes aan de rechtbank. Maar je moet wel beseffen dat ze geen familie heeft, tenminste voorzover ik weet niet. Ze heeft me nooit iets verteld over haar leven voor we elkaar hadden ontmoet en ik vraag me eerlijk gezegd af of zij er wel iets van weet.'

'Jacqueline,' zei ik, 'je hebt mijn eerste vraag nog niet beantwoord.'

'Ik wil verdomme niet dat je me zo noemt, en ik weet die stomme vraag niet eens meer.'

'Of je nog iets deed met Kerstmis.'

'Nee, mijn moeder is tien jaar geleden overleden en mijn kinderen praten niet meer met me.' Ze pakte haar jas en zei dat ze maar eens moest opstappen. Bij de deur zei ze nog: 'Denk nu niet dat we goeie maatjes zijn. Als het aan mij lag, had je nog steeds geen creditcard.'

'Begrepen,' zei ik. 'Ik hoop niet dat je het verkeerd opvat, maar eigenlijk ben ik blij dat ze is ingestort. Dan heeft ze in elk geval even rust.'

Jack zei bits: 'Ze is nog niet klaar.'

Toen Marianne opstond, bleek dat Jack gelijk had. Ze ontbeet copieus en daalde daarna af naar de kelder, waar ze vier dagen bleef. Ze bewoog heel langzaam, alsof iemand haar tijdens het werk had gefilmd en die film nu op halve snelheid afdraaide. Het ontbrak haar gewoon aan energie om sneller te werken. ALS JE HAAR STIEKEM WAT MORFINE TOEDIENT *Wat?* VALT ZE WEL IN SLAAP.

Op 20 december kwam Sayuri langs voor de laatste oefeningensessie voor de kerstvakantie. We probeerden zo goed en zo kwaad als het ging de dreunen van Marianne Engels langzame hamerslagen te negeren.

'Gregor heeft me verteld dat hij je gaat voorstellen aan zijn ouders,' zei ik. 'Dat is een hele stap.'

'Hij heeft dat nooit eerder gedaan,' zei Sayuri, 'een vriendin aan ze voorstellen.'

'Hoe voel je je daaronder?'

'Om mezelf maak ik me niet zo druk, maar voor hem ben ik wel een beetje nerveus. Volgens mij heeft hij het gevoel dat hij het bij zijn ouders nooit goed doet.'

'Denkt hij dat je niet bij ze in de smaak zult vallen?' vroeg ik ongelovig.

'Hij maakt zich eerder zorgen dat ze zullen denken dat hij niet goed genoeg voor mij is.' Sayuri vergrootte de weerstand op mijn hometrainer en spoorde me aan om te vechten, vechten, véchten! 'Dat is belachelijk.'

'Denk je dat hij van plan is om...?' Ik tikte tegen haar ringvinger, die helemaal leeg was.

'Nee,' zei Sayuri snel. Ze trok haar hand terug, maar ik kon aan haar gezicht zien dat het idee haar niet tegenstond. 'Hij wil me gewoon zijn geboortestad laten zien.'

Het geluid uit de kelder was veranderd – de langzame metronoom van de hamer ontbrak. Omdat we al een tijd samenwoonden, kende ik Marianne Engels beeldhouwschema goed genoeg om te beseffen dat ze haar huidige standbeeld onmogelijk af kon hebben. 'Ik moet even bij haar gaan kijken.'

`MORFINE IS GOED.` *Niet voor haar.*

Toen ik de trap af liep, zag ik haar eerst niet. Ik riep haar naam maar kreeg geen antwoord. Een halve sigaret lag te smeulen in de asbak. Toen zag ik haar in een vreemde houding achter een grotendeels afgemaakte gargouille liggen, met haar armen gespreid. Haar hand zat nog steeds half om haar hamer heen, haar beitel was een metertje weg gestuit.

Toen ik achter het stuk steen kwam, zag ik dat ze bewusteloos was en een grote jaap in haar voorhoofd had. Ik ging ervan uit dat ze met haar hoofd op het blok steen was gevallen toen ze van haar stokje ging.

Het ziekenhuis hield Marianne Engel drie dagen vast. Haar voorhoofd was gehecht en een infuus pompte een elektrolyten-oplossing in haar arm om dehydratie tegen te gaan. Gelukkig was ze te uitgeput om zich er kwaad over te maken dat ik haar aan de zorg van de vijandelijke artsen had toevertrouwd. Ik week alleen van haar bed om thuis te gaan slapen. Ik liet Bougatsa bij me op bed liggen, ook al zou Nan een rolberoerte hebben gekregen vanwege de irritatie die hondenharen kunnen veroorzaken op verbrande huid. JE KUNT NIET EENS VOOR JEZELF ZORGEN. 's Morgen keerde ik meteen terug naar het ziekenhuis. HOE KUN JE DAN VOOR HAAR ZORGEN?

Marianne Engel werd ontslagen op kerstavond. Eigenlijk hadden de doktoren haar langer moeten houden, maar ze mocht weg met het oog op de feestdagen. Toen we thuiskwamen, wilde ze alleen maar marsepein eten, maar ik haalde haar over om ook wat mandarijnen te eten. Ik sleepte mijn televisie en videorecorder van het belfort naar haar slaapkamer en we keken naar *It's a Wonderful Life*, want dat doen normale mensen op kerstavond. Toen de film afgelopen was, stond ze erop dat ik bij haar in bed bleef, omdat ze met kerst wakker wilde worden met mij aan haar zij.

Ik lag in bed met mijn dikke drukpak tegen haar magere naaktheid aan, me ervan bewust dat ik ervan zou moeten genieten dat we zo dicht bij elkaar waren. Maar dat was niet zo: ik lag te overdenken waarom haar lichaam zo'n krachtig effect op me had. Ik had in mijn volwassen leven veel tijd doorgebracht in het gezelschap van naakte vrouwen – overdag als werk, 's avonds als hobby – maar met Marianne Engel had het altijd anders geleken. Het wás ook anders.

Mijn verwarring viel op veel manieren te verklaren. Misschien had haar lichaam een groter effect op mij dan dat van andere vrouwen, omdat ik echt om haar gaf. Misschien was het voor het eerst in mijn leven, dankzij de penectomie, dat ik het lichaam van een vrouw niet uit mijn gedachten kon zetten door het te veroveren. Misschien was het allemaal een kwestie van feromonen. Al die theorieën waren mogelijk, en tot op zekere hoogte gingen ze allemaal op, maar op die kerstavond dat ik naast haar lag en niet kon slapen, nam ik ze allemaal door. Volgens mij was dit de voornaamste reden dat haar lichaam zo'n heftige reactie bij me opriep: haar lichaam had een effect op mij alsof het niet alleen menselijk was, maar ook iets wat met herinnering en geest te maken had.

De eerste keer dat ik haar naakt had gezien, was op de brandwondenafdeling toen ze zich had uitgekleed om haar tatoeages te tonen. Daar werd ik opgewonden, maar ook verlegen van, en toen ik met mijn vingertoppen over de veren van haar engelenvleugels gleed, trilde haar lichaam en mijn hart trilde mee. Toen begreep ik niet waarom ik me zo voelde, maar in de vele maanden die erop volgden drong langzaam het besef tot me door dat het kwam omdat mijn vingers haar lichaam niet voor het eerst bezochten, maar terugkeerden naar een plek die ze al kenden. Dat begreep ik niet tot ik zag hoe Marianne Engel, toen ze mij voor het eerst in het fort in bad deed, haar hand uitstak en me aanraakte alsof het haar eigen lichaam was. Haar arm bewoog net zoals die van mij toen ik voor het eerst haar gevleugelde rug had aangeraakt. Het was alsof het lichaam van de ander al vertrouwd was en de reikende hand bij een meester hoorde die lang afwezig was geweest en nu was teruggekeerd. Als het aanraken van haar huid zo vertrouwd aanvoelde, als een herinnering, dan kon het toch niet de eerste keer zijn?

Nu ik op kerstavond naast haar in bed lag, had haar lichaam nog steeds dat effect op me. Toen ik naast haar lag, was het alsof het zo hoorde, alsof mijn lichaam al talloze keren eerder tegen dat van haar had aan gelegen. Dus voelde het alsof ik niet naast een mens lag, maar naast de herinnering aan iemand, en tegelijkertijd transformeerde die herinnering in iets nog minder stoffelijks. Haar getekende lichaam was onmiskenbaar menselijk, maar ik ervoer het ook als een entiteit die geest werd, alsof haar uitgemergelde lijf langzaam in iets minder tastbaars overging. Ik liet mijn vingers over haar hobbelige borstkas glijden naar het door het vel heen priemende bekkenbeen dat boven haar buik uitstak. Haar lichaam, waarvan het vlees en de herinnering me altijd hadden verward en opgewonden, voelde nog steeds aan alsof het bij mij hoorde, maar het was me langzaam aan het ontglippen. Niet alleen dematerialiseerde ze wanneer ze werkte, het leek wel alsof ze juist werkte om te dematerialiseren; alsof niet alleen de gargouilles reducerende kunst waren, maar ook de kunstenaar zelf, dat beiden overgingen in een toestand die zowel minder als meer was dan het stoffelijke waar ze uit voortkwamen.

Zo gaf haar lichaam – vlees, herinnering en geest – me vertrouwen.

Nadat ik kort en onrustig had geslapen, werd ik eerder wakker dan zij. Ik zette haar een bordje eieren voor en schraapte al mijn moed bijeen om haar mijn cadeau te geven. Het was weer iets wat ik geschreven had, kennelijk had ik mijn lesje nog steeds niet geleerd na de gedichten van het jaar ervoor. Ik had uit mijn hoofd de verhalen opgeschreven die ze had verteld over haar vier geestvrienden – *De goede smid*, *De vrouw op de klif*, *De glasblazende non* en *Sigurðrs geschenk* – en had ze ingebonden. Op de voorkant stond de titel *Liefdesverhalen, zoals verteld door Marianne Engel*.

'Het is een prachtgeschenk. Niet alleen voor mij, maar ook voor Sigurðr. Voor een Viking is niets zo erg als om in de vergetelheid te raken.' Ze pakte mijn hand en bood haar verontschuldigingen aan. Haar intensieve beeldhouwen had haar zo in beslag genomen dat ze vergeten was een geschenk voor mij te kopen.

'Maar,' stelde ze voor, 'zal ik vertellen wat zuster Constantia bedoelde met mijn ontheiliging van het scriptorium?'

27

De zon kwam bijna op toen Agletrudis bij de poort verscheen met een glimlach die zo veel leedvermaak uitstraalde dat je zou denken dat een non niet zo zou kunnen grijnzen. Ze knikte in jouw richting, terwijl je nog steeds met het bebloede lichaam van Brandeis tegen je aan zat, en zei: 'Ik zie dat je je minnaar hebt meegenomen.'

Ik moest mijn woede inhouden, wilden we nog enige kans maken om binnengelaten te worden. Ik moest een beroep doen op haar innerlijke goedheid; ze had tenslotte haar leven aan God gewijd. 'We zoeken onderdak. Zonder jouw hulp zijn we ten dode opgeschreven.'

'Ah,' zei Agletrudis; ze knikte en hield haar handen achter haar rug. 'Dus je avontuurlijke geest heeft gevonden wat hij zocht. Misschien nog wel meer.' Net als zuster Constantia eerder had gedaan, bekeek Agletrudis mijn bolle buik.

Zo rustig mogelijk zei ik: 'Je kunt je wel voorstellen dat het voor ons – voor mij – een moeilijke beslissing was om hier aan te kloppen.' Ik hield mijn handen ook achter mijn rug, maar dat was omdat ik niet wilde dat Agletrudis zou zien dat ze tot vuisten waren gebald. 'We kunnen nergens anders heen.'

Agletrudis probeerde meelevend te kijken, maar haar glimlach werd alleen maar akeliger. 'Dit plaatst ons in een buitengewoon interessante situatie. Onze missie is er een van genade en ons is geleerd om elke zondaar te vergeven. En toch ligt de moeilijkheid nu juist in het feit dat de meeste zusters vinden dat jij jezelf een rol hebt toebedeeld die het begrip "zondig" overstijgt.'

Dat leek me een nogal overdreven reactie op mijn vertrek uit Engelthal. 'Toen ik wegging was het nooit mijn bedoeling om het klooster of de Heer te grieven.'

'Of moeder Christina, natuurlijk.' Agletrudis wist nog trefzeker mijn zwakke plek te vinden. 'Als je gewoon was verdwenen, zou waarschijnlijk niemand er bezwaar tegen hebben om je nu te helpen. Maar door wat je die avond hebt gedaan, is zuster Gertrud van verdriet gestorven.'

Gertrud zou nooit een traan hebben gelaten om mijn vertrek, alleen zou door mijn afwezigheid het werk aan haar bijbel zijn vertraagd. 'Waar heb je het over?'

'Ontkennen heeft geen zin, zus... o, pardon, Marianne. Weet je niet meer dat ik je die avond uit het scriptorium zag komen? Ik nog wel, en ook dat zuster Gertrud de volgende ochtend zag dat haar levenswerk in vlammen was opgegaan. Elk hoofdstuk, elk vers.' Agletrudis zuchtte theatraal. 'Hoe heb je haar bijbel kunnen verbranden?'

Die zucht verklaarde alles. Zij had die avond *Die Gertrud Bibel* verbrand en de schuld op mij geschoven. Zo was ik dus de zuster geworden die Gertruds levenswerk had vernietigd. Ik was de non die het Woord van God had vernietigd en was gevlucht als de minnares van een moordenaar.

Agletrudis' ogen straalden echt. 'Moeder Christina heeft verordonneerd dat jouw naam uit alle kronieken wordt geschrapt, en nu vader Sunder is overleden – ik neem aan dat je weet dat hij dood is – verwijderen we jouw naam ook uit zijn geschriften.'

Ik had Agletrudis altijd als niet veel meer dan Gertruds lakei beschouwd, niet zo geslepen als zij. Hoe snel kan het beeld van iemand veranderen. Het was schokkend om opeens in te zien tot welke valsheid Agletrudis in staat was. Met mijn vertrek zou ze haar positie als troonopvolgster van het scriptorium weer hebben ingenomen. Maar dat was haar nog niet genoeg. Ze moest mijn goede naam voor altijd te gronde richten, en om dat te bereiken was ze bereid geweest om het levenswerk van haar mentor op te offeren.

Ik ben er niet trots op dat ik mijn vuisten niet in bedwang kon houden. Mijn rechterhand belandde op Agletrudis' schouder, de eerste stomp die ik ooit had uitgedeeld. Ik wilde haar hoofd raken, maar ik denk dat ik door mijn woede niet zo goed mikte. De tweede en derde stomp waren beter, ondanks het ongemak van mijn zwangerschap, en troffen haar op haar kaak en haar borst. Ze viel achterover, hoewel ik niet precies weet of dat nu alleen door mijn klap kwam of ook omdat ze verrast was. Toen ze opstond, lachte ze haar met bloed omringde tanden bloot.

'Ik ga me niet verlagen tot het slaan van een zwangere hoer,' zei Agletrudis, 'maar ik zal moeder Christina je groeten overbrengen.'

Het had geen zin om nog langer te blijven, we zouden nu toch niet worden binnengelaten en onze achtervolgers zaten ons ook op de hielen. Met tegenzin besteeg ik weer mijn paard en je liet me mijn woede een beetje weg galopperen voordat je vroeg waar we heen gingen. Ik zei dat ik dat niet wist. Je stelde voor om naar het huis van vader Sunder te gaan. Die was dood, zei ik. Je vroeg of broeder Heinrich ook dood was. Dat wist ik niet. Dan hadden we verder geen keus, zei jij, dus zetten we nu koers naar hun huis.

Broeder Heinrich schrok wel toen we na zo veel jaar voor zijn deur stonden, maar hij aarzelde geen moment. Hij gooide de deur wijd open, dat zal ik nooit vergeten. Je droeg Brandeis naar het kleine bed waarop jij tijdens jouw herstel had gelegen.

Broeder Heinrich zag eruit alsof het leven alle kracht uit hem had gezogen. Onvast ter been strompelde hij rond om schoon beddengoed te pakken. Hij hielp ons Brandeis te verzorgen en deed zijn uiterste best om hem in bedwang te houden terwijl jij zijn wond uitspoelde. Toen Brandeis niet langer tegenstribbelde, doodop, was het broeder Heinrich – niet jij of ik – die hem door zijn haar streek. Het was een liefdevol gebaar, ook al had Heinrich hem nooit eerder ontmoet. Toen Brandeis eindelijk onrustig in slaap viel, zei broeder Heinrich dat hij wat te eten ging maken. 'Ik krijg zo weinig bezoek, mag ik jullie uitnodigen...'

Ik stond erop dat ik zou helpen en het deed broeder Heinrich plezier dat ik nu kon koken. Toen hij me daarover een compliment maakte, had ik eindelijk de moed gevonden om hem te condoleren met vader Sunder. Broeder Heinrich knikte terwijl hij de groenten fijnhakte. 'Hij heeft een goed leven geleid en is in zijn slaap gestorven, dus treur maar niet te lang. Ik heb prachtige herinneringen aan hem en alle nonnen zeiden dat de duivel zeer verheugd zou zijn over zijn dood. Niet omdat de hellevorst een nieuwe ziel had gewonnen, maar omdat Friedrich hem niet langer kon belagen met zijn gebeden.'

Zijn stem trilde veelzeggend. *Friedrich*, had hij gezegd. Niet broeder Sunder, zoals Heinrich hem bij zijn leven altijd had genoemd. Als ik erbij was tenminste. Hij probeerde te glimlachen maar slaagde daar niet helemaal in, en ik begreep waarom hij er zo oud uitzag. Broeder Heinrich wachtte tot zijn tijd gekomen was.

'Wist je dat zuster Gertrud ook overleden is? Haar hart begaf het gewoon na...' Heinrichs stem stierf weg. Hij bedoelde natuurlijk na het verbranden van de bijbel. 'Marianne, toen de verbrande resten werden gevonden, besefte zuster Gertrud dat haar bijbel tijdens haar leven niet af zou komen. Het was geen geheim dat het tussen jullie niet boterde, maar ik wil je wel vertellen dat ik nooit heb geloofd dat jij hem hebt verbrand. En Friedrich ook niet. Hij stierf in de overtuiging dat je onschuldig was.'

Op dat moment kreeg ik kramp in mijn buik en mijn handen gingen automatisch naar het kind. Ik kon het gezicht van broeder Heinrich niet zien en vroeg me af of ik mijn huidige situatie te danken had aan mijn zonde dat ik Engelthal had verlaten. Maar hij zei: 'Friedrich zou zo blij zijn geweest dat je zwanger bent. Hij heeft altijd geweten dat je liefde oprecht was.'

Midden in die keuken kreeg ik opeens de terugslag van de voorafgaande weken. Het leven dat jij en ik in Mainz hadden opgebouwd waren we in één keer kwijtgeraakt, ik bleek te zijn beschuldigd van een vreselijke misdaad en vader Sunder was overleden. Agletrudis, die grijnsde bij de poort als plaatsvervangster van de priores. Mijn zwangerschap, waarover ik me elk moment van de dag zorgen maakte. Alleen op wilskracht en pure zenuwen had ik vanaf Neurenberg voort kunnen jagen, maar op dat moment vloeiden al mijn overgebleven krachten uit me weg. Ik barstte in huilen uit, wat ik me daarvoor niet had toegestaan. Ik stortte in en zakte zo in de armen van de oude man.

Het was een heerlijk gevoel om weer eens vastgehouden, gewoon vastgehouden, en liefdevol toegesproken te worden. Jij had het zo druk gehad met het vechten voor ons leven, het voortdrijven van de paarden en het plannen van de volgende stap dat je geen tijd had om mij te steunen. Ik nam je dat niet kwalijk, maar ik miste je lieve aandacht. Broeder Heinrich streelde mijn haar, net zoals hij bij Brandeis had gedaan, en legde me in zijn eigen bed. Hij dekte me toe en zei precies wat ik graag wilde horen. Dat alles goed zou komen.

Er gingen enkele dagen voorbij en we konden alleen maar blijven waar we waren. Ik hoopte dat we de achtervolgers van ons af hadden geschud, maar jij verzekerde me dat dat absoluut niet zo was. Je zei met grote stelligheid dat, nu een van de achtervolgers dood was, de anderen zich hergroepeerden en probeerden te achterhalen waar wij onderdak hadden gevonden.

We hadden Brandeis' wond zorgvuldig schoongemaakt en hoopten dat die zou genezen, maar dat bleek ijdele hoop. De wond raakte ontstoken, hij kreeg heel hoge koorts en begon te ijlen. Jij had dat eerder meegemaakt, op het slagveld, en je wist wat je moest doen. Broeder Heinrich hield hem bij zijn schouders vast en ik bij zijn benen, terwijl jij met een jachtmes een stuk uit de dij van je vriend wegsneed. Toen we klaar waren, zaten onze kleren onder het bloed en lag er een stuk vlees in een emmer. De gehavende dij van Brandeis riep twee emoties bij me op: schaamte omdat ik bang was dat de wond op de een of andere manier mij zou infecteren en de baby zou schaden, en een schuldgevoel dat hij die wond had opgelopen. Als ik in die herberg niet bij het raam had geaarzeld, had Brandeis kunnen ontsnappen voordat de bijl hem had kunnen raken.

Broeder Heinrich was de eerste die de twee mannen te paard zag. Ze bleven op veilige afstand van het huis, voorbij de helling waar ik vroeger vaak speelde, maar ze hielden ons zeker in de gaten. Het waren onze achtervolgers natuurlijk. Toen ik vroeg waarom ze niets deden, zei je: 'Ze weten dat we kruisbogen hebben en dat we daar aardig mee overweg kunnen, dus ze laten versterkingen aanrukken.'

Het was niet waarschijnlijk dat ze al wisten wie jij was, omdat ze je nog niet goed hadden kunnen bekijken. En zelfs wanneer dat wel zo was, hadden ze je misschien niet herkend, omdat de brandwonden je hadden getekend en zij misschien bij de condotta waren gekomen toen jij al weg was. Ze konden niet weten wie ik was, hoe lang ze ook al bij het huurlingenleger zaten, maar ze hadden vast wel geraden dat er een reden moest zijn waarom we niet meer verder vluchtten. Wisten ze dat Brandeis gewond was? Waarschijnlijk wel, omdat ze in Neurenberg het bloed in de sneeuw langs de weg moeten hebben gezien. Hadden ze ondanks mijn winterjas kunnen zien dat ik zwanger was? Ik denk het niet. Maar hoeveel vragen zij ook over ons hadden, ik zat met een grotere vraag over hen: wat zou er gebeuren wanneer de andere huurlingen waren aangekomen?

We hadden hoogoplopende discussies. Broeder Heinrich vond dat hij als een man van God naar ze toe moest gaan om te proberen ze op andere gedachten te brengen. Jij moest lachen om zo'n naïef voorstel. Brandeis zei in een vlaag van helderheid dat hij zijn lot als een man tegemoet moest treden, omdat dat de enige kans was dat zij de rest van ons misschien zouden sparen. Dan moesten wij vluchten om ons leven te redden, terwijl hij ze afleidde door in tegenovergestelde richting te rijden. Maar we konden natuurlijk niet toestaan dat hij zo zelfmoord pleegde. Jij wilde blijven en vechten, maar wie zou er met jou meevechten? Niet de zwangere voormalige non. Niet de ijlende Brandeis. Niet de oude Heinrich. Dus eigenlijk bedoelde je dat je het in je eentje tegen ze zou opnemen. Je argument was dat wanneer je die twee soldaten kon doden, Heinrich en ik konden ontsnappen voordat de rest van de condotta verscheen. Je zou Brandeis in tegenovergestelde richting meenemen, of hij nu opgeknapt was of niet. Dat was volgens jou de beste optie. We konden niet hier blijven wachten op een gewisse dood.

Uiteindelijk deden al onze discussies er niet meer toe. Toen de rest van ons sliep en jij de wacht zou houden, had je je kruisboog gepakt en was je naar buiten geslopen. We merkten pas dat je weg was geweest toen je terugkwam en ons wekte. 'Ze zijn dood,' zei je. 'De zon gaat bijna op en de anderen zullen gauw hier zijn, dus we moeten snel zijn.'

Net als toen we uit Neurenberg vluchtten, kon ik niet verhelen dat ik geschokt was dat je mensen had vermoord. Dit keer dwong mijn naïviteit jou om me kwaad toe te spreken: 'Snap je dan niet wat ze zullen doen wanneer ze ons te pakken hebben? Ze vermoorden Brandeis en mij, en ze zullen jou als speeltje gebruiken totdat je zou willen dat je dood was. Dat je zwanger bent, kan ze niks schelen. Ze verkrachten je en als je geluk hebt, begeeft je lichaam het eerder dan je geest. Dus ga me nu niet verwijten dat ik geen respect heb voor het leven. Ik doe er alles aan om dat van ons te behouden.'

Ten slotte legde ik me erbij neer dat ik niet langer bij je kon blijven en tegelijk ons kind beschermen. Ik zou terugkeren naar Mainz en onderduiken bij de begijnen tot jij terugkwam. Je zou Brandeis in tegenovergestelde richting meenemen en nu de beste achtervolgers dood waren, hadden jullie misschien een kans.

Broeder Heinrich zou naar Engelthal gaan, omdat ze hem zonder mij erbij zeker zouden binnenlaten. Ik bedankte hem hartelijk, kuste hem op zijn voorhoofd en zei dat ik zou bidden dat de huurlingen zijn huis niet zouden verwoesten.

'Verspil je gebeden niet aan zoiets onbeduidends, zuster Marianne,' zei hij. 'Het is maar een huis. Ik woon in het Huis van God.'

'Als het een jongetje wordt,' zei ik, 'heeft hij zijn leven aan u te danken. En dan noemen we hem Heinrich.'

'Ik zou het een nog grotere eer vinden,' zei de oude priester, 'wanneer je hem Friedrich noemt.'

Dat beloofde ik. Het weer was aan het omslaan, dus misschien keerden nu eindelijk onze kansen. Sinds ons vertrek uit Mainz hadden we gebeden voor een stevige sneeuwstorm die onze sporen zou wissen. Broeder Heinrich trok zijn winterjas strak om zich heen en deed daaroverheen vader Sunders pluviale, als extra laag om hem tegen de storm te beschermen. Met onvaste tred liep hij van ons weg – bij elke stap zakte hij diep weg in de sneeuw – en binnen enkele minuten was hij verdwenen. Het laatste wat ik van hem zag was dat de afbeelding uit *Openbaringen* achter op de pluviale van vader Sunder – Michael en de engelen vechten tegen de draak – werd opgeslokt door het wit.

Brandeis was niet in staat om zijn kruisboog te hanteren, dus drukte je die mij in handen, ondanks mijn protesten. Je zei dat ik niet hoefde te schieten maar dat ik hem moest aannemen, gewoon voor het geval dat, en je zou me niet zonder laten gaan. Ik legde me er maar bij neer omdat je toch onvermurwbaar was.

Je liet me snel zien hoe ik hem moest laden en spannen. 'Je zet het wapen tegen je schouder, zo, en dan moet je zo richten. Om het wapen niet te laten bewegen, moet je je ademhaling vertragen. In, uit, in, uit. Rustig. Mikken. Vertrouw op de pijl. Uitademen. Trekker overhalen.'

Je zette de kruisboog in het foedraal aan de zijkant van mijn paard en deed mijn winterjas open om een hand op mijn gezwollen buik te leggen. Met de andere hand liet je de pijlpuntketting over mijn hoofd glijden. 'Ter bescherming, en die heb je harder nodig dan ik. Geef hem maar terug wanneer we weer bij elkaar zijn, want ik beloof je dat onze liefde zo niet zal eindigen.'

Daarna spoorde je met een klap mijn paard aan. Ik keek nog één keer om, terwijl jij keek hoe ik wegreed, en daarna richtte ik al mijn aandacht op het pad dat mij en ons ongeboren kind weg van het gevaar zou leiden.

De sneeuw dwarrelde voor mijn ogen naar beneden. Ik probeerde me voor te stellen wat er nu met jou ging gebeuren. Hoeveel huurlingen zouden er komen? Tien? Twintig? Het zou er wel van afhangen of ze nu ergens voor een of andere landheer aan het vechten waren. Of zou Kuonrat al zijn soldaten meenemen, zodat ze konden zien wat er met deserteurs gebeurde? Gezien de verhalen die ik over hem had gehoord, leek me dat wel de meest waarschijnlijke strategie. Ik vroeg me af hoe groot de kans was dat je het er levend vanaf zou brengen. Ik had gezien hoe goed je met een kruisboog kon omgaan, maar ze waren met zoveel... Hoe kon je aan een verleden ontsnappen dat zo vastbesloten was om je te laten boeten? De wind trok aan en de sneeuw verblindde me. De kou drong door mijn kleren heen tot op mijn botten. Ik kon het niet. Zonder jou kon ik niet verdergaan. Dwaas die ik was om te denken dat ik je in de steek kon laten, juist wanneer je me het hardst nodig had. Ik was al een halfuur onderweg toen ik rechtsomkeert maakte en hard terugreed in de richting vanwaar ik vandaan kwam. Ik bad dat ik niet te laat zou zijn.

Het was al moeilijk om mijn sporen terug te vinden, maar ik kende alle paden die naar Heinrichs huis leidden. Toch kon ik het, ook al was ik er nog maar vijftig meter vandaan, in de dwarrelende sneeuw niet zien. Maar plotseling hoorde ik, meegevoerd door de wind, de stemmen van meerdere mannen, en ik wist dat de condotta inmiddels was gearriveerd. De enige vraag was of het jou en Brandeis gelukt was om nog weg te komen.

Ik reed de helling op vanwaar je het huis kon zien, tussen het struikgewas waar ik me als kind vaak had verstopt. Ik dacht er niet eens over na of daar misschien soldaten zouden zijn; ik had gewoon geluk dat er niemand was. Bij een groepje bomen maakte ik mijn paard vast aan een laaghangende tak, en ik zocht een plek waar ik de gebeurtenissen beneden kon overzien. Ik wist dat ik in die sneeuwstorm nooit opgemerkt zou worden.

Maar meteen werd mijn grootste angst bewaarheid: het was je niet gelukt om op tijd te ontsnappen. Soldaten sleurden je het huis uit. Eén stem klonk duidelijk boven de sneeuwstorm uit. Het was de ambitieuze Kuonrat die triomfantelijk lachte. 'Niet één deserteur, maar twee! Twee!'

Soldaten hielden je armen achter je rug en duwden je op je knieën. Kuonrat stapte naar voren, pakte je kin beet en draaide je hoofd omhoog zodat je hem wel moest aankijken. Hij lachte nog steeds en keek alsof hij probeerde zichzelf ervan te overtuigen dat hij echt zo'n mazzel had. Een geest die hem vanuit een verre uithoek van zijn geheugen in de schoot werd geworpen. Een geest die hij kon gebruiken om de levenden een lesje te leren.

Wat kon ik doen? Ik overwoog om de kruisboog te pakken en te schieten. In de sneeuwstorm zagen de soldaten de pijlen pas wanneer het al te laat was, en misschien konden ze niet eens zien waar ze vandaan kwamen. Maar wat zou ik daarmee bereiken? Het waren er minstens twintig, beroepsmoordenaars, en ik had nog nooit met een kruisboog geschoten. Ik mocht blij zijn als ik er één kon uitschakelen. Maar, zo dacht ik, als ik nu één keer goed mikte, wat zou er dan gebeuren als ik Kuonrat doodschoot? Zouden ze op de vlucht slaan wanneer hun leider dood was?

Natuurlijk niet. Het waren beroepssoldaten en ik wist dat ik niet iemand zou kunnen doden, zelfs Kuonrat niet.

Er waren aardig wat soldaten voor nodig om jou onder controle te houden, maar Brandeis was zo zwak dat twee soldaten hem overeind moesten houden. Toen ze hem loslieten, zakte hij op zijn knieën en Kuonrat vroeg: 'Wat heb je te zeggen?'

De gure wind blies mijn kant op en voerde hun woorden mee naar mijn uitkijkpost. Of ik nu echt bofte dat ik alles woordelijk kon verstaan, weet ik niet, maar op dat moment prijsde ik me gelukkig dat ik niet dichterbij hoefde te sluipen.

Brandeis nam de houding aan van een ellendige zondaar die om vergeving vroeg en de wind blies zijn woorden mijn kant op. 'Ik verdien elke dood die je voor mij uitkiest. Maak het zo gruwelijk als je wilt, zo gruwelijk als je kunt. Stel mij ten voorbeeld. Ik verwerp mijn beslissing om de condotta te verlaten. Ik gedroeg me als een bang kind. Ik verzoek je om mij te straffen, maar alleen mij.'

'Het is altijd interessant om te luisteren naar voorstellen van mensen die niets te bieden hebben,' zei Kuonrat, waarop velen begonnen te lachen.

Brandeis liet zich door het gelach niet afbrengen van wat hij nog als laatste op deze aarde wilde doen. Zijn beul stond voor hem, maar Brandeis smeekte niet om zijn leven te sparen. Nee, hij gebruikte zijn laatste minuten om een hartstochtelijk pleidooi te houden om het leven van zijn beste vriend te sparen.

Brandeis vertelde dat toen hij de condotta verliet, dat zijn eigen onbezonnen besluit was, maar dat jouw vertrek niet je eigen beslissing was geweest. Het was Gods wil dat je bij het gevecht gewond raakte, maar niet werd gedood. Het was Gods wil dat de slag vlak bij Engelthal plaatsvond en dat je daarnaartoe werd gebracht. Het was Gods wil dat je genas van de wonden die eigenlijk je dood hadden moeten betekenen. Er was geen beter bewijs dat God wilde dat je bleef leven, betoogde Brandeis, dan het feit dat je leefde.

Brandeis wees naar jou. 'Dat leven is Gods wil, dus zie af van zijn straf en verdubbel de mijne. Ik weet dat je een wijs en rechtvaardig leider bent, Kuonrat, en ik weet dat je niet tegen Gods wil in wilt gaan.'

Het was een slimme tactiek om voortdurend te herhalen dat het 'Gods wil' was dat jij het had overleefd. Je zou alleen uitstel van executie krijgen als Kuonrat geloofde dat hij tegen de wil van God inging wanneer hij jou vermoordde. Hij had duidelijk geen respect voor een mens, maar misschien lag dat bij God anders.

De storm blies grote wolken sneeuw over het landschap. Brandeis draaide automatisch zijn hoofd om zijn ogen te beschermen en ik zag een metalen flits, een verlengstuk van Kuonrats arm. Een rode straal spoot op de grond en Brandeis' hoofd vloog een eindje door de lucht voor het neerkwam.

Kuonrat veegde zijn zwaard schoon, waar de damp van het warme bloed nog vanaf kwam. 'Gods wil telt niet. Alleen de mijne.'

Hij draaide zich om en zei, terwijl hij jou in je ontstelde gezicht uitlachte, dat hij voor jou iets veel beters in petto had. Iets wat lang niet zo pijnloos of zo barmhartig snel was. Tenslotte had jouw afwezigheid veel langer geduurd dan die van Brandeis.

Kuonrat riep zijn huurlingen bij elkaar en deelde taken uit. Een derde van de mannen moest hout sprokkelen in het bos. Nog een derde moest Heinrichs huis doorzoeken op waardevolle spullen – eten, geld, kleren – die de troep kon gebruiken of kon ruilen tegen andere spullen. De rest van de soldaten moest jou in gereedheid brengen.

De soldaten sleurden je langs het lichaam van Brandeis. Het

bloed sijpelde nog uit zijn hals waardoor de rode plek in de sneeuw steeds groter werd. De huurlingen zetten je overeind tegen Heinrichs huisje, met je rug tegen de houten wand. Ze trapten tegen je enkels totdat je je benen spreidde en strekten je armen tegen de muur. Toen je tegenstribbelde, sloegen ze je, spuugden je in het gezicht en lachten alsof het allemaal één grote grap was.

Een soldaat die groter was dan de anderen liep op je af met een bijl in zijn hand. Mijn hart klopte in mijn keel omdat ik dacht dat hij je ledematen ging afhakken. Maar dat was niet het geval. De soldaten die je armen gespreid hielden, wurmden je vuisten open zodat je handpalmen zichtbaar waren. Een van de soldaten hield iets tegen je rechterhand. De grote soldaat haalde de bijl naar achteren en toen besefte ik dat het 'iets' een spijker was. Hij gebruikte de botte kant van de bijl als hamer om de spijker door je handpalm te slaan. Ondanks de afstand kon ik je handbeentjes horen kraken alsof een kip de nek werd omgedraaid. Je gaf een brul en rukte aan je hand om hem van de muur los te wrikken, maar dat lukte niet. Daarna was je linkerhand aan de beurt, nog een spijker, nog meer bloedspatten op de muur. Je schouders wrongen zich vergeefs in allerlei bochten en de aderen in je hals leken op knappen te staan.

Daarna probeerden de soldaten je benen vast te pakken, maar je trapte wild om je heen van de pijn. Dus de grote soldaat gaf met de scherpe kant van zijn bijl een dreun vlak boven je knie bij de aanhechting van de banden aan het bot. Je dij schokte, maar je scheenbeen hing er slap bij, bungelend alsof hij aan een half doorgesneden draadje onder je lichaam hing. De soldaten moesten nu nog harder lachen – wat een mop – en uit je handen bleef het bloed langs de muur stromen.

Ze pakten je enkels beet en het was nu heel makkelijk om spijkers door je voeten te slaan, zodat je zo'n twintig centimeter boven de sneeuw werd vastgenageld. Het geluid van brekende voetbeentjes – die botjes zijn zo dun – was afschuwelijk, en het bloed… er lag overal bloed. Het leek alsof je vloog, hangend aan je handen, je zag eruit als een geest die zweefde, met op de achtergrond het huis. Ze wilden dat je er met je volle gewicht aan hing, omdat het dan meer pijn zou doen. Ze genoten ervan dat de spijkers in je hand je niet echt konden dragen en sloegen met veel genoegen spijkers in je onderarmen zodat je niet van de muur zou vallen. Het bloed gutste uit je lichaam en Brandeis lag onthoofd in de rode sneeuw, de vlek nu nog groter en nog roder, en er sloeg nog steeds damp vanaf. Ik pakte de kruisboog van mijn paard en sloop iets dichter naar het afschuwelijke tafereel. Eigenlijk wilde ik de helling af rennen naar jou toe, maar ik besefte dat ik niets kon doen, want ik werd teruggetrokken door de navelstreng van ons ongeboren kind. De kruisboog hing doelloos in mijn hand, langs mijn zij, mijn hart bonsde zo hard dat ik bang was dat de huurlingen het boven de storm uit konden horen. Onwillekeurig slaakte ik ook kreten, maar ergens kon me dat ook niet schelen, ergens wilde ik zelfs wel gesnapt worden en dan sterven, want wat had mijn leven nog voor zin? Maar ze hoorden me niet, ze lachten veel te hard, een gelach dat gelijk opging met het druppen van je bloed, en ik kon er niks aan doen zonder dat ons kind het leven erbij zou laten.

Nu kwamen de houtsprokkelaars terug en Kuonrat wees naar de plek bij je voeten. Ze stapelden het hout tot halverwege je benen. Ik wist wat er nu zou komen. Vanwege de wind en de jachtsneeuw viel het niet mee om het vuur aan te steken, maar de huursoldaten waren gewend om in de openlucht te leven, dus wisten ze hoe ze hun voorovergebogen lichaam moesten gebruiken als windscherm. Algauw vonkte er iets en begonnen de twijgjes te gloeien en was er rook. Ik hoorde het hout knappen toen het vlam vatte en het deed me denken aan je brekende hand- en voetbotjes. Vlammetjes kwamen al in de buurt van je tenen, maar je kon die niet weghalen; ze zaten trouwens ook vastgespijkerd aan de muur. Toen gaf Kuonrat zijn boogschutters opdracht om hun bogen te pakken en hun pijlen aan te steken in het vuur. De boogschutters deden wat hij zei en toen de pijlpunten brandden, stelden ze zich op in een halve cirkel om jou heen. Kuonrat zei dat ze je niet moesten doden, maar de pijlen zo dicht mogelijk bij je lichaam schieten, daar ging het om.

De bedoeling was dat de muur vlam zou vatten en jou langzaam van alle kanten zou verbranden in plaats van alleen van onderen af. Toen kreeg Kuonrat een beter idee en veranderde hij zijn instructies. Hij zei tegen de boogschutters dat ze jouw lichaam wel moesten raken, alleen niet op een dodelijke plek. Je armen en je benen doorboren was goed, maar niet je hoofd of je borst. Zijn stem klonk zo vrolijk, zo trots op zijn briljante plan. De boogschutters richtten hun bogen en begonnen de namen van lichaamsdelen te roepen: 'Linkerhand!' 'Rechtervoet!' 'Dijbeen!' Ze konden goed schieten, meestal raakten ze de plek die ze hadden genoemd. Wanneer een pijl doel trof, juichte iedereen; als er een mis was loeide iedereen, alsof het een kermisspel was. Het vuur onder jou laaide steeds hoger op, en met iedere pijl kwamen er op je lichaam nieuwe vlammen bij.

Boven het gelach en geschreeuw van de huurlingen uit riep Kuonrat zijn afscheidswoorden naar jou: 'Alles brandt als de vlam maar heet genoeg is. De wereld is niets anders dan één grote smeltkroes.'

En toen wist ik wat me te doen stond.

Ik pakte de halsketting onder mijn jas. Mijn hand omklemde de pijlpunt die vader Sunder had gezegend en ik bad om kracht.

Ik richtte de kruisboog. Ik probeerde me te herinneren wat je me had gezegd. Alles draait om de ademhaling, had je gezegd, je kunt het wapen stilhouden door langzamer te ademen. In, uit, rustig, in, uit, mikken. Ik keek nog een keer of de pijl goed lag. Ik wist dat ik maar één keer zou kunnen schieten, het eerste schot van mijn leven en het laatste. *Alles draait om de ademhaling. Vertrouw de pijl. Rustig.*

Ik vroeg de Heer om de pijl rechtstreeks naar je hart te brengen, dwars door de sneeuwstorm en langs de condotta.

28

Uit eigen beweging besloot Marianne Engel tussen Kerstmis en Valentijnsdag niet meer te beeldhouwen. Alleen ergens op een middag eind januari ging ze naar de kelder om de gargouille af te maken die nog was blijven staan toen ze was ingestort en naar het ziekenhuis moest. Nadat ze dat karweitje had geklaard, snel en zonder ophef, concentreerde ze zich weer op haar herstel, en op het koken.

Sinds ik uit het ziekenhuis was ontslagen had ze maar één keer een extravagant feestmaal aangericht: Japans eten op de avond van het verhaal over Sei. Maar in deze periode ging ze om de drie, vier dagen boodschappen doen om daarna urenlang in de keuken te verdwijnen. Telkens wanneer ze weer opdook, serveerde ze een keur aan delicatessen uit een ander deel van de wereld.

Een van de opmerkelijkste maaltijden kwam uit Senegal, een zeldzaam culinair uitstapje buiten Azië of Europa. Vooraf hadden we beignets van aspergebonen en gebakken banaan, gevolgd door *sombi*, een zoete rijstsoep met melk. Het hoofdgerecht: *yassapoulet*, kip die een nacht in een marinade heeft gelegen en daarna op laag vuur gaar is gesudderd met ui, in een citroen-knoflook-mosterdsaus; *cebu jen*, vis in tomatensaus met groenten en rijst, het nationale gerecht van Senegal; *mafé*, een vlees-gerecht met pindasaus dat kan worden bereid met kip, lam of rundvlees – dus had ze natuurlijk alle drie de varianten klaargemaakt; en een stoofschotel met garnalen, baars en onrijpe bananen. Het dessert bestond uit *cinq centimes*, 'vijf-cent'-pindakoekjes die veel op de markt worden verkocht, en *ngalax*, zoete pap gemaakt van gierstcouscous. Bij de maaltijd dronken we mangosap, bissap en baobabsap en eindigden met thee. Hoezeer ik ook genoot van de feestmalen die Marianne Engel bereidde, de grootste zegen was wel dat haar getatoeëerde engelenvleugels zich door al die calorieën weer begonnen op te vullen.

Het leek iedereen goed te gaan, in deze eeuw tenminste: Marianne Engels gezondheid ging vooruit; Sayuri vertelde over haar geslaagde bezoek aan Gregors ouders; Gregor bekende me bij een kop koffie dat hij er min of meer zeker van was dat Sayuri hem leuk vond. Zelfs Bougatsa had het naar zijn zin, omdat hij nu weer dagelijks werd uitgelaten door het vrouwtje.

Vaak gingen Marianne Engel en ik midden in de nacht naar het strand. Ondanks het late uur en de bijtende kou waren er altijd wel een paar tieners die bier dronken of aan het vrijen waren. Zij stookte altijd een vuurtje en as dwarrelde omhoog. Ze had picknickmanden met eten voor me bij zich, vaak gevuld met de resten van het internationale buffet van de vorige dag. Die vuurtjes moesten mijn angst ervoor verminderen; ze zei dat ik in het reine moest komen met de elementaire krachten van het universum. Die gingen nooit weg, tenslotte.

Ik kon niet zonder emoties naar het vuur kijken, maar ik dacht niet zozeer aan wat mij in mijn auto was overkomen, als wel aan mijn veertiende-eeuwse alter ego, in die vuurzee, vastgespijkerd aan de muur. Ik vroeg aan Marianne of ze alsjeblieft verder wilde gaan met haar verhaal, maar ik moest geduld hebben, met als onzinnig argument dat één dag in het licht van de eeuwigheid niets voorstelde. In plaats daarvan vertelde ze andere verhalen waarvan ik wist dat ze niet waar waren, over de schepping en het armageddon, maar dat kon me niet schelen. Als zij erin geloofde, was dat genoeg voor mij.

Daarna keek ze uit over de zee, strekte haar benen en klaagde dat het nog niet warm genoeg was om te zwemmen. 'Maar goed,' zei ze, 'het wordt algauw lente…'

Begin februari ging mijn drukpak definitief uit en dat voelde als- of ik uit een moeras te voorschijn kwam waarin ik bijna een jaar had rondgezwommen. Mijn masker en mondspanner werden ook verwijderd en ik kreeg mijn eigen gezicht, al was het onher- kenbaar in vergelijking met hoe het was geweest.

Ik ervoer het prikkelende paniekgevoel waarmee een nieuw begin altijd gepaard gaat. Het valt niet mee om eruit te zien zoals ik: normaal gesproken zie je een gezicht zoals dat van mij bij de *Phantom of the Opera*, bij Freddie Krueger uit Elm Street, of bij Leatherface uit hartje Texas. Een brandwondenslachtoffer kan heus wel een meisje aan de haak slaan – maar eigenlijk alleen met een pikhouweel.

Ik aarzelde of ik het bezit van mijn gezicht zou opeisen maar ik moest wel, anders zou het onherroepelijk bezit nemen van mij. Het cliché luidt dat iemand op zijn twintigste het gezicht heeft dat God hem heeft gegeven, maar dat hij op zijn veertigste het gezicht heeft dat hij verdient. Als het gezicht en de ziel zo verweven zijn dat het gezicht de ziel kan weerspiegelen, kan lo- gischerwijs de ziel ook het gezicht weerspiegelen. Of zoals Nietzsche schreef: '... volgens criminologen is de karakteristie- ke crimineel lelijk: *monstrum in fronte, monstrum in animo* (een monstergezicht, een monsterziel).'

Ik kwam als mooie baby ter wereld en ben meer dan dertig jaar mooi gebleven, en al die tijd stond ik mijn ziel geen liefde toe. Mijn gave huid was een kil pantser dat werd gebruikt om met zijn stralende glans vrouwen te verleiden waarbij elke op- rechte emotie werd geweerd en de drager werd beschermd. De meest erotische handelingen waren puur technisch: seks was mechanica; veroveren een hobby; mijn lichaam werd voort- durend gebruikt, maar genoot er zelden van. Ik kende naakte vrouwen, maar geen vrouwen die zich blootgaven. Kortom, ik was geboren met alle voordelen die een monster niet had en ik koos ervoor om ze allemaal te negeren.

Nu was mijn pantser weggesmolten en vervangen door een rauwe wond. De mooie buitenkant waarmee ik me voor anderen afsloot was vervangen door een lelijke die mensen op afstand hield, of ik dat nu leuk vond of niet. Je zou denken dat het resultaat hetzelfde was, maar dat was niet helemaal waar. Hoewel ik nu veel minder mensen om me heen had, waren het wel veel betere mensen. Toen mijn vroegere kennissen op de brandwondenafdeling zich na een korte blik op mij omdraaiden en wegliepen, zetten ze de deur open voor Marianne Engel, Nan Edwards, Gregor Hnatiuk en Sayuri Mizumoto.

De ironie van het lot: pas toen mijn huid was verbrand, kon ik voelen. Pas toen ik herboren was met een afstotend lelijk uiterlijk, leerde ik de mogelijkheden van het hart kennen: ik accepteerde mijn monsterachtige gezicht en afschuwelijke lichaam omdat ze me dwongen om de beperkingen van wie ik ben te overstijgen, terwijl mijn vorige lichaam me de gelegenheid bood om me te verbergen.

Ik ben niet de goedheid zelve en zal dat ook nooit worden, maar ik ben een beter mens dan wie ik ooit was. Dat hou ik mezelf in elk geval voor; en voorlopig vind ik dat voldoende.

Op 13 februari kwam Marianne Engel rond middernacht mijn kamer binnen en pakte me bij de hand. Ze nam me mee de trap af en via de achterdeur naar buiten. Het sneeuwde waardoor het leek alsof al die stenen monsters in de achtertuin witte kappen droegen.

Ze opende een hek dat toegang gaf tot het kerkhof achter de St. Romanus. Grafstenen staken als grijze tongen uit de sneeuw omhoog en we liepen op onze tenen erlangs naar het midden van het kerkhof, waar ze al een deken van paardenleer had neergelegd. Boven ons stond de maan als een reusachtige brandblaar te midden van het kippenvel der sterren. Ze probeerde kaarsen aan te steken, maar de wind blies steeds haar lucifers uit. Ze moest erom lachen. Marianne Engel trok haar jas dichter om zich heen. Ik had een hekel aan de kou, maar ik was graag bij haar.

'We zijn hier omdat ik je iets wil vertellen,' zei ze.

'Wat dan?'

'Ik ga over niet al te lange tijd dood.'

Welnee. 'Hoe kom je daarbij?'
'Ik heb nog maar zestien harten over.'
'Je leeft gewoon door totdat je een oude vrouw bent,' verzekerde ik haar. *Samen met mij.*
'Ik ben al oud.' Ze glimlachte vermoeid. 'Ik hoop dat de dood dit keer definitief is.'
'Zoiets moet je niet zeggen. Je gaat niet dood.' *Je gaat niet dood.*
Ze legde een hand tegen mijn wang. 'Mijn laatste hart is voor jou, dus ik moet je erop voorbereiden.'
Ik wilde zeggen dat ze onzin uitkraamde, maar ze hield een vinger tegen mijn lippen. Toen ik toch probeerde te praten, kuste ze mijn dunne lippen en werden al mijn woorden terug mijn mond in geduwd.
'Ik wil niet dood,' fluisterde ze, 'maar ik wil bevrijd worden van de ketenen van al die harten.'
'Alleen… er is wel iets met je gezondheid.' Ik vroeg me af hoeveel genegenheid ik voor haar voelde dankzij haar schizofrenie en hoeveel ondanks haar ziekte. 'Ik weet dat je het niet wilt geloven, maar het is waar…'
'Wat geloof je toch weinig, en hoeveel moeite zal het kosten om je te laten geloven,' zei ze. 'Maar dat komt wel. Kom, we gaan naar binnen.'
De manier waarop ze zo beslist zei dat we naar binnen moesten gaan, zo zelfverzekerd, deed me het ergste vrezen. 'Waarom?'
'Omdat het hierbuiten ijskoud is,' zei ze, en mijn opluchting moest zichtbaar zijn geweest. 'Wees niet ongerust, vannacht is het nog niet zover. We hebben nog dingen te doen.'
'Zoals?'
'Zoals je van de drugs afhelpen.' WEINIG KANS. Ze zei: 'Denk je nu echt dat ik niet weet dat je extra morfine koopt?'

Toen ik op Valentijnsdag 's morgens wakker werd, keek ik in het houten doosje waarin ik mijn voorraad bewaarde en zag dat het leeg was. Ik wankelde Marianne Engels slaapkamer in, waar ze roerloos op bed lag. Ik schudde haar bij haar schouders en toen ze haar ogen een klein stukje opendeed, vroeg ik waar mijn voorraad was.

'Kom bij me in bed. Het komt wel goed.'

'Je begrijpt het niet. Er zit een slang in mijn ruggengraat...'

'Malle jongen,' zei ze. 'Je weet toch wel dat je nooit naar slangen moet luisteren. Ze liegen.'

'Je hebt me niet de tijd gegeven om aan het idee te wennen,' wierp ik tegen. 'Morgen stop ik, maar geef me nog één dag...'

`IK BEN ER BIJNA...`

'Lijden is goed voor de ziel.'

'Helemaal niet!'

'Als je het lijden niet kunt waarderen,' probeerde ze er een positieve draai aan te geven, 'kun je ten minste de les waarderen die erin zit.'

`... EN ER IS NIETS...`

Ik bleef liever ongeschoold. 'Ik kan een herhalingsrecept halen en...'

'Ik heb het door de wc gespoeld,' antwoordde ze, 'en dokter Edwards schrijft geen nieuw recept uit. Ik heb je creditcard laten blokkeren, dus tenzij je me gaat beroven om op straat drugs te kopen, kruip je bij mij in bed.'

`... WAT JE ERTEGEN KUNT DOEN.`

'Ga slapen,' zei Marianne Engel. 'Ga nu maar slapen.'

Morfine komt van de papaver, *papaver somniferum*, en het werd voor het eerst geïsoleerd uit ruwe opium door de Duitse apotheker F.W.A. Sertürner. De naam komt van Morpheus, de Griekse god van de dromen, en ik kan getuigen dat dat heel toepasselijk is. Morfine geeft een roes met waanbeelden die elk aspect van mijn leven hebben ingekleurd sinds het voor het eerst door mijn aderen zwom.

Hoewel morfine in de eerste plaats bedoeld is als pijnstiller, werkt het geneesmiddel ook tegen angsten, vermindert het het

hongergevoel en roept het euforie op. Telkens wanneer ik mezelf ermee inspoot werd mijn lichaam overspoeld door een goddelijke inspiratie. Morfine vermindert ook het libido, wat voor
de meesten misschien geen wenselijk neveneffect is, maar voor
een man die geen penis meer heeft maar nog wel steeds testos-
teron produceert, een godsgeschenk. Een nadeel was dat ik
voortdurend last had van obstipatie.

Maar het belangrijkste effect voor mij – de primaire functie –
was de slang het zwijgen opleggen, tenminste voor een tijdje.

Toen ik bij Marianne Engel introk, gebruikte ik viermaal per
dag 25 milligram. In de loop van de tijd had ik steeds meer nodig
en op het laatst, behalve wanneer ik sliep, gebruikte ik die dosis
per uur.

29

NU WEET JE WAAR JE BENT.
Ik kwam bij bewustzijn in het donker. Ik was meteen wakker en hoe wijd ik mijn ogen ook opensperde, ik kon niets zien. Omdat de lucht klam en drukkend aanvoelde, wist ik dat ik ergens opgesloten zat. Ik kon nauwelijks ademhalen en rook rottend hout. Ik lag op mijn rug en voelde een beklemmende paniekdeken over mij heen.

IK BEN ER.
Ik kon horen, nee voelen, hoe opgetogen haar stem klonk; ze was gelukkiger dan ooit. De morfine had haar tot nu toe in bedwang kunnen houden, maar nu was die bescherming opgeheven. De slang kronkelde van vreugde.

EN JE KUNT ER NIETS TEGEN DOEN.
Ik probeerde mijn armen te strekken, maar mijn handen stuitten op iets, vlak bij me. Strak en glad hout. Zo'n centimeter of zeventig hoog en breed, en zo lang als mijn lichaam. *Voor mensen bestaat er maar één kist van dat formaat.*

JE LIGT IN EEN DOODSKIST.
Dit kon niet echt zijn. Ik probeerde me te herinneren wat ik had gelezen over de onthoudingsverschijnselen bij morfine, want dat was wat er aan de hand was, niet die ingebeelde grafkist. Ik had de verschijnselen bestudeerd als een leerling die hoopt dat de toets niet doorgaat. De coldturkeymethode is niet levensbedreigend, zoals bij enkele andere drugs, maar kan wel merkwaardige visoenen veroorzaken. Dit was er duidelijk eentje.

Er waren zo veel redenen dat dit niet echt kon zijn. Hoe had ik uit de slaapkamer weggehaald kunnen worden en daarna begraven zonder dat ik wakker werd? Als het hout al aan het rotten was, hoe kon ik dan zo lang onder de grond hebben gelegen? Hoe kon er nog zuurstof over zijn? Dat was allemaal onmogelijk, dus dit was een hallucinatie.

Maar zijn mensen die hallucineren, nog rationeel genoeg om zich dat te kunnen realiseren? Zijn hallucinaties niet per definitie irrationeel? Ik had niet het gevoel dat ik geen besef van de werkelijkheid meer had; sterker nog, dit was voor mij té zeer werkelijkheid. Kunnen hallucinerende mensen de kwaliteit van de lucht bepalen? Denken ze erover na hoe lang het duurt voordat het hout van een lijkkist begint te rotten, of hoe lang het duurt voordat de wurmen binnendringen? Als dit inderdaad onthoudingsverschijnselen waren, waarom smachtte ik dan niet naar mijn drug? Dus ook al wist ik dat dit niet echt kon zijn, ik vroeg me wel af waarom ik zulke logische vragen stelde.

Algauw ontdekte ik dat afkickende verslaafden hun kalmte op precies dezelfde manier verliezen als onvoorzichtige miljonairs hun geld: eerst geleidelijk, dan plotseling. Na al dat rustige beredeneren sloeg mijn zelfbeheersing ineens om in wat je het tegenovergestelde van een openbaring zou kunnen noemen: in plaats van de mogelijkheid dat in een helder moment al mijn gedachten samenkwamen, schoten ze vanuit het middelpunt van mijn geest alle kanten op in een poging om het epicentrum van een ramp te ontvluchten.

Ook al was er eigenlijk geen ruimte voor, toch zwaaide ik fanatiek met mijn vuisten in de rondte, bonsde tegen het hout waar twee meter aarde op drukte. Ik krabde eraan totdat mijn nagels dubbelklapten en schreeuwde totdat mijn keel alle hoop verloren had. Telkens wanneer ik in het ziekenhuis lag te wachten op de volgende debrideersessie was ik ervan overtuigd dat ik wist wat angst was. Maar dat was gelul; ik wist helemaal niks. Levend wakker worden in een doodskist en weten welk einde je te wachten staat. Dat is pas angst.

Mijn hysterische verzet haalde natuurlijk niets uit. Dus hield ik daarmee op. Zelfs wanneer ik er op de een of andere manier in zou slagen om door het hout heen te breken, zou dat aan de ze-kerheid van mijn dood niets veranderen, alleen aan de manier waarop. In plaats van dood te gaan door gebrek aan zuurstof zou ik stikken in de aarde die dan in de kist zou storten. Ik snakte wel naar lucht, maar de aarde leek me allesverslindend. Daarom daalde rust als een lijkkleed over mijn kist neer. Nu ik alleen nog maar kon wachten, besloot ik dat waardig te doen.

Mijn ademhaling echode, alsof de lijkkist een armetierig con-certzaaltje was. Ik besloot ernaar te luisteren totdat ik niet meer kon en de laatste zachte toon van mijn laatste ademtocht in het donker zou wegsterven. Ik zou kalm heengaan, beloofde ik me-zelf, want ik had gezien mijn ernstige ongeluk toch al langer ge-leefd dan waar ik eigenlijk recht op had.

Toen besefte ik hoe ongelooflijk dwaas dit was: al dat denken aan doodgaan in een hallucinatie. Niets aan de hand. Rustig. Wat had ik Marianne Engel geleerd in Duitsland? Alles draait om de ademhaling. Om het wapen niet te laten bewegen moet je je ademhaling vertragen. In, uit, in, uit. Rustig. Kalm. Ik ben het wapen, zei ik tegen mezelf; een levenswapen, gesmeed in het vuur en niet te stuiten.

En toen. Voelde ik. Iets. En dat 'iets' kan alleen beschreven worden door een woord dat ik niet wil gebruiken: een stom new-agewoord dat ik er helaas bij moet halen, want het is het enige juiste woord. Ik voelde een 'aanwezigheid'. En die was vlak naast me. Een vrouw. Ik weet niet hoe ik wist dat het een vrouw was, maar dat was wel zo. Het was niet Marianne Engel, want ze ademde anders. Ik had me tot op dat moment niet gere-aliseerd dat ik haar kon herkennen aan de cadans van haar adem-haling, maar dat kon ik, en dit was zij niet. Ik bedacht dat het misschien wel de slang was die ademde. Misschien had het kreng eindelijk mijn ruggengraat verlaten voor een rechtstreekse con-frontatie. Tenslotte kun je niet eeuwig alles achter iemands rug om doen.

Maar nee, het was een menselijk lichaam dat rustig naast me lag. Wat belachelijk was, want er was geen ruimte in de kist – de denkbeeldige kist – voor nog iemand. Toch schoof ik opzij, je wist maar nooit. Ze ademde ontspannen, wat het nog beangsti-gender maakte.

Een hand raakte de mijne aan. Ik trok mijn hand snel weg. Het verbaasde me dat ik haar kon voelen; ik had gedacht dat deze entiteit onstoffelijk zou zijn. Ze had kleine vingertjes, maar toch wurmde ze haar hand in die van mij.

Ik probeerde dapper te klinken toen ik vroeg wie ze was, maar mijn stem stokte in mijn keel. Geen antwoord. Ik hoorde alleen haar ademhaling. Nog een keer: 'Wie ben jij?'

Haar vingers waren verstrengeld met die van mij en ze verste-vigde haar greep. Ik stelde een andere vraag: 'Wat doe je hier?'

Nog steeds hoorde ik alleen het zachte, ontspannen geluid van haar ademhaling. Bij elke vraag die ze niet beantwoordde, werd ik iets minder bang. De manier waarop ze mijn hand vasthield was niet langer bedreigend, maar geruststellend en algauw voel-de ik dat ik omhoogkwam, bijna… nee, niet bijna, het was echt alsof ik vloog. Mijn rug kwam los van het hout waarop ik lag.

Ik voelde me als de zwevende assistente wier hand wordt vast-gehouden door de illusionist. Ik voelde dat we door het deksel van de kist heen gingen en ons een weg baanden door de aarde. Een oranje gloed verspreidde zich over de binnenkant van mijn oogleden toen we dichter bij de oppervlakte kwamen, en ik wist niet eens zeker of ik nog wel ademhaalde.

Ik voelde de aarde aan me trekken toen ik in het zonlicht kwam, en de kleur explodeerde. Ik werd opgetild, tot zo'n tien centimeter boven de grond. Aarde rolde van mijn borst af en ik voelde het langs mijn ribben glijden en van mijn zij af vallen. Ik zweefde vrij in de lucht; de vrouw was niet samen met mij uit het graf omhooggekomen. Alleen haar hand stak eruit, die mij met de aarde verbond als een ballon aan een touwtje. Haar hand hield me misschien nog een paar tellen vast voordat ze me losliet en werd teruggetrokken in het graf. Toen begreep ik dat ze niet weg kon: zij was niet op bezoek geweest in míjn kist, ik was bij haar op bezoek geweest.

Mijn lichaam daalde neer op de aardhoop. Mijn ogen begon-nen te wennen aan het licht. Ik was op een berg en hoorde vlakbij een rivier. Het was vredig, even maar, totdat de grond onder me opnieuw begon te bewegen. In paniek dacht ik even dat de zwijgzame vrouw besloten had me weer naar beneden te trekken, maar dat gebeurde niet. Overal om me heen vonden talloze kleine erupties plaats, alsof wroetende dieren zich uit de aarde omhoogkrabden.

In het begin waren het alleen glinsteringen in het licht. Maar toen namen ze vaste vorm aan: bloemen, met kleurloze blaadjes. Toen ik beter keek, zag ik dat ze van glas waren. Leliën. Overal bloeiden duizend glazen leliën, gloeiend door licht dat van binnenuit leek te komen.

Ik stak mijn hand uit om er een te plukken. Zodra ik hem aanraakte, bevroor hij onder mijn vinger. Toen al die bloemen van glas veranderden in ijs – alsof ze samen één ziel hadden – begonnen ze uiteen te spatten. Bij elk explosietje kwam er één woord vrij, gefluisterd door een vrouwenstem, en samen weerklonk het als een pure liefdessymfonie. *Aishiteru, aishiteru, aishiteru.*

Als omvallende dominostenen ontploften de leliën achter elkaar de berg af richting de horizon. Onder die vreugdedeken van aishiteru's in de lucht begon de berg te schudden en te trillen, en stortte in, vlakte af tot een uitgestrekte toendra. Vlak nadat het was begonnen, waren de bevroren glasscherven een ijsvlakte geworden, zo ver als het oog reikte.

Ik staarde naar de eindeloze ijswildernis en die staarde genadeloos terug. De poolwind geselde mijn bevende lichaam. Ik was me er nu volledig van bewust dat ik naakt was, op de ketting met de engelmunt na die ik nooit afdeed.

Het graf was weg – logisch, de hele berg was verdwenen – maar op de plek waar het was geweest lag nu een eenvoudig gewaad. Toen ik het kledingstuk oppakte om te kijken of het me paste, viel er wat aarde vanaf die door de stevige wind als een dansende poeder werd meegevoerd. Het gewaad was veel te klein, maar ik had niets anders, dus ik trok het aan. Ik zag er belachelijk uit: een verbrande man in de kleren van een klein vrouwtje. Maar als je het ijskoud hebt, heeft het weinig zin om je druk te maken over de modevoorschriften.

Het was net zo'n gewaad als die Japanse vrouw aanhad op het Halloweenfeest. Ongetwijfeld had het, net als het graf waar het uit was gekomen, toebehoord aan Sei.

De kille glans van deze nieuwe wereld overspoelde me. Mijn omgeving was totaal veranderd: van de kleinste en donkerste ruimte die ik me kon voorstellen, naar de uitgestrektste en witste. In de wijde omgeving was ik het grootste object, reusachtig, gewoon omdat ik benen had waarop ik stond, en toch voelde ik me een dwerg door de onmetelijkheid van de lucht. In een toendra voel je je tegelijk imposant en nietig.

Het dunne gewaad bood weinig bescherming tegen de kou, en de wind sneed dwars door me heen. In de verte bewoog iets. Ik begon al last te krijgen van sneeuwblindheid en daarom kneep ik mijn ogen samen en zag ik inderdaad iets afgetekend tegen de vijandige leegte. Het leek naar me toe te komen, maar dat was moeilijk te zien op zo'n grote vlakte. Ik ging erop af. Wat het ook was, het kon nooit erger zijn dan maar gewoon afwachten tot je onderkoeld was.

Na enige tijd zag ik dat het een man was die op me afkwam. Hij moest me helpen, dacht ik, want anders werd het mijn dood. Het eerste detail dat ik zag waren zijn rode lokken, die afstaken tegen de sneeuw als bloedvlekken op een laken. Vervolgens zag ik dat hij veel bont droeg en dikke laarzen aanhad. Zijn broek bestond uit stevig leer en zijn jas was van bont. Over zijn schouder droeg hij een bundel bijeengebonden huiden. Ademwolkjes kwamen uit zijn mond. In zijn baard zat ijs. Hij was nu dichtbij. Rondom zijn ogen zaten diepe rimpels en ik had de indruk dat hij ouder leek dan hij werkelijk was.

Toen hij voor me stond, reikte hij me de huiden aan die hij over zijn schouder had meegenomen en zei: '*Farðu í petta.*' Ik begreep wat het betekende: trek dit aan.

Ik pakte de huiden aan en zag dat het kleren waren, dikke bontvellen die me zouden beschermen. Ik trok ze zo snel mogelijk aan en algauw voelde ik het laagje lucht tussen mijn lichaam en het bont warmer worden. '*Hvaŏ heitir þú?*' Hoe heet je? Tot mijn verbijstering merkte ik dat ook ik IJslands sprak.

'Ik ben Sigurŏr Sigurŏsson en jij gaat met me mee.' Zijn antwoord bevestigde dat ik zijn identiteit goed geraden had; maar wel met enige aarzeling, want hier – waar dat 'hier' ook was – had Sigurŏr geen brandwonden ondanks de manier waarop hij aan zijn einde was gekomen. Daarom vroeg ik me af waarom mijn lichaam nog steeds zo gehavend was.

'Waar gaan we heen?' vroeg ik.

'Dat weet ik niet.'

'Wanneer zijn we er?'

'Dat weet ik niet.' Hij tuurde naar de horizon. 'Ik ben al lang onderweg. Ik moet er nu wel bijna zijn.'

Om zijn middel had Sigurŏr een zwaard aangegord, hetzelfde dat tijdens het dansen tegen Sei's heup sloeg. Hij trok Sigurŏrsnautr aan het slangengevest te voorschijn en gaf mij zijn riem en zwaardschede. 'Doe dit om. Je zult het nodig hebben.'

Ik vroeg waarom. Hij antwoordde dat hij dat niet wist.

Ik gooide Sei's gewaad weg, omdat ik dacht dat ik het niet meer nodig had nu ik bontvellen had. Sigurŏr raapte het op en gaf het aan me terug. 'In de hel moet je alles gebruiken wat je hebt.'

Ik wikkelde het gewaad om mijn middel, als een tweede riem boven degene die Sigurŏr me net had gegeven. Ik vroeg hem hoe hij wist welke kant we op moesten.

'Dat weet ik niet,' zei hij. Sigurŏr was echt een gezellige prater. Hij gebruikte zijn zwaard als wandelstok en de kling sneed bij iedere stap in de sneeuw. Voor een man die niet wist waar hij heen ging, stapte hij nogal resoluut voort.

'Is dit een hallucinatie?' Het leek me uiterst vreemd om in een hallucinatie te vragen of het een hallucinatie was, in een voor mij vreemde taal. (Hoeveel mensen ter wereld weten dat het IJslandse woord voor 'hallucinatie' *ofskynjun* is?) Sigurŏr antwoordde dat het volgens hem geen ofskynjun was, maar zeker wist hij dat niet.

We liepen. En liepen. En liepen. Dagenlang, maar de zon

ging niet onder. Misschien denk je dat ik overdrijf, dat ik eigenlijk bedoel dat we uren liepen maar dat het wel dagen leken. Maar nee, ik bedoel dagen. We waren voortdurend vermoeid, maar we hadden geen behoefte aan slaap en ondanks mijn slechte knie had ik het gevoel dat ik eindeloos door zou kunnen gaan. Ik moest denken aan de noordelijke regionen van onze planeet waar de zon zes maanden achtereen aan de hemel staat. Zouden we zo lang moeten doorlopen?

Sigurðr bleef een man van weinig, en onsamenhangende, woorden; het enige geluid dat van zijn lichaam kwam was het enigszins muzikale geklingel dat van zijn hals onder zijn bontjas kwam. Na een tijdje zei ik maar niets meer, behalve wanneer ik hem aan het lachen probeerde te maken. Daar slaagde ik nooit in. Soms bleef ik staan om de monotonie te doorbreken. Ik smeekte Sigurðr om even op me te wachten, maar dan zei hij steevast dat we geen tijd hadden om uit te rusten. Wanneer ik hem vroeg waarom, antwoordde hij steeds: 'Omdat we daar moeten zijn.'

Wanneer ik Sigurðr vroeg waar 'daar' was, wist hij dat niet. Daarop zei ik dat, gezien het feit dat hij het niet wist, ik geen reden zag om hem te blijven volgen. Hij snoof minachtend en zei dat hij het best vond als ik zoiets stoms wilde doen en liep alleen verder. Wanneer hij bijna uit het zicht was, ging ik hem in een struikelspurt achterna. Ik had hem natuurlijk nodig, wat zou ik daar in mijn eentje kunnen beginnen? En zo ploeterden we voorwaarts, op weg naar een plek die hij niet kon omschrijven en ik me niet kon voorstellen.

Hallucinaties zouden wel wat beter mogen zijn, vond ik. Dagenlang over de toendra lopen is saai en het verraste me dat ik zo lang over zoiets afgezaagds kon hallucineren. De kou was te snijdend; de sneeuwpatronen waren te perfect willekeurig in hun wervelingen; mijn vermoeidheid deed te echt zeer om ingebeeld te zijn. Het enige wat niet realistisch leek, was dat ik zonder rust en eten voort kon gaan.

Natuurlijk was het een zinsbegoocheling. Een ellendige, oerdegelijke, langdurige hallucinatie. Afkicken zou anders moeten zijn. Tenzij…

'Sigurðr, ben ik dood?'

Eindelijk moest hij lachen om iets wat ik zei. 'Je bent hier slechts op bezoek.'

Als Sigurðr hier thuishoorde, net als Sei in haar lijkkist, wilde ik er meer vanaf weten. Van alles. Ik besloot om elke subtiliteit te laten varen. 'Dat geluid dat van je hals komt, is dat de trofeeënketting die ooit van Svanhildr is geweest?'

Hij bleef staan, misschien om te beslissen of hij dat zou bevestigen. Dat deed hij: 'Ja.'

'Waarom niet de pijlpuntketting?'

'Die ging naar Friðleifr.'

'Zijn naam werd veranderd in Sigurðr.'

Hij zweeg een tijdje en zei toen zachter dan ik hem tot nu toe had horen praten: 'Ja, dat weet ik. Het was een grote eer.'

'Wil je me vertellen over Einarr?'

Op die vraag reageerde hij door weer verder te lopen. 'Dat verhaal is niet voor jou bedoeld.'

'Ik heb het al gehoord.'

Sigurðr draaide zich om en keek me aan. 'Nee. Je hebt Mariannes versie van mijn verhaal gehoord, wat iets heel anders is. Hoe durf je zelfs maar te denken dat je mijn hart kent wanneer je niet eens dat van jezelf begrijpt?'

Laat het maar aan een Viking over om je onverwachts uit te schakelen met zijn welsprekendheid. Ik hield mijn mond en liep weer verder.

Ik bleef hopen dat we er bijna waren, maar dat was niet zo. Ik bleef hopen dat we een heuvel zouden tegenkomen met uitzicht over een vallei, of mos dat uit de rotsige heuveltop opschoot, maar elke heuvel bleek niets anders te zijn dan de huidige horizon die werd vervangen door een nieuwe. Ik bad om iets wat de monotonie zou doorbreken. Een kei. Een hoefafdruk van een eland. Een bevroren sledehond. De naam van een man die met diepe, gele letters in de sneeuw was gepist. Maar het enige wat we zagen was meer ijs, meer sneeuw. Op de derde dag (ik denk dat het de derde dag was) bleef ik gewoon staan. Ik gaf het op.

'Er is hier helemaal niets. Wat je ook denkt dat je zult vinden...' Mijn stem stierf weg. 'Sigurðr, je bent al meer dan duizend jaar onderweg naar "daar" en je weet niet eens waar het is.'

'Je bent onderweg totdat je er bent,' zei hij, 'en je bent nu ver genoeg gekomen.'

Deze plek verschilde in niets van de rest van de toendra. Ik draaide rond, stak demonstratief mijn armen op. 'Waar heb je het over?'

'Kijk eens naar de lucht.'

Ik keek omhoog. Hoewel er in de wijde omtrek niemand te zien was, kwam er een brandende pijl recht op me af.

Ik wilde weglopen, maar stond als bevroren op de grond, ik kon alleen nog maar mijn hoofd beschermen met mijn handen. (Hoewel het na alle verhalen van Marianne Engel waarschijnlijk logischer zou zijn geweest om mijn hart te beschermen.) De pijl miste me op een haar na en kwam in de grond terecht, waar de aarde openbrak alsof een albinomonster zijn muil opensperde. Enorme brokken ijs kwamen omhoog, verschoven en gooiden ons wild in de rondte. Een stuk ijs raakte mijn rechterschouder en ik werd tegen een puntig brok aan gekwakt. Er volgde een moment van helderheid, vergelijkbaar met het moment dat ik het ravijn in reed, waarop alles vertraagde terwijl ik toekeek wat er gebeurde. Water gulpte loom uit een spleet in de grond en eindelijk begreep ik waarom het landschap al die tijd dat we hadden gelopen zo monotoon was geweest. We liepen helemaal niet over land, maar over een grote ijsplaat. IJsschotsen draaiden rondjes om me heen en al snel merkte ik dat de zwaartekracht me de net blootgelegde zee in trok.

Onmiddellijk sneed de kou dwars door me heen. Mijn bontvellen waren nutteloos; erger dan nutteloos eigenlijk, want ze zogen water op en trokken me naar beneden. Eerst kon ik me aan de oppervlakte nog vooruit klauwen langs het dobberende ijs door mijn vingers te steken in elke scheur die ik maar tegenkwam. Ik voelde dat de warmte van mijn lichaam naar het middelpunt van mijn buik werd gezogen, maar al snel was de warmte ook daar niet meer veilig. Ik voelde mijn bewegingen langzamer worden en ik klappertandde zo heftig dat ik daarmee het kraken van het ijs overstemde. Ik vroeg me af of zelfs mijn littekenweefsel nu blauw aanliep.

Sigurðr was nergens te bekennen. Kennelijk was hij verzwolgen door het drijfijs. Een schots botste tegen mijn linkerzij en een andere kwam met een smak op mijn rug. Ze cirkelden om me heen, sloten me in en duwden me naar beneden. Elke geleerde zal je uitleggen dat ijsschotsen zich gelijkmatig over het wateroppervlak verdelen en dat gebeurde ook in het gat dat de pijl had geopend. Dus zelfs in een hallucinatoire zee leken nog steeds de basiswetten van de natuurkunde op te gaan, wat ongetwijfeld voor een glimlach op Galileï's gezicht zou hebben gezorgd.

Ik kon mijn hoofd niet langer boven water houden, het ijs klotste tegen mijn bloemkooloren en ik deed mijn ogen dicht, want dat doe je wanneer je kopje-onder gaat. Ik voelde mijn lichaam zich afsluiten. *Dus zo eindigt het. In het water.* Ik gleed onder water en voelde me eigenlijk wel opgelucht. *Zo zal het makkelijker zijn.*

Het kostte me geen enkele moeite om minutenlang mijn adem in te houden terwijl ik steeds dieper zonk, totdat ik er genoeg van kreeg om af te wachten wanneer mijn longen het zouden begeven. Ik deed mijn ogen open in de veronderstelling dat ik hooguit een meter ver zou kunnen kijken. Net zoals het op het ijs moeilijk was om afstanden te schatten, was dat ook onder het ijs het geval: weer was er niets waaraan ik enig perspectief kon ontlenen. Geen vis, geen levende wezens, geen planten, alleen helder water. Luchtbellen ontsnapten aan de plooien in mijn kleren en gleden langs mijn lichaam omhoog tot ze in mijn ooghoeken bleven zitten. Grappig. In de echte wereld kon ik geen tranen van water produceren, maar in een onderwaterwereld kon ik tranen van lucht produceren.

Boven mij zag ik in de verte een soort gloed. Die weerspiegelde in mijn luchttranen en ik vroeg me af: is dit de lichttunnel die een dode naar de hemel leidt? Niet erg waarschijnlijk. Gezien de eerdere gebeurtenissen zou het wel zo'n sabeltandvis zijn die met deinende fluorescerende huidflappen prooidieren lokte. Het bleek echter noch het pad naar de hemel te zijn, noch een machiavellistische vis. Het was het vuur van de brandende pijl die in het ijs terecht was gekomen en nu door Sigurðr werd vastgehouden terwijl hij op mij af dook.

Het licht (vuur dat niet dooft onder water: vergeet alle natuurkundewetten maar die nog zouden kunnen gelden in een paranormale wereld) speelde over Sigurðrs baard en de rimpels rondom zijn ogen. Zijn lange rode haar stond overeind als een gloeiende halo van zeewier, en hij glimlachte sereen, alsof er iets prachtigs gebeurde. Hij hield de pijl voor zich als een atleet die bij de Olympische Spelen de fakkel doorgeeft, en ondertussen zakten we langzaam dieper weg in het water. Mijn hand sloot zich om de schacht, ik voelde een zalige warmte die zich door mijn lichaam verspreidde en Sigurðr lachte als een man die zijn taak heeft volbracht. Als een man die men zich zal herinneren. Hij knikte goedkeurend en dook diep naar beneden en liet mij in mijn eentje verder omlaagzakken.

Ik zakte door de bodem van de zee.

Ik zakte nog een klein stukje verder tot ik grond voelde. Toen ik omhoogkeek was de bodem van de zee – het water had als een plafond boven mij moeten hangen – verdwenen. Mijn voeten stonden op vaste grond en het licht was van het kristalblauw van de zee veranderd in doods grijs.

Ik stond nu in een donker bos met kronkelige bomen.

Ik hoorde haastig getrippel van voeten op de bosgrond van minstens drie kanten op me afkomen. Twijgjes knapten, struikgewas ritselde. Ik hield de pijl omhoog als een toorts. Ik zag een vierpotig dier tussen de boomstammen door flitsen en daarna ving ik een glimp op van een ander dier. Hoeveel waren er? Twee? Nee, daar ging er nog een! Drie, minstens! Wat waren het voor dieren? Koortsachtig stelde ik me allerlei beesten voor: een leeuw, een panter, misschien een wolf. Als ze het op mij gemunt hadden, hoe zou ik me dan kunnen verdedigen? Ik had de Vikingschede, maar geen zwaard; ik had het boeddhistische gewaad, maar niet het geloof.

Recht voor me lag een pad dat dwars door het bos voerde, over een heuveltje, en ik hoorde nog een – robuuster – dier dichterbij komen. Ik zag hem even tussen de bomen door. Het leek op twee poten te lopen, dus misschien was het een of andere mythische bosaap. Niet dus. Toen hij in het zicht kwam, zag ik dat het een man was, eenvoudig gekleed, met een dikke buik en een stoppelbaard. Toen hij me zag, verscheen er een brede glimlach op zijn gezicht en stak hij zijn armen uit alsof hij een oude vriend ging omhelzen die hij jaren niet had gezien. *'Çiao!'*

'Tu devi essere Francesco.' (Jij moet Francesco zijn.) Bij Sigurðr beheerste ik het IJslands; bij deze man sprak ik Italiaans.

'Si,' antwoordde hij en hij pakte mijn hand. *'Il piacere è mio.'*

'Nee, het genoegen is geheel aan mijn kant. Een wederzijdse vriendin van ons heeft me wat van je werk laten zien. Mooi.'

'Ah, Marianna!' zei Francesco stralend. 'Maar ik ben slechts een eenvoudige handwerksman. Ik zie dat je de pijl bij je hebt. Mooi. Die zal je misschien nog nodig hebben.'

'Wat gaan we nu doen? Zeg alsjeblieft niet dat je het niet weet.'

Francesco schuddebuikte van het lachen. 'Sigurðr is altijd een beetje onzeker geweest, maar ik weet precies waar we heen gaan.' Hij liet even een dramatische pauze vallen. 'Rechtstreeks naar de hel.'

Je moet wel bewondering hebben voor een man die dat met een stalen gezicht kan zeggen en ik schoot onwillekeurig in de lach. 'Nou, daar raak ik ondertussen wel aan gewend.'

'De hel is gecompliceerder, dus wees zo verstandig om niet zo hard te lachen.' Om me na deze waarschuwing gerust te stellen voegde hij eraan toe: 'Ik ben op Marianna's verzoek gestuurd om jou te begeleiden. Ze had voor je gebeden.'

'Dat is in elk geval iets.' Dus begonnen we aan onze helse queeste. Ik was gewapend met een brandende pijl, een boeddhistisch gewaad om mijn middel gebonden, winterkleding en een lege zwaardschede van een Viking, en een veertiende-eeuwse smid als gids. Beter voorbereid had ik niet kunnen zijn.

We passeerden een reeks poorten en stonden binnen niet al te lange tijd voor een rivier die ik herkende van Marianne Engels voorleessessies in het ziekenhuis. 'Acheron.' De rivier was weerzinwekkend, ijsschotsen dobberden tussen afval en misvormde beesten. Er dreven stukken rottend vlees rond alsof lijkkisten van de afgelopen duizend jaar waren geleegd in stollend bloed. De stank van verrotting drong overal in door. Twee bijna-mannen, alleen qua vorm enigszins menselijk, spartelden in het afschuwelijke vocht. Geschreeuw om genade werd door smekende monden uitgestoten; ik wist dat die wezens voortdurend aan het verdrinken waren, zonder hulp, voor eeuwig.

Mist steeg op uit de rivier. Daardoorheen dreef, zo kalm dat het leek alsof het boven het water zweefde, een schip met de veerman Charon. Het/hij was een donker man-wezen, minstens drie meter lang, in een gescheurd beschimmeld gewaad. Zijn baard leek op verstrengeld zeewier en zijn neus was half weg, met tandafdrukken waar het ontbrekende deel moet hebben gezeten dat in de strijd was afgerukt. Uit zijn verschrompelde mond staken rotte tanden scheef en gebroken naar voren. Zijn huid was grauw, nat en verweerd, als van een zieke zeeschildpad, en zijn handen waren artritische klauwen die een knoestige houten stok vasthielden. Zijn oogkassen waren leeg, op een vuurgloed na: elk oog was een brandende hoepel. Hij stuurde naar de kant en sprak, bulderde eigenlijk: 'DEZE IS NIET DOOD.'

Francesco, toch ook geen kleintje, leek nietig in vergelijking met Charon. Desalniettemin liet hij zich niet afbluffen, rechtte zijn rug en zei: 'Dit is een zeer bijzonder geval.'

Charon, die nu aangemeerd lag, zwaaide afkeurend met zijn klauwen. 'HIJ KAN NIET OVERSTEKEN.'

'Hij is al een heel eind gekomen, dus luister alstublieft naar ons. Sta ons deze gunst toe, wij die zo veel minder zijn dan u. Hoe lang is het geleden dat er een levende bij u langskwam?'

'PROBEER ME NIET VAN DE WIJS TE BRENGEN. HIJ KAN HIER NIET OVERSTEKEN. DAARVOOR IS EEN ANDER VAARTUIG NODIG.'

'Charon, wees niet zo snel met uw afwijzing,' zei mijn gids. 'Krachten groter dan die van ons hebben deze reis in gang gezet.'

Charon keek me aan met een blik vol afkeuring, alsof hij inkijk had in de verachtelijkste uithoeken van mijn ziel. Ik hield de brandende pijl dicht tegen me aan zodat ik bang was dat mijn kleren in brand zouden vliegen, maar ik had de warmte nodig om zijn blik te kunnen weerstaan.

Charon richtte zijn blik weer op Francesco. 'JE MAG WEER SPREKEN.'

'We verzoeken u om ons over te zetten. We hebben geld meegenomen.' Francesco maakte een kleine buiging en reikte hem een gouden munt aan.

'DAT IS HET TARIEF VOOR ÉÉN PERSOON.'

'Natuurlijk, u hebt gelijk.' Toen Francesco me naar voren wenkte, schudde ik mijn hoofd. *Wie neemt er nu geld mee naar een hallucinatie?* Toen tikte Francesco op zijn borst om me te helpen herinneren aan wat er om mijn hals hing.

Ik haalde de engelenmunt van mijn ketting af en legde die in Charons klauw. Hij bekeek zeer aandachtig de zijde waarop de afbeelding stond van aartsengel Michaël die de draak doodde. Er verscheen een vreemde uitdrukking op het gezicht van de veerman en hoewel hij niet echt glimlachte, kreeg ik het gevoel dat dit voor zijn lelijke mond het maximaal haalbare als glimlach was. Hij stapte opzij en maakte een armgebaar om aan te geven dat we aan boord mochten. Francesco knikte. 'We waarderen uw ruimhartigheid zeer.'

De veerman stak zijn stok in het smerige water en duwde ons naar het midden van de Acheron. De boot, versierd met schedels en touwen van gevlochten mensenhaar, was gemaakt van verrotte planken en toch maakte hij geen water door de grote gaten in de boeg. Kleine draaikolken vormden zich overal en putten de eeuwig verdrinkende lichamen nog verder uit. Af en toe gebruikte Charon zijn roeiriem om een van de zondaars af te ranselen.

Twee gestaltes die in de verte wanhopig probeerden dichter

bij de veerpont te komen, kwamen me merkwaardig bekend voor. Een man en een vrouw. Maar ik werd afgeleid door een man die vlak bij de boot schreeuwend onze aandacht probeerde te trekken. Hij kreeg een grote slok goor rivierwater binnen toen andere zondaars hem naar beneden trokken. Hij probeerde alles wat in zijn buurt was vast te grijpen en nam een losgeraakt been met zich mee naar beneden.

Francesco zag de walging op mijn gezicht en zei: 'Niemand komt hier door willekeur terecht. De hel is een keuze, omdat iedereen die dat wil, verlost kan worden. De verdoemden kiezen zelf voor hun noodlot door hun gevoel uit te schakelen.'

Daar was ik het niet mee eens. 'Niemand kiest er bewust voor om verdoemd te worden.'

Francesco schudde zijn hoofd. 'Maar het is zo makkelijk om niet te worden verdoemd.'

Het paar was nu dichtbij genoeg om te zien dat het Debi en Dwayne Michael Grace waren, voorzover dat mogelijk was met hun verminkte lichamen. Ze staken hun handen naar mij uit – veel gebroken vingers – en smeekten mij om hulp. Maar de horde zondaars greep hen voortdurend beet. Misschien had Debi de veerboot kunnen bereiken als Dwayne haar niet zo wanhopig had vastgepakt om niet naar beneden getrokken te worden. Zij reageerde op dezelfde manier; beiden probeerden de ander als drijfkussen te gebruiken om weg te komen van de anderen. Hun onderlinge strijd zorgde er onvermijdelijk voor dat ze allebei het onderspit dolven.

Niet lang daarna zette Charon ons af aan de overkant en voer weer terug het gewoel in. 'Volgens mij heb ik het niet slecht gedaan,' zei ik met een poging tot een glimlach. 'Dante viel toch flauw toen hij Charon ontmoette?'

Achter de oever van de Acheron doemde een berg voor ons op en Francesco ging voorop.

Eerst was het nog goed te doen, maar algauw werd het heel steil. We moesten met onze handen houvast zoeken in elke spleet die we konden vinden. Dat viel niet mee met mijn ontbrekende vingers en ik moest voortdurend de brandende pijl van mijn ene hand naar de andere verplaatsen wanneer ik van lichaamshouding veranderde. Hoe hoger we kwamen, hoe harder de klamme wind begon te waaien.

Francesco stelde voor om de pijl in Sigurðrs zwaardschede te steken. Dat leek me geen goed idee; ik wist zeker dat mijn bontvellen niet brandvertragend waren. Toch deed ik wat me werd gezegd. Ik voelde in mijn zij waar de vlammen flakkerden wel iets kietelen, maar mijn kleren vlogen niet in brand.

Menselijke gedaantes werden om ons heen in de storm meegevoerd, kronkelend als vissen die aan de haak zijn geslagen. Ik wist wie het waren: de zielen der wellustigen, in het aardse opgezweept door hun hartstocht en daarom verdoemd tot de hel. Ik dacht aan mijn pornocarrière en die leek me weinig goeds te voorspellen. Ik vroeg aan Francesco of ik ook zo zou eindigen.

'Jij hebt nooit hartstocht gekend,' riep Francesco terug, 'voordat je haar tegenkwam.'

Hij hoefde haar naam niet te noemen; we wisten allebei over wie hij het had.

Ik probeerde het gehuil te negeren, van de wind en van de mensen, en na verloop van tijd hadden we het ergste achter de rug. Toen ik eindelijk de rotswand kon loslaten, bleven mijn vingers krom staan als de scharen van een angstige kreeft.

We kwamen bij een pad dat naar beneden voerde en het werd al snel warmer. Ik hield mijn handen om de vlam van de pijl en mijn vingers werden minder verkrampt; zodra ik kon, ontdeed ik me van de buitenste bontvellen van mijn Vikingkleren. Met Sigurðrs advies in gedachten gooide ik ze niet weg.

Toen ik de bontvellen bij elkaar bond om ze mee te nemen, zag ik dat mijn geamputeerde vingers iets langere stompjes waren geworden en dat er ook wat haargroei was op mijn onderarmen waar de haarzakjes verbrand waren. Ik voelde aan mijn schedel en ook daar begonnen wat stoppels te groeien. Mijn littekens leken iets minder dik, iets minder rood. Ik liet mijn vingers talloze malen over mijn lichaam glijden, zoals een blinde een verhaal in braille uit zijn hoofd probeert te leren, maar opeens ontdekt dat de afloop is veranderd.

Probeer je, als het lukt, de emoties voor te stellen van een verbrande man die ontdekt dat zijn lichaam aan het herstellen is, of van een man die weer haar krijgt nadat hij zich erbij heeft neergelegd zijn leven lang eruit te zien als een kale grillworst. Opgetogen vertelde ik Francesco van mijn ontdekkingen.

'Vergeet niet waar je bent,' waarschuwde hij, 'en vergeet niet wie je bent.'

We kwamen bij de rand van het bos waar jammerende bomen oprezen uit brandend zand. Een zinderende hitte steeg op die alles vertekende, en de boomstammen leken te bewegen. Vogels vlogen rond en rukten aan de takken. 'Het Bos der Zelfmoordenaars,' zei Francesco.

Ik had al snel door dat de bomen geen echte bomen waren. De takken waren menselijke ledematen, die wild gesticuleerden en waar geen boomsap uit liep maar bloed. Gekwelde menselijke stemmen klonken uit de gaten die de vogels hadden opengerukt – wat geen vogels waren, kon ik nu zien, maar harpijen die leken op gieren met bleke vrouwengezichten en klauwen zo scherp als scheermessen. Telkens wanneer ze langsvlogen benam hun stank ons de adem.

'De bomen kunnen die stemmen alleen voortbrengen,' zei Francesco, 'wanneer de harpijen hun vlees in stukken hebben gereten en hun bloed vloeit. Zelfmoordenaars kunnen zich alleen uiten door wat ze te gronde richt.'

'*Quod me nutrit, me destruit*,' mompelde ik, te zachtjes voor Francesco.

Ik herinnerde me dat hij bewust de pest van zijn vrouw had ingeademd en zijn broer opdracht had gegeven een pijl door zijn hart te schieten. 'Ziet de hel er voor jou zo uit?'

'Het was mijn keuze om snel mijn onvermijdelijke dood te sterven, en die beslissing was uit liefde genomen, niet uit lafheid. Dat onderscheid moet je goed onthouden.' Hij zweeg even en zei toen: 'Hoewel dit niet mijn hiernamaals is, is er wel een reden dat ik hier je gids ben.'

Ik dacht dat hij nog meer zou vertellen, maar hij zei alleen dat we nog een heel lange weg te gaan hadden.

Mijn bovenlichaam was nu ontbloot en het ging steeds beter met mijn huid. We liepen weer door een bos en ik hoorde wat aanvankelijk leek op het gezoem van een drukke bijenkorf. Toen we dichterbij kwamen, besefte ik dat het een waterval aan de bosrand was. De stevige wind blies ons haar – het mijne groeide nog steeds – naar achteren.

De waterval stortte niet over een rotsrand omlaag, maar viel gewoon uit de lucht naar beneden en sneed voor ons dwars door de woestijnbodem heen. Francesco zei dat ik Sigurðrs zwaardschede in de waterval moest gooien, als gepast geschenk. *Waarom? Voor wie?*

Ik haalde de brandende pijl eruit en deed wat me was opgedragen. Ik zag de leren lus van de riem naar beneden vallen, even stuiten op het schuim waarna hij werd verzwolgen door de boosaardige mond onder aan de waterval.

Meteen daarna zag ik een donkere gestalte te voorschijn komen en onze kant op klimmen.

Het wezen bestond uit drie lichamen die samenwerkten vanuit één torso. Het had zes slungelige armen, waarvan de zes behaarde handen in de waterval staken op zoek naar steun. Het bewoog als een spin die in zijn web klom. Eerst dacht ik dat er een rotswand achter de waterval zat, maar toen het dichterbij kwam, kon ik zien dat zijn handen het water zelf beetpakten en de waterstralen vlocht tot een soort touw. Het had een scherpe staart waarmee het door de waterval sneed en hoewel het beest nog een aardig eindje weg was, deed zijn geur me al denken aan de hoopjes wegrottende eendagsvliegen op het strand.

'Geryon,' zei Francesco, 'was ooit koning van Spanje, maar is nu het monster van het bedrog. Hij is de bewaker van deze waterval en is degene die ons mee kan nemen de diepte in.'

Toen Geryon op onze hoogte was gekomen, zette hij zich met zijn zes poten tegen de waterstroom af en kwam met een prachtige zespuntslanding naast ons.

Hij was groot (zoals de meeste wezens in de hel lijken te zijn) en zijn torso was bedekt met glanzende schubben. Zijn drie hoofden staken bijna twee meter boven mij uit. Elk gezicht had dezelfde trekken: alle drie zaten ze onder de builen, hadden ze dikke lippen en rottende tanden, en ogen als zwarte parels in half geopende schelpen. Ondanks hun lelijkheid hadden die gezichten toch een onschuldige uitstraling. Alle drie de hoofden begonnen tegelijk te praten.

'Wat willen...'

'Wat komen jullie...'

'Hoe durven jullie...'

'... jullie?'

'... doen?'

'... mij te storen?'

'Wij willen naar de volgende kring,' antwoordde Francesco.

'Nee, dat...'

'Wij gaan jullie...'

'Die man...'

'... kan niet.'

'... niet helpen.'

'... is niet dood.'

'We vragen inderdaad veel van jullie, en deze man is inderdaad niet dood,' gaf Francesco toe. 'Maar hij is een vriend van Marianna Engel.'

Die naam scheen Geryon wel iets te zeggen en de drie hoofden begonnen onderling te mompelen. Uiteindelijk werd er gestemd – 'Ja.' 'Nee.' 'Ja.' – voordat ze besloten om ons mee te nemen. (Wie zou hebben gedacht dat het monster van het bedrog een democratie was?) Nu mochten we op zijn brede rug klimmen. Van Francesco moest ik als eerste gaan zitten. Hij fluisterde: 'Ik ga wel tussen jou en de staart in zitten. Die is giftig.'

Toen we allebei zaten, nam het beest een grote sprong van de klif naar de waterval. Terwijl we het water raakten, zag ik Geryon zijn handen diep in het water steken en de vloeistof beetpakken die als doorzichtige slangen door zijn vuisten gleed. Hoewel het niet meeviel om me goed vast te houden, merkte ik wel dat mijn armen sterker waren dan ze sinds mijn ongeluk waren geweest. Op een bepaald moment zeiden de drie hoofden: 'Niet...' 'zo...' 'knijpen.'

Toen we de bodem naderden riep Francesco boven het gebulder van het water uit dat ik me moest voorbereiden op het volgende niveau. Het zou, zei hij op een toon die me meteen op scherp zette, buitengewoon onaangenaam zijn.

We stegen af en Geryon verdween weer in de waterval. Ik keek hoe ver mijn genezing was gevorderd. Het grootste deel van mijn huid was zacht en het litteken van mijn pancreasoperatie dat mijn buik had gesierd, was verdwenen. Bijna al mijn haar was weer aangegroeid. Ik had weer volle lippen. Mijn verbrijzelde knie voelde weer sterk aan. Mijn geamputeerde vingers waren voor meer dan de helft terug en ik krabde ermee tussen mijn benen waar weer een penis te voorschijn kwam.

'We zijn nu in Maleboge, het oord van de Verleiders. In deze kring kan ik je niet beschermen,' waarschuwde Francesco.

Ik hoorde geluiden die klonken als geweerschoten en jammerende stemmen die dichterbij kwamen. Even later waren ze bij ons: een eindeloze rij mannen en vrouwen die werd voortgedreven door demonen met horens. De knallen bleken afkomstig van de vurige zwepen van de demonen, die ze met genadeloze precisie lieten neerkomen. De verleiders krompen angstig ineen om de slagen te ontwijken. Hun armen hingen slap omlaag en schoten alleen omhoog als een zweep doel trof. Misschien dat de verleiders ooit knap waren geweest, maar nu waren ze niet veel meer dan hompen rauwgebeukt vlees.

De vrouw die het dichtst bij me liep werd geraakt en er stroomde bloed uit haar mond. Toen ik een gesmoorde kreet slaakte, werd ze zich bewust van onze aanwezigheid. Ze keek op en ik zag dat het grootste deel van haar gezicht was weggevreten door maden. Haar rechteroog leek op een uitpuilend ei en het linker bungelde aan de oogzenuw. Ze knipoogde wellustig met haar ei-oog naar me en likte over haar lippen. Als straf werd ze door een stel demonen tegen de grond geslagen. Die bleven haar maar afranselen. De striemen op haar huid scheurden open tot ze bijna helemaal ontveld was. Uit holen in de grond kwamen tientallen slangen die zich als kettingen om een boeienkoning om haar heen wikkelden.

Toen de reptielen haar stevig hadden vastgebonden, verschenen er andere slangen uit de holen, met enorme tanden waar het gif vanaf droop, en die begonnen opgewonden over haar heen te kronkelen. Een cobra koos positie boven haar gezicht en stortte zich vervolgens op haar hals. Het bloed spatte over haar lichaam en elke druppel veranderde in een kleine vuurbal. Al snel was ze helemaal in vlammen gehuld en haar bolle oog zwol nog verder op tot het als een ballon uiteenspatte. Ze gilde tot haar stembanden waren weggeschroeid, en de slangen bleven de hele tijd om haar lichaam gekronkeld zitten. Haar vlees viel als bij een overgare kip van haar botten en haar skelet werd zichtbaar. Het gebeente werd eerst geel, daarna rood en ten slotte zwart waarna het uiteenviel op de grond. Zo verdween ze in het niets – behalve het deel dat voorheen haar ruggengraat was geweest.

Maar het was geen ruggengraat, het was een slang die me vanuit haar nest van as recht aankeek. Ze grijnsde gemeen naar me en siste: <code>EN JE KUNT ER NIETS TEGEN DOEN.</code>

De slang bleef me verlekkerd aanstaren, zelfs toen ze begon te trillen en er nieuwe ribben als vingers door strakgespannen plastic uit zijn flanken barstten. Vervolgens verschenen de botten van armen en benen. De as van de verbrande zondaar veranderde in menselijk weefsel, eerst werden de ingewanden gevormd en daarna een nieuw vaatstelsel. Uit de grond welde bloed op dat de bloedvaten vulde. Spieren kronkelden als klimop om een hek en uit de grond kwam huid op die zich als een deken over het spierstelsel plooide. Er groeide haar uit de schedel en in de oogkassen vormden zich nieuwe oogballen. De verleidster was gereconstrueerd, niet in de mismaakte vorm van eerder, maar zoals ze eruit moest hebben gezien toen ze nog leefde. Ze was een van de knapste vrouwen die ik ooit had gezien.

De bekoorlijke verschijning stond op en zette met uitgestrekte armen een stap in mijn richting. Pas nu zagen de demonen, die zich intussen met de andere verleiders hadden beziggehouden, dat haar wedergeboorte was voltooid en ze begonnen haar, voordat ze me kon bereiken, weer met hun zwepen te bewerken. Ze werd terug naar de colonne zondaars gejaagd en ik begreep nu hoe de cyclus werkte: ze zou weer tot moes worden geslagen, weer worden geketend door de slangen en weer worden verzwolgen door het vuur. Zo zou het eeuwig doorgaan, en hetzelfde gold voor de andere zondaars in de stoet.

Nu begreep ik waarom Francesco me voor deze kring had gewaarschuwd, want tijdens de wedergeboorte van de verleidster was het herstel van mijn lichaam voltooid. De lavastroom die mijn huid was geweest, was verdwenen en niets wees erop dat ik ooit was verbrand. Mijn lichaam was net zo perfect als in mijn beste dagen vóór het ongeluk; de enige onvolkomenheid was het litteken op mijn borst waarmee ik ter wereld was gekomen. Net als de verleidster was ik geheel in mijn vroegere glorie hersteld.

Ik probeerde me in te houden, maar ik zakte op mijn knieën en begon onbedaarlijk te huilen.

Tot op de dag van vandaag weet ik niet wat de ware oorzaak van mijn tranen was. Huilde ik omdat het lot van de verleidster zoveel op het mijne leek? Was het de opeenstapeling van gruwelen die ik in de drie kringen van de hel had moeten aanschouwen? Was het omdat ik het uiterlijk had teruggekregen dat ik voorgoed als verloren had beschouwd? Of kwam het omdat mijn lichaam in de echte wereld zo naar morfine snakte?

Ik weet het niet. Maar uiteindelijk bleef ik gewoon huilen van vreugde omdat mijn traanbuisjes weer functioneerden.

Francesco legde zachtjes zijn hand op mijn schouder. 'Daarginds ligt de Styx.'

Ondanks mijn desoriëntatie wist ik dat er iets niet klopte. Ik had het verhaal van *Inferno* tenslotte al in twee verschillende levens gehoord; ik wist dat we al eerder bij de Styx hadden moeten komen. Ik veegde de tranen uit mijn ogen en vroeg Francesco ernaar.

'Maar dit is jouw reis,' zei hij, 'niet die van Dante.'

We liepen naar de oever waar een boot snel dichterbij kwam, alsof onze komst al was voorzien. 'De veerman is Phlegyas, de zoon van Ares. Toen zijn dochter Coronis door Apollo was verkracht, stak Phlegyas de tempel van de god in brand. Apollo doodde hem met pijlen en legde hem deze straf op.'

Het opvallendst aan Phlegyas was de grote, hoekige steen die in een wankel evenwicht boven zijn hoofd zweefde en eruitzag alsof hij elk moment kon vallen. Phlegyas richtte dan ook voortdurend zijn gekwelde blik omhoog om de situatie in te schatten. Met elke duw van de veerman kwam het bootje dichterbij en de steen volgde hem, steeds in dezelfde dreigende positie. De huid van Phlegyas was vaalbleek geworden door het gebrek aan zonlicht; de aderen van zijn gezicht vormden een paars spinnenweb en zijn haar hing in dunne slierten omlaag. Magere armen staken uit zijn mantel, die in de loop der tijd de kleur van zweet had aangenomen. *Wie is deze man, die een pijl durft mee te brengen naar mijn oever?'*

De poging van Phlegyas om dreigend over te komen werd teniet gedaan doordat zijn aandacht voortdurend werd afgeleid door de steen boven zijn hoofd. Zelfs toen hij kwaad probeerde te kijken, blikte hij bij elke beweging van de steen angstig omhoog.

'Vergeef onze onwetende vriend,' zei Francesco, 'hij is nog jong en behoort nog tot de levenden.'

'Dat verklaart veel.' Phlegyas hield even nerveus zijn hoofd schuin naar links voordat hij het weer oprichtte.

'Wil je ons overzetten zodat hij zijn reis kan volbrengen?'

'Waarom zou ik? Hij is niet dood.'

Francesco wilde antwoord geven. 'Hij is een vriend van…'

'Marianne Engel.' Phlegyas onderbrak hem. *'Dat is voor mij van geen belang.'*

De veerman stak zijn stok in het water om zijn bootje te laten keren, maar Francesco riep: 'Er hangt veel af van jouw hulp, Phlegyas.'

Misschien nieuwsgierig geworden draaide Phlegyas zich om. *'En waarom dan wel?'*

'Als je Marianna kent, dan weet je dat dit een reis van liefde is.'

'Wat kan mij de liefde schelen?'

'Jij bent hier toch ook terechtgekomen door je liefde voor je dochter? Wil je dat een ander ook gedoemd wordt tot een eeuwig leven in de hel, terwijl hij daar niet thuishoort?'

Phlegyas toonde voor het eerst meer belangstelling voor mij dan voor de steen. *'Vertel over je liefde voor deze vrouw.'*

Ik antwoordde zo oprecht mogelijk. 'Dat kan ik niet.'

Phlegyas fronste zijn wenkbrauwen. *'Waarom zou ik je verzoek dan inwilligen?'*

'Iedereen die denkt dat hij kan omschrijven wat liefde is,' antwoordde ik, 'begrijpt er juist niets van.'

Dat antwoord leek afdoende voor Phlegyas, en hij liet ons aan boord komen zonder dat we voor de overtocht hoefden te betalen. Tijdens de oversteek waren mijn ogen voortdurend gericht op de drie vuurrode torens in de verte.

'Dis,' zei Francesco. 'De hoofdstad van de hel.'

We werden afgezet bij een reusachtig ijzeren hek dat werd bewaakt door de Opstandige Engelen, die ons met hun donkere, kille ogen doordringend aankeken. Ze waren naakt en geslachtloos en hadden een lichtgevende witte huid die was bezaaid met puisten; uit hun rug staken gesmolten vleugels en in plaats van een aureool hadden ze brandend haar.

De leider van de Opstandige Engelen kwam naar voren. **'JULLIE MOGEN ER NIET DOOR. HIJ IS NIET DOOD.'**

'Dat hoor ik wel vaker,' zei ik.

Francesco wierp me een boze blik toe voordat hij zich tot de leider richtte. 'Het feit dat hij leeft doet voor jullie niet ter zake. Die regels gelden niet bij deze poort, want het is zijn lot om hier naar binnen te gaan.'

'EN WIE IS HIJ DAN WEL?'

'Degene die tijdens zijn leven het Koninkrijk van de Dood betreedt,' antwoordde Francesco.

Maar het deed er niet toe wie hij zei dat ik was. Met veel gekrijs en misbaar wezen de engelen elk verzoek van Francesco af. Het was duidelijk dat mijn gids een barrière had bereikt waar hij ons niet met zoete woordjes langs kon praten.

We gingen een stukje verderop staan om te overleggen. Ik vroeg wat we nu moesten doen, en Francesco keek me aan alsof ik een wel heel stomme vraag had gesteld.

'We gaan bidden,' zei hij.

Toen ik zei dat ik nooit bad, wees hij me op strenge toon terecht. 'We zijn in de hel. Dan zou ik er nu maar mee beginnen.'

Francesco nam de brandende pijl uit mijn hand en stak hem met de punt in de grond, daarna haalde hij het gewaad van Sei van mijn middel en begon het aan stukken te scheuren. Hij wikkelde een lange baan stof om mijn hoofd tot ik niets meer kon zien. Toen het geluid van het wikkelen zich herhaalde, veronderstelde ik dat hij zijn eigen gezicht bedekte.

'We komen zo dingen tegen waar we niet naar mogen kijken,' zei hij. 'Hou zelfs onder je blinddoek je ogen stijf dicht.'

Het was de eerste keer in mijn leven dat ik bad en het voelde tegennatuurlijk, maar na alles wat Francesco voor me had gedaan, was het wel het minste wat ik voor hem kon doen. Ik hoorde Francesco in het Italiaans fluisteren terwijl hij God prees en Hem om bijstand vroeg. Ik bad om het einde van mijn ontwenningscrisis. En voor de veiligheid van Marianne, waar ze ook was.

Ik hoorde voetstappen naderen en geruis in de lucht. Het kwam dichterbij en dichterbij…

'Niet kijken,' beval Franceso. 'Ze hebben Medusa opgeroepen.'

Op dat moment wist ik wat de bron van het geluid was: het werd veroorzaakt door de tongen van de slangen in haar haar. Ze schoten in en uit om mijn geur op te nemen, het eerste levende vlees dat sinds tijden de hel bezocht, en daarna voelde ik een slangentong voorzichtig mijn wang likken. Vervolgens nog een, en nog een. Mijn herstelde huid kon elke aanraking weer registreren, en het was wel erg cynisch dat ik nu de zoenen van honderd slangen moest voelen. Ze probeerden met hun driehoekige kop de blinddoek omhoog te duwen zodat ik wel naar de Gorgo moest kijken, maar ik hield hem op zijn plek.

Het gezicht van Medusa was nu vlak bij het mijne en ze begon te sissen. Ik rook haar ranzige adem en in gedachten zag ik haar eigen slangentong voor me. *'Kijk. Kijk me aan. Je weet dat je het wilt. Dit iss maar een fantassie. Wil je weggaan zonder alless uit je droom te halen wat erin zit? Ik bevredig alleen maar je nieuwssgierigheid...'*

Ik wist wel beter. Als ik ooit een standbeeld zou worden, zou dat door de hand van Marianne Engel zijn en niet door de blik van een Gorgo.

De grond onder mijn voeten begon te trillen, als een kleine aardbeving. Ik voelde hoe de slangen in Medusa's haar zich terugtrokken. Het beven van de aarde werd krachtiger en even later trilde zelfs de lucht, alsof hij wilde opensplijten om iets nieuws toe te laten. Het ijzeren hek rond Dis rammelde alsof een wild dier uit zijn kooi wilde breken, en de Opstandige Engelen slaakten een paar jammerende kreten. Ik voelde Medusa terugdeinzen en ik hoorde haar voetstappen zich haastig verwijderen. Ik was bang dat het een list was en ik vroeg Francesco of ze echt weg was.

'Ik denk het wel, maar blijf waakzaam. Je kunt je blinddoek maar het beste omhouden.'

Ik hoorde de takken van dode bomen afbreken en ik moest hoesten door het stof dat van de grond opdwarrelde. 'Wat gebeurt er?'

'Ik heb gebeden om de komst van een Goddelijke Boodschapper,' antwoordde Francesco, 'maar ik betwijfel of de smeekbede van zo'n onwaardig mens als ik wordt verhoord.'

Hoewel Medusa nog steeds in de buurt kon zijn, kon ik het niet laten om mijn blinddoek af te doen. Hoe vaak krijgt een mens tenslotte de kans om een Goddelijke Boodschapper te zien? De hemel, die sinds onze binnenkomst onveranderd zwart was geweest, zag er nu uit alsof God per ongeluk zijn hemels palet had laten vallen zodat elke denkbare kleur in een schitterende stralenbundel neerdaalde. Op het uiteinde van de kleurenbundel bevond zich het mooiste wezen dat ik ooit had gezien, met gouden strepen achter zich aan.

Klaarblijkelijk kon ook Francesco, tegen zijn eigen goede raad in, de gelegenheid niet zonder te kijken aan zich voorbij laten gaan. Hij had zijn blinddoek afgedaan en probeerde niet rechtstreeks naar de boodschapper te kijken, alsof hij zo zijn eerbied wilde tonen, maar hij kon zichzelf niet bedwingen. Met ontzag in zijn stem zei hij: 'U bent overduidelijk gezegend.'

Ik was zo overdonderd dat ik het woord alleen maar kon herhalen. 'Gezegend.'

'Michaël,' fluisterde Francesco. 'De aartsengel.'

Michaël was ruim twee meter lang en zijn haar golfde als een blonde rivier achter hem aan. Uit zijn rug ontsproten twee onberispelijke vleugels met een spanwijdte van minstens vier meter, en hij zweefde alsof de wind alleen maar bestond om zijn perfecte lichaam te dragen. Zijn huid straalde als het felste zonlicht en zijn ogen waren grote, vurige bollen. Ondanks deze overeenkomst met Charon was het effect tegenovergesteld: bij de veerman gaven zijn ogen hem iets dreigends, maar bij Michaël lieten ze zijn gezicht zo stralen dat je hem niet rechtstreeks kon aankijken.

De aartsengel landde zachtjes voor de poort van Dis. De Opstandige Engelen durfden hem geen strobreed in de weg te leggen en weken uiteen. Overal om Michaël heen danste de lucht alsof zelfs die te bevreesd was om hem te beroeren. Ik zou de kleuren graag beschrijven, maar er zijn geen namen voor; ze vallen buiten het spectrum van het menselijk oog. Voor het eerst begreep ik hoe de wereld eruit moest zien voor kleurenblinde mensen, want op dat moment kreeg ik het gevoel dat ik altijd maar met een fractie van mijn mogelijkheden had gekeken.

De grond waarop Michaël stond was niet langer het askleurige stof van de hel, maar groener dan groen. De verkoolde bomen die met hun kale takken dreigend boven ons uit hadden getorend, zaten vol bladeren. Michaël hief met een onmogelijke elegantie zijn arm en onmiddellijk was alle vieze roest van de poort verdwenen. Hij streek met zijn vingers langs het ijzer en de poort zwaaide open. De aartsengel wendde zich tot ons. Francesco boog zijn hoofd en sloeg een kruis. Ik bleef hem gebiologeerd aankijken. Omdat ik in tegenstelling tot Francesco nooit de behoefte had gehad om een goddelijk wezen te zien, was ik ook niet bang voor de eventuele gevolgen als ik dat wel deed.

Michaël glimlachte.

Op dat moment besefte ik voor het eerst dat ik niet hallucineerde. Ik was echt in de hel, en ik stond echt tegenover een goddelijk wezen. Er was geen twijfel mogelijk, ik ben veel te veel mens om me zo'n glimlach te kunnen verbeelden. Het was als een zoen op mijn ergste zonden, die op hetzelfde moment vergeven waren.

Met een enkele vleugelslag verhief Michaël zich weer, draaiend als een plotselinge tornado die van de grond opstijgt. De kleurenpracht die hij had gebracht verdween meteen met hem. Het te groene gras werd weer vervangen door grauw stof. De bomen kwijnden weer weg. De poort was meteen weer verroest, maar hij bleef openstaan. De kleuren verdwenen als badwater door een afvoer, alleen bevond die zich in de hemel. Op de plek waar Michaël verdween, volgden de laatste kleuren hem door een kleine opening in het hemelgewelf van de hel.

Francesco zweeg enkele minuten verbluft, hervond zijn stem en zei: 'Je zult alleen door de poort moeten gaan.'

Ik gaf Francesco een hand. Het voelde als een ontoereikend gebaar, en ik zei tegen hem dat ik niet wist hoe ik hem ooit kon bedanken.

'Ik moet jou bedanken,' antwoordde Francesco. 'Ik heb deze taak niet alleen voor Marianna op me genomen, het was ook een terugbetaling.'

'Waarvoor?'

'Mijn vader was een boogschutter, Niccolò genaamd. Hij stierf toen hij in dienst was bij een Duitse condotta. Zijn vriend

Benedetto ontsnapte met behulp van twee Duitse boogschutters en hij bracht mijn vaders boog naar Florence.' Op dat moment nam Francesco mijn handen in de zijne. 'Die boog was mijn enige aandenken aan mijn vader.'

'Is mijn exemplaar van *Inferno* van jouw vader geweest?'

'Ja. Hij zou hebben gewild dat jij hem kreeg.' Francesco boog diep. '*Grazie.*'

De Opstandige Engelen durfden me niet tegen te houden toen ik door de poort liep. Ik wist dat ik de volgende moest zoeken: de Zesde Kring, het oord van de Ketters, bezaaid met graven en door vuur omringde graftombes. Maar op het moment dat ik door de poort liep, bevond ik me niet langer in Francesco's *Inferno*. In plaats daarvan stond ik op een klif die uitkeek over een oceaan. Toen ik omkeek, was de poort van Dis verdwenen.

Meeuwen scheerden blij krijsend over het water. Het gras was bedekt met frisse dauw en ik voelde elk sprietje aan mijn voetzolen kietelen. Ik was nu volledig naakt, mijn huid volkomen genezen; de kleren die ik had gedragen, waren verdwenen en de halsketting met de munt was weg. De zon kwam op en de bries gaf me verkoeling, ik voelde me springlevend.

Zo'n vijftig meter verderop stond een eenzame figuur bewegingloos op de klif, uitkijkend over de oceaan. Natuurlijk wist ik wie het was. Toen ik dichterbij kwam, zag ik dat ze halverwege de veertig was, maar in haar blik die op het water was gericht, lag iets veel ouders besloten. Haar haar was bijeengebonden op haar achterhoofd en ze hield de omslagdoek om haar schouders stevig vast op haar borst. Haar jurk was aan de randen gerafeld en er zat modder op haar laarzen. Ik zei haar naam: 'Vicky.'

'Ja.' Haar ogen bleven hun nautische taak vervullen.

'Zie je hem?'

'Ik zie hem overal.'

Ik keek naar de horizon. Er waren geen boten op het water. Alleen de uitgestrekte watermassa was te zien.

Ik vroeg zachtjes: 'Denk je dat Tom terugkomt?'

'Denk je dat ik daarom hier sta?'

'Ik weet het niet.'

Op haar achterhoofd liet een haarlok los. Ze duwde hem terug op zijn plaats. 'Natuurlijk sta ik daarom hier.'

De bries liet haar jurk langs haar benen strijken. Onder ons braken de golven op de rotsen. We spraken geruime tijd niet. Ik bedacht dat ik het eind van mijn helse reis naderde. *Dit is de laatste geest.* Daar stonden we op die eenzame post aan het eind van de wereld, allebei wachtend op iets waar we geen zeggenschap over hadden.

'Je hebt je brandende pijl niet meer,' zei Vicky ten slotte. Ze had gelijk. Ik had hem achtergelaten bij de poort van Dis, waar ik hem als een provisorisch altaar in de grond had gestoken. Misschien brandde hij nog steeds, als bewijs dat ik er was geweest. 'Het maakt niet uit. Je hebt hem hier niet nodig.'

'Wat moet ik nu doen?'

'Misschien moet jij nu ook alleen maar wachten.' Ze plantte de hakken van haar laarzen stevig in de grond en trok haar schouders op tegen de zeewind. 'Liefde is een daad die je eindeloos moet herhalen.'

Op dat moment kreeg ik een glimp te zien van de grote leegte van haar bestaan: ze zou daar echt voor altijd blijven wachten op de terugkeer van Tom. Voorzover ik kon zien had ze zelfs mijn naaktheid niet opgemerkt. Ik betwijfelde of ze iets anders in zich opnam dan alleen de belofte van de watervlakte die zich voor haar uitstrekte.

'Dit is niet mijn plek,' zei ik.

'Weet je het zeker?'

'Ik denk dat ik landinwaarts moet gaan.'

Haar blik bleef gevestigd op de oceaan. 'Veel succes.'

Ik begreep niet zo goed wat ze met die woorden bedoelde tot ik mijn eerste stappen zette. De grond trilde alsof er iets achter me gebeurde, onder me, overal om me heen. Ik vroeg me even af of Michaël was teruggekeerd, tot ik zag dat de rand van de klif begon te schuiven. Ik was bang dat hij onder me zou instorten en versnelde mijn pas. Een groot stuk rots brak af en ik rende zo snel als mijn benen me konden dragen. Toen ik over mijn schouder keek, verwachtte ik de klif achter me in zee te zien storten.

Maar de klif was niet ingestort. De rand vólgde me, steeds op dezelfde afstand, ondanks het feit dat ik rende. Ik voelde het bekende kronkelen in mijn ruggengraat. `IK BEN ER.`

Mijn eerste gedachte was dat ik rende zonder vooruit te komen, als in een soort tredmolen, maar dat was niet zo. Als ik zeg dat de rand van de klif me volgde, dan bedoel ik dat letterlijk. Het gesteente veranderde voortdurend van vorm bij het volgen, steeds in hetzelfde tempo zodat de rand steeds op dezelfde afstand bleef. Als ik van richting veranderde, draaide de klif mee als een goedgetrainde herdershond. `JE KUNT ER NIETS TEGEN DOEN.`

Ik bleef rennen tot ik niet meer kon, van de ene kant naar de andere, maar de klif was onverbiddelijk. Ik ontdekte dat het niet uitmaakt hoe snel je loopt als je nergens heen gaat. `JE KUNT NIET WEG.` Al snel ontdekte ik dat ik geen direct gevaar liep. Als de klif me had willen verzwelgen, had hij dat al eerder gedaan. Ik ging terug naar de plek waar Vicky stond.

'Ik heb ook een keer geprobeerd om weg te gaan,' zei ze, 'en toen volgde de klif me ook.'

'Blijf je daarom hier staan?'

'Nee.'

Ik keek over de rand omlaag naar de rotsen waarop een mens te pletter kon vallen.

'Als je springt,' fluisterde Vicky, alsof ze bezorgd was dat het gesteente onder onze voeten ons kon horen, 'raak je je nieuwe huid kwijt en keer je terug in je verbrande lichaam.'

'Maar dit is maar een hallucinatie. Dit is allemaal niet echt.'

Ze haalde haar schouders op. 'Heb je dat geleerd van de glimlach van de aartsengel?'

`SPRING NOU MAAR.`

Waarom wilde de slang dat ik sprong? Om me pijn te bezorgen. Dat was in het belang van de slang, want het mormel gedijde op mijn pijn. Ik raakte mijn huid aan op de plek waar ooit de zenuwuiteinden waren weggeschroeid.

Als ik spring, dacht ik, *raak ik dit weer kwijt. Ik raak mijn zenu- wen, mijn haar, mijn gezondheid en mijn schoonheid kwijt. Mijn pe- nis en mijn vingers zullen weer verdwijnen. Mijn gezicht wordt weer van verweerd graniet. Mijn lippen zullen verschrompelen en mijn stem zal weer raspen. Ik word opnieuw de gargouille, maar deze keer uit vrije wil.*

`JE BENT ALTIJD EEN GARGOUILLE GEWEEST, AL VOOR JE GEBOORTE GEBRANDMERKT IN DE HEL.`

Ik vroeg Vicky wat er zou gebeuren als ik op de klif bleef.

`IK BEN NIET NA HET ONGELUK IN JE RUG GEZET, IK HEB ER ALTIJD AL GEZETEN.`

'Ik denk,' antwoordde Vicky, 'dat Marianne Engel je dan komt halen.'

`ZE KOMT JE NIET HALEN.`

'Waarom denk je dat?'

'Soms overleeft de liefde zelfs de dood.'

`HOE ZOU ZE VAN IEMAND ALS JIJ KUNNEN HOUDEN?`

Ik keek naar de branding die uiteenspatte op de rotsen. `SPRING NOU MAAR.` *Misschien heeft Vicky gelijk. Misschien is dit om mijn geduld te beproeven.* `MAAK ER EEN EIND AAN.` *Marian- ne kwam bij me in het ziekenhuis toen ik haar het hardst nodig had, en ze zal ook nu weer komen. Toch?*

`MAAR DIT IS NIET EENS JOUW HEL. DIE VAN JOU MOET NOG KOMEN.`

De hel is een keuze.

`IK DACHT DAT JE NIET GELOOFDE IN DE HEL.`

'Vicky,' vroeg ik, 'ben ik dood?'

'Dat weet ik niet.'

'Ben jij dood?'

'Niet zolang ik op Tom blijf wachten.'

`IK BEN DE ENIGE DIE ECHT WEET WIE JE BENT.`

Het zonlicht flonkerde op de golven. De hele oceaan lag voor me.

`JE WILDE ALTIJD ZO GRAAG GELOVEN DAT WE ANDERS WA- REN...`

Ik keek omlaag en – ik kan niet uitleggen waarom ik er zo ze- ker van was – ik wist precies wat me te doen stond.

418

Een ongekende rust daalde over me neer. De angst gleed uit me weg en nam bezit van de slang. Omdat het kreng wist dat ik een beslissing had genomen die goed voor mij was, en dus slecht voor hem.

`JIJ BENT MIJ.`

Ik wendde me weer tot Vicky. 'Zal ik Marianne de groeten van je doen?'

'Graag.'

`DIT IS EEN VERGISSING.`

Mijn benen duwden me omhoog. Ik sprong in de richting van de zon en ik voelde de slang uit mijn lichaam scheuren. Ik vloog naar voren en hij kon me niet volgen. Hij verliet mijn lichaam heel toepasselijk via mijn kont, als een anker dat wordt uitgeworpen.

Er was een kort moment van gewichtloosheid; het evenwichtspunt tussen de lucht en het wachtende water. *Vreemd*, dacht ik, *het is net als het moment dat je in slaap valt en denkt te vallen, waarin alles zo prachtig onwerkelijk en ongrijpbaar is. Alsof je naar de volbrenging zweeft.* Boven aan de kromme was er even die perfecte gewichtloosheid. Op dat heerlijke moment zag ik mezelf al eeuwig door de lucht blijven zweven.

Maar zoals altijd won de zwaartekracht. Ik werd loodrecht naar beneden gezogen en sneed als een vallend mes door de lucht in de richting van het ruisende water. Al tijdens mijn val wist ik dat ik de juiste keuze had gemaakt. Ik deed mijn ogen dicht en dacht aan Marianne Engel.

Contact, het glinsterende water week uiteen om me te omhullen. Toen ik het oppervlak raakte, voelde het alsof ik thuiskwam en weer terug was bij Mari...

419

30

Toen ik mijn ogen opende, was haar gezicht boven het mijne. Ik was bedekt met vochtige doeken om de koorts te temperen. Ik lag weer in haar bed, in ons huis, en haar hand rustte op mijn wang. Ze zei dat het voorbij was en ik vertelde dat ik in de hel was geweest. Ze antwoordde dat het daar inderdaad veel van had weggehad en gaf me een kop thee. Het voelde alsof ik in jaren niet had gedronken. 'Hoe lang ben ik...'

'Drie dagen, maar niets is zo heilzaam als lijden. Het is een korte beproeving die eindigt in vreugde.' Typisch Marianne.

'Ik denk niet dat we het daar ooit over eens worden.'

Ze leidde mijn onvaste hand met het kopje erin. 'Hoe voel je je?'

'Als uit het vuur gerukt brandhout.'

Ze glimlachte. 'Zacharia 3:2.'

Ik ging mijn lichaam langs: mijn huid was weer gehavend; mijn gezicht voelde weer strak; mijn lippen waren weer verschrompeld; er ontbraken vingers; mijn knie voelde stijf; het haar op mijn onderarmen was verdwenen en op mijn hoofd restten slechts een paar plukjes.

Ik voelde zoals altijd aan mijn borst. Op de plek waar altijd mijn munt had gelegen, was nu niets, hoewel ik hem sinds ik hem bijna veertien maanden eerder van Marianne Engel had gekregen nooit had afgedaan.

'Je munt heeft zijn doel gediend,' zei ze.

Ik zocht tussen de lakens en onder het bed, maar mijn halsketting was spoorloos. Marianne had hem vast afgedaan tijdens

mijn ontwenningscrisis. Ik maakte mezelf wijs dat het puur toeval was geweest dat ze het had gedaan terwijl ik hallucineerde dat ik hem aan Charon gaf.
'Zit er maar niet over in,' zei ze. 'Je krijgt een betere van me.'

Ik voelde me beter dan ik me in tijden had gevoeld – zelfs beter dan vóór het ongeluk – simpelweg omdat mijn hersens niet langer gedrogeerd waren en mijn aderen niet meer door narcotica werden verstopt. Dat wil niet zeggen dat ik niet af en toe terugverlangde naar mijn drugs – daarvoor had ik te lang gebruikt – maar het was toch anders. Ik kon zonder; ik wilde ook zonder. Ik keek uit naar de sessies met Sayuri en boekte sneller vooruitgang.

Maar het beste was dat de slang echt was verdwenen.

Ik kon beter dan ooit sinds het ongeluk voor mezelf zorgen, en Marianne Engel wijdde zich weer aan het beeldhouwen. Ze ging verder waar ze was gebleven, meteen weer met dezelfde ongezonde heftigheid. Ik kon alleen maar haar asbakken legen en proberen om haar zo min mogelijk oploskoffie te laten eten. Ik zorgde voor schalen fruit die als stilleven eindigden, en als ze na de voltooiing op de daaropvolgende steen in slaap viel, waste ik haar lichaam. Ik hield mezelf voor dat als ze weer dreigde in te storten, ik alles zou doen – letterlijk alles – om haar tegen te houden. Dat was in elk geval mijn voornemen.

Tussen 19 en 21 februari haalde ze beeld nummer **16** uit de steen. Op de 22ste sliep en absorbeerde ze; de 23ste tot de 25ste leidden tot de vorming van nummer **15**. Toen nam ze een dagje rust en vervolgens werkte ze tot 1 maart aan nummer **14**. Je hoeft geen rekenwonder te zijn om te weten dat ze over de helft van haar laatste zevenentwintig harten was: nog dertien harten en dan was ze klaar. Nog dertien harten tot het moment waarop ze dacht te sterven.

Haar verwoede beeldhouwen liet zelfs Bougatsa niet onberoerd, zijn gebruikelijke levendigheid was verdwenen. Als we terugkwamen van onze dagelijkse wandelingen, stortte hij zich op zijn etensbak om vervolgens lusteloos op mijn orthopedische schoenen te gaan liggen kwijlen.

Begin maart moest ik voor controle naar dokter Edwards. We bespraken mijn vorderingen en de kleine operatie die aan het eind van de maand zou plaatsvinden. Ze leek oprecht verheugd. 'Je bent intussen ruim een jaar uit het ziekenhuis en het gaat fantastisch.'

Ik vertelde maar niet dat Marianne zich op datzelfde moment languit op een nieuwe steen lag voor te bereiden op het volgende beeld. Geluksnummer 13 wachtte.

'Dat toont maar weer eens aan,' vervolgde Nan, 'hoe je er als arts naast kunt zitten. Er was een moment dat ik ervan overtuigd was dat je het bijltje erbij neer wilde gooien, en vervolgens werd je een van onze meest gemotiveerde patiënten. En toen je hier wegging, was ik ervan overtuigd dat Marianne Engel niet in staat zou zijn om je te verzorgen.'

Marianne Engel liet de beelden nummer 13, 12, en 11 het levenslicht zien (een oude vrouw met ezelsoren, een duivel met hoorntjes en een uit zijn bek hangende tong, en een leeuwenkop met olifantenslagtanden), waarbij ze tussen de sessies slechts een paar uur pauzeerde. De kilo's die er sinds kerst bij waren gekomen, waren weer verdwenen en ze begon ook weer onsamenhangend te praten. Rond 20 maart was beeld nummer 10 af.

Ik zou de 26ste in het ziekenhuis worden opgenomen, maar voor die tijd moest ik beslissen wat ik met Bougatsa zou doen. Ik betwijfelde niet alleen of Marianne wel voor hem kon zorgen, aangezien ze al nauwelijks voor zichzelf kon zorgen, maar de hond begon, misschien uit een vreemd soort solidariteit, ook steeds magerder te worden. Ik vroeg me af of ik haar uit de kelder kon lokken door op haar schuldgevoel in te spelen, en ik besloot een poging te wagen.

Ze gunde me net even de tijd om haar uit te leggen dat als ze het beeldhouwen belangrijker vond dan Bougatsa's welzijn, ik hem naar een kennel zou moeten brengen. (Dat was niet alleen maar een onderhandelingstactiek, het was ook gewoon de waarheid.) Marianne keek mij aan en vervolgens naar Bougatsa, en haalde haar schouders op. Daarna ging ze verder met beeld nummer 9.

Er lag een grote hoop stront op de vloer. Die was niet van mij.

In alle tijd dat ik in het fort woonde, had Bougatsa nog nooit zijn behoefte binnenshuis gedaan. Ik zou liever niet uitweiden over de details van de hoop, maar er waren twee dingen die opvielen. Ten eerste was hij meer vloeibaar dan vast. Daarnaast zaten er plantenresten in.

De enige plant in huis was het exemplaar dat Jack had meegebracht. (Misschien waren er vóór mijn tijd andere geweest, maar waren die het slachtoffer geworden van Mariannes verwaarlozing tijdens haar beeldhouwsessies.) Toen ik hem bekeek, zag ik al snel dat Bougatsa zich tegoed had gedaan aan de bladeren. De meeste waren verdwenen en de resterende vertoonden tandafdrukken.

Ik ging op zoek naar de hond en ik vond hem languit liggend in de werkkamer, moeizaam ademend. Toen ik hem aaide, kwamen er plukken haar mee. Zijn ribbenkast duidde op ernstige ondervoeding, en daar schrok ik van: niet alleen omdat hij zo mager was, maar vooral omdat ik niet begreep wat de oorzaak kon zijn. De afgelopen weken had Bougatsa veel meer gegeten dan normaal, sterker nog, hij kon wel blijven eten.

Ik ging naar het atelier om Marianne Engel te vertellen dat haar hond ernstig ziek was, ik wilde dat ze uit schaamte mee zou gaan naar de dierenarts. Maar die opzet mislukte. Ze stond over een creatie gebogen wiens ogen leken te waarschuwen dat je maar beter uit de buurt kon blijven. Desondanks zei ik: 'Er is iets met Bougatsa. Hij is ziek.'

Ze keek me aan alsof ze ergens in het vertrek een mysterieuze stem had gehoord. Een van haar polsen bloedde op de plek waar ze was uitgeschoten met haar beitel en op haar voorhoofd zaten rode vegen.

'Wat?'

'Je bloedt.'

'Ik ben een doornenprik in het hoofd van Christus.'

'Nee,' zei ik wijzend, 'uit je pols.'

'O.' Ze keek en er liep wat bloed in haar handpalm. 'Het is net een roos.'

'Heb je me gehoord? Bougatsa is ziek.'

Ze probeerde een plakkerige en stoffige haarlok van haar borst te plukken, maar het lukte haar niet om de afstand goed in te schatten, dus bleef ze misgrijpen. 'Dan moet je met hem naar het ziekenhuis.'

'De dierenarts, bedoel je.'

'Ja.' Er vielen druppels bloed op het steengruis rond haar voeten. 'De dierenarts.'

'Laat me eens kijken.' Ik stak mijn hand uit naar haar pols.

Marianne Engel hief met een plotseling angstige blik haar beitel naar me op. Ze had me pas één keer eerder bedreigd, toen ze in het belfort de pot oploskoffie naar me had gegooid. Op dat moment wist ik dat ze me niet wilde raken, maar ik zag dat als ze nu zou uithalen, het menens zou zijn. Ze keek alsof ze niet wist waar ze was en wie ik was; ze keek alsof ze alles zou doen om te kunnen doorgaan met haar werk.

Ik deed een stap naar achteren en hield mijn handen omhoog om aan te geven dat ik geen kwaad in de zin had. 'Hij is jouw hond, Marianne. Wil je niet met ons meegaan? Met mij en jouw hond Bougatsa?'

Die naam leek een herinnering op te roepen. Ze ontspande haar strakke schouders en ademde uit. Maar het belangrijkste was dat ze haar beitel liet zakken en de angst uit haar ogen verdween.

'Nee.'

Er klonk geen woede in haar stem, maar ook geen verontschuldiging. Haar stem was vlak en hol, zonder enige emotie, alsof haar woorden geen nieuwe geluiden waren, maar echo's.

Tegen de tijd dat ik mijn voet op de onderste tree van de trap zette, was al haar aandacht alweer gericht op de steen waaraan ze bezig was.

De dierenarts was een mollige vrouw die Cheryl heette. Ze had rood haar en lichte ogen, waarschijnlijk was ze van Ierse komaf. Een van de eerste dingen die ze vroeg, was waarom ik er zo uitzag, iets wat ik veel liever heb dan dat mensen proberen te doen alsof ik er heel gewoon uitzie. 'Auto-ongeluk.'

'Aha. Wanneer merkte je dat er iets mis was met,' ze keek op het formulier dat de receptioniste had ingevuld, 'Bougatsa? Een soort van Grieks pasteitje, toch?'

'Ja. Dezelfde kleur. Ik vond vanmorgen een hoop diarree, en volgens mij heeft hij bladeren gegeten.'

'Aha.' Cheryl knikte. 'Is zijn vacht altijd zo? Alle glans is eruit.'

'Klopt,' antwoordde ik, 'en hij voelt ook vettiger dan anders. Hij is al een tijdje niet in zijn normale doen, maar vanmorgen was het opeens een stuk erger. Hij is ook magerder geworden.'

Ze vroeg of hij lusteloos was, wat ik bevestigde. Daarna deed ze een paar kleine tests waarbij ze met een lampje in zijn ogen en bek scheen, die Bougatsa zachtjes jammerend onderging. Ik vroeg of ze wist wat het zou kunnen zijn.

'Is dit deel gevoelig?' vroeg ze terwijl ze op zijn buik duwde, waarna ze haar vraag zelf beantwoorde. 'Hij lijkt het niet echt vervelend te vinden. Zat er onverteerd vet in zijn ontlasting?'

Wie – behalve een dierenarts – weet hoe onverteerd vet in hondenpoep eruitziet? Ik zei dat ik was vergeten om de boel voor onze komst te analyseren, dus dat ik dat niet met zekerheid kon zeggen. Cheryl keek me fronsend aan waarna ze Boogies staart omhooghield om zijn anus te bekijken. 'Heeft hij van zijn eigen ontlasting gegeten?'

'Godsamme.' Cheryl verwachtte veel meer van mijn observatievermogen dan ik redelijk achtte. 'Ik weet het niet. Het zou kunnen.'

'Ik weet pas zeker wat er aan de hand is als ik nog een paar on-derzoekjes heb gedaan. Vind je het goed als ik hem een paar da-gen hier hou?'

Het was niet het moment om te gaan uitleggen dat Bougatsa niet mijn hond was, dus tekende ik de benodigde papieren alsof dat wel het geval was. Toen ik vroeg of die onderzoekjes pijnlijk waren, keek het lieve mens beledigd. 'We doen hier geen dieren pijn.'

Ik zei tegen de hond dat hij braaf tegen dokter Cheryl moest zijn en hij likte mijn hand. Sommige mensen denken dat dat een teken van genegenheid is, maar volgens mij doen ze het alleen maar voor het zout.

Toen ik een paar dagen later belde, had Cheryl de oorzaak van Bougatsa's problemen nog steeds niet gevonden, maar ze verze-kerde me dat het niet lang meer zou duren. Ze klonk veront-schuldigend, maar eerlijk gezegd was dit waarop ik had gehoopt.

De dierenkliniek was een prima onderkomen terwijl ik in het ziekenhuis lag, dus legde ik de situatie uit en vroeg of Bougatsa kon blijven tot ik uit het ziekenhuis kwam. Ze zei dat het geen enkel probleem was en dat ze hem dan in elk geval grondig kon onderzoeken.

Nu was alleen Marianne Engel nog een probleem. Ik wilde haar niet alleen thuis laten, maar ze was een volwassen vrouw en ik zou maar één nachtje in het ziekenhuis moeten blijven, hoog-uit twee. Als ze in haar normale tempo doorwerkte, zou ze de hele tijd bezig zijn met beeldhouwen. Als ik thuis was, zou ze me toch alleen maar negeren.

Direct na mijn opname kwamen alle bekende gezichten langs. Zowel Connie (haar dienst zat erop) als Beth (haar dienst begon) kwam even gedag zeggen. Nan was er ook en na een tijdje kwamen Sayuri en Gregor, op gepaste afstand van elkaar blij-vend en alleen maar stiekem handjes vasthoudend als ze dachten dat er niemand keek. Toen ik zei dat Maddy de enige was die ontbrak, vertelde Beth dat ze kort daarvoor was getrouwd en naar elders was verhuisd. Ik veronderstelde haast automatisch dat haar echtgenoot een of andere 'slechterik' zou zijn – misschien een Hell's Angel of bedrijfsjurist – maar tot mijn verbazing bleek hij archeologie te hebben gestudeerd en was Maddy met hem mee naar een opgraving aan de kust van Sumatra.

Iedereen vroeg naar Marianne, en ik praatte er maar een beetje omheen. Ik zei dat ze een strakke deadline voor een beeld had, het leek me niet zinvol om te vertellen dat haar Drie Meesters haar werkschema bepaalden. Iedereen knikte, maar ik zag dat in elk geval Sayuri mijn verhaal niet geloofde. Ik durfde haar niet recht aan te kijken, en dat zorgde er helaas voor dat ook Gregor argwaan kreeg.

Toen alleen Nan en ik over waren, vroeg ik haar – mijn operatie was pas over een paar uur – of ze zin had om een stukje over het ziekenhuisterrein te wandelen. Ze bekeek haar rooster, pieper en gsm, en belde de zusterpost voordat ze eindelijk ja zei. Halverwege onze wandeling stak ze zelfs haar arm in de mijne en wees naar een stel wolken die haar aan een school zeepaardjes deden denken. Ik trakteerde haar op een hotdog en we keken op een bankje naar de voorbijgangers. Nan kreeg een mosterdvlek op haar blouse die haar volgens mij prima stond.

Ik telde af toen het masker op mijn mond werd gezet. Ik was intussen aardig thuis op narcosegebied en wist dat ik over een paar uur weer zou bijkomen. Ongetwijfeld zou ik last hebben van napijn, maar pijn was iets wat ik gewend was en ik had genoeg operaties ondergaan om te weten dat het wel weer goed zou komen. Voorzover dat mogelijk was.

Alleen ging het dit keer anders. Het was een routine-ingreep, maar er waren complicaties. Sepsis. Zulke complicaties komen vaker voor bij brandwondenpatiënten, zelfs bij mensen die al zo ver hersteld zijn als ik, maar gelukkig was het geen ernstige infectie en zou mijn lichaam – intussen veel sterker door het vele oefenen – in staat zijn om het een en ander het hoofd te bieden. Desondanks moest ik in het ziekenhuis blijven tot het over was.

Sayuri en Gregor waren ongelooflijk behulpzaam. Zij belde Cheryl zodat Bougatsa daar langer kon blijven, en Gregor zou Marianne Engel op de hoogte brengen van mijn toestand. Hij besloot naar het fort te rijden zodat hij het haar persoonlijk kon vertellen, aangezien ze de telefoon niet opnam. Ik waarschuwde hem dat er een goede kans was dat ze niet zou opendoen, en ik kreeg gelijk. Na tien minuten op de deur bonzen gaf hij het op, hoewel hij uit het atelier keihard Bessie Smith hoorde schallen.

Jack had reservesleutels, dus belde ik haar om te vragen of zij even bij Marianne kon gaan kijken en ervoor kon zorgen dat ze wat at. Jack verzekerde me dat ze dat zou doen en ze vroeg zelfs of ik nog iets nodig had. Dat was niet het geval, ik was intussen zo vaak naar het ziekenhuis geweest dat ik zelfs voor de kleinste operaties van alles (schone pyjama, toiletspullen, boeken, enzovoort) meenam.

Toen ik dat allemaal had geregeld, kon ik alleen maar in bed blijven liggen (dat overigens niet meer als de ribbenkast van een skelet aanvoelde) en beter worden. Gregor kwam elke avond met nieuwe boeken en één keertje smokkelde hij zelfs een paar biertjes mee. Omdat, zo vertelde hij met glimmende oogjes, hij best een beetje rebels was. Iets wat ik zo overtuigend mogelijk beaamde.

Na een week mocht ik naar huis en Gregor nam een uurtje vrij om me te brengen. Toen we bij het fort kwamen, was het er doodstil. Normaal gesproken hoefde dat niets te betekenen – misschien was Marianne een stukje wandelen of was ze zich aan het voorbereiden op een nieuwe steen – maar ik had een slecht voorgevoel. Ik nam niet eens de moeite om in haar slaapkamer te kijken, ik ging rechtstreeks naar het atelier.

Hoewel ik al maanden met haar samenwoonde, was ik niet voorbereid op wat ik daar aantrof. Ten eerste stonden er drie nieuwe, voltooide beelden: nummer **8**, **7** en **6**. Omdat ik maar een week weg was geweest en ze doorgaans meer dan zeventig uur over één beeld deed, moest ze aan één stuk door hebben gewerkt, en nog sneller dan normaal, iets wat ik me nauwelijks kon voorstellen.

Marianne was niet aan het werk en ze lag niet te slapen op een nieuwe steen. Ze zat tussen haar drie nieuwe grotesken, overdekt met stof dat de botten van haar uitgemergelde lichaam benadrukte. Ze was al mager toen ik naar het ziekenhuis ging, maar nu was het nog erger. Waarschijnlijk had ze sinds ik haar voor het laatst zag niets meer gegeten. Elke moeizame ademtocht was een kleine overwinning en haar anders zo stralende huid zag eruit alsof ze met oude paraffine was ingesmeerd. Haar gezicht was een skeletversie van wat het voorheen was geweest, met diepe, donkere kringen onder haar ogen. Het middeleeuwse kruis dat op haar buik was getatoeëerd, was overdekt met bloed dat uit een stel diepe sneden op haar borst drupte. Haar breekbare vingers, die leken op die van een oud vrouwtje, omklemden een besmeurde beitel.

Dwars over het brandende hart op haar linkerborst had Marianne Engel mijn naam diep in haar huid gekerfd.

Ik weet zeker dat Gregor Hnatiuk een goede arts is, maar zijn werk bestaat grotendeels uit het praten met mensen, proberen te doorgronden wat er met ze aan de hand is en misschien wat medicijnen voorschrijven. Hij was niet voorbereid op wat Marianne Engel had gedaan. Hij leek het niet te kunnen geloven, misschien deels omdat ze al zo lang geen patiënt meer was en was uitgegroeid tot een goede vriendin. Hij was niet in staat om afstand te nemen en bleef met zijn ogen knipperen alsof hij probeerde de op hol geslagen gyroscoop in zijn hersenen opnieuw in te stellen, telkens als hij zijn ogen opendeed weer verbaasd dat er niets was veranderd.

Marianne keek me met een euforische blik aan, haar ogen vol tranen, niet van pijn maar van vreugde. Haar gezicht was een en al wezenloze verbazing, alsof ze iets had gezien wat zo mooi was dat het met geen pen kon worden beschreven.

'God heeft een intens vuur naar mijn ziel gestuurd.' Haar stem beefde van vreugde terwijl het bloed nog steeds uit de letters van mijn naam op haar borst vloeide. 'In mijn hart brandde pure liefde, ik voelde nauwelijks pijn.'

Ondanks zijn schrik was Gregor de eerste die zich herstelde

en hij rende naar boven om een ziekenwagen te bellen. Terwijl hij weg was, probeerde ik Marianne zo ver te krijgen dat ze rustig ging liggen, maar ze bleef maar praten. 'Wat door het vuur zal gaan, zal rein worden.' Ze staarde me met een verwilderde blik aan, alsof ze wachtte op een bevestiging. 'Het water der reiniging zal ontzondigen.'

Gregor kwam terug met een deken om haar bevende lichaam te bedekken. Terwijl we die om haar heen sloegen, probeerde hij haar gerust te stellen. 'Er is hulp onderweg, alles komt goed. Ontspan je nu maar.'

Marianne Engel sloeg geen acht op zijn woorden. 'De Heer is een verterend vuur.' Toen tien minuten later de ambulanceverpleegkundigen arriveerden, een man en een vrouw, was ze nog steeds bezig. 'Dat wat niet door het vuur kan gaan, zal door het water gaan.'

De vrouw vroeg of Marianne ooit verdovende middelen had gebruikt en ik verzekerde haar dat dat niet het geval was, maar ik weet niet of ze me geloofde.

'Het zwerk deed de duider horen,' zei Marianne terwijl ze haar lichaamsfuncties controleerden, en het leek alsof ze ze probeerde te overtuigen. 'De pijlen vlogen rond.'

Het ambulancepersoneel snoerde Marianne vast op een brancard en droegen haar naar boven. Ik mocht meerijden in de ambulance en Gregor volgde in zijn eigen auto. Ik hield haar hand vast terwijl ze een infuus in haar arm kreeg. 'Toen de rots werd geopend,' brabbelde ze, 'vloeide het water.'

Vlak daarna begon de verdoving te werken. Ze raakte buiten bewustzijn en ik vertelde over haar medische achtergrond – voorzover ik die tenminste kende – zodat het ziekenhuis kon worden ingeseind. We kwamen aan bij de spoedeisende hulp, waar we werden opgewacht door twee artsen en de dienstdoende psychiater. Gregor regelde de opname en ik bleef haar hand vasthouden en kalmerend op haar inpraten. Ik vertelde haar alles wat ik haar wilde zeggen, maar wat ik nooit durfde als ze het bewust kon horen.

Toen ik eindelijk terugkwam bij de dierenarts, moest ik van Cheryl even gaan zitten. 'Weet je wat pancreasinsufficiëntie is?' Ik zei van wel, als het tenminste net zoiets was als pancreatitis bij mensen. 'Honden kunnen ook pancreatitis krijgen, maar dat is niet wat Bougatsa heeft. Pancreasinsufficiëntie komt regelmatig voor bij grotere honden zoals Duitse herders, en de symptomen komen snel op, wat ook hier lijkt te zijn gebeurd. Simpel gezegd kan hij zijn voedsel niet tot kleinere deeltjes afbreken omdat hij de benodigde enzymen mist. Daardoor neemt hij geen voedingsstoffen op en heeft hij voortdurend honger. Hij heeft zoveel gegeten als hij maar kon, zelfs planten, om in zijn voedselbehoefte te voorzien, maar hoeveel hij ook eet, hij krijgt niet genoeg binnen. Hij was bezig te verhongeren.

Maar dat is het slechte nieuws,' vervolgde ze. 'Het goede nieuws is dat je er op tijd bij was en dat het goed te behandelen is met een speciaal dieet. Hij is binnen de kortste keren weer de oude.'

Ik had durven zweren dat er een glinstering in Bougatsa's ogen kwam toen hij me het hondenverblijf zag binnen komen, maar waarschijnlijk kwam het omdat Cheryl hem eindelijk iets te eten had gegeven wat hij kon verteren.

De artsen zeiden tegen Marianne Engel dat ze alleen haar uitputtingsverschijnselen behandelden, maar in werkelijkheid hielden ze ook haar psychische toestand nauwlettend in de gaten. Gregor ging regelmatig bij haar langs, maar zijn bezoekjes waren meer ingegeven door vriendschap dan door beroepsmatige interesse. Vanwege deze persoonlijke betrokkenheid werd ze behandeld door een andere psychiater.

Ik kwam elke dag langs en ik mocht van de artsen zelfs Bougatsa een keertje meenemen. Ze noemden het hondentherapie. Marianne zat buiten op een bankje in de zon en aaide hem. Ze leek geschrokken van zijn magere lijf, alsof ze zich niet herinnerde dat zijn ziekte zich voor haar ogen had ontwikkeld. De hond vergaf haar dat ze het had laten afweten toen hij haar zo hard nodig had. Honden zijn nu eenmaal dom.

Toen ze aan het eind van de week het ziekenhuis verliet, was dat sterk tegen de zin van haar arts. Ik had ook mijn bedenkingen: de meeste schade die ze zichzelf had berokkend, was veroorzaakt door veronachtzaming van haar eigen lichaam. Het was een vreselijke gedachte dat ze bewust mijn naam in haar borst had gekerfd; ik had haar niet alleen verwaarloosd, ik was ook nog eens de oorzaak van haar pijn. Omdat ze lichamelijk was hersteld, konden ze haar niet zonder gerechtelijk bevel in het ziekenhuis houden en, wat ik ook zei, ik kon haar niet overhalen om nog een paar dagen te blijven. Toen we thuiskwamen, rende Bougatsa het hele huis door, waarbij hij de plant omgooide waarvan hij een paar weken eerder nog had gegeten.

Marianne Engel was pas twee dagen thuis toen ze haar kleren uittrok om weer aan een nieuwe steen te beginnen. Ze haalde ook het verband van haar borst af. 'Met dit op mijn lijf kan ik niet communiceren.'

Ik was niet van plan haar opnieuw haar gang te laten gaan. Ik had haar al twee keer zien instorten. Ik zou het geen derde keer laten afweten; ik zou niet toelaten dat de letters van mijn naam gingen ontsteken.

Wat volgde kon niet echt een woordenwisseling worden genoemd – daarbij is sprake van twee tegengestelde meningen. Hierbij was alleen ik aan het woord. Ik praatte zachtjes; ik schreeuwde; ik praatte vleiend; ik dreigde; ik smeekte; ik eiste; ik sprak vanuit mijn verstand; ik sprak vanuit mijn gevoel; ik sprak woord na woord na woord na woord wat zij volledig negeerde. Ze gaf steeds weer hetzelfde antwoord: 'Nog maar vijf beelden te gaan. Ik rust wel als ze klaar zijn.'

Aangezien ik haar niet op andere gedachten kon brengen – logica staat machteloos tegenover een obsessie – moest ik haar op een andere manier in bescherming nemen. Ik besloot bij Jack langs te gaan, ondanks het feit dat ze haar belofte had verbroken om Marianne in de gaten te houden toen ik in het ziekenhuis lag. Toen ik de galerie binnen kwam, zag ik een trio bekende grotesken en aan de muur erachter hing een foto van een gezonde Marianne Engel. Met een beitel in de hand en haar haar kunstzinnig in de war leunde ze tegen een van haar vroege scheppingen. Het onderschrift bij de foto repte met geen woord over haar geestestoestand: *In tegenstelling tot moderne beeldhouwers weigert deze plaatselijke kunstenares met internationale faam gebruik te maken van pneumatisch gereedschap. Ze geeft er de voorkeur aan om volgens de middeleeuwse tradities te werken...*

Een jong stel drentelde rond een van de grotere stukken, waarbij ze hun vingers over de rondingen lieten gaan. Ze praatten over het 'fantastische tactiele karakter' – maar waar moesten ze het neerzetten? Niets is zo weerzinwekkend als een stel welgestelde dertigers over kunst horen praten. Jack, die handel rook, probeerde gewoon langs me te lopen met haar hand afwerend opgestoken: 'Ik kom zo bij je.'

'Waarom heb je haar in de steek gelaten?' vroeg ik. Voor één keertje was ik blij met mijn raspende stem – mijn vraag klonk er extra verwijtend door.

Jack hield meteen in en trok me mee naar een nis voor een gloedvol betoog waarin ze mijn aantijging probeerde te weerleggen. De manier waarop ze praatte deed me aan een op hol geslagen trein denken: haar woorden waren als voortrazende wagons die dreigden te ontsporen om aan het eind van elke zin in een verwrongen puinhoop te eindigen. Ze vertelde dat ze tijdens mijn verblijf in het ziekenhuis elke avond naar het fort was gegaan en zich een weg naar binnen had moeten banen langs de tegen de voordeur opgestapelde meubels. Eenmaal binnen had ze zich tussen Marianne en haar beelden geposteerd en had geweigerd om een voet te verzetten voordat ze op zijn minst wat fruit had gegeten.

'Jullie hebben haar toch halverwege de middag gevonden, hè?' Jack doelde op het tijdstip dat Gregor en ik bij het fort waren aangekomen. 'Ik moet werken voor de kost, weet je. Ik ben niet zoals jij – ik betaal zelf mijn rekeningen. Ik kan de galerie niet sluiten om mijn tijd bij haar te verdoen. En als je had gebeld, was ik meteen naar het ziekenhuis gekomen. Maar nee, hoor…'

We ruzieden over wie verantwoordelijk was voor wat, tot het jonge stel ons niet langer kon negeren. Ik keek ze zo angstaanjagend mogelijk aan met mijn 'bemoei je met je eigen zaken'-blik.

Jack greep de gelegenheid aan om me erop te wijzen dat haar klanten voor het geld van mijn levensonderhoud zorgden. Ik wierp tegen dat haar klanten ook voor haar inkomsten zorgden omdat ze meeliftte op het talent van Marianne. 'Je zult wel dolblij zijn dat ze alweer aan het beeldhouwen is.'

Meteen verdween alle woede van Jacks gezicht om plaats te maken voor oprechte verbazing. 'Ze is wat?'

Ik kon niet doorgaan met mijn beschuldigingen. Toen ik het bevestigde, was duidelijk dat Jack echt bezorgd was. 'Ze heeft die manische buien nooit eerder zo kort achter elkaar gehad. Misschien één keer per jaar. Twee in een slecht jaar.'

Op dat moment haatte ik Jack omdat ze Marianne Engel al twintig jaar kende. Een vreselijk soort haat, omdat die gebaseerd was op jaloezie, maar het was ook iets waar ik me overheen moest zetten. Jacks ervaring was onmisbaar, dus verzachtte ik mijn toon. 'Wat moet ik nu doen?'

'Ik weet het niet.' Ze draaide het bordje OPEN om naar GESLOTEN en dirigeerde de aanwezige klanten de deur uit. Ik volgde haar de galerie uit. 'Maar we moeten wel iets doen.'

Jack kende een advocaat die gespecialiseerd was in gedwongen ziekenhuisopnames. Niet zo gek na al die jaren met psychiatrische patiënten in haar omgeving – eerst haar moeder, daarna Marianne.

Clancy McRand was een oude man achter een groot houten bureau met een computer erop die volgeplakt was met kleine gele post-it-plakkertjes. Hij trok voortdurend de panden van zijn colbertje omlaag, alsof hij daarna in staat zou zijn om het dicht te knopen over een buik waarvan hij weigerde toe te geven dat die al zo omvangrijk was. McRand schraapte veelvuldig zijn keel, hoewel ik het meeste aan het woord was. Hij noteerde de gegevens op een groot, geel notitieblok en Jack vulde de dingen aan die ik niet wist. Hij leek al flink wat te weten over Marianne, gezien het dikke dossier dat hij bij onze komst uit de kast haalde. Het was duidelijk dat Jack al eerder van zijn diensten gebruik had gemaakt, misschien bij het regelen van het curatorschap.

Toen we hem alles hadden verteld wat mogelijk relevant was, zei hij dat het waarschijnlijk geen eenvoudige zaak zou worden. Niets is eenvoudig, dacht ik, als advocaten de boel extra lang kunnen rekken om er een fiks honorarium uit te slepen. Maar toen hij de procedure uitlegde, begreep ik dat niet alleen zijn hebzucht de boel zou vertragen. Het lag aan het systeem.

Doorgaans diende een familielid van de patiënt een verzoek in voor een gedwongen opname. Juridisch gezien mocht iedereen dat doen, legde McRand uit, maar het duurde langer als het niet gedaan werd door een naast familielid. Omdat Marianne Engel geen familie had, zou ze door twee artsen onderzocht moeten worden nog voordat zo'n verzoek ook maar kon worden ingediend. Als ze zo'n onderzoek zou weigeren – iets waarvan ik zeker was – zou ik een beëdigde verklaring moeten overleggen dat ze een 'ernstige stoornis' had. McRand keek me onderzoekend aan om er zeker van te zijn dat ik daartoe bereid was. Ik verzekerde hem dat dat het geval was, maar ik weet zeker dat hij de aarzeling in mijn stem hoorde toen ik dat zei.

McRand schraapte zijn keel voordat hij verderging. Als mijn verzoek eenmaal was ingediend, zou Marianne in een ziekenhuis voor een arts moeten verschijnen. Als ze weigerde – waarvan ik ook zeker was – zou ze gedagvaard worden. In gedachten zag ik twee dikke politiemensen haar in een dwangbuis de rechtszaal in slepen.

Als de arts het met me eens was dat ze ernstig psychisch gestoord was, zou er een gedwongen opname van tweeënzeventig uur worden opgelegd. Daarna kon de ziekenhuisdirecteur een verzoek voor een langduriger verblijf indienen. Dat was noodzakelijk omdat – wederom vanwege het feit dat we geen familie waren – Jack of ik dat niet kon doen. Zonder medewerking van de directeur konden we de procedure niet voortzetten.

Als de directeur instemde, zou er een hoorzitting volgen. Daar zou Marianne moeten getuigen, net als ik, en Jack als curator. Het was ook mogelijk dat er andere mensen werden gehoord over Marianne Engels gedrag. Bijvoorbeeld mensen als Gregor Hnatiuk en Sayuri Mizumoto. De hoorzitting zou worden voorgezeten door een commissie van deskundigen, maar Marianne Engel kon ook kiezen voor een uitspraak door een gewone jury. En als het zover kwam, kon ze ook een eigen advocaat inhuren.

In de rechtszaal, waarschuwde McRand, zou ook mijn persoonlijkheid ter sprake komen. Gezien mijn carrière in de porno-industrie, mijn drugsverslaving en het feit dat Marianne al mijn doktersrekeningen betaalde, zou een rechter niet snel geneigd zijn haar haar rechten te ontnemen alleen maar omdat ik het graag wilde. Objectief gezien was zij de modelburger, niet ik. Misschien zou het hof het zelfs wel grappig vinden dat ik haar onbekwaam wilde laten verklaren terwijl ze haar leven heel wat beter op orde leek te hebben dan ik het mijne. En – McRand leek er niet graag over te beginnen, maar hij moest het toch zeggen – Marianne Engel had tegenover een jury het voordeel van een knap gezichtje. 'Jij daarentegen...' Het was een zin die niet afgemaakt hoefde te worden.

Ik wees erop dat ze haar borst met een beitel had bewerkt. Wat voor bewijs was er nog meer nodig om aan te tonen dat ze een gevaar voor zichzelf was? McRand erkende met een zucht dat dat incident mogelijk een 'goede basis voor een zaak was', maar dat er geen bewijs was dat ze een gevaar voor anderen vormde. 'Als het jezelf berokkenen van schade een reden voor opname was, zouden de psychiatrische inrichtingen volzitten met rokers en fastfoodeters.'

Hoe kon ik iedereen die we kenden vragen om tegen Marianne Engel te getuigen in een zaak die we bijna zeker zouden verliezen; en belangrijker, hoe zou ík tegen haar kunnen getuigen? Gezien al haar complottheorieën was het laatste wat ze kon gebruiken het idee dat haar beste vrienden in werkelijkheid vijandelijke agenten waren die haar ervan probeerden te weerhouden dat ze haar harten weggaf.

436

'Dus…' McRand zuchtte ter afsluiting, trok voor een laatste keer zijn jasje recht en legde zijn handen op zijn ronde buik.

Ik bedankte hem voor zijn informatie en Jack zei dat hij de rekening naar haar galerie moest sturen. Toen we naar buiten liepen, sloeg Jack haar arm om mijn schouders. Ze zei dat ze het ellendig vond, en volgens mij vond ze dat ook echt.

Onze enige troost was dat Marianne nog maar vijf beelden te gaan had. Hoewel het pijnlijk zou zijn om haar bezig te zien, zou het in elk geval niet lang meer duren. Ik kon alleen maar zo goed mogelijk voor haar zorgen. Als ze de laatste hand aan haar laatste beeld had gelegd, zou ze ontdekken dat het toch niet haar dood zou worden.

Bougatsa's nieuwe voedingsprogramma hield in dat hij regelmatig rauwe varkenspancreas moest krijgen; zo kon hij zijn andere voedsel verteren door het aanvullen van de enzymen die hij zelf miste. Ik werd een goede bekende van de plaatselijke slagers, die het maar een vreemde bestelling vonden tot ik uitlegde waar het voor was – en toen vonden ze het een leuke gedachte dat ze de hond hielpen die ik aan de lijn had, want het gebeurt niet vaak dat een slager zich een beetje dokter kan voelen. Elke dag zag Bougatsa er iets beter uit en elke dag zag Marianne er iets slechter uit.

Ze was bleek door het gebrek aan zonlicht, hoewel ze af en toe wel bovenkwam voor nieuwe sigaretten of weer een pot oploskoffie. Ze werd een raamwerk van botten dat permanent onder het stof zat, haar lichaam kwijnde weg door de zware fysieke inspanning. Het was alsof ze stukje bij beetje verdween, zoals de steensplinters die ze van haar grotesken af beitelde. Beeld nummer 5 was voor half april klaar, en ze ging meteen door met de voorbereiding van nummer 4.

De viering van mijn ongeluk – mijn tweede Goede Vrijdagverjaardag – ging geheel aan haar voorbij. Ik ging alleen naar de plek van het ongeluk, ik klom de helling af en zag dat het gras de zwarte brandplek nu geheel had overwoekerd. De kandelaar van mijn vorige verjaardag stond nog op de plek waar we hem hadden neergezet, verweerd na een jaar lang weer en wind, het bewijs dat niemand de plek sindsdien had bezocht.

Ik zette een tweede kandelaar neer, ook een van Francesco's vermeende creaties, en stak een kaars in de verwachtingsvolle ijzeren mond. Nadat ik hem had aangestoken, sprak ik een paar woorden – geen gebed, want ik bid pas als ik in de hel ben – ter herinnering aan gebeurtenissen uit het verleden. Het samenwonen met Marianne Engel had er in elk geval voor gezorgd dat ik ook een bepaalde hang naar rituelen had gekregen.

Ze werkte de rest van de maand door, maar haar tempo werd steeds trager. Dat was ook onvermijdelijk. Toen ze nummer 4 af had, moest ze twee dagen rust nemen voordat ze met nummer 3 begon. Ze kon haar protesterende lichaam niet negeren. Hoewel ze extra voorbereidingstijd nam, duurde het bijna vijf hele dagen voordat nummer 3 af was.

Beeld nummer 2 duurde tot het eind van de maand, en alleen pure wilskracht hield haar op de been. Na de voltooiing kroop ze in bad voor een flinke wasbeurt waarna ze (eindelijk) naar bed ging en twee dagen aan één stuk sliep.

Ik wist dat wanneer ze wakker werd, er nog maar één beeld te gaan was. Ik wist niet of ik dat moment moest vrezen of dat ik juist blij moest zijn; maar dat gevoel had ik bij Marianne wel vaker.

Ze kwam op de eerste dag van mei haar bed uit en het was een hele opluchting om te zien dat ze er stukken beter uitzag. Ik was extra verheugd toen ze in plaats van rechtstreeks naar het souterrain te gaan om haar laatste beeld te maken, bij me kwam zitten ontbijten. Ze praatte samenhangend en na afloop gingen we wandelen met Bougatsa, die door het dolle heen was omdat ze eindelijk weer aandacht voor hem had. We gooiden om de beurt een tennisbal voor hem weg die hij vervolgens met een bek vol kwijl terugbracht.

Marianne was de eerste die het onderwerp ter sprake bracht.

'Ik heb nog maar één standbeeld te gaan.'

'Ja.'

'Weet je wat voor beeld het is?'

'Weer een groteske, neem ik aan.'

'Nee,' zei ze. 'Het is dat van jou.'

De voorgaande maanden had mijn beeld als het klassieke spook onder een laken in een hoek van haar atelier gestaan. In het begin was ik teleurgesteld geweest dat ze er niet langer in geïnteresseerd leek, maar toen ze steeds magerder werd, was ik dankbaar dat ik niet voor haar hoefde te poseren terwijl zij wegkwijnde.

Ik hoefde maar heel even na te denken voordat ik ermee instemde om weer als model te dienen. Eigenlijk wilde ik dat ze helemaal van dat idee van een 'laatste beeld' af stapte, maar zo kon ik haar in elk geval in de gaten houden tijdens het werken. Het had ook als voordeel, als de vorige sessies tenminste maatgevend waren geweest, dat ze aan mijn beeld een stuk rustiger zou werken. Ik was geen woest monster dat schreeuwde om te worden bevrijd uit een lawine van tijd en steen; van mij kreeg ze alle tijd van de wereld, ik zou haar niet opjagen.

Nieuwsgierig vroeg ik Marianne Engel of ze, toen we zo veel maanden geleden aan het beeld waren begonnen, al had geweten dat het haar laatste beeld zou worden. Ja, zei ze, dat had ze geweten. Dus vroeg ik waarom ze eraan was begonnen als ze toch al wist dat ze er weer mee moest ophouden.

'Het maakte deel uit van jóuw voorbereiding,' antwoordde ze. 'Als ik er al aan was begonnen, was de kans kleiner dat je nu nee zou zeggen. Zo te zien heb ik gelijk gehad.'

We begonnen diezelfde dag. Ik voelde me naakt nooit erg op mijn gemak in haar nabijheid, maar ik had er nu minder moeite mee omdat zij ook lichamelijk niet perfect was. Haar ongezonde magerheid viel in het niet bij mijn littekens, maar het bracht ons qua onvolmaaktheid toch iets dichter bij elkaar.

Het werken aan mijn standbeeld duurde zo'n tien dagen, waarvan ongeveer de helft werd besteed aan de afwerking. Marianne liet regelmatig haar vingers over mijn lichaam gaan, alsof ze probeerde de topografie van de littekens in zich op te nemen zodat ze die daarna zo precies mogelijk in het steen kon weergeven. Ze schonk zo veel aandacht aan elke nuance dat ik er iets van zei; ze antwoordde dat het van het grootste belang was dat het voltooide beeld perfect was, er mocht niets ontbreken.

Het werk ging min of meer zoals ik had gehoopt. De sessies waren nooit zo intens als bij haar andere beelden, meestal werkte ze minder dan een uur achter elkaar, hoewel ik nu net zo lang kon blijven zitten als ik maar wilde omdat ik mijn drukpak niet meer hoefde te dragen. Het leek bijna alsof ze elke seconde van haar werktijd aan haar laatste beeld koesterde. Ze rookte minder en de potten oploskoffie bleven dicht. Ze boog zich dicht naar het beeld en fluisterde ertegen, te zacht om iets te kunnen verstaan. Ik probeerde op te vangen wat ze zei, maar tevergeefs; het hielp ook niet echt dat mijn gehoor bij het ongeluk zo was beschadigd. Ik probeerde haar met een losse opmerking uit de tent te lokken. 'Ik dacht dat de steen met jou praatte, niet andersom.'

Marianne keek me aan. 'Je bent een grappenmaker.'

En zo ging het door, tot ze achteruitstapte na de onvermijdelijke laatste klap op de beitel. Ze bestudeerde mijn stenen dubbelganger voor wat een eeuwigheid leek, tot ze tot de slotsom kwam dat er geen verschil meer was tussen hem en mij. Tevreden zei ze: 'Ik wil de inscriptie zonder jou erbij doen.'

Ze werkte tot 's avonds laat en hoewel ik vreselijk nieuwsgierig was, respecteerde ik haar verzoek om haar alleen te laten. Toen het laatste woord voltooid was, kwam Marianne naar boven. Natuurlijk vroeg ik wat ze erop had gezet.

'Daar hebben we later nog alle tijd voor,' antwoordde ze. 'We gaan nu eerst naar het strand om het te vieren.'

Dat plan stond me wel aan. De oceaan leek haar altijd te ontspannen en het was een mooie manier om alles af te sluiten. Dus werd ik in de auto gezet en een tijdje later zaten we tussen het aangespoelde hout.

De golven sloegen ritmisch op de kust, en haar lichaam rustte heerlijk tegen het mijne. Bougatsa rende vrolijk achter insecten aan, het zand vloog alle kanten op. Een eindje verder zaten jongens bier te drinken en probeerden ze de meisjes te imponeren.

'Goed,' zei ik. 'En wat nu?'

'Het laatste deel van ons verhaal. Het begint, voor het geval je het niet meer weet, met het moment dat je werd verbrand door de condotta.'

31

Eerst uit. Dan weer in. Ik richtte me op mijn ademhaling. Rustig. Concentreren. Richten. Wees kalm. Ik noemde het doelwit: 'Hart.'

Ik weet niet wat ik verwachtte te zien toen de pijl wegschoot. Het verbaasde me dat ik mijn blik gericht hield op het doelwit en niet op de pijl.

Ondanks de storm vloog de pijl alsof hij door een draad werd geleid, zonder een enkele afwijking. Iedereen kent het verhaal van de meester-boogschutter die een pijl kon splijten die al in de roos zat. Zo drong mijn pijl je borst binnen, op dezelfde plek waar je eerder was getroffen. Die eerste keer had het boek van Dante je leven gered doordat het de pijl had afgeremd, waarna je naar mij werd gebracht. Deze tweede pijl ontmoette geen weerstand zodat je van me afgenomen werd.

Je hoofd sloeg achterover door de inslag en je mond ging open voor een laatste, verbaasde zucht. Daarna viel je kin op je borst waarna je hoofd tot rust kwam op je levenloze lichaam. Je bleef hangen aan je vastgespijkerde handen terwijl het huis van broeder Heinrich nog steeds brandde. Mijn pijl had je verder lijden bespaard en daarvoor dankte ik door mijn tranen heen de Heer.

De huurlingen slaakten verbaasde kreten en Kuonrat wilde weten wie zo achteloos of stom was geweest om tegen zijn bevelen in een dodelijk schot af te vuren. Hij was woedend dat een van zijn soldaten wellicht genade had getoond.

Ik had minder tijd moeten besteden aan het bedanken van God en meer aan mijn ontsnapping. Bij nadere inspectie van mijn pijl bleek al snel dat hij niet afkomstig was van een van de soldaten en de hoek wees uit dat hij van de top van de heuvel was gekomen. Er ging een arm omhoog en de soldaten begonnen meteen op te rukken in mijn richting. Ze konden me nog niet zien, maar ze wisten waar ik was.

Ik liet de kruisboog vallen, want ik wist dat ik nooit meer een schot zou afvuren. Mijn paard stond dichtbij, de helling was glad en de takken waren dik genoeg om de mannen op te houden. Terwijl de soldaten omhoogploeterden, kon ik mijn paard losmaken en vlak voor hun uitgestrekte handen wegvluchten. Ik had maar een kleine voorsprong, maar het zou even duren voordat ze hun eigen paarden hadden bestegen. Ik had nog een voordeel. Ik kende de omgeving uit mijn jeugd, de huurlingen niet. Ik dacht dat ik misschien zelfs een kans maakte, mede dankzij de sneeuwstorm.

Ik had beter moeten weten. De soldaten waren stuk voor stuk betere ruiters dan ik, en hun paarden hadden meer rust en voedsel gehad. Al na een paar minuten zaten ze vlak achter me. Als ik zo verderging, zou het niet lang duren voor ze me te pakken hadden. Het pad splitste zich, de ene kant voerde naar een veilige weg en de andere naar een steile afgrond boven de rivier de Pegnitz. Als kind had ik weleens op de rand gewandeld, maar alleen als ik in een extra roekeloze bui was of als ik wilde uittesten of de Lieve Heer echt een plan voor me had.

Wanhopige momenten vereisen wanhopige oplossingen, dus koos ik voor het smalle pad, hoewel ik wist dat het veel te smal was voor mijn paard. Het dier voelde het gevaar en ik moest mijn hakken hard in zijn flanken drukken om elke stap af te dwingen, waarbij ik dezelfde gebeden prevelde die ik als kind had opgezegd. Toen het paard begon te steigeren, ging ik over op de ergste verwensingen die ik kende om nog een paar stappen meer af te dwingen. Kort daarna stapte het dier op een beijsde boomwortel en schoven we over de rand.

Terwijl we omlaaggleden probeerde het paard op de been te blijven, maar zijn hoeven vonden geen houvast. Hij viel op zijn zij, in de war en bang, en wierp me af. Toen ik me overgaf aan de onvermijdelijke val was er een kort moment dat ik me bijna gewichtloos voelde. Het was heel surrealistisch, alsof ik in perfect evenwicht tussen de sneeuw en de hemel zweefde, en toen keek ik recht in de ogen van het paard. Paardenogen zijn meestal donker en kalm – toen ik opgroeide, zeiden de nonnen voor de grap dat een paard alle geheimen van God kon zien, zelfs als de priores dat niet kon – maar zijn ogen waren wijd opengesperd van angst. Het moment was meteen ook weer voorbij en maakte plaats voor opstuivende sneeuw en zwiepende takken terwijl wij verder naar beneden buitelden.

Toen we eindelijk tot stilstand kwamen, duurde het even voordat ik weer helder was en terwijl ik het pad zag dat we door de sneeuw hadden geploegd, raakte ik bijna in paniek bij de gedachte wat de val voor gevolgen voor ons kind had gehad. Toen ik het kind direct daarna voelde schoppen, misschien was het boos door alle commotie, beschouwde ik dat als een teken dat het in orde was en kon het ongemak me niets meer schelen.

De soldaten waren me niet langs de afgrond gevolgd, ze hadden er wijselijk voor gekozen om op het veilige gedeelte te blijven. Minstens een van hen had zijn boog gepakt, maar vervolgens besloten dat de afstand en de wind een schot onmogelijk maakten. Hij miste duidelijk mijn vertrouwen in God.

De huurlingen zouden zeker een andere weg naar beneden vinden, maar ik wist dat dat ze minstens een kwartier zou kosten. Misschien was mijn val precies het geluk geweest dat ik nodig had om te ontsnappen. Mijn vreugde was van korte duur, want toen ik het paard overeind wilde helpen, zag ik dat een van zijn benen een heel onnatuurlijke hoek vertoonde. Het was duidelijk dat hij niet verder zou kunnen. Ik kon hem zelfs niet uit zijn lijden verlossen omdat ik de kruisboog niet meer had. Niet dat dat er iets toe deed, ik had het toch niet gekund. Eén genadeschot die dag was er al een te veel geweest.

Wat had het voor zin om een kwartier voorsprong op de soldaten te hebben als zij over paarden beschikten en ik niet? Aan één kant van me bevond zich de rots waar ik vanaf gevallen was en aan de andere lag de Pegnitz. Ik wist dat die meestal niet helemaal dichtvroor, maar zelfs als dat gebeurde, kon het ijs het gewicht van een mens niet dragen. Oversteken was onmogelijk, en het had geen zin om weer omhoog te klimmen. Ik kon hooguit de rivier blijven volgen en er maar het beste van hopen. Maar ook dat was absurd, want dat kon er alleen maar op uitdraaien dat de huurlingen me zouden achterhalen. Ze zouden me hoe dan ook te pakken krijgen.

Kuonrat had zonder enige aarzeling het hoofd van Brandeis afgeslagen en lachend jouw dood verordonneerd. Ik wist dat als ze me te pakken kregen, ik alleen geluk had als ik snel gedood zou worden. Het was waarschijnlijker dat ik verkracht werd.

De dunne laag ijs op de rivier begon er steeds aanlokkelijker uit te zien. De kans dat ik veilig de overkant haalde was minimaal, maar geen poging wagen was ook geen optie. Als ik het op de een of andere manier haalde, zouden de soldaten me nooit volgen. Ze zouden het wel moeten opgeven, want zelfs de kleinste man van de eenheid zou zeker door het ijs zakken. Waarom zouden ze het risico nemen? De huurlingen wisten niet wie ik was, voor hen was ik een of andere del die had samengewoond met een ex-soldaat, wat maakte het voor hen uit of ik stierf of bleef leven? Kuonrat had zijn gezag weer bevestigd, de dood van twee deserteurs in plaats van een was al meer dan waarop hij had gerekend. Hij was vast een tevreden man.

Ik liep het ijs op en het leek redelijk dik, maar het is altijd het dikst bij de oever. Iets verder stroomafwaarts zag ik stukken open water die leken op zwarte dekens die op de witte ondergrond waren gelegd. Na nog een paar stappen hoorde ik zacht gekraak. Sneeuwvlokken dansten wild in de wind, en ik was inmiddels zo'n vijf meter uit de kant. Zou ik nog grond onder mijn voeten hebben als het ijs brak?

Ik ging voorzichtig schuifelend stap voor stap verder. Ik liep zo snel als ik durfde, maar het was niet snel genoeg. Ik hoorde de huurlingen steeds dichterbij komen, dus ik dwong mezelf om sneller naar het midden te schuifelen. Hoe groter de afstand tot de oever, hoe veiliger, hield ik mezelf voor. Het was het allerbelangrijkst dat ik buiten het bereik van hun pijlen kwam.

Ik voelde het ijs een beetje doorbuigen, meer dan voorheen,

en instinctief sloeg ik mijn armen om mijn buik. Ik keek om en zag dat de soldaten mijn kreupele paard hadden gevonden en de oever naderden. Toen ze me zagen, hieven ze hun bogen in mijn richting en ik wist dat ik nog niet ver genoeg weg was. Een paar pijlen werden afgeschoten, maar door de sterke wind raakten ze uit koers. Ik wist dat de soldaten hiervan zouden leren en hun schootsrichting zouden corrigeren. Ik maakte me weinig illusies of ik geraakt zou worden.

Maar de tweede reeks pijlen bleef uit. Kuonrat gaf een teken en de boogschutters lieten hun bogen zakken. Het leek me on-waarschijnlijk dat hij het zonde van de ammunitie vond, en even-min dat hij uit mededogen mijn leven zou sparen als ik levend de overkant bereikte. Waarschijnlijk keek hij graag naar een vrouw op dun ijs.

Uit de houding van de soldaten kon ik opmaken dat ze net zo lang zouden wachten als nodig was. Ik wist dat ik niet terug kon, dus zette ik weer een stap in de richting van de andere oever. Het ijs onder me begon te golven en ik liet me op handen en voeten zakken. Ik hield mezelf voor dat als ik eenmaal voorbij het mid-den van de rivier was, ik het zou overleven, want in theorie was het ijs daar het dunst. Ik hield mezelf voor dat als ik die denk-beeldige lijn passeerde, mijn ongeboren kind het zou overleven.

Maar hoe kon ik het best te werk gaan? Moest ik op mijn buik gaan liggen en langzaam verder kruipen? Dat leek een logische werkwijze, mijn gewicht zo gelijkmatig mogelijk verdelen. Maar toen vroeg ik me af of dit niet alleen maar de kans zou vergroten dat wanneer ik een zwakke plek in het ijs bereikte, mijn hele li-chaam in één keer onder het ijs zou verdwijnen – en afgezien daarvan wilde ik mijn buik zo min mogelijk belasten. Moest ik gaan rennen, in de hoop dat mijn snelheid me over het ijs zou brengen? Mijn lichaam zei nee, maar mijn geloof stelde dat ik het moest proberen. De adem van God had mijn pijl tenslotte met dodelijke precisie naar jouw hart geleid. Het zou toch kunnen dat diezelfde adem me voorbij het gevaar zou voeren? Als er ooit een moment was om me over te geven aan Gods bescherming, dan was dit het.

Ik keek naar de overkant en probeerde mezelf te zien als een pijl en de af te leggen weg als de baan van die pijl. Ik richtte me een stukje op en voelde het ijs bewegen. Ik spande mijn beenspieren en zette mijn achterste voet zo goed mogelijk schrap. Ik richtte me op één knie op en kromde mijn schouders. Ik deed een schietgebedje en keek naar de vrijheid op de andere oever, me erop richtend alsof het mijn doelwit was. Vervolgens zette ik af en gaf me over aan Gods genade.

Al na een paar passen begaf het ijs het en viel ik voorover alsof ik door een glazen ruit heen brak. De ijzige kou van het water sneed door me heen en het gewicht van mijn natte kleren begon me omlaag te trekken. Ik dacht onmiddellijk aan mijn kind en graaide wanhopig naar houvast. Als ik de rand van het wak kon vastgrijpen, zou ik mezelf eruit kunnen trekken. Maar het ijs brak af en het wak werd alleen maar groter bij elke poging om eruit te komen. Ik voelde de warmte uit mijn lichaam verdwijnen. Uit mijn kind. Even later werkten mijn hersens nog koortsachtig, maar mijn lichaam reageerde niet meer.

De stroming trok me omlaag en voerde me mee. Ik wist dat ik degene was die bewoog, maar het zag eruit alsof het wak boven me weggleed tot er geen opening meer was, alleen maar een harde ijsplaat. Die kon niet erg dik zijn, maar toen ik ertegen duwde, gebeurde er niets. Onder me was niets om me tegen af te zetten, alleen water. Ik kon alleen maar mijn adem inhouden en bidden dat de stroming me zou meevoeren naar een ander wak.

Het is een vreemd gevoel als je lichaam ophoudt met functioneren. Het omhulsel dat je heeft gedragen en je je hele leven trouw heeft gediend, reageert niet meer op de commando's van je ziel. Het is bijna alsof iemand een schakelaar heeft overgehaald om de stroom uit te zetten. Ik besefte al snel dat als ik naar een ander wak werd gevoerd, het toch al te laat zou zijn. Mijn handen zouden de rand niet meer kunnen vastgrijpen, en zelfs als dat wel lukte, zou ik de kracht missen om mezelf uit het ijskoude water te trekken.

Het ergst was nog het besef dat ik er niet op hoefde te rekenen dat ons kind nog ongeschonden was. Op dat moment gaf mijn geest zich over. Ik deed mijn ogen dicht, want dat doe je als je je onder water bevindt en doodgaat. Mijn lichaam zakte omlaag en al mijn angst verdween. Er was een verrassend aangename berusting. Het is beter zo, dacht ik met enige opluchting tijdens die laatste ogenblikken voordat alles donker werd.

Wat er daarna gebeurde – ik kan je erover vertellen, maar ik kan het niet verklaren. Niet goed, niet op een manier die je zou begrijpen. Bij mijn geboorte heb ik mijn gave voor talen meegekregen en ik heb die gave zevenhonderd jaar lang geperfectioneerd, maar er bestaan geen woorden om te beschrijven wat er die dag gebeurde. Niet in het Engels of in welke andere taal ook die ik ken.

Toen ik bijkwam, was dat geen echt ontwaken, want ik had niet geslapen. Ik was in een soort toestand zonder bewustzijn geweest, en nu keerde dat bewustzijn weer terug. Maar niet het bewustzijn waarmee we de wereld om ons heen waarnemen: het was iets groters, iets wat oneindig weids en diep was. Ik lag nog steeds onder het ijs en werd nog steeds meegevoerd door de Pegnitz, maar tegelijk lag ik niet in het water van een bepaalde rivier. Ik lag in het water van de hele wereld, het hele universum, en ik bevond me niet zozeer 'in' het water als wel dat ik er deel van uitmaakte. Er was geen onderscheid tussen mij en het water; ik was vloeibaar geworden.

Als mensen doodgaan en op de een of andere manier weer tot leven worden gewekt, hebben ze het altijd over een tunnel van licht. Zo heb ik het niet ervaren. Er was licht, maar het was geen tunnel, het was overal om me heen. Ik werd gedragen door lichtgevende lucht, hoewel er geen grond was waarop ik zou kunnen vallen. Het was in me en door me heen; ik was het water en het licht. Het voelde alsof ik zwevend, vloeibaar licht was, een gelijkmatige gloed zonder warmte of kou. Ik was me niet langer bewust van mijn lichaam.

De tijd bestaat niet meer als je lichaam niet meer bestaat, want alleen het lichaam heeft besef van tijd. We hebben pas een aangeboren tijdsbesef als het wegvalt. Daarom zijn mensen met geheugenverlies zo in de war als ze zich bewust worden van hun toestand. Niet omdat ze herinneringen kwijt zijn – we raken allemaal herinneringen kwijt – maar omdat ze een stuk tijd kwijt zijn.

Ik was me bewust van andere 'aanwezigheden'. Je kunt ze geen spoken of geesten noemen, want zelfs die vorm bezaten ze niet. Ze bestonden alleen omdat ik ze kon voelen. Maar 'gevoel' is ook weer het verkeerde woord, want hoe zou ik iets ontastbaars kunnen voelen? Ze waren in me, net als het water en het licht. Ik voelde ze zo duidelijk dat ik niet alleen wist dat ze in me waren, maar dat ze er altijd waren geweest. Ik had ze mijn hele leven genegeerd, uit een soort zelfbescherming. Het is alsof je naar een gesprek luistert – je kunt je niet op de woorden concentreren als je tegelijk luistert naar de klok aan de andere kant van de kamer, de auto's buiten, de voetstappen in de gang en de ademhaling van de man die naast de vrouw zit die theedrinkt. Je kunt dat niet allemaal verwerken, dus concentreer je je op de woorden van de spreker. Zo is het ook met de oneindige hoeveelheid stemmen van het menselijk lichaam. Je luistert naar je eigen gedachten en sluit de rest buiten.

Maar nu kon ik elke stem in mijn binnenste omvatten. Ik kon al die aanwezigheden horen, en ze klonken als gouden cirkels. Ik kon ze proeven, en ze smaakten naar vertroosting. Ze raakten me aan, en het voelde als muziek.

Zie je wel? Ik wilde dat ik het kon uitleggen, maar dat kan ik niet. Het is onmogelijk. Iedereen die denkt dat hij de Eeuwige Goddelijkheid kan verklaren, heeft het nog nooit echt ervaren.

Drie aanwezigheden maakten zich los van de rest en kwamen naar voren. Ze namen geen tastbare vorm aan, maar ik herkende toch de mensen in ze die ze waren geweest, hoewel ik in mijn stoffelijke leven maar een van hen had ontmoet: vader Sunder. De tweede was Meister Eckhart en de derde was Mechthild von Magdeburg.

Ik wist dat het geen truc was, maar een geschenk dat ik moest koesteren. Het was natuurlijk en zelfs een troost toen vader Sunder liet blijken dat hij verheugd was om weer in mijn gezelschap te zijn. Er werden geen woorden gebruikt, het was meer alsof ik kon voelen dat zijn gedachten langs de mijne streken. Zo was het ook wanneer Meister Eckhart en zuster Mechthild communiceerden. Ons 'gesprek' was een caleidoscoop van stralende trillingen.

Ze waren niet gekomen om me mee te nemen, legden ze uit, omdat ik daar nog niet klaar voor was. Ik was niet op de juiste manier gestorven en ik had nog dingen te doen. Ze zouden me helpen om een staat te bereiken waarin ik wel klaar was om te sterven, en daarvoor waren zij aangewezen als mijn Meesters.

Waarom word ik niet naar de hel gestuurd? communiceerde ik. *Ik heb de man van wie ik hou vermoord.*

Zo gaat dat niet. Eva zondigde door fruit te eten en daarvoor werd ze gestraft met de zondeval van de mensheid. Welke boetedoening is er vereist voor de zonden in jouw leven?

Die beslissing is niet aan mij.

Dat is hij wel. Je weg heeft je uit het leven van God weggenomen en je tot het werktuig bij een dood gemaakt. Heb je berouw?

Nee. Zelfs in de Eeuwige Goddelijkheid herinnerde ik me mijn leven met jou. *Misschien heb ik mijn kloostergelofte verloochend en heb ik daarbij mijn priores en de Here God verloochend, maar ik heb nooit mezelf verloochend. Ik ben trouw gebleven aan mijn hart, en ik zal nooit berouw hebben over mijn liefde. Dat is de enige grote daad die ik ooit heb verricht.*

Mijn Drie Meesters begrepen dat ik zou vasthouden aan mijn liefde voor jou, zelfs bij het einde van mijn leven. Ze hadden het vast al vaker meegemaakt en ze zouden het vast nog wel vaker meemaken.

Je hart is altijd onafhankelijk geweest, je belangrijkste en meest bezwarende gave. Daarom zal je boetedoening plaatsvinden door middel van wat er in je hart gebeurt.

Het zij zo.

Je hebt geleerd om je hart geheel over te geven aan die ene, maar je hebt nog niet geleerd om je hart te delen buiten de ik en de ander.

Ik beken dat dat zo is.

Je zult terugkeren naar de wereld en je borst zal opnieuw worden gevuld met duizenden harten. Je moet elk hart weggeven tot er nog één over is.

Hoe kan ik dat bewerkstelligen?

De harten moeten uit je borst worden vrijgemaakt en voor je sterven waarna ze weer tot leven kunnen komen in anderen. Zo zul je je aardse bestaan kunnen opgeven en voorbereid worden op Christus.

Ik begrijp niet hoe ik die harten moet loslaten.

Dat zul je leren.

En als alleen mijn laatste hart nog over is?

Dat kun je niet zelf weggeven. Je laatste hart moet aan je geliefde worden gegeven. Hij moet het aanvaarden, maar hij kan het niet houden. Hij moet het loslaten om jou los te laten. Alleen op die manier kun je uiteindelijk worden overgegeven aan de Heer.

Ik begrijp niet welke rol mijn geliefde in het geheel heeft.

Je geliefde zal weten wat hij moet doen.

Daar eindigde het. Ik werd weggevoerd uit de Goddelijkheid, het licht en het water vloeiden niet meer door me heen en ik werd ruw teruggeworpen in het koude water van de Pegnitz.

Toen ik bijkwam, lag ik op mijn rug en kon ik mijn ogen niet openen. Ze zaten dicht door het ijs en het duurde zeker vijf minuten voordat ik ze met knipperen openkreeg. Het was ochtend en de storm was geluwd. Ik probeerde iets te zeggen, maar er kwam geen geluid uit me omdat mijn hele lichaam verlamd was. Ik had het kouder dan ik het ooit had gehad.

Ik begon met het bewegen van mijn tenen en vingers tot ik mijn ledematen weer helemaal kon gebruiken. Ik dwong mezelf overeind, onvast op mijn benen. Ik bevond me achter een soort schuurtje en dertig meter verderop stond een boerderij. Ik strompelde erheen, gehinderd door mijn ijskoude ledematen en mijn kleren, die stijf stonden door het ijs. Er kwam rook uit de schoorsteen, en ik weet niet of ik het zou hebben gehaald zonder die belofte van warmte. Ik bonsde een paar keer op de deur waarna de boerin opendeed. Haar ogen werden groot van angst bij mijn aanblik. Voor haar leek ik waarschijnlijk op de dood die haar kwam halen.

Toen ze zag dat ik nog niet helemaal dood was, riep ze haar man en begon mijn bevroren kleren uit te trekken. De oude man gaf me soep terwijl de vrouw me in dekens wikkelde en mijn ledematen masseerde om de bloedsomloop weer op gang te brengen. Toen ik enigszins was bijgekomen, probeerden we te reconstrueren wat er was gebeurd. Ik was een paar kilometer door het water meegevoerd tot ik op de oever was aangespoeld op een plek die niet dichtgevroren was. De oude boer had me bij toeval zien liggen en mijn lichaam uit het water getrokken. Mijn ogen staarden in het niets en mijn haar was stijf bevroren. Mijn hart klopte niet meer en mijn lichaam vertoonde geen enkel teken van leven.

De boer was van mening dat iedereen recht had op een fatsoenlijke begrafenis en hij sleepte me weg van het water. De grond was te hard om een graf te delven, dus besloot hij me achter de schuur te leggen tot hij me in de lente kon begraven. Hij kon moeilijk een lijk in huis neerleggen, niet zozeer uit bijgeloof, maar uit praktische overwegingen. Door de warmte zou het ontdooien en beginnen te stinken. We kwamen samen tot de conclusie dat het water zo koud was geweest dat het had geleken alsof ik dood was. Zulke dingen gebeurden wel vaker en er deden vele verhalen de ronde over mensen die zo lang in koud water hadden gelegen dat ze dood hadden moeten zijn, maar het toch hadden overleefd.

Ik bleef een paar dagen bij hen, maar ik vertelde ze niet hoe ik in de rivier terecht was gekomen. Ik hield het erop dat ik tijdens een wandeling door het ijs was gezakt. Het had geen zin om te vertellen over Engelthal, de huurlingen of mijn Drie Meesters. Het was al moeilijk genoeg voor ze om te bevatten dat ik het had overleefd.

Toen ik weer in staat was om te reizen, keerde ik terug naar Mainz. Waar moest ik anders heen? Ik nam mijn intrek in een begijnhof en mijn leven daarna bestond uit bezinning en gebed. Het was deels een terugkeer naar het leven dat ik had geleid voordat ik jou leerde kennen, maar door jouw liefde was het zo veranderd dat ik geheel kon terugkeren naar wat ik eens was geweest. Ik ging niet verder met het vervaardigen van boeken, maar ik voltooide wel mijn vertaling van *Inferno*. Uit eigenbelang, niet omdat ik een meesterwerk wilde creëren voor het nageslacht. Ik deed het omdat ik me tijdens het vertalen dichter bij jou voelde.

De rest van mijn verhaal is onbelangrijk. Al die jaren heb ik harten weggegeven, maar ik zag pas kortgeleden een eind aan mijn boetedoening, want ik was ervan overtuigd dat ik mijn laatste hart nooit zou kunnen weggeven tot wij elkaar zouden terugzien.

32

Luisterend naar de donkere zee probeerde ik zo vriendelijk mogelijk te klinken. 'Ik weet dat jij denkt dat dat verhaal waar is, Marianne, maar dat is het niet.'

Ze staarde naar het zand. Haar stem stokte in haar keel, toen flapte ze de bekentenis eruit. 'Ons kind heeft het niet overleefd.'

Ze keek uit over de oceaan en toen weer naar het zand.

'Toen ik bijkwam, was het kind...'

Ze sloeg haar handen voor haar gezicht; het was duidelijk dat ze me niet kon aankijken.

'Gewoon verdwenen,' zei ze. 'Alsof ik nooit zwanger was geweest, alsof God zijn hand in mijn baarmoeder heeft gestoken en het kind heeft weggehaald, als straf.'

'Dat kun je niet geloven.'

'Ik probeer het niet te geloven. Ik probeer – ik wíl geloven dat het een daad van barmhartigheid was. Dat het kind...' Haar stem was zo zacht dat ik de woorden nauwelijks kon verstaan. 'Dat het kind stierf door het koude water en dat God het uit me heeft genomen zodat ik er niet in de wereld van de levenden mee geconfronteerd zou worden.'

'Als je in God gelooft,' zei ik, mijn gebruikelijke neiging onderdrukkend om eraan toe te voegen dat ik dat niet deed, 'moet je ook geloven in Zijn goedheid.'

'Ik heb altijd willen geloven dat het een daad van barmhartigheid was,' snikte ze. 'Ik zou het niet kunnen verdragen als het een straf was.'

'Marianne, er was geen...'

454

'Ons kind heeft het niet overleefd,' hield ze vol. 'Zoiets vergeet je nooit meer, hoe oud je ook wordt.'

Ik wist dat het geen zin had om te proberen haar ervan te overtuigen dat het alleen maar haar fantasie was. Het was weer zo'n meningsverschil dat ik nooit zou kunnen winnen.

Het was duidelijk dat ze voor zichzelf sprak toen ze eraan toevoegde: 'Het was barmhartigheid. Dat moet wel. Dat móet wel.'

Omdat ik haar er niet van kon overtuigen dat dit middeleeuwse kind nooit had bestaan, richtte ik me op ons huidige leven.

'Je gaat niet dood, Marianne. Er zijn geen Drie Meesters.'

'Al mijn harten zijn weg.'

'Voel dan.' Ik nam haar hand in de mijne en drukte hem tegen haar borst. 'Je hart klopt nog.'

'Nog wel. Hoe het verder gaat, hangt van jou af.' Ze keek een tijdje uit over de oceaan voordat ze er fluisterend aan toevoegde, hoewel de dichtstbijzijnde mensen tientallen meters verderop zaten: 'Weet je nog wat je zei toen ik voor de komst van de huurlingen uit het huis van broeder Heinrich vluchtte? Je beloofde dat onze liefde altijd zou blijven bestaan.'

Ik zei niets, omdat ik haar niet wilde aanmoedigen toen ze de halsketting met de pijlpunt over haar hoofd trok. 'Deze is altijd van jou geweest, en er komt een dag dat je weet wat je ermee moet doen.'

'Ik wil hem niet,' zei ik.

Ze drukte hem toch in mijn hand. 'Ik heb hem al die tijd bewaard zodat ik hem aan jou kon teruggeven. Hij zal je beschermen.'

Ik wist dat weigeren zinloos was, dus nam ik hem aan. Maar ik wilde niet dat ze dacht dat ik haar verhaal accepteerde, dus zei ik: 'Marianne, ik geloof niet dat die punt ooit door vader Sunder is gezegend.'

Ze legde haar hoofd op mijn schouder. 'Je kunt geweldig goed liegen.' En toen vroeg ze iets wat ze nog nooit had gevraagd.

'Hou je van me?'

Onze lichamen waren tegen elkaar gedrukt, mijn borst tegen

die van haar. Ik was ervan overtuigd dat ze mijn hart kon voelen bonzen. Mijn geboortelitteken drukte tegen de plek waar zij onder haar trui mijn naam op haar borst had gekerfd.

Hou je van me?

Ik had nooit meer willen toegeven dan dat ik haar 'aardig' vond. Ik had geredeneerd dat ze de waarheid ook wel wist zonder dat ik het zei. Maar eigenlijk was het gewoon lafheid geweest.

'Ja.'

Ik wilde het al zo lang bekennen.

'Ja. Ik hou van je.'

Het was een begin. Het was niet genoeg.

Het was tijd om haar niet langer teleur te stellen, dus streek ik haar woeste haren opzij en liet de woordenstroom de vrije loop die zich vanaf onze eerste ontmoeting in het diepst van mijn hart had gevormd.

'Ik heb mijn hele leven op jou gewacht, Marianne, en ik wist het pas toen je er was. Dat ongeluk was het beste wat me ooit is overkomen omdat het jou in mijn leven heeft gebracht. Ik wilde dood, maar jij vervulde me met zo veel liefde dat ik ook wel van jou moest gaan houden. Het gebeurde voordat ik het zelf in de gaten had en nu kan ik me niet meer voorstellen dat ik niet van je zou houden. Je hebt gezegd dat het mij grote moeite kost om waar dan ook in te geloven, maar ik geloof wel degelijk. Ik geloof in jouw liefde voor mij. Ik geloof in mijn liefde voor jou. Ik geloof dat elke hartslag in de rest van mijn leven voor jou is, en ik geloof dat ik bij mijn laatste ademteug jouw naam op mijn lippen zal hebben. Ik geloof dat ik bij mijn laatste woord – Marianne – zal weten dat mijn leven goed, volledig en waardevol is geweest, en ik geloof dat onze liefde eeuwig zal blijven bestaan.'

We hielden elkaar een tijdje vast zonder iets te zeggen, daarna stond ze op en begon naar de oceaan te lopen. Al lopend trok ze haar kleren uit en het maanlicht deed haar huid nog witter lijken. Tegen de tijd dat ze het water bereikte was ze volledig naakt, een prachtige, bleke geestverschijning. Ze draaide zich om en keek me aan onder de ijzig flonkerende sterrenhemel: het was alsof ze zich mijn beeld wilde inprenten, zoals ik daar naar haar keek.

'Zie je wel?' zei Marianne. 'Je hebt God.'

Ze draaide zich om en liep rustig het water in. Het water klom omhoog langs haar benen en rug en reikte al snel tot aan de getatoeëerde inktvleugels op haar albasten huid. Ze liet zich vooroverzakken en zwom de uitgestrekte oceaan tegemoet, haar wilde zwarte haren deinend achter haar aan.

Ik deed niets, ik bleef haar alleen nakijken tot haar witte schouders tussen de golven verdwenen.

Na een kwartier begon Bougatsa vreselijk te janken en zenuwachtig rondjes te draaien, alsof hij me wilde vragen om in te grijpen. Maar ik bleef zitten. Dus rende hij het water in om naar haar toe te zwemmen, tot ik hem terug riep. Ik wist dat het water te koud was en dat het toch al te laat was. Hij vertrouwde me voldoende om me te gehoorzamen, maar hij jankte zachtjes terwijl hij bij mijn voeten lag. Toch bleef zijn blik hoopvol, alsof hij geloofde dat als hij maar lang genoeg wachtte, je uiteindelijk wel weer zou terugkomen.

33

De hele gemeenschap was het erover eens dat Sayuri er prachtig uitzag in haar trouwjurk. Haar moeder Ayako op de eerste rij huilde van blijdschap, en haar vader Toshiaki moest steeds zijn hand voor zijn mond houden om zijn van blijdschap trillende bovenlip te verbergen. Toen Gregor de ring om haar vinger schoof, straalde Sayuri als nooit tevoren.

De bruiloft was in augustus, in een tuin onder een stralend blauwe hemel. Gelukkig stond er een licht briesje; door mijn smoking kon mijn huid niet goed ademen. Het was speciaal zo geregeld dat de bruidsjonkers, van wie ik er een was, tijdens de ceremonie onder een grote iep stonden; een van de vele liefdevolle attenties van het bruidspaar. Ik was toch al verbaasd geweest dat ze me hadden uitgenodigd – ook al waren we zulke goede vrienden geworden – maar zowel Gregor als Sayuri vond het kennelijk niet erg dat er een monster op hun trouwfoto's kwam te staan.

Officieel was ik gekoppeld aan het bruidsmeisje dat tegenover me zat, maar in de praktijk werd ik geëscorteerd door Jack Meredith. Het lukte haar redelijk om me niet al te erg voor schut te zetten, ondanks de grote hoeveelheden scotch die ze later tijdens de receptie naar binnen werkte. Het zal duidelijk zijn dat ons samenzijn geen romantische achtergrond had, maar de voorgaande maanden hadden we flink wat tijd samen doorgebracht. Op een bepaald moment had ze ontdekt dat ze toch wel met me door één deur kon. Onze nieuwe verstandhouding was bijna een vriendschap, hoewel dat me net iets te ver zou gaan.

Als huwelijkscadeau gaf ik Sayuri en Gregor de Morgengabe-engel. Ze keken er bevreemd naar, ze wisten niet goed wat ze moesten denken van dat vreemde, kleine beeldje, en ze vroegen of Marianne het had gemaakt. Ik probeerde maar niet uit te leggen dat ik de maker zou zijn geweest; en ik probeerde ook maar niet uit te leggen dat het, hoe oud en verweerd het ook was, het mooiste geschenk was dat ik ze kon geven.

Tijdens de receptie stond Sayuri zichzelf zelfs geen glaasje champagne toe vanwege haar zwangerschap, die net zichtbaar begon te worden. Er was wat onenigheid geweest of de bruiloft voor of na de geboorte moest plaatsvinden, maar Gregor is een beetje ouderwets. Hij wilde dat het kind 'wettig' zou zijn, dus vlogen ze naar Japan waar hij een tolk inhuurde om Toshiaki te overtuigen van zijn eerbare bedoelingen. Dat had Sayuri ook kunnen doen, maar Gregor wilde niet dat zij zijn huwelijksaanzoek aan haar eigen vader zou overbrengen. Toen Toshiaki hun zijn zegen gaf, huilde Ayako en bood ze met veel buigingen haar excuses aan, hoewel Gregor niet goed wist waarvoor. Nadat Ayako haar tranen had gedroogd, dronken ze gezamenlijk thee in de achtertuin.

Sayuri's ouders leken het helemaal niet erg te vinden dat ze in het buitenland woonde en met een buitenlander trouwde, of dat ze intussen de leeftijd van een verse kersttaart ruim was gepasseerd. (Ayako legde uit dat steeds meer Japanse vrouwen op latere leeftijd trouwden en dat de grens niet langer bij vijfentwintig jaar lag. Alleenstaande vrouwen die eenendertig werden, werden nu oudejaarsdagnoedels genoemd.) Het enige wat Sayuri's ouders een beetje dwarszat, was dat ze had besloten de naam van haar echtgenoot aan te nemen. Ze sputterden dat 'Sayuri Hnati-uk' niet erg poëtisch klonk, en ondanks al hun pogingen slaagden ze er maar niet in om de naam naar behoren uit te spreken.

Tegen het eind van de dag had ik even de gelegenheid om met mevrouw Mizumoto te spreken, met Sayuri als tolk. Sayuri had haar moeder al verteld dat Marianne Engel in de lente was overleden, en Ayako sprak haar diepe medeleven uit. Toen ik haar bedankte, zag ik dat ze schrok van mijn krakende stem, maar ze was te beleefd om er iets over te zeggen. In plaats daarvan werd haar glimlach nog breder en op dat moment begreep ik van wie Sayuri haar omgangsvormen had geleerd. We praatten nog even genoeglijk door en ik zei tegen Ayako dat ik ervan overtuigd was dat haar dochter voorbestemd was voor een leven vol geluk, ondanks het feit dat Gregor zelfs in smoking nog het meeste op een eekhoorn leek. Sayuri gaf me een klap op mijn arm, maar klaarblijkelijk vertaalde ze het toch accuraat. Haar moeder knikte enthousiast: 'So, so, so, so, so, so, so!' waarbij ze de hele tijd haar hand voor haar mond hield om haar lachen te verbergen.

Bij het eind van het gesprek boog mevrouw Mizumoto nog een keer diep om haar medeleven over te brengen. Toen ze haar rug rechtte, glimlachte ze hoopvol naar me, legde haar hand op Sayuri's buik en zei: 'Rinne tensho.'

Sayuri had moeite met de vertaling, ze zei dat het nog het dichtst in de buurt kwam van 'alles keert terug' of 'het leven herhaalt zich'. Sayuri voegde eraan toe dat het het soort uitspraak was die oude Japanse vrouwen doen als ze zich meer verbonden voelen met Boeddha dan ze in werkelijkheid zijn. Door de vuile blik die Ayako haar dochter toewierp, kreeg ik de indruk dat ze meer Engels verstond dan ze liet blijken.

Maar toen ze wegliepen, omhelsden ze elkaar innig. Ayako leek de opmerking van haar dochter over oude Japanse vrouwen snel te zijn vergeten, en Sayuri vergaf haar moeder even snel toen ze had gelachen bij de vergelijking van Gregor met een eekhoorn.

Na de verdwijning van Marianne Engel werd de kust drie dagen lang afgezocht, maar er werd geen lichaam gevonden. Alleen uitgestrekte, lege watermassa's. Het probleem met een oceaan is dat je hem niet in zijn geheel kunt afdreggen, en het was alsof het water ieder bewijs van haar bestaan had weggenomen, maar weigerde om haar d..d op de een of andere manier te bevestigen.

Marianne had geen levensverzekering, maar toch richtte de

verdenking zich op mij. Logisch, nog geen zes maanden voor haar verdwijning had ze haar testament gewijzigd en mij benoemd tot haar belangrijkste erfgenaam. Dat zat de autoriteiten niet lekker, vooral omdat ik bij haar was toen ze verdween. Ik werd langdurig ondervraagd, maar het onderzoek wees uit dat ik geen weet had van het testament en de jongelui die bier dronken op het strand verklaarden dat 'die verbrande kerel' en 'dat mens met die tatoeages en dat maffe haar' regelmatig 's avonds laat op het strand te vinden waren geweest. Ze bevestigden dat ze vaak ging zwemmen, ongeacht het weer. Op die avond had ik alleen maar stil op het strand gezeten terwijl de hond rondjes rende.

Jack bepleitte ook mijn onschuld. Haar woorden legden extra gewicht in de schaal, niet alleen omdat zij Marianne Engels curator was, maar ook degene die vóór mij de belangrijkste erfgenaam was geweest. Ondanks dat pleitte ze voor mijn karakter en vertelde ze de politie dat ze overtuigd was van onze liefde. Ze bevestigde dat ik niet wist van de veranderingen in het testament en voegde eraan toe: 'Ik dacht dat ik nog tijd zat zou hebben om het haar uit haar hoofd te praten. Haar d..d kwam veel sneller dan ik had verwacht.'

Jack Meredith kan de woorden zeggen die ik niet eens kan opschrijven. Woorden als 'd..d'. Woorden als 'zelfm..rd'. Zulke woorden maken een lafaard van me. Door ze op te schrijven komen ze veel te dicht bij de realiteit.

De juridische afwikkeling nam het grootste deel van de zomer in beslag, maar het meeste ging langs me heen. Het kon me niet schelen wat de politie dacht van mijn betrokkenheid bij haar verdwijning of wat de juristen over het testament zeiden. Op het laatst moest Jack een advocaat voor me inhuren omdat ik zonder juridische bijstand elk document zou hebben getekend dat voor mijn neus werd gelegd, net als in het ziekenhuis toen mijn productiemaatschappij failliet werd verklaard.

Marianne Engel liet bijna alles aan mij na, inclusief het huis en de inboedel. Zelfs Bougatsa. Jack kreeg ondanks het feit dat ze jarenlang haar zakelijke belangen had behartigd alleen maar de beelden die al in haar galerie stonden.

In een stel schoenendozen achter in een kast vond ik bankboekjes met tegoeden van honderdduizenden dollars die nu van mij waren, verspreid over diverse bankrekeningen. Ze had nergens schulden, misschien omdat geen enkele financiële instelling het aandurfde om haar geld te lenen. Ik ontdekte ook een reeks nota's die de waarheid omtrent mijn privékamer in het ziekenhuis onthulden. Het was geen 'gelukkig toeval' geweest, zoals Nan had beweerd, dat er een kamer beschikbaar was zodat ze kon onderzoeken of er verschil was in de mate van herstel tussen patiënten alleen en patiënten op zaal. Het was ook niet, zoals ik destijds dacht, om Marianne uit de buurt van de andere patiënten te houden. De waarheid was dat Marianne de eigen kamer had betaald zodat ze me haar verhalen kon vertellen zonder gestoord te worden. Ze had het me alleen nooit verteld.

Ik kan nog een paar jaar niet over mijn erfenis beschikken omdat er geen lichaam is gevonden. Pas na verloop van tijd zal er een d..dverklaring van Marianne Engel worden opgemaakt, en tot dan worden haar bezittingen vastgehouden. Gelukkig besloten de rechters dat ik in het fort kon blijven wonen omdat het al mijn woonadres was op het moment dat Marianne verdween.

De plaatselijke kranten en zelfs een paar buitenlandse besteedden aandacht aan de verdwijning van de verwarde, maar zeer getalenteerde beeldhouwster. 'Vermoedelijk d..d', schreven ze allemaal.

Omdat een tragisch levenseinde de reputatie van een kunstenaar alleen maar vergroot, had Jack de resterende beelden in een mum van tijd verkocht. Hoewel het in strijd was met de bepalingen van het testament, mocht Jack van mij de meeste standbeelden hebben die nog in het fort stonden. (Ik hield alleen het beeld van mezelf en een paar van mijn lievelingsgrotesken.) Mijn advocaat was ertegen, maar het was toch al niet zo dat de politie mijn doen en laten in de gaten hield. Het was heel gewoon dat er vrachtwagens kwamen en gingen, dus keek niemand in de buurt ervan op als er nog een paar beelden werden afgevoerd. Toen Jack me de cheque met de opbrengst wilde overhandigen, met aftrek van haar commissie, weigerde ik die aan te nemen.

Zij had er meer recht op dan ik. En hoewel de banktegoeden waren bevroren, had ik voldoende geld om van te leven. Marianne Engel had er ondanks haar labiele geestestoestand rekening mee gehouden dat ze misschien niet altijd beschikbaar zou zijn om mijn rekeningen te betalen. Na haar verdwijning vond ik een envelop met mijn naam erop, met erin de sleutel van een bankkluis waarvoor ze me had gemachtigd. Toen ik de kluis opende, zag ik dat er voldoende contant geld in zat om van te leven tot het testament wel geldig was.

Er zaten ook nog twee andere dingen in de kluis.

Uiteindelijk stelde de politie vast dat ik niet verantwoordelijk was voor de verdwijning van Marianne Engel. Maar ze hadden het mis.

Ik heb Marianne vermoord. Net zo doeltreffend als wanneer ik het met een pistool of met gif zou hebben gedaan.

Toen ze naar de zee liep, wist ik dat ze niet ging zwemmen. Ik wíst dat ze niet zou terugkomen, en daar zal ik niet omheen draaien. En toch deed ik niets.

Ik deed niets, precies zoals ze het me een keer had gevraagd, om mijn liefde te bewijzen.

Ik had haar met een paar woorden kunnen redden. Als ik tegen haar had gezegd niet het water in te gaan, zou ze haar plan niet hebben doorgezet. Dat weet ik. Ze zou zijn teruggekomen omdat haar Drie Meesters tegen haar hadden gezegd dat ik haar laatste hart moest aannemen en het vervolgens moest loslaten zodat zij vrij zou zijn. Alles wat ik zou hebben gedaan om haar tegen te houden, zou een weigering zijn geweest om haar los te laten, dus het enige wat ik had moeten zeggen, was: '*Marianne, kom terug.*'

Dat heb ik niet gedaan en nu moet ik leven met de wetenschap dat ik niet drie eenvoudige woorden heb gezegd die haar leven zouden hebben gered. Ik moet leven met de wetenschap dat ik niet heb geprobeerd om haar via de rechter gedwongen te laten opnemen, dat ik onvoldoende heb geprobeerd om haar medicijnen stiekem in haar eten te doen, dat ik haar niet aan haar bed heb geketend als ze doorschoot met beeldhouwen. Ik had tientallen dingen kunnen doen om haar d..d te voorkomen, allemaal dingen die ik niet heb gedaan.

Marianne Engel geloofde dat ze me zevenhonderd jaar geleden uit mededogen heeft gedood, maar dat verhaal was fictie. De realiteit is dat ik haar in dit leven heb gedood: niet uit mededogen, maar door niets te doen. Zij geloofde dat ze zichzelf bevrijdde van de ketenen van haar boetvaardige harten, maar ik wist wel beter. Ik ben niet schizofreen. En toch zei ik niets. Ik bleef passief. Inadequaat. Moordzuchtig.

Dat feit zie ik elke dag een paar ogenblikken onder ogen, meer verdraag ik niet. Soms probeer ik het zelfs op te schrijven voordat het me ontglipt, maar meestal begint mijn hand te trillen voordat ik de woorden kan opschrijven. Het duurt nooit lang voordat ik weer begin te liegen en mezelf ervan probeer te overtuigen dat Mariannes denkbeeldige verleden legitiem was, gewoon omdat zij er zo sterk in geloofde. Ieders verleden, probeer ik te rationaliseren, is niets anders dan de reeks herinneringen die iemand zich wil herinneren. Maar diep vanbinnen weet ik dat dat alleen maar een afweermechanisme is om met mezelf te kunnen leven.

Het enige wat ik had hoeven zeggen, was: '*Marianne, kom terug.*'

Het woord 'paleografie' komt van het Griekse *palaios* (oud) en *graphia* (schrift), dus is het niet zo vreemd dat paleografen oude handschriften bestuderen. Ze rubriceren teksten door het lettertype te onderzoeken (grootte, schuinte, hoe de pen is bewogen) en het gebruikte materiaal (papyrus of perkament, rol of codex, de soort inkt). Goede paleografen kunnen zien hoeveel schrijvers aan een tekst hebben gewerkt, hoe vaardig ze waren, en vaak kunnen ze zelfs vaststellen uit welke streek een tekst afkomstig is. Bij religieuze geschriften kunnen ze soms niet alleen een specifiek scriptorium herkennen, maar zelfs de scribent.

Een tijdje geleden heb ik twee vooraanstaande paleografen ingehuurd: een expert op het gebied van middeleeuwse Duitse geschriften en een expert op het gebied van middeleeuwse Italiaanse geschriften. Ik wilde dat ze keken naar de voorwerpen die ik naast het geld in de kluis had aangetroffen. Twee exemplaren van *Inferno*, beide handgeschreven, maar door verschillende mensen: een in het Italiaans en een in het Duits. Beide leken voor mij als leek honderden jaren oud. Voordat ik ze vertelde wat ik wilde laten onderzoeken, liet ik ze schriftelijk strikte geheimhouding beloven. Ze vonden het allebei een ongewoon verzoek, bijna grappig, maar ze stemden toe. Beroepsmatige nieuwsgierigheid, denk ik. Maar toen ze de teksten zagen, beseften ze meteen dat ze iets bijzonders in handen hadden. De Italiaan kon een vloek niet onderdrukken en de mondhoeken van de Duitser begonnen te trekken. Ik deed alsof ik onwetend was over de herkomst van de boeken en vertelde niet hoe ze in mijn bezit waren gekomen.

Omdat *Inferno* direct al populair was bij de lezers is het een van de boeken uit de veertiende eeuw waar nog flink wat exemplaren van bestaan. De Italiaanse paleograaf wist bijna zeker dat mijn boek tot de vroegste behoorde, hooguit tien jaar jonger dan de eerste uitgave. Hij smeekte me om zijn bevindingen te mogen voorleggen aan andere experts, maar dat weigerde ik.

De Duitser durfde niet zo snel een leeftijd aan de vertaling toe te kennen, deels omdat zijn eerste onderzoek een aantal vreemde tegenstrijdigheden opleverde. Ten eerste vroeg hij zich af hoe zo'n goed bewaard gebleven manuscript zo lang onopgemerkt had kunnen blijven. Ten tweede leek het werk door één persoon te zijn gemaakt, wat zeer ongebruikelijk was voor zo'n lang verhaal. Ten derde was de maker buitengewoon vaardig geweest. Niet alleen was het handschrift heel fraai uitgevoerd, ook de vertaling zelf was beter dan de meeste, zo niet alle moderne versies. Maar het vierde punt was het meest raadselachtig: de fysieke kenmerken van het werk – perkament, inkt, lettertype, enzovoort – wezen erop dat het in de Rijnstreek van Duitsland was gemaakt, misschien al in de eerste helft van de veertiende eeuw.

Als dat zo was – wat bijna niet het geval kon zijn – zou het enkele eeuwen ouder zijn dan alle bekende Duitse vertalingen van *Inferno*. 'Dus ik moet me wel vergissen,' zei hij met bevende stem. 'Tenzij, tenzij...'

De Duitser vroeg toestemming om het perkament en de inkt aan een radiokoolstofdatering te onderwerpen. Toen ik ja zei, verscheen er een blik van zo'n euforische vreugde op zijn gezicht dat ik even bang was dat hij erin zou blijven. '*Danke, danke schön. Ich danke Ihnen vielmals!*'

Toen het onderzoek was afgerond en het perkament was gedateerd op het jaar 1335, plus of min twintig jaar, werd het enthousiasme van de Duitser nog groter. 'Deze ontdekking reikt verder dan alles wat ik... wat ik...' Hij kon zelfs geen woorden vinden om zijn blijdschap en verbijstering tot uitdrukking te brengen; de vertaling was slechts enkele tientallen jaren na Dantes originele Italiaanse boek tot stand gekomen. Ik besloot dat het geen kwaad kon om toestemming te geven voor verder onderzoek en ik gaf de Duitser zelfs een duwtje in de goede richting: ik suggereerde dat hij zijn onderzoek moest richten op het scriptorium van Engelthal. De mond van de Duitser vertrok opnieuw en hij ging aan het werk.

Toen hij een paar weken later contact opnam, leek hij zich ermee te hebben verzoend dat hij onderzoek deed naar een onmogelijk manuscript. Ja, bevestigde hij, er waren veel aanwijzingen dat het in Engelthal was gemaakt. En ja, alles wees op een bepaalde scribent wier werk heel bekend was in de periode tussen 1310 en 1325. Deze scribent was een beetje een mysterie voor onderzoekers van de Duitse mystiek: haar literaire stempel was te vinden in talloze documenten, haar vaardigheid was veel groter dan die van haar vakgenoten, en toch was haar naam nergens te vinden. Zo'n geheim kon alleen tot stand worden gebracht door een gezamenlijk handelen van de priores en de armarius uit die tijd, maar omdat Engelthal gewoonlijk zo trots was op zijn literaire reputatie, was de grote vraag: wat was er met deze specifieke non aan de hand dat er zo veel geheimhouding was betracht?

De snor van de Duitser schoot op en neer terwijl hij dit alles vertelde, maar hij gaf toe dat er ook een paar aspecten in strijd waren met de Engelthaltheorie. Het perkament was van een andere kwaliteit dan van andere documenten uit het klooster, en de inkt leek een andere chemische samenstelling te hebben. Dus het vakmanschap wekte de indruk dat het in Engelthal was gemaakt, legde de Duitser uit, maar de materialen niet. En – ten overvloede – Engelthal zou niets van doen willen hebben met het werk van Dante. 'Het paste niet in het daar heersende klimaat, als u begrijpt wat ik bedoel. Het was niet alleen in het Italiaans, maar in die tijd zelfs pure godslastering.'

De Duitser vroeg een beetje verlegen of ik nog meer 'aanwijzingen' voor hem had. Die had ik. Ik stelde voor dat hij zijn aandacht verlegde van Engelthal naar Mainz en naar de daar rond 1325 particulier vervaardigde boeken. De scribent had mogelijk onder de naam Marianne gewerkt. Vol ontzag fronste hij zijn borstelige wenkbrauwen bij deze nieuwe informatie en hij wilde dolgraag weten hoe ik aan zulke gerichte suggesties kwam. Ik zei dat het maar een idee was.

Hij was bijna een maand bezig met het uitzoeken van manuscripten die overeenkwamen met mijn gegevens. Hij nam regelmatig contact met me op, deels om me te informeren over de voortgang, maar meestal om te klagen dat de opgelegde geheimhoudingsplicht het hem extra moeilijk maakte. 'Weet u wel hoe moeilijk het is om zulke documenten op te vragen als ik niet kan uitleggen waarvoor ik ze nodig heb? Denkt u dat ik zomaar naar de bibliotheek kan gaan en boeken uit de veertiende eeuw kan uitpluizen?'

Ik begreep dat hij op het punt stond met vakgenoten te praten, al dan niet met mijn toestemming, dus zei ik dat zijn werk gedaan was. Ik dacht even dat hij me zou uitfoeteren, maar in plaats daarvan kwam hij met een hartstochtelijk pleidooi: 'Dit is een van de belangrijkste ontdekkingen op dit terrein… verstrekkende gevolgen… een radicale verandering in ons denken over Duitse vertalingen…' Toen ik bleef weigeren, wijzigde hij zijn tactiek. Hij smeekte me om hem nog een paar dagen te geven, en ik geloof zelfs dat hij er trouwhartig met zijn ogen bij knipperde. Ook dit verzoek wees ik af, ik wist zeker dat hij die tijd alleen maar zou gebruiken om een nauwkeurige kopie van het origineel te maken. Toen ik het manuscript terugeiste, dreigde hij dat hij zijn kennis wereldkundig zou maken. 'Een juridisch contract is niets vergeleken met zo'n groots geschenk voor de literaire wereld!' Ik zei dat zijn betrokkenheid prijzenswaardig was, maar dat ik zou procederen tot hij blut was als hij zijn mond opendeed. Daarop zei hij dat Dante nog een kring aan de hel had moeten toevoegen voor boekenhaters zoals ik.

Om zijn gekwetste ego een beetje tegemoet te komen, beloofde ik dat als ik ooit de Duitse vertaling van *Inferno* naar buiten zou brengen, ik publiekelijk mijn erkentelijkheid voor al zijn onderzoekswerk zou uitspreken. Ik zou hem zelfs in staat stellen om gelijktijdig zijn bevindingen te publiceren zodat zijn academische status gewaarborgd was. Toen zei hij iets wat me hooglijk verbaasde. 'Het kan me niet schelen of ik word genoemd. Deze ontdekking is gewoon te belangrijk om geheim te houden.'

Intussen heb ik nog steeds niet besloten wat ik zal doen met de exemplaren van *Inferno* die Marianne me heeft nagelaten. Soms fantaseer ik erover dat ik de Italiaanse versie meeneem in mijn graf, voor het geval ik Francesco Corsellini nog een keer tegen het lijf loop en hem het boek van zijn vader kan teruggeven.

Ik hou mijn namaaktenen, maar ik hoef geen namaakvingers; de tenen helpen me mijn evenwicht te bewaren terwijl de vingers alleen maar ijdelheid zijn. Bovendien zijn namaakvingers met een lichaam als het mijne net zoiets als nieuwe koplampen op een autowrak.

Er zijn nog dingen die ik kan laten doen om mijn uiterlijk te verbeteren, kleine cosmetische operaties om mijn scherpste kantjes te verzachten. Een plastisch chirurg heeft aangeboden om mijn oren te reconstrueren met behulp van kraakbeen van mijn ribben, of om voor prothese-oren te zorgen die lijken op de echte. Maar net als namaakvingers hebben pseudo-oren geen echte functie: kraakbeen noch kunststof kan me weer laten horen. De theorie is dat ik me meer mens voel als ik er 'normaler' uitzie, maar toen ik de protheses op had, voelde ik me net Mr Potato Head. Wat betreft een falloplastie – de chirurgische vervaardiging van een nieuwe penis: ik ben nog niet zover. Misschien dat ik het nog weleens laat doen, maar voorlopig heb ik genoeg operaties ondergaan. Ik ben het zat. Dus heb ik laatst simpelweg tegen dokter Edwards gezegd: 'Genoeg.'

'Ik begrijp het,' zei ze. En toen keek ze met de blik die ik zo goed kende wanneer ze afwoog of ze de waarheid zou vertellen, zou liegen of niets zou zeggen. Zoals altijd koos ze voor de waarheid. 'Je hebt me ooit eens gevraagd waarom ik op de brandwondenafdeling ben gaan werken. Ik zal je iets laten zien wat ik nog nooit aan een patiënt heb laten zien.'

Ze schoof haar witte jas opzij en trok haar trui op zodat er een groot hypertrofisch litteken zichtbaar werd dat de hele rechterkant van haar romp bedekte. 'Het gebeurde toen ik nog maar vier was. Ik trok een ketel kokend water van het fornuis. Onze littekens maken ons tot wie we zijn.' Daarna vertrok ze.

Dus ziet mijn schedel eruit als het landschap tijdens de Dust Bowl in de crisisjaren. De bovenkant van mijn hoofd lijkt op een onvruchtbare vlakte na een stofstorm, met hier en daar wat opgehoopt vuil. Er zijn subtiele kleurnuances, rood- en bruintinten. Alles is dor en droog, alsof de huid al jaren wacht op regen. Een paar plukjes hardnekkig haar hangen over mijn gegroefde schedel, als kwijnend onkruid dat niet doorheeft dat het eigenlijk dood zou moeten zijn.

Mijn gezicht is een akker na het afbranden van de stoppels. Mijn ooit volle lippen zijn nu dun als verdroogde wormen. De medische term *microstomie* maakt ze niet minder lelijk. Toch heb ik liever deze mond dan degene die ik had voordat ik Marianne zei dat ik van haar hield.

Voor de brand was mijn ruggengraat sterk; na de brand werd hij vervangen door een slang. De slang is nu verdwenen en ik herontdek mijn wervelkolom, wat een goed begin is. Mijn rechterbeen zit vol metalen pennen en ik zou ze kunnen zien als ketens die gesmeed zijn uit de resten van mijn kapotte auto. Ik zou kunnen beslissen om mijn ongeluk overal mee naartoe te slepen. Ik doe het niet.

Ik train harder dan ooit tevoren. Een paar keer per week ga ik met Sayuri naar het plaatselijke zwembad, waar ze me een reeks oefeningen laat doen. Het water maakt me lichter, wat de spanning op mijn gewrichten vermindert. Op de dagen dat ik niet in het zwembad ben, doet Sayuri in de achtertuin springoefeningen met me. Het zal er wel raar uitzien voor mensen die vanaf de St. Romanus deze kant op kijken. Wat zouden ze denken van dat monster dat door de tuin huppelt, opgejaagd door een klein, Japans vrouwtje? Af en toe ziet pater Flanahan me en dan zwaait hij, en ik zwaai altijd terug. Ik heb besloten geen hekel aan hem te hebben ondanks het feit dat hij een priester is.

Na mijn oefeningen komt Gregor Sayuri ophalen en dan drinken we met zijn drieën thee. Bij ons laatste samenzijn heb ik ze verteld dat dit boek uitgegeven wordt. Ze hadden er geen idee van dat ik dit verhaal had geschreven; ik heb het stilgehouden omdat ik niet wist wat ik ermee zou doen als het af was. Maar in tegenstelling tot de *Infernos* heb ik besloten dit boek wel vrij te geven. Ik weet nog steeds niet of het een goede beslissing is – ik verander nog regelmatig van mening – maar zwijgen is te pijnlijk.

Mijn vrienden waren opgetogen door mijn nieuws, hoewel Sayuri bekende dat ze nog niet zo snel Engels las als ze wilde. Toen greep ze enthousiast de arm van haar man, alsof ze net het beste idee van haar leven had gekregen. 'Wacht eens! Wil jij me er elke avond voordat we gaan slapen uit voorlezen? Dan horen we het verhaal tegelijk!'

Gregor keek een beetje schaapachtig vanwege Sayuri's spontane uitbarsting van genegenheid, maar ik verzekerde hem dat het een geweldig idee was en voegde eraan toe: 'Misschien komen jullie dan wat meer te weten over de herkomst van jullie huwelijkscadeau.'

Ik ben meer dan mijn littekens.

Toen ik na haar verdwijning en mijn verklaring aan de politie thuiskwam, ging ik naar het atelier om te lezen wat Marianne in de sokkel van mijn standbeeld had gehakt.

Dû bist mîn, ich bin dîn:
des solt dû gewis sîn;
dû bist beslozzen in mînem herzen,
verlorn ist daz slüzzelîn:
dû muost och immer darinne sîn.

'Jij bent de mijne, ik ben de jouwe: daarvan kun je zeker zijn; je zit opgesloten in mijn hart, de sleutel is weggegooid: en daar zul je altijd blijven.'

Lebrecht Bachenschwanz maakte de eerste bekende Duitse versie van *De goddelijke komedie* (*Die göttliche Komödie*) in de jaren 1767 tot 1769, en de vertaling van *Inferno* die in mijn bezit is, is minstens vierhonderd jaar ouder. Dat is wonderlijk, maar het bewijst niet dat Marianne Engel dan ook het boek in de eerste helft van de veertiende eeuw heeft vertaald; het betekent alleen dat íemand het heeft vertaald. Maar als Marianne niet de vertaalster was, hoe is het dan in haar kluis beland? Hoe heeft het zeven eeuwen kunnen bestaan zonder dat er ergens iets over wordt vermeld? Een van de vele dingen die ik niet weet.

Ik heb zoveel over de Duitse vertaling geschreven dat je wellicht denkt dat er niets bijzonders is aan het Italiaanse origineel, afgezien van de ouderdom. Maar niets is minder waar. De staat waarin het boek verkeert vermindert de financiële waarde, maar is voor mij wel uiterst interessant.

Het is duidelijk dat het boek op een bepaald moment aan vuur blootgesteld is geweest. De bladzijden zijn aan de randen verschroeid, maar de vlammen zijn niet zo ver doorgedrongen dat er woorden zijn weggevallen. Op de een of andere manier is het boek verdere brandschade bespaard gebleven; de andere beschadiging is veel opvallender.

Er zit een brede snee in de voorkant van het omslag, gemaakt met een scherp voorwerp. Misschien een mes of een pijl. De snee loopt door, dus als het boek wordt opengeslagen, zit er op de eerste pagina een snee die bijna net zo groot is. Die snee in het midden van elke pagina wordt kleiner naarmate je meer bladzijden omslaat. In de achterkant zit maar een klein gaatje; je ziet dat het scherpe voorwerp bijna, maar net niet helemaal, is tegengehouden door de dikte van het boek.

Het duurde een hele tijd voordat ik genoeg moed had verzameld om de ketting van mijn nek te halen en de pijlpunt in het gat te steken. Hij paste perfect, als een sleutel die het juiste sleutelgat vindt. Ik duwde verder tot hij helemaal in het boek verdwenen was en alleen het uiterste puntje net door het gaatje in de achterkant stak.

Ik stel me graag voor dat als iemand door die snee kon kruipen, hij zich direct midden in *Inferno* bevond.

Er waren verscheidene redenen waarom Jack en ik besloten om geen graf voor Marianne in te laten richten, maar twee waren de voornaamste. Ten eerste was het een raar idee als er geen lichaam was om erin te leggen. En wie zou het graf bezoeken behalve wij tweeën?

Ik wil geen graf bezoeken.

Ik word elke dag wakker met Bougatsa op het voeteneind van mijn bed. Ik geef hem rauwe pancreas en daarna gaan we met de auto naar het strand.

Terwijl de zon opkomt, kijk ik uit over de zee. Dat is mijn wake, elke dag gedenk ik een uur lang Marianne Engel, en het is het enige moment dat ik me in het zonlicht begeef. Te veel is slecht voor mijn huid, maar ik hou van de warmte op mijn gezicht.

Bougatsa rent rondjes, hij pakt stukken drijfhout in zijn bek en legt ze voor mijn voeten neer. Hij wil dat ik ze weggooi, en dat doe ik dan, waarna hij de branding in duikt. Maar op sommige ochtenden heeft hij geen zin om te rennen en ligt hij aan mijn voeten naar de zee te staren. Het is net als op de avond dat Marianne het water in liep; het is alsof hij er nog steeds op rekent dat ze het water ook weer uit komt lopen. Hij zal wel niet beter weten. Hij is maar een domme hond.

Intussen zit ik in mijn hoofd zinnen te formuleren. De bladzijden die je hebt gelezen, zijn vooral tot stand gekomen op mijn eenzame post op het randje van de wereld waar de aarde in zee verdwijnt. Ik heb hier veel tijd doorgebracht, in deze grote lege ruimte tussen herinnering en verlangen, bouwend aan dit maffe koninkrijk van zinnen waarin ik nu leef.

Ik wilde haar met dit boek eer bewijzen, maar ik heb gefaald, zoals ik haar tijdens haar leven al zo vaak tekort heb gedaan. Ik weet dat mijn woorden niets meer zijn dan bleke geesten, maar ik wil dat Marianne Engel ergens nog bestaat.

Elke Goede Vrijdag, die onwrikbare en toch steeds wisselende verjaardag van mijn ongeluk, ga ik naar het beekje dat mijn leven heeft gered en steek er een kaars aan. Ik spreek mijn dank uit voor het feit dat ik weer een jaar ouder en een jaar dichter bij mijn dood ben.

Toen Marianne me de pijlpunt gaf, zei ze dat ik zou weten wat ik ermee moest doen als het moment daar was. Maar ik weet het nu al. Ik zal hem altijd met trots dragen, en als ik oud ben en mijn einde nadert, zal ik de punt van zijn ketting halen. Ik zal hem op een rechte, zuivere schacht bevestigen en een dierbare vriend vragen om hem door mijn hart te schieten. Misschien zal het Gregor of Sayuri zijn, of iemand die ik nu nog niet ken. De pijl zal naar mijn borst vliegen en als een zegel dat wachtte om verbroken te worden, mijn geboortelitteken opensplijten. Dat zal de derde keer zijn dat een pijl mijn borst doorboort. De eerste keer bracht me bij Marianne Engel. De tweede keer scheidde ons.

De derde keer zal ons herenigen.

Maar ik wil niet al te zwaarmoedig overkomen. Ik heb nog een taak in dit leven.

Na de verdwijning van Marianne ben ik begonnen met beeldhouwen. Waarschijnlijk alleen maar uit eigenbelang, want op die manier voel ik me dichter bij haar. Ik hou van de beweging van staal op steen. De meeste mensen denken dat steen onbeweeglijk en onverzoenlijk is, maar dat is niet zo: steen is als stromend water, als dansend vuur. Mijn beitel vindt zijn weg alsof hij de geheime wil van de steen kent, alsof het beeld het gereedschap stuurt. Maar het vreemdst is dat het zo vanzelfsprekend voelt, alsof ik het eerder heb gedaan.

Ik ben er nog lang niet zo bedreven in als Marianne, en als ik een beeldje maak, ziet het er bijna nooit zo uit als ik het me had voorgesteld. Maar dat geeft niet. Meestal maak ik zelfs geen eigen werk. Het gebeurt vaker dat ik met haar gereedschap het standbeeld van mezelf bijwerk dat Marianne heeft achtergelaten.

Als ik voor mijn eigen beeltenis sta, geneer ik me een beetje, maar ik hou mezelf voor dat dat geen ijdelheid is. Ik kijk niet naar mezelf, maar naar een deel van Marianne Engel dat nog bestaat. Dan pak ik de beitel en richt ik me op een detail – de kromming van mijn elleboog, een plooi in mijn verbrande huid – en sla met de hamer. Met elke klap verdwijnt er een stukje van mezelf. Ik kan er elke keer maar een klein schilfertje af slaan, want bij elk stukje steen dat op de grond valt, komt het moment dichterbij dat ik niets meer ben.

Volgens de Drie Meesters zou Marianne Engels geliefde weten waarom hij haar laatste hart moest loslaten om haar te bevrijden. En dat is zo: het einde van haar boetedoening was het begin van de mijne. Het moment dat ik haar ongehinderd het water in liet lopen, was het begin van mijn taak, want iemand is niet in één keer vrij. Het is een doorgaand proces dat mijn hele leven zal duren, en ik mag van mezelf pas sterven als ik het laatste restje van mijn beeld heb weggeslagen.

Bij elk vallend stukje steen hoor ik de stem van Marianne Engel. *Ik hou van je. Aishiteru. Ego amo te. Ti amo. Ég elska þig. Ich lie-*

be dich. Hij beweegt zich door de tijd en bereikt me in alle talen van de wereld, en klinkt als pure liefde.

Ik ben veel dank verschuldigd aan Angela Aki, dierbare vriendin en de eerste die dit boek onder ogen kreeg; Liuba Apostolova, Marty Asher, Jamie Byng, Anne Collins, Gerry Howard, Anya Serota en Bill Thomas, de eersten die erin geloofden; de familie Brattis, mijn tweede thuis; iedereen van Canongate, Doubleday, Janklow & Nesbitt, Random House Canada; dr. Linda Dietrick en dr. Ann-Catherine Geuder, adviseurs bij alle germanistische aangelegenheden; de redacteuren (Anne, Gerry en Anya) die met elegante scalpels hielpen om de dode stukjes te debrideren; dr. Kathy J. Edwards, die geduldig al mijn brandende vragen beantwoordde; Helen Hayward, moord-lerares; mijn internationale proeflezers Kyoko Aoyama, Yoichi Takagi en Miko Yamanouchi (Japans), Úa Matthíasdóttir (IJslands) en Giuseppe Strazzeri (Italiaans); Eric Simonoff, de pleitbezorger van het boek; Dorothy Vincent, die het boek de wereld over bracht; de uitgeverijmedewerkers die onmisbaar zijn voor het regelwerk, in het bijzonder Katie Halleron, Eadie Klemm en Alexa Von Hirschberg; Joe Burgess, Kirby Drynan, Liz Ericksson, Kevin en Alex Hnatiuk, Alison en Helen Ritchie en Paige Wilson, vrienden die feedback gaven; mijn familie, voor hun steun en liefde; en Harley en Fjola, voor alles.

De volgende bronnen ben ik zeer erkentelijk: *Medieval Germany, an Encyclopedia*, bewerkt door John M. Jeep; *The Mystics of Engelthal: Writings from a Medieval Monastery*, door Leonard P.

Hindsley; *Henry Suso, the Exemplar, with Two Sermons*, vertaald, bewerkt en ingeleid door Frank Tobin; *Light, Life and Love: Selections from the German Mystics of the Middle Ages*, bewerkt door W.R. Inge; *The Inferno*, door Dante Alighieri, vertaald door Robert Hollander en Jean Hollander; *The Divine Comedy: The Inferno, The Purgatorio, and The Paradiso*, door Dante Alighieri, vertaald door John Ciardi; *Surviving Schizophrenia: A Manual for Families, Consumers, and Providers* (vierde duk), door E. Fuller Torrey, M.D.; *Rising from the Flames: The Experience of the Severely Burned*, door Albert Howard Carter III, Ph.D. en Jane Arbuckle Petro, M.D.; *Severe Burns: A Family Guide to Medical and Emotional Recovery* door Andrew M. Munster, M.D. en de staf van het Baltimore Regional Burn Center; *Holy Terrors: Gargoyles on Medieval Buildings*, door Janetta Rebold Benton (met daarin de legende van La Gargouille, de draak); de website *Viking Answer Lady*; en de King James-bijbel.